भारत का इतिहास

भारत का इतिहास

(एक नवीन दृष्टिकोण)

किट्टु रेड्डी

PUBLICATIONS

कल्पज़ पब्लिकेशन्स

दिल्ली–110052

भारत का इतिहास

रुपये 890

ISBN: 81-7835-657-0

मूल अंग्रेज़ी से हिन्दी में अनुवाद: गज़ेन्द्र पाराशर

प्रकाशन वर्ष 2008
कल्पज़ पब्लिकेशन्स
सी-30, सत्यवती नगर, दिल्ली-110052
ई-मेल: kalpaz@hotmail.com
अक्षर मुद्रांकन: क्विक मीडिया, दिल्ली
सिंगल प्रिन्ट मीडिया, दिल्ली

विषय-सूची

भाग–2

दो शब्द

किट्टु रेड्डी इस पुस्तक में भारत के इतिहास को एक नये दृष्टिकोण से प्रस्तुत करते हैं। यह भारत के अनादि काल से लेकर 1947 में पाई गई स्वतंत्रता के समय तक की अत्यन्त महत्वपूर्ण आन्तरिक यात्रा के आन्दोलन का एक द्रुतगामी वृतान्त है। यह भारत की आध्यात्मिक प्रतिभा का एक अद्भुत अवलोकन प्रस्तुत करती है एवं भारत के भारत के स्वस्थ बौद्धिकता व अदभुत प्राणशक्ति के महत्वपूर्ण घटकों को भी प्रस्तुत करती है।

इतिहास जैसा कि सामान्यतः संसार भर में पढ़ाया जाता है, प्रायः मानव जीवन के मनोवैज्ञानिक घटनाओं को त्यागते हुए, उसकी बाह्य तथा प्रत्यक्ष घटनाओं पर बल देता है। इसलिये इसमें कोई अचम्भा नहीं कि बाह्य आंकड़ों, कानूनों, परिस्थितियों, आर्थिक, सामाजिक एवं राजनैतिक घटनाओं पर अत्यधिक महत्व दिया जाता है, जबकि मानव जीवन के इतने आवश्यक गहरे मनोवैज्ञानिक तत्व, मानसिक गतिविधियों, भावनाओं व कल्पनात्मक पहलुओं को उपेक्षित किया जाता है। प्रसन्नतावश, आज एक नई दिशा संस्कृति व सभ्यता को एक स्वरूप देने गें गनोवैज्ञानिक शक्तियों के महत्व को पहचान दे रही है।

यह पुस्तक भारत के इतिहास को और भी गहरे तथा एक मनोवैज्ञानिक स्तर पर प्रस्तुत करने का एक प्रयास है। यह एक नई राह प्रदान करती है तथा लेखक बधाई के पात्र हैं, जिन्होंने उस अंतर्दृष्टि को प्रदान किया है जिसके द्वारा भारत के लोगों के विकास के विभिन्न पहलुओं को समझाया गया है।

यह अपने प्रकार का प्रथम प्रयास है, अतः लेखक का भारत व संसार के अध्ययन को ध्यान में रखते हुये, यह प्रयास भारत के तथा अन्ततः विश्व के सभ्यता तथा संस्कृति के विकास के रहस्यों में मनोवैज्ञानिक दूरदृष्टि प्रदान करने में ऐसे ही प्रयासों का मार्गदर्शक सिद्ध होगा।

नई दिल्ली

किरीट जोशी

परिचय

वह फरवरी 1973 का महीना था। श्री अरविन्द अन्तर्राष्ट्रीय शिक्षा केन्द्र के तीन अध्यापक श्री मां के साथ शिक्षा के संबंध में विवेचन कर रहे थे। इसी दौरान श्री मां ने टिप्पणी की कि यह आवश्यक है कि इतिहास की पुस्तकों को विशेषतया भारत के इतिहास को, श्री अरविन्द के दृष्टिकोण से लिखा जाए। उन्होंने मेरी ओर देखा और मुझे प्रेरित किया कि यह कार्य मैं कर सकता हूँ। यह इस पुस्तक की उत्पत्ती है। कई वर्ष पहले श्री अरविन्द ने Human Cycle नामक पुस्तक में लिखा था:

"पश्चिम जगत में मानव जाति के तमाम ऐतिहासिक समय पर समाज के प्रत्यक्ष दृष्टिकोण का ही साम्राज्य रहा है। पूर्वी जगत में यह काफी प्रबल रहा लेकिन पूर्णतया लिप्त नहीं हुआ है। शासकों, लोगों व समान रूप में विचारकों ने अपने राष्ट्रीय अस्तित्व को एक राजनैतिक व्यवस्था, उसकी सीमाओं का विस्तार, उसके आर्थिक स्थिति एवं विस्तार, उसके कानूनी, संस्थाओं व इन वस्तुओं के कार्यकलापों के रूप में ही समझा है। इसी कारण राजनैतिक व आर्थिक मुद्दे ही सब ओर सतह पर प्रभावशाली रहे हैं और इतिहास इनके कार्यकलापों व प्रभाव का एक अभिलेख रहा है। एक व्यक्तिगत एवं मनोवैज्ञानिक शक्ति जो सचेत रूप से स्वीकार की गई है तथा मुश्किल से अस्वीकार योग्य है, वह सदा व्यक्ति की ही रही है। इसका महत्व इतना अधिक है कि लगभग सभी आधुनिक इतिहासकारों ने तथा कुछ राजनैतिक विचारकों ने निष्कर्ष निकाला है कि वास्तव में प्रत्यक्ष आवश्यकताएँ हीं प्राकृतिक नियमानुसार निर्धारण करने वाली शक्तियाँ हैं; बाकी सब इन्हीं शक्तियों का फल या बाहरी घटनाऐं हैं। प्रमाणिक इतिहास को राजनैतिक क्रियाओं के परिपेक्षत: उद्देश्यों, आर्थिक शक्तियों की क्रिया व विकास तथा संस्थापणिक विकास क्रम का मूल्यांकन व अभिलेख समझा गया है। वे कुछेक जो मनोवैज्ञानिक तत्व की अभी भी कीमत जानते हैं उन्होंने अपनी नजर व्यक्तियों पर टिकाई हुई है और वे इतिहास को आत्मकथाओं के समूह के रूप में मानने से बहुत दूर नहीं हैं। भविष्य का अधिक सच्चा और अधिक परिपूर्ण विज्ञान देखेगा कि ये परिस्थितियाँ राष्ट्रीय विकास के अपूर्ण आत्मचेतन के समय पर ही लागू होती हैं। तब भी एक अधिक शक्तिशाली व्यक्तिगत शक्ति, व्यक्तिगत

संस्थाओं के बदलाव के पीछे से कार्य करती रही है; लेकिन यह अधिकतर, सचेत मन के स्थान पर अंतश्चेतनस्वरूप के रूप में, अवचेतना पर कार्य करती रही है।''

यह पुस्तक, बाह्य घटनाओं से ध्यान हटाए वगैर, भारत के इतिहास को व्यक्तिगत दृष्टिकोण से लिखने का प्रयास है; इसके फलस्वरूप यह पुस्तक बाह्य हुई घटनाओं के प्रत्यक्ष वृतांत को एक अधिक विस्तृत व अर्थपूर्ण रूप देगी। जीवन के प्रति भारतीय लोगों का दृष्टिकोण प्रायः व्यक्तिगत रहा है; भारत में बाह्य जीवन से ज्यादा आन्तरिक जीवन पर अधिक ध्यान दिया गया है। इसीलिए भारत का इतिहास व्यक्तिगत रूप में समझने व अवलोकन करने की अधिक माँग करता है। वैदिक व उपनिषदिक काल के महान धर्म ग्रंथों तथा श्री राम व श्रीकृष्ण के आध्यात्मिक प्रतिभाओं के वगैर भारत भारत नहीं रहता। यह अन्तर्दृष्टि भारतीय संस्कृति का एक विशेष लक्षण रही है।

इसके अतिरिक्त गम्भीर चिंतकों के लिये यह स्पष्ट है कि तमाम मानवीय व्यवहार, चाहे वह व्यक्तिगत या सामूहिक स्तर पर हो, एक आन्तरिक मनोवैज्ञानिक दशा का प्रत्यक्ष परिणाम है। इसी संदर्भ की रौशनी में भारत के इतिहास की घटनाओं को मनोवैज्ञानिक दृष्टि से व्याख्या करने का प्रयास किया गया है। इसका यह अर्थ नहीं कि बाह्य घटनाओं का कोई महत्व नहीं बल्कि वे बहुत महत्वपूर्ण हैं। लेकिन उनको आंतरिक मनोवैज्ञानिक दृष्टिकोण से देखा जाना चाहिए। उनके महत्व उस अर्थ में है जो एक सच्ची व्यक्तिगतता ही उन्हें दे सकती है।

साथ ही साथ, इतिहास में सबसे शक्तिशाली व्यक्तिगत शक्तियों में से एक शक्ति व्यक्ति की रही है। किसी राष्ट्र के इतिहास में ऐसे क्षण भी आते हैं जब एक व्यक्ति के व्यक्तित्व के इर्द-गिर्द घटनाएँ घूमती हैं। इसीलिए इस पुस्तक में व्यक्तियों के व्यक्तित्वों पर बल डाला गया है।

तथापि, यह अवश्य बताना होगा कि इस पुस्तक में भारतीय इतिहास के सभी बारीकियों को नहीं लिया गया है; ऐसी मंशा भी नहीं थी। यह भारत के इतिहास का एक सामान्य अवलोकन करती है जिसमें व्यक्तिगत तत्वों पर बल दिया गया है।

यह आशा की जाती है कि यह पुस्तक इतिहास को आन्तरिक दृष्टिकोण से अध्ययन करने में सहायक सिद्ध होगी एवं इतिहास की भूमिका को गहराई से समझने की ओर ले जाएगी।

मैं इस अवसर पर "श्री अरविन्द एक्शन" नामक पत्रिका तथा उनके सम्पादक श्री श्यामसुन्दर झुनझुनवाला को धन्यवाद देना चाहूँगा जिन्होंने मुझे पुस्तक को इस रूप में लाने से पूर्व इन लेखों को छपवाने के लिये प्रोत्साहित किया।

मैं श्री किरीट जोशी जी का भी अत्यधिक धन्यवाद प्रकट करना चाहूँगा जिन्होंने मुझे प्रोत्साहित किया और इस पुस्तक को ध्यानपूर्वक पढा एवं मूल्यवान समीक्षा और सुझाव दिए; इस पुस्तक की अन्तिम प्रतिलिपी बनाने में ये सुझाव और टिप्पणियाँ बहुत मूल्यवान सिद्ध हुई।

अन्त में, मैं अपने सभी चाहने वालों और मित्रों को धन्यवाद देना चाहूँगा जिन्होंने अनेकों ढंग से इस पुस्तक को नया रूप देने में मेरी सहायता की है तथा सदा प्रोत्साहन के स्रोत रहे हैं।

पांडिचेरी

किट्टु रेड्डी

भाग–1

1

इतिहास का अध्ययन

इस अध्याय में हम इतिहास के अध्ययन से संबंधित कुछ मूल तथा आवश्यक धारणाओं का परिचय करवाऐंगे। ये निम्नलिखित बिन्दुओं को छूते हैं।

- इतिहास हमें क्या सिखाता है तथा इसके स्रोत क्या हैं?
- मानव जीवन की बाह्य घटनाओं तथा आन्तरिक मनोवैज्ञानिक अवस्था का संबंध।
- इतिहास में व्यक्ति का महत्व।
- क्या जीवन का कोई उद्देश्य है और क्या इतिहास हमें इसे ढूंढ़ पाने में कोई सहायता कर सकता है तथा मानव जीवन को एक दिशा प्रदान कर सकता है?

हम इन प्रश्नों को लेकर इन पर थोड़े समय में एवं संक्षिप्त रूप से कुछ प्रकाश डालने का प्रयास करेंगे।

इतिहास हमें क्या सिखाता है?

इतिहास, जैसा कि आम तौर पर समझा जाता है, मनुष्य की गाथा है। यह उसके आदिकालीन अवस्था से अब तक के विकास की कहानी है। इसको सभ्यता व संस्कृति का विकास कहा जाता है। हम सीखते हैं कि कैसे मनुष्य ने अपने आरंभिक काल के यंत्रों का प्रयोग करके धीरे-धीरे अपने परिपेक्ष को काबू में किया व उस पर अधिकार किया; हम उसके राजनैतिक व सामाजिक व्यवस्थाओं के विकास तथा उसके साम्राज्यों व राज्यों के बनने व टूटने की गाथा का अध्ययन करते हैं। हम कला और संस्कृति के सभी विभिन्न पहलुओं का विकास तथा मनुष्य के आन्तरिक जीवन की प्रफुल्लता देखते हैं। कुल मिलाकर, हम देखते हैं कि मानव ने कैसे विकास किया है।

अब हम यह जानने की कोशिश करेंगे कि विकास क्रम से हम यथार्थ रूप में क्या समझते हैं। जब हम कहते हैं कि मनुष्य ने विकास किया है, हमारा

मतलब है कि उसने चेतना और जागरूकता की नई शक्ति का विकास किया है। यह शक्ति ना केवल उसे अपने बाह्य संसार के प्रति बल्कि उसके आंतरिक संसार के प्रति भी सचेत करती है। दूसरे शब्दों में वह सजग व स्व-सचेत दोनों ही हो जाता है और यह इसलिए संभव है क्योंकि उसने अपने अन्दर तर्क नामक एक नई शक्ति व क्षमता का विकास किया है। यही क्षमता है जो मनुष्य व पशु में इतना अधिक अन्तर पैदा कर देती है। इसके साथ है एक और गुण जो कि सिर्फ मनुष्य का विशेषाधिकार है-बौद्धिक इच्छा। यह एक ऐसा गुण है जिसके द्वारा वह अपने मन व तर्क से जो भी देखता व समझता है उसे प्रयोग व व्यवहार में लाता है। यह दो शक्तियाँ-तर्क व बौद्धिक इच्छा-शक्ति उसके प्रगतिशील विकास क्रम का रहस्य हैं। हम इन दो शक्तियों का प्रयोग मनुष्य के सभी कार्यक्षेत्रों में विशुद्ध और व्यावहारिक विज्ञान में, सामाजिक व राजनैतिक उत्थान में, उसके कला और संस्कृति में तथा ज्ञान के सभी क्षेत्रों में देखते हैं। इसीलिए इतिहास पढ़ते समय, जो मुख्यत: मानव जीवन के बाह्य तथ्यों के साथ संबंधित है, हम इस मौलिक सत्य को ध्यान में रखेंगे कि मानव की प्रगति मूल रूप से इन दो शक्तियों के कारण है-तर्क व बौद्धिक इच्छा-शक्ति।

लेकिन साथ ही साथ, हम यह भी ध्यान में रखेंगे कि मनुष्य में एक और प्रेरणा रही है-एक उच्चतर प्रेरणा, जिसने उसको मानसिक शक्ति से एक उच्चतर शक्ति प्रदान की है और यह शक्ति है आध्यात्मिक शक्ति। इतिहास में ऐसे भी क्षण आए हैं, जब इस उच्चतर शक्ति ने दोनों, व्यक्तिगत तथा सामूहिक मानवों, को सचेत किया है या कम से कम छूआ है। इस शक्ति ने दूसरी सभ्यताओं को भी प्रभावित किया है पर भारतीय इतिहास के संदर्भ में यह विशेष रूप से सत्य है। मानव जीवन को इन समयों के बहुत अच्छे और लाभदायक फल प्राप्त हुए हैं। हमें इतिहास पढ़ते समय इस बात को भी ध्यान में रखना पड़ेगा। कुल मिला कर इतिहास का अध्ययन मनुष्य जीवन की बाह्य घटनाओं के विभिन्न पहलुओं के साथ सबंधित है; लेकिन साथ ही साथ हमें यह भी याद रखना चाहिये कि वे शक्तियाँ जो इन घटनाओं और मानव जीवन की प्रगति को उकसाती हैं वे हैं तर्क, बौद्धिक इच्छा-शक्ति व उच्चतर-आध्यात्मिक शक्ति।

इतिहास के स्रोत

यह एक स्वाभाविक प्रश्न है जो हम सभी पूछते हैं और जिसके बारे में सोचते हैं कि हजारों वर्ष पहले जो हुआ है उसके बारे में हम कैसे जानते हैं? हमारे ज्ञान के क्या स्रोत हैं? हम इन प्रश्नों का संक्षिप्त रूप में उत्तर देने का प्रयत्न करेंगे।

प्राचीन इतिहास के मुख्यतः चार प्रमुख स्त्रोत हैं–

(क) पुरातत्व

(ख) साहित्य

(ग) पौराणिक गाथाएँ

(घ) नए तकनीकी साधन

पुरातत्व

प्राचीन इतिहास का एक सबसे मुख्य स्त्रोत रहा है पुरातत्व। इसमें भूतकाल के मानव जीवन और क्रियाकलापों के भौतिक अवशेषों का वैज्ञानिक अध्ययन सम्मिलित है; इसमें जीवाश्म, अस्थी अवशेषों तथा स्मारकों आदि का अध्ययन होता है। कई बार ये सतह पर ही पाए जाते हैं और विशेषज्ञ तथा वैज्ञानिक इन्हें लेकर एक विस्तृत खोजबीन करते हैं। आम तौर पर हमें भूमितल से नीचे गहरे में खुदाई करनी पड़ती है। ऐसी खुदाइयों के कारण हमें बहुत दिलचस्प खोजों के अद्‌भुत उदाहरण मिल चुके हैं। भारत में मोहनजोदड़ों व हड़प्पा तथा लघु एशिया में ट्रोय ऐसे उदाहरण हैं; पूरे के पूरे कस्बे मिले हैं जिनके द्वारा हमें उन कालों के लोगों की सभ्यता के बारे में विस्तृत जानकारी प्राप्त हुई है।

साहित्य एवं पौराणिक गाथाएँ

प्राचीन समय के हमारे ज्ञान का एक और मुख्य स्त्रोत है साहित्य। महाकाव्य, नाटक, पद्य साहित्य और धर्म-ग्रंथ ये सभी मानव के प्राचीन साहित्य में सम्मलित हैं। ये सभी प्राचीन मानव के जीवन और विचारशैली पर अत्यधिक प्रकाश डालते हैं। महाकाव्यों ने विशेष तौर पर हमें प्राचीन सभ्यताओं का बहुत सजीव चित्रण दिया है, उदाहरणार्थ, हमारे पास भारत में रामायण तथा महाभारत हैं और यूनान में इल्लियड। ये दो भारतीय महाकाव्य हमें ना केवल राजनैतिक और सामाजिक व्यवस्थाओं का सजीव वृतांत देते हैं बल्कि उन दिनों के भारत के लोगों का मार्गदर्शन कराने वाले मूल्यों और आदर्शों का सुन्दर चित्रण भी करते हैं। इनमें से कई मूल्यों का आज भी भारत के लोग पालन करते हैं और इस देश की विशाल जनसंख्या पर अभी भी इनका गहरा प्रभाव है।

इसी प्रकार मानव के धर्म-ग्रंथ, जैसे कि वेद, उपनिषद तथा गीता, हमें धर्म का तथा भारत के लोगों के गहरे आध्यात्मिक मूल्यों का मार्ग दिखाते हैं। इन धर्म-ग्रंथों का समाज पर गहरा प्रभाव रहा है तथा उन्होंने ऐसे आन्दोलनों को जन्म दिया है जिनका इतिहास पर गहरा प्रभाव भी पड़ा है। यही रंग-मंच और पद्य साहित्य के बारे में कहा जा सकता है। तथापि यह कहा जा सकता कि

किसी समाज के साहित्य में बहुत-सी कल्पनात्मक दंत-कथाएँ होती हैं लेकिन ये सच्चे अर्थों में इतिहास का भाग नहीं होती। कई लोग यह भी शक करते हैं कि ईसा मसीह और श्रीकृष्ण का कभी अस्तित्व हुआ भी था तथापि कोई इस बात से इंकार नहीं कर सकता है कि इनका समाज के बड़े समुदायों और इतिहास पर प्रभाव रहा है।

यह सब दिखाता है कि मनुष्य का बाह्य जीवन उसे चलाने वाले विचारों और मनोवैज्ञानिक शक्तियों से बहुत प्रभावित होता है और इसलिए इतिहास के अध्ययन में इनको सही स्थान देना चाहिए। यह हमें अगले विषय की ओर अग्रसर करता है।

नये तकनीकी तरीके

आज इतिहास के अध्ययन में नए तरीके प्रयोग में लाये जा रहे हैं। इसके अन्तर्गत उपग्रह द्वारा चित्र लेना, कार्बन विधि जिसमें तिथियों को निर्धारित किया जाता है, तथा और कई ढंग आते हैं जिनका हम यहाँ विवेचन नहीं करेंगे। इतना कहना काफी होगा, कि तकनीकी विज्ञान के विकास से हम मानव के भूतकाल की अधिक से अधिक सटीक जानकारी प्राप्त कर सकते हैं।

बाह्य घटनाओं तथा मनोवैज्ञानिक स्थिति के बीच संबंध

इस पुस्तक में एक विषय, जिस पर हम बल डालेंगे, वह है मानव के आंतरिक और बाह्य संसारों का संबंध; दूसरे शब्दों में क्या मनुष्य की मनोवैज्ञानिक स्थिति उसके बाहर के व्यवहार व परिस्थितियों पर प्रभाव डालती है या उसकी बाहर की परिस्थितियाँ और व्यवहार उसके जीवन को निर्धारित करते हैं। इस पुस्तक में हम यह दिखाने का प्रयत्न करेंगे कि बेशक मनुष्य एक भौतिक प्राणी है और उस पर स्थूल पर्यावरण का प्रभाव पड़ता है तथापि वह मुख्यत: एक मन है तथा अधिक विकासशील अवस्था में एक आध्यात्मिक प्राणी है।

अब हम इतिहास में घटित कुछ घटनाओं के उदाहरण देंगे जहाँ धारणा और विचार-शक्ति के प्रभाव बाह्य घटनाओं के लिये अत्यधिक सहायक रहे हैं। एक ऐसा ही उदाहरण फ्रांस की क्रांति रही है। यह कहा गया है कि फ्रांस की क्रांति मुख्यत: राजनैतिक और आर्थिक कारणों से हुई थी। इसमें कोई शक नहीं है कि गरीबी और खाद्य की कमियों ने एक मुख्य भाग खेला था; इसी प्रकार उच्च श्रेणियों के पूर्ण आधिपत्य पर आधारित राजनैतिक प्रथा, बहुत बड़े तरीके से क्रांति के प्रारम्भ होने का कारण थी, लेकिन इस बात से इन्कार नहीं किया जा सकता कि रूसो और वोल्तेर व अन्य लेखकों तथा बुद्धिजीवियों के लेख ही सारा अन्तर लाये, क्योंकि यूरोप के अन्य देशों में भी राजनैतिक और आर्थिक

हालात और भी बदतर थे-ये वास्तव में बुद्धिमानों के विचार ही थे जिन्होंने घटनाओं को दिशा दी थी। इसी प्रकार, एक सदी के पश्चात, कार्ल मार्क्स और ऐंजल के लेखों के कारण रूस में क्रांति हुई थी। यह स्पष्ट हो जाना चाहिए कि मनुष्य के ऐतिहासिक विकासक्रम में धारणाओं की शक्ति का बहुत महत्वपूर्ण योगदान है।

व्यक्ति की भूमिका

अब हम एक और प्रश्न उठाएगे जो प्रायः कइयों के मन को कचोटता है। मानव जाति की प्रगति तथा साधारण मानवीय जीवन में एक व्यक्ति का क्या महत्व है? वास्तव में क्या व्यक्ति की कोई भूमिका है भी या नहीं, या यूँ कहें कि, समाज के आन्दोलन और विभिन्न शक्तियाँ ही प्रगति और बदलाव लाकर मनुष्यों को चलाती हैं। हम इस पुस्तक में व्यक्ति का महत्व दिखाने का प्रयत्न करेंगे तथा एक तरह से यह भी कि मनुष्य जाति की प्रगति का प्रारम्भ व्यक्तिगत प्रयास द्वारा ही हुआ है। व्यक्ति आगे चलता है और समाज जितना हो सके इसका अनुसरण करता है।

एक राष्ट्र के भाग्य को बदलने वाले व्यक्तियों के स्पष्ट उदाहरण हाल ही के समय में भली भांति मिले हैं। फ्रांस पर नेपोलियन का गहरा प्रभाव पड़ा था, हिटलर का जर्मनी पर प्रभाव कम नहीं आँका जा सकता ना ही इंग्लैंड के इतिहास के रूख पर चर्चिल का गहरा प्रभाव। भारत में हाल ही गें गांधी के व्यक्तित्व ने भारतीय राजनीति को एक खास छाप दी है। और ये सभी आन्दोलन इसलिये संभव हुये क्योंकि इनके केन्द्र में कुछ खास और विशेष गुणों वाला एक व्यक्ति रहा है। यह सामूहिक महत्व को अस्वीकार करने के लिये नहीं बल्कि यह दिखाने के लिये है कि मानव जाति के विकास क्रम में मनुष्य का व्यक्तिव एक प्रबल भूमिका और कई बार सबसे महत्वपूर्ण भूमिका निभाता है। वास्तव में ऐसे भी इतिहासकार हैं जो इतिहास को आत्मकथाओं का संग्रह मानते हैं और यदि हम उनके दृष्टिकोण से पूर्णतया सहमत न हों तब भी हमें मानव की प्रगति में व्यक्ति के महत्व का सही मूल्यांकन करना चाहिये।

जीवन का लक्ष्य–इतिहास किस प्रकार हमारी सहायता कर सकता है

यह अन्तिम लेकिन सबसे महत्वपूर्ण विषय है जो हम संक्षिप्त विवेचन में लेंगे। हमें विश्वास है कि मानवीय जीवन का एक लक्ष्य है, एक अर्थ है, तथा यह लक्ष्य एक विकास क्रम के द्वारा पाया जाता है। वर्तमान के क्षणों में मनुष्य विकास क्रम की सीढ़ी में मानसिक स्तर का द्योतक है। केवल इसी कारण वह जानवर से भिन्न तथा उच्च है, लेकिन मनुष्य को यह अवस्था भी लांघनी होगी

तथा चेतना व पूर्णता के एक उच्चतर स्तर को प्राप्त करना होगा। मानवीय जीवन का प्रारम्भ व लक्ष्य इस प्रकार पहले अपने मन का विकास करने का तथा उसके उस पार एक अधिक पूर्णता की ओर जाने का है। इतिहास इस प्रयास में हमारी केसे सहायता कर सकता है?

यह कहा जा सकता है कि सभी अध्ययन या कम से कम उसका मुख्य भाग, भूतकाल का विश्लेषण करना होता है। यही इतिहास के साथ भी है, लेकिन हमें बहुत ध्यान रखना होगा कि हम भूतकाल में ही न रहें। हमारा ध्येय यह दिखाने का रहेगा कि भूतकाल में हुआ सब कुछ वर्तमान को तैयार करने में सहायक रहा है तथा इसी प्रकार वर्तमान काल भविष्यकाल को तैयार कर रहा है। भूतकाल को अपने आधार के रूप में तथा वर्तमान को एक स्प्रिंग या फलक बनाकर हमें भविष्य में छलांग लगाने की तैयारी करनी चाहिए। इस दृष्टि से यदि देखा जाए तो इतिहास के अध्ययन का अधिक लाभ हो सकता है।

2

भारतीय इतिहास की उत्पत्ति

भारतीय सभ्यता सभी ओर से सबसे प्राचीन सभ्यता मानी गई है। सभी प्राचीन सभ्यताओं की भांति इस सभ्यता के सही प्रारम्भ का पता लगाना सदा आसान नहीं रहा है। फिर भी, उन्नीसवीं सदी के प्रारम्भ से मुख्यत यूरोपियन विद्वानों तथा भारतविज्ञों के द्वारा अत्यधिक अध्ययन और खोजबीन की गई। कई सिद्धांत प्रस्तुत किए गए जो लम्बे समय तक भारत के इतिहास के आधार मान लिए गए। तथापि, हाल ही में अति आधुनिक व वैज्ञानिक खोजबीन के आधार पर इनमें से कई सिद्धांतों पर प्रश्न चिन्ह लगाए जा रहे हैं और नए सिद्धांत प्रस्तुत किये जा रहे हैं। यह सिद्धांत मुख्यत: निम्नलिखित से संबंधित हैं:

भारत पर आर्यों का आक्रमण तथा आर्य एवं द्रविड़ जातियों का सिद्धांत।

मोहनजोदड़ो और हड़प्पा की सभ्यताओं का स्थान। क्या इनको भारत में कथित आर्यों के आगमन से पहले या पश्चात रखा जाए।

वेदों का महत्व तथा सार्थकता।

ये इतिहास के सिद्धांत उन्नीसवीं सदी की यूरोपीयन विद्वत्ता के सार हैं और अभी भी इस देश में प्रचलित हैं। यह इतिहास अनुमानों पर अधिक आधारित है और हाल ही के पुरातत्व, भौगोलिक, आनुवांशिक या खगोल शास्त्र के क्षेत्रों से मिले सार्थक वैज्ञानिक प्रमाणों को नकारता रहा है। इस अध्याय में हम इन विवादों को उठाऐंगे तथा दिखाऐंगे कि भारत के समस्त प्राचीन इतिहास को नई खोजों के संदर्भ में देखना आवश्यक हो गया है।

पिछले कुछ दशकों के दौरान हमने जो पाठ्य-पुस्तकें पढ़ी हैं उनमें हमें बताया गया है कि वैदिक-आर्य इस देश के प्रथम आक्रमणकारी थे। यह चित्र जो बनाया गया है, इसके मुताबिक आर्यों के झुण्ड अफगानिस्तान के दर्रों से होते हुए आये और स्वदेशी हड़प्पन संस्कृति को जो वास्तव में द्रविड़ थी, नष्ट किया। किसी ऐसी घटना के होने का प्रमाण किसी भी प्राचीन भारतीय, उत्तरी या दक्षिणी अभिलेखों में नहीं है, व सदा ही इस तथ्य की उपेक्षा की गई है। यह सिद्धांत कभी भी अपने आपको सिद्ध करने में सक्षम नहीं हो पाया है।

आर्य आक्रमण के सिद्धांत की जड़े

आइये अब हम देखें कि यह आर्य आक्रमण का सिद्धांत कैसे अस्तित्व में आया। श्री एल. पोलियाकोव के अनुसार इस सिद्धांत का मूल अठारहवीं सदी में हुआ जब यूरोपियन लोग स्वयं को जूडाइज़्म के मूल से अपने आप को अलग करने के प्रयत्न में जुटे हुए थे और अपने सच्चे तथा सही मूल या प्रारम्भ की खोज कर रहे थे। प्राचीन यूरोपियन भाषाओं और संस्कृत भाषा में समानताएँ होने के कारण यूरोपियों का मूल भारत की ओर इंगित होता लगता था। लेकिन उस समय के इतिहासकार राजनैतिक विवशताओं के कारण, अंग्रेजों को मूर्तिपूजक भारतीयों से श्रेष्ठ दिखाना चाहते थे। इसलिए जब उन्होंने लैटिन व यूनानी भाषाओं जैसी प्राचीन यूरोपियन भाषाओं की संस्कृत के साथ समानताएँ देखीं तो वे यूरोपियों का भारतीयों पर नेतृत्व होने के प्रमाण स्वरूप दिखानें के लिए उत्सुक हो गये। इन उद्देश्यों को पूरा करने के लिए, उन्होंने आर्यों की असल मातृभूमि की धारणा मध्य एशिया में कर दी, जहां से उन आर्यों ने यूरोप और एशिया पर आक्रमण करने का निश्चय किया। इस आक्रमण का कोई कारण नहीं दिया गया। इस सिद्धांत के एक बार स्थापित होने के उपरान्त जो ऐतिहासिक अनुसंधान हुआ, वह इसी राजनैतिक दृष्टि से प्रेरित था।

कई प्रमुख विद्वानों और प्रमुख व्यक्तियों-जैसे स्वामी विवेकानन्द तथा श्री अरविन्द ने इस सिद्धांत का शुरू से ही विरोध किया था। तब भी, आर्य आक्रमण के सिद्धांत को प्रसारित किया गया तथा आज भी यह भारत में विस्तृत रूप से प्रचलित है।

आइये अब हम इस सिद्धांत को पुरातत्व तथा वैज्ञानिक प्रमाणों के प्रकाश से बने एक नये संदर्भ में देखें। इन नये प्रमाणों को जानने से पहले हम उन आधारों को देखें जिन पर आर्य आक्रमण व इसके उपप्रमेयों के सिद्धांत स्थापित थे। यह सिद्धांत तीन आधारों पर स्थापित थे–

1. भारत में दो प्रमुख जातियाँ हैं–आर्य तथा द्रविड़।
2. यहां भारत में दो स्पष्ट भाषाओं के समूह हैं–संस्कृत व संस्कृत-रहित या उत्तरी व दक्षिणी भारत की भाषाएँ।
3. वेद स्वयं आर्य और दस्यु का बारम्बार वर्णन करते हैं, जो लम्बे व गौर वर्ण उत्तरी भारतीयों और नाटे व सांवले द्रविड़ों को इंगित करते हैं।

आज इन सिद्धांतों में से हरेक पर गंभीरतापूर्वक प्रश्न चिन्ह लगाया जा रहा है और वास्तव में इनकी प्रमाणिकता को संदेहपूर्ण सिद्ध किया जा रहा है। नऐ

पुरातत्व प्रमाण–सबसे महत्वपूर्ण सरस्वती नदी का–तथा नई और आधुनिक तिथि पद्धति, संपूर्ण आर्य आक्रमण के सिद्धांत को विध्वस्त करती हैं। आर्य आक्रमण के विचार को नये पुरातत्व के प्रमाण, जो इसका विरोध करते हैं, के दृष्टिकोण से दुनिया भर में नकारा जा रहा है।

हाल ही की एक शोध-पत्रिका में तर्क दिया गया है कि भारतीय सभ्यता का स्थानीय विकास कम से कम 6000 B.C. पीछे तक जाता है। इसमें प्रस्तावित किया गया है कि वैदिक काल की प्रसिद्ध सरस्वती नदी पर केन्द्रित महान हड़प्पन या सिन्धु घाटी की शहरी सभ्यता (2600–1900) वैदिक साहित्यिक वर्णनों से काफी मिलती-जुलती थी। यह पत्रिका बताती है कि हड़प्पन सभ्यता का अंत बाहरी आक्रमणों के कारण नहीं बल्कि पर्यावरण के बदलाव के कारण हुआ था, जिनमें से सबसे महत्वपूर्ण सरस्वती नदी का सूखना था। सारांश को ध्यान से पढ़ें–

"–कि पुरातत्व अभिलेख और दक्षिण एशिया की प्राचीन मौखिक व साहित्यिक परम्पराएँ अब एकत्रित हो रही हैं जिनका क्षेत्रीय सांस्कृतिक इतिहास पर महत्वपूर्ण भावार्थ है। कुछ विद्वानों ने प्रस्ताव रखा है कि साहित्य में ऐसा कुछ भी नहीं जिसके द्वारा भारतीय आर्यों को दक्षिण एशिया से सुदूर रखा जाए, और अब पुरातत्व अभिलेख इसको सिद्ध कर रहे हैं।

इस सुगम ऐतिहासिक व्याख्या को जो दक्षिण एशिया के सांस्कृतिक इतिहास पर पिछली अठारहवीं सदी से लादी जा रही है, हम दृढ़तापूर्वक नकारते हैं। ये व्याख्याएँ जो अभी भी प्रचलित हैं इनको यूरोपियों की नस्ल विकेन्द्रीयकरण, उपनिवेशकता, जातिवाद, तथा प्राचीन भाषाई, विरोधता काफी हद तक कमजोर कर देती हैं। अवश्य ही अब समय आ गया है कि ज्यों-ज्यों दक्षिण एशिया के अध्ययन इक्कीसवीं सदी की ओर बढ़ रहे हैं, उभरते आंकड़ों का प्रत्यक्ष रूप से वर्णन हो और ना कि पुरातत्व विधाओं की कड़ी मेहनत से प्रकट किये गये आंकड़ों के विस्तार की परवाह किये बगैर व्याख्याओं को आगे चलाते रहें।"

यह कथन एक माने हुए पश्चिम पुरातत्विज्ञ जो प्राचीन भारत पर विशेषज्ञ "केस पश्चिमी विश्वविद्यालय" के श्री जेम्ज स्केफ्ट के नए लेख "Migration, Philology and South Asian Archeology" का एक भाग है।

सरस्वती नदी

आजकल, वैदिक काल की सरस्वती नामक नदी से संबंधित ठोस प्रमाण हैं। ऋगवेद में सरस्वती नदी को एक "महान नदी" कहा गया है जो हिमालय से शुरू होकर दक्षिण दिशा में बहते हुए अरब सागर की ओर जाती है। वेद

सरस्वती को "नदियों में श्रेष्ठ" व "एक महान नदी", जिसमें सालभर पानी रहता है, के रूप में सम्बोधित करते हैं। एक और महाकाव्य "महाभारत" कहता है कि सरस्वती नदी हरियाणा राज्य के सिरसा शहर के समीप कहीं भूमिगत हो गई।

भारत के लोग आज गंगा को एक पवित्र नदी मानते हैं, लेकिन प्राचीन काल में ऐसा नहीं था। वैदिक काल के लोगों के लिए सरस्वती नदी सर्वश्रेष्ठ पवित्र नदी थी, एक महान नदी जो सिंधु नदी के समानान्तर पर काफी पूर्व की ओर बहती थी। इसको लम्बे समय तक एक पौराणिक नदी माना गया। 1970 के दशक में शुरू किए गए उपग्रही आंकड़ों ने दिखाया कि ऋगवेद के वृतांत के अनुसार एक नदी अवश्य बहती थी। श्री वी.एस. वांककर ने इस खोज का अनुसरण करते हुए कई हजार मील का सर्वेक्षण करते हुए इस प्राचीन नदी की जलधारा के रास्ते को रेखांकित किया। अब हम जानते हैं कि 1900 B.C. तक (यदि इस तिथि से पूर्व ना भी जाऐं तो भी) यह महान नदी पूरी तरह सूख चुकी थी। इसका अर्थ यह हुआ कि वेदों की रचना करने वाले वे लोग 1500 B.C. यानि आर्यों के आक्रमण की मानी गयी तिथि से बहुत पहले भारत में स्थापित हो चुके थे। जिओलोजिकल सोसाइटी आफ इण्डिया ने भी इसे विभिन्न पहलुओं से प्रमाणित किया है।

वंशावली प्रमाण

एक ब्रिटिश पत्रिका "करंट बायोलॉजी" में हाल ही में प्रकाशित लेखों में ऐसे विवरण दिए गए हैं जो भारत के संदर्भ में महत्वपूर्ण हैं। वंशावली प्रयोगों पर आधारित इन लेखों में लिखा है कि एक महत्वपूर्ण पश्चिमी यूरेशियन लड़ी का एक महत्वपूर्ण माइट्रोकॉंडिया डी.एन.ए. भारतीय जनसंख्या में 5.2 प्रतिशत से अधिक मात्रा में नहीं है जबकि यूरोपीयन देशों में यह 70 प्रतिशत से अधिक है। साधारण भाषा में कहा जाय तो इसका तात्पर्य यह है कि वंशावली प्रमाण भी आर्य आक्रमण के माने गए सिद्धांत को नकारती है। सारांश यह है कि ना तो कभी आर्यों का कोई आक्रमण हुआ था और ना ही आर्यों का कोई प्रभावशाली अप्रवास हुआ।

यह अध्ययन आगे यह दिखाता है कि यह वंशावली लड़ी उत्तरी भारत व दक्षिणी भारत में लगभग एक ही अनुपात में उपस्थित है। यह दोबारा इस तथ्य को सिद्ध करती है कि कथित उत्तरी भारत के आर्य और दक्षिणी भारत के द्रविड़ों के बीच में कोई वंशावली विभाजन नहीं है। इस प्रकार नये वैज्ञानिक प्रमाण के अनुसार इन इतिहासकारों द्वारा पैदा किये गये विभाजन का कोई आधार नहीं है।

एक और कारण जिसने इस सिद्धांत की विश्वसनीयता को नकारा है वह है सिंधु घाटी की लिपी की व्याख्या का किया जाना। श्री नटवर झा ने सर्व प्रथम सिंधु घाटी की लिपी की व्याख्या स्थापित की और 1996 में इसकी घोषणा की।

इन अध्ययनों के फलस्वरूप आर्यों के आक्रमण पर आधारित भारतीय इतिहास का ढांचा वैज्ञानिक तथा प्रत्यक्ष अनुसंधानों के द्वारा विध्वंस किया गया। इस ढांचे की प्रमाणिकता पर भी एक गंभीर विवेचन किया गया–दोनों भारतीय तथा पश्चिमी पुरातत्वविज्ञों द्वारा–जिसमें जोर दिया जा रहा था कि उन्हें प्राचीन काल में हुए किसी ऐसे आक्रमण का प्रमाण नहीं मिल रहा था। तथापि, संस्कृत से अनभिज्ञ होने के कारण अधिकतर पुरातत्वविज्ञों को वैदिक सभ्यता से मेल खाते हुऐ पुरातत्व तथ्यों की व्याख्या करने में कठिनाई हुई। श्री नटवर झा का संस्कृत भाषा का ज्ञान और उनके व्याख्याओं का कार्य इस दिशा में एक अगला कदम था तथा तदनुसार परिणामस्वरूप पढ़ी गई लिपियों से प्रत्यक्ष तौर पर हड़प्पनों का ऐतिहासिक संदर्भ उनके पुरातत्वों को आर्य साहित्य से जोड़ता हुआ परिभाषित करता है।

संस्कृत तथा हड़प्पन लिपी के बीच संबंध

जिस वस्तु ने इसको सम्भव किया वह था श्री नटवर झा की वैदिक विद्वता तथा उनका आदिकाल के इतिहास के अध्ययन पर अधिपत्य। उन्होंने दर्शाया कि हड़प्पन शिलालेखों की भाषा वैदिक संस्कृत है तथा उनके लिखित संदेशों का वैदिक साहित्य के साथ एक गहरा संबंध है। हड़प्पनों को एक ऐतिहासिक संदर्भ प्रदान करने की मूलभूत समस्या का इसने अन्ततः समाधान कर दिया। श्री नटवर झा का मार्ग भेदन एक सांख्यिकी कार्यविधि का मूल स्त्रोतों पर प्रयोग के परिणामस्वरूप था जिसके पीछे एक महान विद्वता लिप्त थी। आधुनिक विज्ञान और प्राचीन अभिलेखों को जोड़ने वाले ढंग-उनके आशयों को निकालने का तरीका–इसी ढंग का एक भाग है। इसी समय के दौरान श्री एन. राजाराम भी इसी प्रकार के निष्कर्ष प्राचीन भारत के "सुलभा सूत्र" नामक गणित की पांडुलिपियों, जो भारत के प्राचीन गणित की पांडुलिपियों के नाम से जानी जाती हैं, और हड़प्पन शहरों के भवन निर्माण के मिश्रित अध्ययन पर आधारित थीं। वे लिखते हैं, "हड़प्पन सभ्यता में सावधानीपूर्वक बनाए गए शहरों और निर्माण शैलियों में जो गणितीय यथार्थता दिखाई गई है उसने मुझे विश्वस्त कर दिया था कि इनके भवन निर्माता और निर्माणकारों को उन्नत गणित के काफी ज्ञान की प्राप्ति रही होगी-"सुलभा सूत्रों" में पाऐ जाने वाले ज्ञान के प्रकार की।" इसके

अतिरिक्त हड़प्पन भवन निर्माण तथा वैदिक साहित्य का अध्ययन दर्शाता है कि वैदिक गणित विज्ञान का प्रयोग सावधानीपूर्वक परियोजित हड़प्पन शहरों के रूपरेखा और निर्माण में किया गया था। एक अमरीकी गणितज्ञ श्री ए. सेडनबर्ग ने स्थापित किया है कि पुरानी बैबीलोनिया (1900-1750 B.C.) तथा मिस्र के मध्य सम्राज्यों (2050-1800 B.C.) दोनों ने भारी मात्रा में वैदिक गणित से ज्ञान अर्जित किया जो कि पहले से ही हड़प्पन समयों में जाना जाता था।

आजकल भारत में भाषाओं पर बहुत अधिक अनुसंधान किया जा रहा है। यह पाया गया है कि तमिल भाषा के हजारों शब्द संस्कृत भाषा के साथ साझे हैं। यह मानने की काफी संभावना है कि यह दोनों प्राचीन भाषाएँ इनसे पहले प्रचलित एक समान भाषा के मूल से निकली हैं।

इस प्रकार आर्यों के आक्रमण और भारत में दो विभिन्न जातियों-आर्यों और द्रविड़-का सिद्धांत नकारा जाता है। इसी प्रकार वेदों के काल की तिथियाँ हड़प्पन और मोहनजोदड़ो के काल से काफी पहले निकलती है। हमें थोड़ी और प्रतीक्षा करनी पड़ेगी जब तक कि पूरे विश्व में अब चलाए जा रहे अनुसंधानों का एक निश्चित निष्कर्ष नहीं निकल जाता। इसी दौरान हम कम से कम इतना तो कर ही सकते हैं कि आजकल की अधिकतर पाठ्य-पुस्तकों में जो पढ़ाया जा रहा है उनमें वर्णित आर्य आक्रमण का सिद्धांत और इसके उपसर्गिक सिद्धांतों को अपने मानस-पटल पर छपी इस कुप्रथा से मुक्त कर दें।

3

वेद

अब हम भारत के प्राचीन इतिहास का अध्ययन वेदों से प्रारम्भ करेंगे। जैसा कि हमने पिछले अध्याय में वर्णन किया था वेदों तथा हड़प्पन व मोहनजोदड़ो सभ्यताओं की तिथियों पर अनुसंधान चल रहा है। पर उनकी तिथियाँ जो भी रहें हम अपना अध्ययन वेदों से प्रारम्भ करेंगे क्योंकि यह प्रायः स्वीकार किया गया है कि ये भारतीय सभ्यता और भारतीय आध्यात्मिकता के मूल और आधार को प्रदर्शित करते हैं।

वेद शब्द संस्कृत में विद् शब्द से आता है। विद् का तात्पर्य ज्ञान है और यहाँ इसका अर्थ उच्चतर ज्ञान है। वेद मूल रूप से दैवीय प्रेरणा तथा अंतरप्रज्ञा पर आधारित अनुभवों का अभिलेख हैं। इसमें ऋषियों और मुनियों के प्रेरित उदगार हैं। ऋषि वह है जिसको भागवत चेतना की प्रत्यक्ष अनुभूति हुई हो। ऋषि व्यक्तिगत रूप से ऋचाएँ बनाने वाला नहीं था, लेकिन एक अव्यक्तिगत ज्ञान तथा एक अनन्त सत्य का दृष्टा होता था। इन ऋषियों ने अपने गहन ध्यान के दौरान इन ऋचाओं को सुना इसलिए इन रचनाओं को श्रुति भी कहा जाता है। ये वैदिक सत्य प्रारम्भ में ऋषियों द्वारा अपने शिष्यों को एक हजार वर्ष से भी अधिक समय तक प्रसारित किए जाते रहे। तदोपरांत महर्षि व्यास ने उनको एकत्र कर लिखित रूप दिया। इन लेखों का ध्येय प्रकाश देना था ना कि तर्क आधारित प्रमाण, उनका आदर्श एक प्रेरित दृष्टा का था ना कि सही तर्क करने वाला। एक बहुत आवश्यक बिन्दु जिसे ध्यान में रखना चाहिये वह है कि ये शिक्षाएँ मात्र काल्पनिक नहीं हैं। ये दिव्य दृष्टियों पर आधारित हैं तथा वे सभी जो इनके आवश्यक अनुशासन का पालन करने को तैयार हों वे इनकी यथार्थता को जान सकते हैं। दूसरे शब्दों में यह आध्यात्मिक तौर पर जानने योग्य सत्य हैं।

वर्तमान समय तक के भारतीय आध्यात्मिक प्रथा तथा महान आध्यात्मिक गुरूओं ने वेदों को संपूर्ण भारतीय आध्यात्मिकता का स्रोत और उदगम स्थल कहा है। क्या इस पौराणिक गाथा और परम्परा में कोई सत्य भी है या यह एक

कोरी कल्पना या मृगतृष्णा ही है? क्योंकि अभी कुछ समय पहले तक यूरोपीय विद्वानों ने वेदों में अत्यन्त तुच्छ और कृत्रिम लेखों के अतिरिक्त कुछ नहीं पाया है, इसमें किसी असली मूल्य को नहीं पाया और इसे पाषाण लोगों की रचनाएँ जाना है। हमें इन सिद्धांतों की परीक्षा करनी पड़ेगी और देखना पड़ेगा कि इसमें कितना सत्य है। लेकिन इससे पहले हम देखेंगे कि वेद क्या हैं और ये किस प्रकार लिखे गए हैं।

वेद चार हैं–ऋग्वेद, यजुर्वेद, सामवेद, और अथर्ववेद। इनमें से ऋग्वेद सबसे प्रमुख है। ऋग्वेद के दस मंडल हैं, और प्रत्येक मंडल में कई सूत्र और हरेक सूत्र में पद्यों के समूह हैं। वेद को मूल रूप से प्रज्ञ ज्ञान और अनुभूति के अनुभवों का अभिलेख कहा जाता है। ये अनुभव कई प्रकार के हैं तथा विकास एवं आन्तरिक खोज की विभिन्न अवस्थाओं से सम्बन्ध रखते हैं। ये ना केवल कवियों के अनुभवों को बल्कि पितरों और पूर्व जनों (पितृ–पूर्वजनः) के अभिलेखों को भी रखते हैं। इस प्रकार वेद वेदों से पूर्व की परम्पराओं तथा तात्विक वैदिक परम्पराओं के ज्ञान का विस्तृत विवरण रखते हैं। यह जानना महत्वपूर्ण है कि सबसे अधिक संख्या में पद्यों और मंत्रों को अग्नि के प्रति समर्पित किया गया है, यानि रहस्यमयी अग्नि।

हमें यह भी ध्यान में रखना चाहिए कि उस काल के लोग ब्रह्मांड को एक प्रकार की गहरी भावना से देखते थे। उनके लिए सबसे महत्वपूर्ण वस्तुएँ थीं प्रकृति, सूर्य, चन्द्र, तारे, रात और दिन, वर्षा और तूफान जो अदभुत प्राकृतिक घटनाएँ थीं। इसलिए यह स्वाभाविक था कि वेदों को एक ऐसी भाषा में अभिव्यक्त किया गया जिसमें प्रकृति तथा पशुओं, जैसे गाय तथा घोड़े एवं वरुण देवता, वायु देवता आदी की अभिव्यक्ति निरंतर थी।

वेदों को आदि संस्कृत भाषा में लिखा गया था। तथापि सभी संस्कृत के विद्वान इस आदि भाषा को समझते हैं, बेशक कभी–कभार भाषा की प्राचीनता के कारण कुछ अभिव्यक्ति के प्रकारों और प्रतीकीय अर्थों को नहीं समझ पाते हैं। भारत के इतिहास में वेदों पर कई विभिन्न टिप्पणिया या व्याख्याएँ हुई हैं। फिर भी चाहे कोई भी अंतर हो, यह सत्य है कि अनादिकाल से भारतीय आध्यात्मिकता एवं परम्पराओं ने सदैव वेदों को समस्त ज्ञान का स्रोत माना है। इस अचल विश्वास के तीन कारण हैं–

पहला–जैसे कि हम पहले कह चुके हैं कि भारत में इस विश्वास की एक लम्बी परम्परा रही है कि वेद ज्ञान के उच्चतम स्रोत हैं। भारतीय दर्शन–शास्त्र के लगभग सभी विद्यालयों ने इस तथ्य को मान्यता दी है और इससे भी

बढ़कर, भारत के अधिकतर महान आध्यात्मिक गुरुओं ने इस मान्यता की पुष्टी की है।

दूसरा–उपनिषद, जो वेद के बाद आते हैं और सारे विश्व भर में सबसे उच्च सत्यों का एक समूह माने जाते हैं, उन्होंने स्वयं वेदों की पवित्रता की घोषणा की है।

तीसरा–यह पाया गया है कि वेद कुछ बहुत आवश्यक बीज रूपी शब्दों के सही व्याख्या होने पर ही अपने सही अर्थों को दर्शाते हैं, और यह तभी संभव है जब इन बीज रूपी शब्दों को ठीक रूप में समझा गया हो। हमने उसके और भी अधिक गहरे अर्थों को पाया है। वे शब्द जो कि अपने साधारण अर्थों में एक बहुत स्थूल और बाह्य अर्थ देते हैं, जब इनको दूसरे तात्पर्य के प्रतीकात्मक अर्थों से देखा जाए तो ये एक महान आध्यात्मिक सत्य के दर्शन कराते हैं। हम इस तथ्य को अध्याय के दूसरे भाग में समझाएंगे।

वेदों की व्याख्या

इतिहास वस्तुतः हमें बताता है कि वेदों की व्याख्या के चार प्रमुख प्रयास हो चुके हैं। हम उनको सारांश में बताएंगे। पहला प्रयास यक्ष द्वारा था, दूसरा शंकराचार्य द्वारा, तीसरा मैक्स मूलर एवं अन्य भारतीय विद्वानों द्वारा तथा आखिरी प्रयास श्री अरविन्द द्वारा किया गया। हम इन विभिन्न व्याख्याओं का एक द्रुतगामी सर्वेक्षण करते हैं।

यक्ष द्वारा पहली व्याख्या को हम लगभग एक कोष रचना की भांति कह सकते हैं। इसमें शब्दों के अर्थ विस्तृत व शब्दकोशीय रूप में व ऋषियों की समझ के अनुसार दिये गये थे। यद्यपि इसमें शब्दों के गहरे अर्थों को नहीं दिया गया फिर भी इसका महान योगदान इसमें रहा कि इसने हमें वेदों में प्रयोग होने वाले शब्दों का एक सही अर्थ दिया। साथ ही, चूँकि ये समयानुसार वेदों के सबसे निकट थे इसलिए इसमें शब्दों के अर्थों में विकृति सबसे कम रही।

शंकराचार्य का कार्य अधिक विद्वतापूर्ण एवं धार्मिक कृत्यों से संबंधित था। उन्होंने वेदों को विमुक्त करने और उसके अर्थों को अभिव्यक्त करने हेतु वेदों के शब्दों को एक प्रतीकात्मक अर्थ दिया। उन्होंने वेदों के धर्म सम्बन्धित अर्थों पर तथा उसके बाह्य स्वरूप जैसे कि बलिदान इत्यादि पर अधिक बल दिया। बलिदान वैदिक परम्पराओं और ज्ञान का मुख्य आधार और स्वरूप था। उन्होंने वेदों के मात्र बाह्य तथा धार्मिक अर्थ ही दिए तथा इस प्रकार उनके और भी गहरे आध्यात्मिक अर्थों का हनन किया। तथापि यदाकदा उन्होंने अवश्य दिखाया कि वेदों के और भी गहरे अर्थ थे।

आधुनिक यूरोपीय विद्वानों का कार्य भाषा विज्ञान के अध्ययन पर आधारित था। उन्होंने भी वेदों के धार्मिक पहलुओं पर अधिक बल दिया और इस निष्कर्ष पर पहुँचे कि वेद आदिकालीन लोगों द्वारा रची गई रचनाओं का स्वरूप थे जिनमें कोई यथार्थ व गहरे अर्थ नहीं थे। यह सोच कि प्राचीन मनुष्य असभ्य था तथा मन के क्रमिक विकास के फलस्वरूप सभ्यता की स्थापना हुई, इतिहास के इस आधुनिक दृष्टिकोण के साथ पूर्णतयाः मेल खाती है।

अंत में हमारे पास श्री अरविन्द की व्याख्या है। उन्होंने समझाया है और व्याख्या की है कि वेदों का एक दोहरा महत्व था, एक तो साधारण मानवों–भौतिक मन वाले के लिए तथा दूसरा आध्यात्मिक तौर पर अधिक विकसित पुरुषों और दीक्षा प्राप्त लोगों के लिये था। भौतिक मन वाला मानव वह मानव है जो कि विकास क्रम की प्रथम अवस्था में होता है और जीवन के भौतिक स्वार्थों के साथ मुख्यतः संबंधित रहता है, वह अभी तक इस अवस्था पर नहीं पहुँच पाया है कि एक उच्चतर मानसिक तथा आध्यात्मिक विकास की खोज कर सके तथा भारत में उच्चतम ज्ञान को ऐसे लोगों को प्रकट करना सदा अज्ञानपूर्वक व असुरक्षित माना गया है जो इसे प्राप्त करने के लिए सक्षम नहीं हैं। उनको एक अधिक सुगम तथा अधिक बाह्य सत्य जिसको वे सुगमतापूर्वक समझ सके, दिया जाता है। इस प्रकार वेदों को एक दोहरी भाषा में लिखा गया है–अब हम इसका एक दृष्टांत देंगे। उदाहरण स्वरूप हम संस्कृत के एक शब्द 'गौ' को लेते हैं जिसका अर्थ गाय होता है इस शब्द का दोहरा अर्थ है–इसका बाह्य अर्थ गाय होता है तथा प्रतीकात्मक आंतरिक अर्थ प्रकाश होता है। इस प्रकार भारत के एक सबसे अधिक श्रद्धायुक्त आध्यात्मिक व्यक्तित्व बुद्ध को गौतम बुद्ध के नाम से जाना जाता है तथा यहाँ गौतम का प्रतिकात्मक अर्थ श्रेष्ठ प्रकाशवान समझा जाता है ना कि बाह्य दृष्टी से, वर्ना इसका अर्थ सबसे श्रेष्ठ गाय होता। इसी प्रकार यह दर्शाया जा सकता है कि बहुत से विशेष शब्दों-वास्तव में प्रतीकात्मक शब्दों-का एक दोहरा अर्थ होता है, एक बाह्य दृष्टी से तथा एक प्रतीकात्मक विशेषता लिए हुए। वस्तुतः ये वेदों के सम्पूर्ण महत्व को ही बदल देते हैं। इस प्रकार हम देखेंगे कि वेद असभ्य लोगों की रचनाएँ नहीं हैं। बल्कि इनमें बहुत महान और उत्कृष्ट आध्यात्मिक अभिव्यक्तियाँ अंतरिष्ठ हैं। वेदों के दोहरे अर्थ होते हैं–एक तो कम विकसित मनुष्यों के लिये बाह्य दृष्टि का अर्थ तथा दूसरा आध्यात्मिक तौर पर विकसित मानवों के लिये एक उत्कृष्ट अर्थ जो एक गहरे मनोवैज्ञानिक महत्व को छिपाए हुए होता है। हम निम्नलिखित सारणी में उदाहरणों के द्वारा इसके कुछ और अधिक दृष्टांत देते हैं–

शब्द	सांकेतिक या प्रतीकात्मक अर्थ	गहरे या गूह्य अर्थ
गाय	गो	प्रकाश
घोड़ा	अश्व	शक्ति या बल
सूर्योदय	उषा	आध्यात्मिक प्रभात
अग्नि	आग	प्रेरणा

उषाकाल के प्रभात को गोमति: अश्वती कहा गया है। इसका शाब्दिक अर्थों में यह अनुवाद होता है कि वह प्रभात बलिदान करने वाले को घोड़े व गाय देती है। इसका गहरा प्रतीकात्मक अर्थ है मानसिक प्रकाश की भरपूरता तथा प्राणिक शक्ति का बाहुल्य।

वेदों के सही व सच्चे अर्थ

इस दृष्टी से देखा जाए तो वेदों का एक पूर्णतया भिन्न अर्थ निकलता है जिससे यह दिखाया जा सकता है कि भारतीय सभ्यता के सबसे गहरे मूल्य इसमें निहित हैं। हम इस अध्ययन के बचे भाग में इन मूल्यों का संक्षिप्त वर्णन करेंगे।

सर्वप्रथम जैसा कि पहले कहा जा चुका है वैदिक प्रणाली ने भौतिक पुरुष के मन तथा इस भौतिक जगत के लक्ष्यों व प्रतीकों पर अपना बाह्य आधार रखा। आदिकालीन मुनष्य बहुत धार्मिक था तथा जगत को वह प्रतीकात्मक दृष्टिकोण से देखता था। वह यह मानता था कि सूर्य, चन्द्र व तारे जीवित विभूतियाँ हैं और इसीलिये इनसे एक उत्तम फसल तथा और अधिक समृद्धी के लिए प्रार्थना करता था। वैदिक ऋषि उस समय के मनुष्यों की प्रकृति को समझते थे लेकिन उन्होंने इस मनुष्य के स्वभाववश बाह्य प्राथमिक धार्मिक प्रगती तक ही स्वयं को समिति नहीं किया, बल्कि लोगों द्वारा पूजे जाने वाली दैवीशक्तियों को एक आत्मिक क्रियाशीलता दे दी। वे लोगों को एक उच्चतर सत्य, धर्म और कर्म के बारे में बताने लगे जिसके ये देवता संरक्षक थे, तथा इस प्रकार एक उच्चतर ज्ञान व बृहद् आंतरिक जीवन की आवश्यकता पर बल देने लगे। बेशक, लोग इन सच्चाइयों को उनके बाह्य स्वरूप में पहचानने व समझने लगे लेकिन उनकी नैतिक प्रकृति के विकास के लिये वे उन्हें धीरे-धीरे अभ्यस्त कराने लगे। यह दृष्टिकोण भारतीय सभ्यता की मूलभूत विचारशैली पर आधारित है–यह भारतीयों का एक दृढ़ विश्वास है कि सत्य को एक ही प्रयास में प्राप्त नहीं किया जा सकता, इसको प्राप्त करने के लिए मनुष्य को विभिन्न अवस्थाओं में से लांघना पड़ता है तथा इसलिए सत्य को किसी की विकास की

अवस्था के अनुसार ही प्रस्तुत किया जा सकता है। वेदों के गहरे सत्य को दीक्षा प्राप्त शिष्यों के लिए ही सुरक्षित रखा गया था, उनके लिये जो इसको समझने के लिये तैयार होते तथा आंतरिक सत्यों को जानने के लिये अभ्यास हेतु उत्सुक्त होते। वेद इन जिज्ञासुओं के लिए ही भाषित किये जाते थे, तथा स्वभाविक था कि वे ही वेदों के गुप्त शब्दों द्वारा प्रकट किए गये गहरे अर्थों को समझ सकते थे।

वैदिक धर्म की मूल धारण में सृष्टि की देव-श्रेणियाँ व जगत में सत्ता के विभिन्न स्तरों की एक ऊपर चढ़ती सीढ़ी हैं। इस वैदिक-धर्म ने मनुष्य के स्वभाव में चेतना के विभिन्न स्तरों या मात्राओं के अनुरूप मेल खाते सृष्टी के ऊपर उठते स्तरों को देखा। ये सभी सृष्टियाँ व चेतना के स्तर मूल रूप में एक ही सत्य, धर्म तथा न्याय के विभिन्न रूपों के द्वारा प्रशासित हैं। इस प्रकार हमारे पास एक बाह्य भौतिक प्रकाश, इससे ऊँचा एक मानसिक प्रकाश तथा इन सबसे ऊँचा एक आध्यात्मिक प्रकाश है। सूर्य-देव स्थूल सूर्य के देवता हैं, लेकिन वैदिक ऋषि के लिये वे ज्ञान की रश्मियों के दाता तथा एक उच्चतर आध्यात्मिक प्रकाश की ज्योति है इसी प्रकार सभी वैदिक देवताओं के बाह्य व आंतरिक व गूह्य मनोरथ होते हैं। वे सभी अपने बाह्य चरित्र में भौतिक प्रकृति की शक्तियाँ हैं तथा आंतरिक अर्थ में उनका एक आत्मिक व मनोवैज्ञानिक महत्व है।

मनुष्य के आंतरिक जीवन पर प्रभाव

वैदिक शिक्षा की सबसे बड़ी देन मनुष्य के आन्तरिक जीवन पर प्रभाव डालने की रही है। मनुष्य भौतिक जगत में रहता है तथा मृत्यु और नाशवान अस्तित्व की मिथ्या के अधीन है। इस मृत्यु और असत्य से ऊपर उठाने के लिये, उसे असत्य से सत्य की ओर मुड़ना होगा, उसे प्रकाश की ओर मुड़ना होगा और उसके सहारे अन्धकार की शक्तियों से लड़कर जीतना होगा। यह सब वह दिव्य शक्तियों के साथ सम्पर्क करते हुए व उनकी सहायता द्वारा करता है तथा इस सहायता को नीचे लाने का ढंग ही इन वैदिक ऋषियों का रहस्य था।

इस सहायता को नीचे केसे बुलाया जाए, इन दिव्य शक्तियों के साथ संम्पर्क स्थापित करने के कौन-से साधन हैं? यज्ञ या बलिदान इस साधन का द्योतक था जिसका वर्णन लगातार वेदों में पाया जाता है। मात्र बाह्य दृष्टिकोण से, बलिदान एक धार्मिक रीति थी, जिसे सभी महत्वपूर्ण अवसरों तथा कार्यों से पहले किया जाता था, तथा यह सारे समाज के सभी पहलुओं व अवस्थाओं पर शासन करता था। इस कार्य-विधि में निश्चित तरीके से दिन की निश्चित

घड़ियों पर घी व दूसरे भौतिक पदार्थों को अग्नि में समर्पित किया जाता था। कइयों ने इस बलिदान को, भौतिक समृद्धि तथा स्वर्ग को पाने के लिये, प्रकृति के देवताओं को खुश करने का साधन मात्र माना है। लेकिन यह विदित होगा कि यह एक थोथा दृष्टिकोण ही है तथा बलिदान अत्यधिक गूह्य रहस्य का द्योतक था। बलिदान की धारणा इस पहचान पर आधारित थी कि हमारे एक तरफ बाह्य व स्थूल जगत तथा दूसरी तरफ गुप्त तथा गूह्य शक्तियों व कर्मों, जो हमारे भौतिक दृष्टि व अनुभवों के पीछे रहते हैं, उनके बीच एक गहरा व गुप्त सम्बन्ध था। स्थूल यज्ञ के प्रतीकों को एक आन्तरिक अर्थ दिया गया था जैसा कि संसार भर के दूसरे कई पवित्र रहस्यों में दिया गया था। वे देवताओं के मनुष्य के जीवन में आह्वान, एक सम्बन्ध-युक्त बलिदान, एक अनन्य लेन-देन, एक साझी सहायता तथा एक परस्पर संपर्क के द्योतक हैं।

किन देवताओं को यह यज्ञ समर्पित किया जाए?

- प्रथम, जिज्ञासा रूपी सात जीभों वाली भगवन-इच्छा-शक्ति, ज्ञान से भरपूर भगवान की शक्ति को, क्योंकि आत्मा की वेदी पर इसके बिना कोई भी यज्ञ की अग्नि प्रज्वलित नहीं हो सकती।
- इसके पश्चात, व्रजधारी इन्द्र, पवित्र चित्त की शक्ति जो दिव्य मन के रूप में अवतरित हैं।
- सूर्य, उस अनंत सत्य का स्वामी है—सत्ता का सत्य, ज्ञान का सत्य, विधि-विधान तथा कर्म तथा क्रियाशीलता व चलन का सत्य।
- सोम, आनंद के देवता का प्रतिनिधि-आनन्द जो हमारे जल रूपी अस्त्वित्व में छिपा है।

आर्य पुरुष को लगातार लड़ना व मेहनत करनी पड़ती है तथा ज्ञान के क्षेत्रों व ज्ञान से प्राप्त शक्ति को जीतना पड़ता है। उसे एक अनथक मेहनतकश व एक सजग योद्ध बनना होगा। उसे एक साम्राज्य के बाद दूसरा साम्राज्य लगातार क्रमशः जीतना होगा तथा अनेकों दुश्मनों को रौंदना होगा जो उसकी प्रगति पथ को रोकने के लिए बाधा के रूप में एकत्रित हुए हैं।

ज्ञान के मुख्य शत्रु दस्यु हैं। इन विभाजन करने वाली, लूटने वाली तथा हानिकारक शक्तियों को विभिन्न नाम व रूप दिये गए हैं। कुछ तो ऐसी हैं जिनको विशिष्ट नाम दिए गए हैं जैसे वृतरः सर्प जो प्रधान शत्रु है, वल एवं पाणी जो इन्द्रीय-जगत में कृपण सौदागर हैं, तथा और भी इस प्रकार के कई शत्रु हैं। यदि इस प्रकार समझा जाए तो वेद, मनुष्य जाति के उच्चस्तरीय

प्रेरणादायक गान बन जाते हैं। इसके मंत्र अंतरात्मा की अमरता के उत्थान के संगीतमय महाकाव्य के प्रसंग हैं। यह युद्ध सफेद चमड़ी वाले आर्य तथा सांवली चमड़ी वाले द्राविड़ों के बीच नहीं है बल्कि मनुष्य की निम्न-प्रकृति के विरुद्ध उसकी अभीप्सा करती अंतरात्मा का संघर्ष है।

एक और बिन्दु जिस पर ध्यान देना है वह है मंत्रों की प्रकृति, क्योंकि वैदिक ऋषियों के अनुसार, एक ध्वनि या किसी कम्पन का गुप्त समूह पूरी तरह ऐसे कम्पन से स्वरित होते हैं जो अदृष्य मनोवैज्ञानिक शक्तियों और अस्तित्वों के समरूप होती हैं। इस प्रकार मंत्र केवल ज्ञान के व्याख्यान ही नहीं करते हैं बल्कि, वे भक्ति के भी पात्र हैं। वे गतिशीलता व कर्म की कम्पायमान शक्तियाँ भी हैं तथा इसलिए उनका ठीक ढंग तथा उचित तरीके से उच्चारण करना भी आवश्यक है।

ऋषि

हम वेदों के सम्बन्ध में ऋषि के बारे पहले भी बात कर चुके हैं। ऋषि वह दृष्टा था जो अपना भरपूर जीवन जी चुका था तथा आम तौर पर गृहस्थ जीवन भी बिता चुका था। लेकिन साथ ही साथ उसने अपनी आध्यात्मिक पूर्णता को भी पाया था तथा अपनी आत्मा में लीन रहता था। उसे इस प्रकार जीवन का भी अनुभव था तथा साथ ही साथ उससे ऊपर भी उठ चुका था तथा इस प्रकार वह मानव के जीवन व उसके प्रयत्न को गंभीरतापूर्वक मार्गदर्शन दे सकता था। यह जानना आवश्यक है कि वैदिक शिक्षा सदा इस बात पर बल देती रही कि आध्यातमिकता कभी भी जीवन को नहीं नकारती बल्कि संपूर्ण जीवन को अंगिकार करती है तथा ऋषि उच्चतम आध्यात्मिक जीवन का प्रत्यक्ष उदाहरण व स्वरूप था।

एक सांकेतिक पौराणिक गाथा

अब हम वेदों से ली हुई एक पौराणिक गाथा द्वारा इस का दृष्टांत देंगे-अंगिरस ऋषियों और गाय की पौराणिक गाथा। यह एक सरल पौराणिक गाथा है—गायों का एक झुंड गुम हो गया है तथा अंगिरस ऋषिगण उन खोई गायों की तलाश में हैं। यज्ञ करना पड़ेगा, यज्ञागनी प्रज्वलित करनी पड़ेगी, तथा ऋषि गणों को मंत्र जाप करना होगा। इन्द्रदेव का आहवान किया जाता है तथा वे समस्त देवताओं की शक्तियाँ व वज्र को लिए हुए अवतरित होते हैं। दस्यु और पाणि के विरुद्ध एक युद्ध होता है तथा दिव्य शिकारी कुत्ते सराम की सहायता से, देवता व ऋषिगण पाणि की गुफाओं में प्रवेश करते हैं, जहाँ गाऐं छिपाई गई हैं। गाऐं छुड़ा ली जाती हैं व विजय अभियान समाप्त होता है। यह पौराणिक गाथा

बहुत साधारण है लेकिन इसका एक गहरा महत्व है। जैसा कि हमने पहले ही देखा है, गाय प्रकाश की द्योतक है, ऋषि प्रेरित मनुष्यता के प्रतीक हैं, दस्यु व पाणि अन्धकार की शक्तियाँ हैं व इन्द्र एक दिव्य शक्ति है। अन्धकार की शक्तियों द्वारा, प्रकाश को चुरा लिया गया है तथा गुफाओं में छिपा दिया गया है, ये गुफाएँ हमारे निम्न-प्रकृति की अन्धेरी कन्द्राएँ हैं, दिव्य शक्तियों की सहायता द्वारा इस प्रकाश को पुनः प्राप्त किया जाता है। यह पौराणिक गाथा इस प्रकार मनुष्य के प्रेरणा की तथा उसके आत्मा की खोज की कहानी बन जाती है।

यह स्पष्ट हो जाता है कि, अंगिरस की सफलता की गाथा सत्य व अमरत्व की विजय-गाथा है, स्वर्, जिसे बृहद स्वर्ग भी कहा जाता है वह सामान्य अन्तरिक्ष व धरती के ऊपर एक सत्य की सत्ता है; अंगिरस द्वारा स्थापित बृहद स्वर्ग की राह तथा सराम द्वारा उस पर चलना अमरत्व की ओर की राह है; ऊषा-काल की दिव्य-दृष्टि वस्तुतः सत्य चेतना की दिव्य-दृष्टि है; सूर्य व ऊषाकाल से दैवित्यमान गायें इस सत्य-चेतना की प्रकाश-पुंज हैं; वेदों की रात्रि, नश्वर जीव की धूंधली चेतना है जिसमें सत्य अवचेतन है; खो गये सूर्य की प्राप्ति सत्य के सूर्य की पुनः प्राप्ति है तथा पाणि वे शक्तियाँ हैं जो सत्य को अवचेतना में से उदित होने से रोकती हैं। लेकिन सत्य पर विजय प्राप्त करना एक लम्बा और कठिन संघर्ष है तथा यह आत्मा के प्रत्यक्ष अनुभव की ओर ले जाता है। जीवन की वास्तविकताओं में इसे व्यावहारिक रूप में जीना होता है। इस अनुभव की ओर की राह तथा यह रास्ता भारत में योग के नाम से जाना जाता है। क्योंकि योग का अर्थ जुड़ना होता है तथा यहाँ इसका अर्थ उच्चतम हत्पुरुष व आत्मा के साथ जुड़ना है, जो कि जीव की गहराइयों में छिपी होती है। इस प्रकार योग एक व्यावहारिक अनुशासन है जिसका एक निश्चित तरीका व लक्ष्य है।

इस सबसे यह स्पष्ट हो जाता है कि आर्यों द्वारा भारत पर आक्रमण का सिद्धांत वेदों में से किसी भी प्रकार के विश्वस्त या निश्चित लेखों के सबूत पर आधारित नहीं है। इसके विपरीत आर्य शब्द मानव स्वभाव के किसी उच्चतर स्तर को अवश्य इंगित कर सकता है यानी कि प्रेरणायुक्त आत्मा, जबकि दस्यु मानव की निम्न प्रकृति में उसके पशुता से संबंधित भाग का द्योतक है। यह उतना ही संभव तथा उचित लगता है जितना कि गोरी चमड़ी के आर्यों द्वारा सांवली चमड़ी वाले द्रविड़ों पर आक्रमणकारी युद्ध का सिद्धांत।

अब हम वेदों के इस अध्याय का सारांश भारतीय सभ्यता व आध्यात्मिक विकास में मुख्य योगदाता होने के रूप में करते हैं–

- सर्वप्रथम, वेद यह विश्वास करते थे कि इस सृष्टि तथा ब्रह्मांड के केन्द्र में एक सर्वोपरि सत्य-चेतना है। (एकम् सत्)
- द्वितीय, वेद कहते थे कि यह सत्य सृष्टि के सभी जीवों के हृदय में उपस्थित है–यह मनुष्य में आत्मा या हृतपुरुष के रूप में है। (हृदय गूह्यम)
- यह सर्वोपरि सत्ता हमें कई आवरणों, नामों, शक्तियों तथा व्यक्तित्वों, जिन्हें हम देवता कहते हैं, में प्रकट होती है व हमारे समक्ष स्वयं को लाती है।
- इसी से ज्ञान व अज्ञान के बीच का भेद बना है। सर्वोपरि सत्ता का ज्ञान ही केवल सही ज्ञान है। बाकी सभी प्रकार के ज्ञान को अज्ञान कहा गया है। यही कारण है कि भारतीय के मन में उस व्यक्ति के प्रति गहरी श्रद्धा होती है जिसने आध्यात्मिक अनुभूति प्राप्त कर ली है।
- इन्होंने यह भी कहा है कि इस सर्वोपरि सत्ता के साथ संपर्क स्थापित करने का साधन व रास्ता भी है। इस अनुशासन को भारत में योग के नाम से जाना जाता है। (श्रतस्य पंथ)
- वेदों ने मानव जीवन के अमर होने की बात कही है तथा उन्हें मृत्यु पर विजय प्राप्ति की सम्भावना और मानव जीवन को दिव्य जीवन में बदलने का एक स्पष्ट बोध भी था।

इन विचारों के आधार पर वैदिक ऋषियों ने एक विशाल व बृहद मनोवैज्ञानिक तथा हृतपुरुषीय अनुशासन भी खड़ा किया, जो अन्ततः उच्च आध्यात्मिक अनुभूति व अनुभव की ओर ले जाता था। भारतीय सभ्यता व संस्कृति ने अपने मूलभूत चरित्र व दिशाएँ वैदिक काल व वैदिक सभ्यता के विचारों और मूल्यों से ही ली हैं। वेदों को भारतीय सभ्यता का उदगम काल भी माना जा सकता है, भारत के भविष्य के सारे विकास-क्रम का बीजारोपण काल।

4

उपनिषद

अब हम अपने भारतीय इतिहास के अध्ययन में अगली अवस्था, वेदांत या उपनिषदों के अध्ययन में प्रवेश करते हैं। संस्कृत में वेदांत शब्द का अर्थ "वेदों का अंत" है तथा यह साधारणतया माना जाता है कि यह वेदों की ही शाखा तथा निरंतर क्रम है। अब हम यह जानने की कोशिश करते हैं कि संस्कृत में उपनिषद का क्या अर्थ है। व्युत्पत्ति से संबंधित, इसका अर्थ है "बहुत निकट बैठना"। इस द्योतक का तात्पर्य है कि शिष्य उस शिक्षक जिसने "देखा या अनुभव किया है", उसके बहुत समीप व निकट बैठने के लिए तैयार है। यह जिज्ञासा की भावना इंगित करती है तथा दर्शाती है कि जो जानना चाहता है, उसे शिक्षक के निकट बैठने के लिए अवश्य तत्पर रहना चाहिए। इसका तात्पर्य यह भी है कि सत्य के जिज्ञासु के लिए दोनों विनम्रता तथा लग्न की आवश्यकता होती है। इस शब्द द्वारा सांकेतिक और भी अर्थ हैं। उदाहरणार्थ, सत्य का उच्चतम ज्ञान या जैसा कि गुरु के द्वारा व्याख्या की गई है कि वह जो अज्ञान को चीरता है तथा उच्चतम ज्ञान की ओर ले जाता है। सभी मामलों में उच्चतम सत्य की ओर अनथक व तीव्र खोज का प्रतीक होने का सुझाव है।

जैसा कि हमने पिछले अध्याय में देखा है, वैदिक भाषा वर्तमान समय की भाषाओं से बहुत दूर हट कर एक रहस्यमयी भाषा मानी गई है। लेकिन विकास के अगले क्रम में, हम एक ऐसा साहित्य पाते हैं जो समझने व पकड़ में आने के लिए आसान है तथा जिसको ब्राह्मणों के नाम से जाना गया है। ब्राह्मण मुख्यत: धार्मिक क्रियाओं की व्याख्या करते हैं–उनका महत्व, उनके द्योतक, तथा उनके किये जाने का अर्थ बताते हैं। लेकिन ब्राह्मणों के काल के अंत तक, इन धार्मिक कृत्यों के प्रति विद्रोह का उत्थान हुआ तथा एक नई खोज व नई तालाश जगी। एक भावना जागृत हुई कि सत्य धार्मिक क्रियाओं का संग्रह नहीं हो सकता तथा उसकी खोज बिना रुढ़ीवादिता या किसी पूर्व निश्चित विचारों या विश्वासों द्वारा होनी चाहिए। यह उपनिषदों के काल का प्रारम्भ था।

प्रमुख विचारक तथा साधक खोजबीन का एक कार्यक्रम बनाने लगे, तथा यह कहा गया है कि इन साधकों ने एक ऐसी पूर्णता भरी खोज की, जिसने

मानव ज्ञान के भविष्य के महत्व में न्यूटन और गैलिलियो के विचारों को तुच्छ साबित कर दिया। क्योंकि इन्होंने योग की प्रणाली को उसकी अन्तिम विधियों तक खोज लिया तथा इस योग की प्रणाली द्वारा कुछ उच्चतम अनुभवों को प्राप्त कर लिया। उन्होंने अनुभव किया कि वस्तुओं के निरन्तर परिवर्तन के पीछे एक परम एकता व एक अपरिर्वतनीय स्थाईत्व था जिसका उन्होंने "तत्" या "वह" के नाम से वर्णन किया। उन्होंने यह भी अनुभव किया कि सत्य स्वयं अपने आप में चेतना है, तथा शायद सबसे महत्वपूर्ण अनुभव जो उन्होंने प्राप्त किया वह था कि प्रत्येक व्यक्ति में वही सत्य है जो उसी प्रकार पूरे ब्रह्मांड में विद्यमान है। यह अनुभव उपनिषदों के दो प्रसिद्ध मंत्रों में अभिव्यक्त किया गया "सोअहम–वह मैं हूँ" तथा "अहं ब्रह्मास्मि–मैं ही ब्राह्मण हूँ"।

उपनिषद अत्यंत उत्कृष्ट व गंभीर धार्मिक ग्रन्थ है,–क्योंकि वे अत्यंत गूह्य आध्यात्मिक अनुभवों के अभिलेख हैं, अक्षय प्रकाश, शक्ति और विस्तृतता के आलौकिक एवं अंतर्ज्ञानात्मक दर्शन के दस्तावेज हैं और चाहे वे लयभरे गद्य में या फिर पद्य में लिखे गये हों, वे शब्दों में अनिवार्य, लय तथा भाव में अद्‌भुत, पूर्ण व अनथक प्रेरणा भरी आध्यात्मिक कवितायें हैं। ये मन के ऐसे उदगार हैं जिनमें दर्शन, धर्म तथा पद्‌य एक कर दिए गए हैं, यह धर्म एक सम्प्रदाय के साथ समाप्त नहीं होता ना ही यह एक धार्मिक व नैतिक प्रेरणा तक सीमित है बल्कि यह भगवान की, आत्मा की, हमारे अस्तित्व व हृतपुरुष के सम्पूर्ण एवं उच्चतम सत्य की अनन्त खोज की ओर उठता है तथा एक प्रकाशमान ज्ञान व एक प्रेरित एवं परिपूर्ण हुए अनुभव के परम आनन्द को मुखरित करता है।

दो सौ से अधिक उपनिषद हैं लेकिन उनमें से सबसे उत्कृष्ट बारह हैं। वे हैं, ईशा, केन, कथा, प्रश्न, मण्डुक, माण्डुक्य, तैतिर्या, अत्रेय, छन्दोग्य, बृहदरंण्यका, श्रेवताश्वतर्य, व ब्रह्मबिन्दु उपनिषद।

ये बारह महान उपनिषद प्राचीन ज्ञान के एक ही मुद्दे पर लिखे गये हैं। लेकिन ये इस पर विभिन्न पहलुओं से गौर करते हैं। ब्रह्मविद्या के इस महान साम्राज्य में प्रत्येक अपने अलग द्वार से प्रवेश करता है, अपने ही रास्तों या पगडंण्डियों द्वारा ये आगे बढ़ता है, तथा अपने ही अंतिम बिन्दु की ओर निर्देशित होता है। हम दो उपनिषदों को लेते हैं और देखते हैं कि वे इस विषय के साथ कैसे वर्ताव करते हैं।

उपनिषदों को वेदांत के नाम से केवल इसलिए ही नहीं जाना जाता कि ये वैदिक काल के अन्त में आए, बल्कि इसलिए भी क्योंकि इन उपनिषदों की शिक्षाओं में वेदों की उच्चतम खोजों को भी शामिल किया गया है। प्राचीन भारतीय इतिहास के पिछले भाग में वेदांत एक दर्शन–शास्त्र के रूप में उभरा,

लेकिन प्रारम्भिक वेदांत कोई दर्शन शास्त्र नहीं था बल्कि ऋषियों की बातचीत या उनकी अंतर्दृष्टि तथा अन्तरप्रज्ञा का संग्रह था। हर उपनिषद आध्यात्मिक सोच के अलग विषय या आध्यात्मिक जीवन के किसी पहलू के साथ है तथा वही पश्चात के दर्शन-शास्त्रों का एक प्रारम्भ बिन्दु बन गया।

उपनिषदों की यह धारणा थी कि इन्द्रियाँ हमें सच्चा ज्ञान नहीं देती। वे यह भी मानते थे कि तर्क-बुद्धि अपने शुद्ध विचारों की गतिशीलता में, तत्व के मूल सत्य का बोध अवश्य करवा सकती है किन्तु यह उस सत्य का स्पष्ट अनुभव नहीं दिला सकती। आधुनिक वैज्ञानिकों की भांति उपनिषदों के ऋषियों ने ज्ञान प्राप्ति की ऐसी विधि का विस्तार किया जो अनुभव के द्वारा परखी जा सकती थी। उन्होंने अन्तरप्रज्ञा तथा अन्तरज्योति की शक्ति को विकसित किया जिसके द्वारा एक व्यक्ति सत्य का अनुभव समरूपता द्वारा कर सकता था। समरूपता द्वारा ज्ञान की प्राप्ति का ढंग उपनिषदों की विशेषता थी।

जैसा कि वेदों के अध्याय में पहले देखा जा चुका है, वैदिक ऋषियों ने अपने अनुभव द्वारा आध्यात्मिक अनुभवों के समन्वित चरम बिन्दु को प्राप्त कर लिया था। उपनिषद पहले के ऋषियों द्वारा प्राप्त इस सर्वोच्च अनुभव को अपना पहला कदम मानते हुए एक उच्च और वैभवशाली आध्यात्मिक ज्ञान के समन्वय की ओर अग्रसर होते हैं। वे, मुक्त और प्रेरित ज्ञानियों के द्वारा वह सब, जैसा इन्होंने अनन्त को देखा व अनुभव किया, उसको एकत्र करते, एक बृहद समन्वय में समाते हुए एक महान और फलदायी आध्यात्मिक खोज की ओर बढ़ते हैं।

ईशोपनिषद व केनोपनिषद

ईषोपनिषद और केनोपनिषद दोनों ही इस समस्या से जूझ रहे हैं कि अमृत्व की अवस्था को कैसे विजित किया जाए तथा भगवान का संसार व मानव चेतना के साथ क्या सम्बन्ध है, व अपने विभाजित चेतना, अज्ञान और दुख की वर्तमान स्थिती से निकल कर कैसे योग, सत्य और भागवत आनन्द में प्रवेश किया जाए। जिस प्रकार ईशोपनिषद परमानन्द की ओर प्रेरणा करते हुऐ समाप्त होता है, उसी प्रकार केनोपनिषद ब्राह्मण को आनन्द के रूप में परिभाषित करते हुए तथा उस आनन्द स्वरूप की उपासना व खोज की प्रेरणा करते हुए समाप्त होता है। तथापि दोनों के प्रारम्भ बिन्दुओं पर एक विभिन्नता है, बल्कि अपने-अपने तर्क बिन्दुओं के दृष्टिकोण में भी एक संवेदनशील भिन्नता है।

दोनों उपनिषदों का यथार्थ विषय एक समान नहीं है। ईशोपनिषद ब्राह्मण के उच्चतम सत्य का, संसार व जीवन व कर्म व मानवीय प्रारब्ध के साथ संबंध के पूर्ण समस्या से संबोधित है। यह अपने संक्षिप्त अठारह श्लोकों में जीवन के मूलभूत लगभग सभी समस्याओं को सम्मिलित करता है तथा इनका द्रुतगामी

अवलोकन करता है। परमेश्वर की कल्पना तथा उसके अवतरण, परमेश्वर व उसके कार्यशैली के साथ सम्बन्ध जो सभी द्वारों के पट खोल देने वाला है। सभी अस्तित्वों का एकीकरण इसकी मुख्य धारा है। उपनिषदों में, ईशोपनिषद का एक विशेष स्थान है। बेशक यह सबसे छोटे उपनिषदों में से एक है, यह कहा जाता है कि उपनिषदों में वर्णित सारी खोजों का सार इसमें सम्मलित है। यह सत्य की प्रकृति का वृतांत है। यह जीवन का लक्ष्य प्रस्तुत करता है जो ब्रह्मांड व मानव में सत्य है उसे इसके द्वारा जाना जा सके।

एक विशेष संदेश जो स्पष्ट तौर पर ईशोपनिषद से उभर कर आता है वह है कि सभी विरोधाभास एक हो जाते हैं जब कोई व्यक्ति अनुभवों की पराकाष्ठा पर पहुँचता है। भारतीय आध्यात्मिक विचारों व अनुभवों के आधारभूत मूल्यों के बनाऐ जाने में उपनिषदों का विशेष महत्व दिखाने के लिये हम कुछ श्लोकों की व्याख्या करेंगे। जो श्लोक चुने गये हैं वे ईशोपनिषद से हैं जो सबसे छोटा होते हुए भी असीम सत्यों व विचारों से सर्वाधिक परिपूर्ण है।

ईशोपनिषद

ईशोपनिषद में भारतीय आध्यात्म की कुछ सबसे महत्वपूर्ण संकल्पनाएँ हैं। यह वेदान्त की रचनाओं में सबसे प्राचीन रचनाओं में से एक है। एक सिद्धान्त जिसका यह अपनी सारी रचनाओं में अनुसरण करता है वह है विरोधी विप्लवादों में विरोधाभास समाधान। हम ईशोपनिषद के पहले दो श्लोकों को उदाहरण के रूप में लें–

> "इस सारे जगत में ईश्वर का ही वास है, जो भी चलायमान जगत है उसमें इकाकी ही चलायमान है। उसको समर्पित कर तुम भोग करो; किसी भी मानव की अधिकृत सम्पत्ती की लालसा नहीं करो।"

> "इस जगत में वास्तविक कर्म करते हुए मनुष्य को सौ वर्ष जीने की अभिलाषा करनी चाहिए। यह ही आपके भीतर है व इसके अतिरिक्त नहीं; कर्म मनुष्य को बाँधता नहीं।"

इन दो श्लोकों में मनुष्य के दिव्य जीवन के सिद्धांत की संकल्पना का आधार रखा गया है,–इच्छा को त्यागते हुए सब कुछ समर्पित कर भोग करो।

मनुष्य को सौ बरस तक जीने की इच्छा करनी चाहिए ताकि वह संपूर्ण रूप से भोग कर सके। लेकिन यह करने के लिये मनुष्य को कर्म के बन्धन में नहीं बन्धना चाहिए। दूसरे शब्दों में मनुष्य को निरासक्त कर्म करना चाहिए। निरासक्त होने का अर्थ है इच्छारहित होना, अर्थात सभी इच्छाओं का त्याग करना चाहिए। वह केवल कामनाओं का सम्पूर्ण त्याग करके ही पूर्ण भोग कर

सकता है। यहाँ हम देख सकते हैं कि त्यागने का अर्थ भौतिक व बाह्य पदार्थों को तिलांजित करना नहीं है बल्कि आसक्ति और इच्छाओं का त्याग है जो सभी कामनाओं की जड़ है।

केनोपनिषद

दूसरी ओर केनोपनिषद एक अधिक सीमित समस्या की ओर अग्रसर होता है तथा एक अधिक यथार्थ तथा संकुचित अनुसन्धान से आरम्भ होता है। यह स्वयं में मानसिक चेतना को ब्रह्म-चेतना के सम्बन्ध तक ही सीमित रखता है तथा अपने इस विषय की सीमाओं के बाहर नहीं भटकता। भौतिक जगत और भौतिक जीवन को निश्चित माना गया है तथा इनकी कहीं भी चर्चा नहीं की गयी है। लेकिन यह भौतिक जगत और जीवन हमारे आन्तरिक व्यक्तित्व तथा आन्तरिक जीवन के कारण ही हमारे लिए अस्तित्व में है। जिस प्रकार हमारे मानसिक यन्त्र हमें बाह्य जगत का चित्रण करते हैं, जिस प्रकार मन के अधीनस्त प्राणों की शक्ति वस्तुओं तथा प्रेरणाओं के साथ बर्तती है वैसा ही हमारा बाह्य जीवन तथा अस्तित्व होगा। जैसा भी मन और इन्द्रियाँ हमें दर्शाति हैं वैसे ही मूल रूप से नहीं बल्कि यथार्थ रूप में जगत हमारे लिए है। उपनिषद प्रश्न उठाता है कि फिर यह मानसिक यन्त्र क्या है? यह मानसिक जीवन क्या है जो बाह्य का प्रयोग करता है? क्या यह अन्तिम प्रत्यक्षदर्शी, सर्वोच्च एवं निर्णायक शक्ति है? क्या मन तथा जीवन एवं शरीर ही सब कुछ है या फिर यह मानवीय अस्तित्व किसी उच्चतर, अधिक शक्तिशाली, अधिक सुदूर व स्वयं से प्रगाढ़ किसी पदार्थ का एक पर्दा है?

उपनिषद उत्तर देता है कि कोई ऐसा उच्चतर अस्तित्व भौतिक जीवन के पीछे है। जड़ मन को नहीं जानता, मन जड़ को जानता है; यह तभी जब जीव जड़ में साकार रूप लेता है, मन का उद्भव होता है तथा मनोमय जीव बनता है, जिस कारण वह अपने मानसिक व्यक्तित्व को जानता है एवं उस व्यक्तित्व द्वारा मन जड़ के स्वरूप को जानता है। इसी प्रकार मन उस "तत्" को नहीं जानता जो उसके पीछे है, वह "तत्" मन को जानता है, तथा जब मन में लिप्त जीव अपने सत्य स्वरूप को दृष्टी-भ्रम से मुक्त कर लेता है वह तभी "तत्" बन सकता है, स्वयं को जान सकता है तथा इस "तत्" द्वारा, जो कि मन से अधिक सत्य-स्वरूप है, मन की वास्विकता को जान सकता है।

उस स्थिति में मानसिक जीव का सर्वोपरी लक्ष्य, उसके अस्तित्व की सबसे महत्वपूर्ण समस्या, यह है कि वह मन तथा उसके यंत्रों से ऊपर कैसे उठे, अपने आपमें कैसे प्रवेश करके ब्रह्मा की प्राप्ति करे। यदि यह मान लिया जाए कि मानसिक सत्ता से और अधिक ठोस कोई सत्ता है, भौतिक जीवन से उच्चतर

एक जीवन है, तो इससे यह निष्कर्ष निकलता है कि मनुष्य अपने एक निम्न-जीवन के जिन समस्त स्वरूपों व भोगों के लिये यहाँ साधारणतया खोजता व पूजता है, वह एक जागृत आत्मा के लिए इच्छित वस्तु नहीं हो सकती। उसे इससे आगे की अवस्था की जिज्ञासा अवश्य होनी चाहिए; उसे इस मृत्यु व स्थूल जगत से स्वयं को मुक्त अवश्य करना होगा ताकि वह इनसे परे अपने अमृत्व की सच्ची सत्ता को प्राप्त कर सके। जब यहां इस नश्वर जीवन में स्वयं को निम्न चेतना से मुक्त कर सके तथा उस अनादि व अनन्त चेतना को जाने और आत्मसात करे तभी वह वास्तविक अस्तित्व में स्थित है। वर्ना वह यही महसूस करेगा कि वह खो गया है, वास्तविक मुक्ति से अच्युत हो गया है।

यह जानना अतिआवश्यक है कि उपनिषद में ईश्वरीय चेतना (ब्राह्मण) कोई ऐसी वस्तु नहीं है जो मानसिक व भौतिक संसार से बाहर है, या इससे तटस्थ है तथा किसी भी प्रकार से संसारिक कार्यकलापों के साथ सम्बन्धित या क्रियाशील नहीं है। इसके विपरीत यह समस्त जगत का नियन्ता व ईश्वर है; नश्वर-चेतना के देवताओं की शक्तियां इसकी शक्तियां हैं; जब वे विजयी होती हैं व महान बनती हैं, वे इसी कारण कि ब्रह्म ने युद्ध किया और विजयी रहे। यह जगत, इसी कारण, एक निम्न कर्म है, अपने से अधिक सच्चे, पूर्ण व अत्यधिक महान किसी अनन्त वस्तु का एक दिखावटी प्रतिनिधी है। वह वस्तु क्या है? वह है सम्पूर्ण-आनन्द, जो अनन्त सत्ता है व एक अनश्वर शक्ति। मनुष्यों को इसी शुद्ध तथा अनन्त आनन्द को पूजना और ढूंढना चाहिए, ना कि इस संसार की कामनाओं व भोग को। इसे कैसे प्राप्त किया जाए यही एक मात्र महत्व का प्रश्न है। यही एक मात्र सत्य है तथा एक मात्र ज्ञान, तथा अपने सम्पूर्ण सत्ता के साथ इसी की खोज में लग जाना चाहिए।

भारतीय अध्यात्म की निस्तरता

भारतीय आध्यात्म के इतिहास में उपनिषदों का एक और महत्व भी है। उपनिषदों ने ही भारतीय आध्यात्म की निरन्तरता की लीक को बनाए रखा। ऐसा समय भी आया था जब मूल वैदिक प्रतीक अपना महत्व गंवाने लग गऐ थे तथा उनका भेदन करना बहुत कठिन हो गया था जिस कारण वेद गुमनामी की ओर अग्रसर थे। दो सीमाओं के बीच पुराना संतुलन व आकार आध्यात्मिकता का पर्याप्त आधार नहीं था। एक तरफ तो दीक्षा लेने वालों के लिए गुप्त आध्यात्मिक एवं गूह्य ज्ञान था तथा दूसरी ओर था अर्ध-प्रशिक्षित स्वाभाविक भौतिक मनुष्य जो प्रतीकों और धार्मिक प्रथाओं का पालन कर रहा था। इन दोनों चरम सीमाओं के बीच का अन्तर अत्यधिक था तथा जैसा कि यूनान में हुआ था, ज्ञान के लुप्त हो जाने का खतरा पैदा हो गया था। वहां, यानि कि यूनान में रहस्यों की आन्तरिक शिक्षा का अनुसरण पाइथोगोरस और प्लेटों के

अधिक बौद्धिक लेकिन कम प्रेरित ज्ञान द्वारा हुआ था। और यही रीति यूनानी व पश्चिमी सभ्यता के बाद वाले काल के उत्थान व विशेष लक्ष्य की लीक रही है। इसका मुख्य ध्येय भौतिक मनुष्य व प्राणों के एक स्वस्थ और सुन्दर सभ्यता को आदर्शवादी बुद्धि के द्वारा उन्नत करना था ना कि जिस प्रकार भारत में था इन यन्त्रों व भागों का भागवत प्राप्ति के लिए उन्नत करना।

उननिषदों के प्रयत्नों द्वारा भारतीय संस्कृति और सभ्यता को इस दौर से बचाया गया था। वेदान्त के ऋषियों ने वैदिक सत्य को गुप्त रूढ़ियों के जाल से निकाल कर पुनः जागृत किया तथा प्रज्ञ-ज्ञान व आन्तरिक अनुभवों को अधिक स्पष्ट एवं प्रभावशाली भाषा में परिभाषित किया। यह बुद्धि की भाषा नहीं थी तथापि ऐसी शैली में थी जिसको बुद्धि पकड़ सकती थी तथा इसलिए और अधिक संख्या में लोगों की पहुँच में थी। इस प्रकार यह सदा बढ़ते हुए जिज्ञासुओं के वृत तथा गहरे दार्शनिक चिन्तन का आरम्भ बिन्दु बन गया।

निष्कर्ष

उपनिषदों में एक स्पष्ट वर्णन तथा परम्परा का आदी तत्व है जो यद्यपि कुछ ही संक्षिप्त दृष्टांतों द्वारा उस सर्वोत्तम ज्ञान प्राप्ति को पुनः स्थापित करता है जिनके कारण उपनिषदों की रचना सम्भव हुई। श्री अरविन्द के शब्दों में "प्राचीन संसार के दृश्य हमारे समक्ष कुछ पृष्ठों में जीवित हो जाते हैं, ऋषिगण अपनी वाटिकाओं में बैठे आने वाले की परीक्षा लेने व शिक्षा देने को तैयार, राजकुमार और पठित ब्राह्मण तथा धनी जमींदार ज्ञान की खोज में भटकते हुए, राजा का बेटा अपने रथ में तथा दासी का अवैध बेटा, किसी भी ऐसे पुरुष की खोज में जिसे इस दिव्य प्रकाश का विचार तथा दृष्टा के मन्त्र की प्राप्ति हो, विशेष व्यक्त्वि व आकृतियाँ, जनक तथा अजातशत्रु का सूक्ष्म मन, रथवान रैक्वा, आतंकवादी याज्ञवल्क सत्य के लिए शांत तथा व्यंग्यात्मक, अपने दोनों हाथों से निरासक्त भाव में भौतिक सम्पत्ति और आध्यात्मिक धन को लिए हुए तथा अन्त में समस्त खजाने को पीछे तिलांजित करते हुए गृह-विहीन तपस्वी की भांति भटकने को अग्रसर, देवकी का पुत्र कृष्ण जिसने ऋषी घोरा से एक शब्द सुना तथा तुरन्त अनन्त को जान गया, आश्रम, आध्यात्मिक विचारक व अन्वेषक, राजाओं के दरबार, महान यज्ञशालाओं की सभाएँ जहाँ ऋषिगण मिलते थे व अपने ज्ञान की समीक्षा करते थे तथा हम देखते हैं कि किस प्रकार भारत की आत्मा का जन्म हुआ तथा किस प्रकार यह जन्म-गान उठा जिसमें वह धरती से एक ऊँची उड़ान भरते हुए आत्मा के सर्वोच्च स्वर्ग में उड़ा।"

"वेद तथा उपनिषद ना केवल भारतीय दर्शन तथा धर्म अपितु समस्त भारतीय कला, पद्य तथा साहित्य के पर्याप्त उद्गम स्थल हैं। यह आदर्श मन, स्वभाव

तथा आत्मा की स्थापना व अभिव्यक्ति थी जिसने बाद में महान दर्शन-शास्त्रों को गढ़ा, धर्म के आकार की संरचना की, रामायण तथा महाभारत में अपने शैशव की वीरता का अभिलेख किया, अपने प्राचीन पुरुषत्व की भरपूरता के काल में ना थकने वाली विद्वत्ता प्रदान की, विज्ञान में कई प्रकार की मूल संस्थाएँ स्थापित की, इतने मनभावक तथा विषयी व इंद्रीय-भोग के अनुभवों के समृद्ध चमक की रचना की, तंत्र और पुराणों में अपने आध्यात्मिक एवं गूह्य अनुभवों का पुनरुत्थान किया, रेखाओं तथा रंगों के वैभव एवं सुन्दरता में स्वयं को डुबोया, पत्थर व पीतल में अपने विचार और दृष्टी को ढाला व तराशा, पश्चात की भाषाओं में स्वाभिव्यक्ति की, नई धाराओं में स्वयं को उंडेला तथा ग्रहण के बाद अब दुबारा मत-भेदों के होते हुऐ भी सदा एक समान, एक नये जीवन व एक नयी सृष्टी की रचना के लिए अब पुन: उभर रही है।"

उपसंहार

हम इस अध्याय को श्री अरविन्द के शब्दों के साथ समाप्त करते हैं: "हम वेदों के द्वारा मनुष्य के मनोवैज्ञानिक सत्य में अपनी सबसे ऊँची उड़ान और सर्वदा विस्तृत दिव्य ज्ञान, शक्ति, आनन्द एवं जीवन के विस्तार को विश्व में देवताओं के अस्तित्व के समन्वय के साथ प्रारम्भ करते हैं जिनका भौतिक संसार के प्रतीकों के पीछे उन उच्चतर सत्ताओं में अनुसरण किया गया जो भौतिक संवदेनाओं व सांसारिक मानसिकता से छिपी हुई हैं। इस समन्वय की पराकाष्ठा थी वैदिक ऋषियों के किसी ऐसे दिव्य, सर्वोच्च एवं आनंदमयी अनुभवों में जिसके योग में मनुष्य की बढ़ती आत्मा तथा विश्व के देवताओं की अनादि दिव्य पूर्णता पूर्ण रूप से मिलती थी व स्वयं को परिपूर्ण करती थी। उपनिषदों ने अपने से पूर्व ऋषियों के इस सर्वोच्च अनुभव को अपना आरम्भिक बिन्दु बनाया आध्यात्मिक ज्ञान के एक उच्च तथा महान समन्वय के लिए; एक महान और फलदायी आध्यात्मिक जिज्ञासा के सम्पूर्ण काल के दौरान प्रेरित व मुक्ति प्राप्त ज्ञानियों द्वारा अनन्त को जाना व अनुभव किया गया व उस सारे को एक महान समन्वय के रूप में इन्होंने इकट्ठा किया है।"

हम इसलिए यह कह सकते हैं कि वेदों और उपनिषदों ने भारत के आध्यात्मिक जीवन की नींव रखी। जिसको वैदिक ऋषियों ने एक गुप्त भाषा में प्रस्तुत किया उसे उपनिषदों ने एक प्रज्ञापूर्ण तथा बौद्धिक भाषा में दिया। भारतीय सभ्यता को जो दिशा दी गई वह अन्य जगतों की नहीं थी अपितु इसी व्यस्त जीवन में आध्यात्मिकता की थी।

5

मोहनजोदाड़ो तथा हड़प्पा

वर्ष 1921–22 के दौरान पंजाब, सिन्ध व बलूचिस्तान प्रांतों में कई खुदाइयों को करवाया गया। पुरातत्व विशेषज्ञ, जिन्होंने यह खुदाइयाँ करवाई, अवश्य कुछ पाने की सम्भावना रखते थे, लेकिन उन्होंने कभी सोचा भी नहीं था कि धरती के नीचे वे एक पूरे शहर को ढूंढ लेंगे। उन्होंने उस शहर को हड़प्पा का नाम दिया। बाद में इसके दक्षिण में एक और बड़ा शहर उन्होंने ढूंढा जिसे मोहनजोदाड़ो के नाम से जाना गया। इसके तुरंत बाद, पीछे-पीछे अस्सी और गांव व कस्बे ढूंढे व प्राप्त किए गए जो इस नई ढूंढी हुई सभ्यता से सम्बन्धित थे। इसको सिंधु घाटी की सभ्यता का नाम दिया गया। यह खुदाइयाँ 1200 × 700 मील से अधिक के क्षेत्र को समाए हुए एक बहुत बड़े क्षेत्र में फैली हुई थी। 140 से अधिक ढूंढे गये स्थलों में से तीन अत्यधिक महत्व के हैं। वे हैं मोहनजोदाड़ो सिंधु नदी के किनारे, हड़प्पा रावी नदी के किनारे तथा काठियावाड़ समुद्री किनारे पर स्थित लोथल। इन स्थलों की प्राप्ति ने एक अत्यधिक उन्नत व जटिल सभ्यता की उपस्थिति को जताया। इन खुदाइयों ने भारतीय इतिहास में एक बिल्कुल नये अध्याय को जोड़ दिया।

मेसोपटामिया, मिस्र और यूनान की महान सभ्यताओं की भांति हड़प्पन सभ्यता भी सिंधु नदी के जीवन-दायक समृद्ध तराई के बाढ़ भरी समतल भूमि में पली, बढ़ी। आदी कालीन शहर और कई कस्बे नदी के बिल्कुल किनारों पर बसे हुए लगते थे। यह कहा जाता है कि सिन्धु एक बहुत विनाशकारी एवं पूर्वानुमान रहित नदी थी तथा इसमें बहुत-सी बाढ़ें आती थीं एवं प्राकृतिक शक्तियाँ आम तौर पर शहरों को समतल कर जाती थीं। यह अनुमान लगाया जाता है कि दक्षिण में मोहनजोदाड़ो शहर, जहाँ कि बाढ़ बहुत प्रलयंकारी हुआ करती थी, छः बार पुनः स्थापित किया गया था। इसी प्रकार उत्तर में हड़प्पा शहर पाँच बार पुनः स्थापित हुआ था।

हड़प्पन लोग किसान थे तथा उनकी अर्थव्यवस्था लगभग पूर्ण रूप से खेतीबाड़ी व बागवानी द्वारा संचालित थी। हर शहर में बहुत विशाल अन्न भण्डार बनाए गए थे, तथा सम्भवतया एक विस्तृत दफ्तरशाही थी जिसके द्वारा

इस अन्न के धन को वितरित किया जाता था। सिन्धु घाटी अब तुलनात्मक रूप से सूखी है, लेकिन जब हड़प्पन वहाँ विकसित थे स्पष्टतया यह काफी नमी वाली थी। हम यह इसलिए जानते हैं क्योंकि वह ईटें जिन के द्वारा उन्होंने शहर की रचना की वे सब पकाई गई ईटें थी। चूंकि सूर्य की गर्मी से सूखी ईटें बनानी आसान होती हैं तथा सस्ती होती हैं, हम केवल अनुमान ही लगा सकते हैं कि अत्यधिक नमी तथा वाष्पीकरण इनको आसान रास्ता चुनने से रोकता था। इसके अतिरिक्त, हड़प्पन मुद्राओं में से कई मुद्राओं पर ऐसे पशुओं के चित्र हैं जिनके द्वारा एक गीला तथा दलदली पर्यावरण होने का संकेत मिलता है, जिस प्रकार दरियाई घोड़े, हाथी तथा शेर। हड़प्पनों के पास एक विस्तृत प्रकार के घरेलु जानवर भी होते थे जैसे ऊंट, बिल्लियां, कुत्ते, बकरियाँ, भेड़ तथा भैंसे।

मोहनजोदाड़ो शहर

मोहनजोदाड़ो शहर की एक महत्वपूर्ण व प्रत्यक्ष विशेषता उसकी जनपद योजना में थी। शहर को आश्चर्यजनक तरीके से सुनियोजित किया गया था। इसमें सीधी गलियाँ थी जो उत्तर से दक्षिण तथा पूर्व से पश्चिम जाने वाली गलियों को 90 के कोण पर एक दूसरे को विभाजित करती थी। गलियाँ चौड़ी थीं व उनमें से कुछ 34 फीट की चौड़ाई वाली भी थीं। अधिकतर गलियाँ व सड़कें पक्की थीं। घर अलग प्रकार के थे तथा पक्की ईटों, गारे तथा चूने के गृह-निर्माण सामग्री से बनाए गए थे। हर घर में रसोई-घर व शौचालय के साथ कमरे थे। शौचालय गली के मुहानों पर बनाए गऐ थे ताकि शौच के जल को शहर के मुख्य निकास नाली के साथ आसानी से जोड़ा जा सके। अधिकतर घर दो मंजिले थे तथा एक तंग सीढ़ी के द्वारा जोड़े गऐ थे। शहर की एक प्रमुख विशेषता थी उसकी मैले पानी के निकास की विस्तृत व्यवस्था। हरेक गली तथा उप-गली के दोनों ओर पक्की नालियाँ थीं, जो घरों से मैला पानी इकट्ठा करती थीं। यह नालियाँ गली के सतह से नीचे बिछाई होती थीं तथा मैले पानी को सिन्धु नदी में धकेल दिया जाता था।

विशाल स्नानागार

शहर के अन्त की ओर एक दुर्ग का टीला तथा कुछ सार्वजनिक भवन थे। इनमें से एक प्रमुख इमारत थी एक विशाल स्नानागार। इस स्नानागार इमारत का माप 180 × 108 फुट था तथा इसमें एक नहाने का तालाब 39 × 23 × 8 फुट माप का होता था। इस नहाने के तालाब के चारों ओर बरामदे और स्नानागृह थे। तालाब के एक किनारे पर सीढ़ियाँ थीं तथा प्रति दिन गन्दे पानी के निकास और ताजे जल द्वारा भरे जाने की व्यवस्था की गई थी।

शहर में दूसरी इमारतों में एक अन्न भण्डार तथा एक स्नातक विद्यालय थे। अन्नभण्डार को अनाज जमा करने के लिए प्रयोग किया जाता था जो कि वहाँ

अत्यधिक होता था तथा विद्यालय भवन का प्रयोग शायद सभा गृह के तौर पर होता था। सारे शहर को बहुत भलीभांति व्यवस्थित रखा जाता था। जल वितरण भली प्रकार नियोजित किया जाता, गलियों में प्रकाश स्तम्भ थे तथा पानी के निकासी की अति सुन्दर व्यवस्था थी।

शहर बहुत सावधानी पूर्वक नियोजित किये जाते व बनाए जाते। वे वास्तव में प्रथम लोग थे जो अपने शहर के भवनों को योजनानुसार बनाते थे, जब कभी वे अपने शहरों को दुबारा बनाते, वे उन्हें उसी प्रकार नियोजित करते जैसा कि तबाह हुआ शहर बनाया गया होता था। शहर के बीच के रास्तों को एक दूसरे को समकोण पर काटते हुए नियोजित किया जाता। शहर का अधिकतर भाग प्रवासी मकानों का होता था।

हड़प्पन शहरों में जीवन प्रत्यक्ष रूप में पर्याप्त उत्तम था। तथापि प्रवासी मकान बन्द होते थे, जो कि प्राचीन शहरों में मुख्यत: होता था, उनमें फिर भी नालियाँ, मैले पानी की निकासी तथा शौचालय भी होते थे। इसमें कोई शक नहीं कि इनका प्रभावशाली व्यापार पश्चिम दिशा की ओर वाली सभ्यताओं के साथ होता था। कई हड़प्पन मुद्राएँ सुमेर के शहरों की खुदाई में पाई गई हैं, साथ ही साथ कुछ ऐसे जानवरों के रेखाचित्रों को पाया गया जो किसी भी प्रकार मेसोपटामिया में नहीं पाये जा सकते थे, जैसे कि शेर। तथापि, हड़प्पन शहरों में बहुत ही कम मेसोपोटामियन कला-कृतियां पाई गईं।

यह दर्शाने के यहाँ पक्के सबूत हैं कि घरेलु पशुओं का प्रयोग किया जाता था, जिनमें शामिल हैं ऊंट, बकरियाँ, नीलगाय, तथा मुर्गियाँ इत्यादि। हड़प्पा के लोग गेहूँ, जौ, मटर आदी की फसल उगाते थे तथा वे शायद प्रथम लोग थे जो कपास उगाते थे व उससे कपड़े बनाते थे।

व्यापार तथा वाणिज्य

यह सिद्ध करने के सबूत हैं कि शहरों में रहने वाले लोग व्यापार तथा वाणिज्य में संलग्न थे। बैल-गाड़ियों का प्रयोग एक शहर से दूसरे शहर को माल ढोने के लिए किया जाता था। अंतर्देशीय व्यापार विकसित था। इसके अतिरिक्त पश्चिम एशिया के देशों, क्रेट तथा मिस्त्र के साथ गहरे व्यापारिक सम्बन्ध थे। खोजों से यह संकेत भी मिलते हैं कि हड़प्पन सभ्यता के आस पड़ोस के क्षेत्रों के साथ भी गहरे व्यापारिक सम्बन्ध थे तथा ईरान की खाड़ी तथा सुदूर इराक के देशों के साथ भी व्यापारिक संबंध थे। लोथल एक महत्वपूर्ण व्यापार केन्द्र था। यहाँ एक बन्दरगाह भी थी जहाँ दूर-दूर तक समुद्री व्यापार

करने के लिये समुद्री जहाज भी बनाए जाते थे। यह स्पष्ट है कि सिन्धु घाटी में व्यापार एक प्रमुख व्यवसाय था तथा इतनी अधिक मुद्राओं को ढूंढा जाना इस ओर इशारा करता है कि प्रत्येक व्यापारी या वाणिज्य-परिवार की अपनी निजी मुद्रा होती थी। यह प्राप्त मुद्राएँ विभिन्न षटकोणी शक्लों तथा मात्रा में हैं तथा हरेक के ऊपर मनुष्य या किसी पशु की सूरत अंकित है। हड़प्पन समाज शायद व्यवसायों के आधार पर बँटा हुआ था तथा इससे यह सुझाव भी मिलता है कि एक व्यवस्थित सरकार की स्थापना भी थी। मुद्राओं पर देवताओं के चित्र दर्शाते हैं कि हड़प्पन देवी देवताओं की नर तथा नारी के रूप में पूजा होती थी तथा कुछ रीति रिवाज भी विकसित किए गए थे। कोई भी स्मारक मूर्ति नहीं बची है, लेकिन बहुत-सी मानव आकृतियों को खोजा गया है। देवी माँ की अनगणित टेरा-कोटा मूर्तियाँ खोजी जा चुकी हैं जिनसे यह अनुमान लगता है कि उसे लगभग हर घर में पूजा जाता था।

शहरी अर्थ-व्यवस्था

मुख्य शहरों में कई उद्योग विकसित किए गए थे। वहाँ पर कई व्यवसायी वर्ग थे जैसे कुम्हार, बढ़ई, राज-मिस्त्री, जौहरी, सुनार, बुनकर तथा रंगरेज। इनमें से कुम्हार सबसे महत्वपूर्ण थे। अधिकतर बर्तन कुम्हार के चक्के पर बने होते थे। बड़ी सुराहियाँ अनाज के रखने के लिए होती थीं। इसके अतिरिक्त खूबसूरत पात्र भी होते थे जिनपर विभिन्न रंग किए हुए होते थे।

सिन्धु घाटी की सभ्यता के कारीगर पीतल तथा तांबे के खूबसूरत पात्र, घर के बर्तन, गहने तथा तांबे की आकृतियाँ भी बनाते थे। उन्होंने रत्नों पर नक्काशी के कार्य में भी अद्‌भुत सफलता प्राप्त की थी। खुदाई के दौरान कलात्मक पत्थरों के मनके, खास तौर पर मूंगे और पन्ने भी प्रचुर मात्रा में पाए गए थे।

सुरक्षा

विदेशियों के आक्रमण रोकने के लिए शहर की भली भान्ति किलेबन्दी की जाती थी। श्री मोरटीमर व्हीलर ने अन्न भण्डारों, सैनिक निवास-स्थलों और हड़प्पा के कार्य-क्षेत्रों के सतह को देखने के पश्चात टिप्पणी की कि यह सब "दुर्ग के साये में महत्वपूर्ण सैनिक अड्डे की योजना व व्यवस्था का एक उदाहरण है।" बहुत से हथियारों, जैसे कि कुल्हाड़ी, भाले, तलवारें व छुरे तथा तीर-कमान इंगित करते हैं कि वे युद्ध की कला से भी परिचित थे। 1700 ईसा-पूर्व के लगभग तक, नदियों के तटों पर बसे शहरों के बारम्बार बाढ़ग्रस्त होने के कारण हड़प्पन सभ्यता ढलान पर आ गई थी। पर्यावरण के बदलाव भी हुए थे, जिस कारण खेती-बाड़ी बढ़ते हुए रेगिस्तान के आगे हार गई।

सिन्धु सभ्यता के संस्थापक

हड़प्पा और मोहनजोदाड़ो की खोज ने भारतीय इतिहास के दृष्टिकोण को पूर्णतया बदल डाला। सिंधु सभ्यता की खोज से पहले, भारतीय इतिहास में वैदिक काल की तिथियाँ 1200 BC के लगभग आंकी गई थी। यह श्री मैक्स मुलर थे जिन्होंने ये तिथियाँ सुझाई थी, यद्यपि बाद में यह माना जाता है कि उन्होंने यह टिप्पणी भी की, "क्या वैदिक ऋचाएँ 1000 या 2000 या 3000 BC में रची गई थीं यह इस धरती पर कोई भी शक्ति नहीं जान पाएगी।"

इतिहासकार सिन्धु घाटी की सभ्यता की तिथि तीन हजार BC के आसपास रखते हैं। लेकिन इस सभ्यता के रचनाकार कौन थे, इस प्रश्न ने हर किसी को तंग किया है। कई अटकलें लगाई गई थीं। एक विचार यह था कि यह इसकी समकालीन पश्चिम एशिया की सभ्यता से निकली या उस पर आधारित थी। दूसरा विचार यह था कि द्राविड़ भाषा बोलने वाले लोग इसके रचनाकार थे। एक तीसरा दृष्टिकोण यह भी था कि वैदिक आर्य ही इस सभ्यता के रचनाकार थे। दूसरे शब्दों में यह हड़प्पन, वैदिक समीकरण है यानि के दोनों एक ही हैं। इस छोटे से अध्याय में इन दृष्टिकोणों की योग्यताओं पर अधिक विचार या विस्तार करना सम्भव नहीं होगा। तथापि कुछ दिलचस्प बिन्दुओं का उल्लेख करने योग्य होगा जो हड़प्पन सभ्यता को वैदिक मूल की ओर इंगित करते हैं।

इतिहासकारों ने वैदिक काल से ही जीव वैज्ञानिक तथा सांस्कृतिक, दोनों की ही निरन्तरता की बात को कहा है। यह निरन्तरता 4500 BC से आरम्भ होकर 800 BC तक लगातार फैली है तथा वर्तमान समय तक भी बनी रही है। आज भी भारत में जीवन के कुछ ऐसे क्षेत्र हैं जहाँ हड़प्पन सभ्यता के अंश को झांका जा सकता है। उदाहरण के तौर पर पंजाब, हरियाणा व राजस्थान में खेतों में हल की लकीरों को एक दूसरे को काटते हुए जोता जाना हड़प्पन काल के समय से चलता आ रहा है। योग के आसन भी हड़प्पन समय की ओर ले जाते हैं। विवाहित स्त्रियों द्वारा माँग में सिंदूर के लगाने की प्रथा 1800 BC तक पुरानी है।

हड़प्पा का आरम्भ वैदिक मूल से होने का सबसे महत्वपूर्ण तथा स्थापित सबूत ऋगवेद के भूगोल-शास्त्र में है। ऋगवेद में सरस्वती नदी का वर्णन पचास बार से अधिक किया गया है। यह यमुना तथा सतलुज नदियों के बीच बहती थी तथा इतनी शक्तिशाली थी कि यह कभी-कभी अपनी तेज धाराओं द्वारा पहाड़ों की चोटियों को भी धाराशायी कर देती थी, इस की दो महत्वपूर्ण सहायक नदियाँ थीं-दृषाद्वती तथा अपाया तथा सरस्वती पहाड़ों से लगातार समुद्र तक बहती थी। आज भी भारत में एक नदी का अस्तित्व है जिसे सरस्वती कहा

जाता है, जो कि यमुना और सतलुज के बीच स्थित है और यह महत्वपूर्ण व दिलचस्प बात है। यह घाघरा नदी में मिलती है तथा सिरसा के पास अपने प्राचीन रास्ते में ही सूख जाती है। पुरातत्व के द्वारा सरस्वती नदी के राह को सारे हरियाणा के बीच से तथा भारत के राजस्थान में से तदोपरांत पाकिस्तान के चोलीस्तान व सिन्ध तथा अन्त में कच्छ के रण में भ्रष्ट होते हुऐ इसे रेखांकित किया जा सकता है। सरस्वती नदी के तटों पर खुदाइयाँ की जा चुकी हैं तथा इन सब सुरागों को इकट्ठा किया जाए तो पता चलता है कि सरस्वती घाटी हड़प्पन सभ्यता की धुरी थी।

अधिक रुचिकर बात यह है कि प्रोफेसर रोबर्ट रेक्स के नेतृत्व व मार्ग-दर्शन के अधीन एक भारतीय-इटेलियन भू-वैज्ञानिकों की संयुक्त टोली ने, यह जानने व सुनिश्चित करने के लिए कि सरस्वती का पिछला इतिहास क्या है तथा वह क्यों सूख गई, उन्होंने नदी के तल में कई जगह छेद किये। इन छिद्रों द्वारा एकत्रित नमूनों के अध्ययन से यह पता चला कि प्राचीन समय में सरस्वती नदी का जल हिमालय के उन्हीं स्त्रोतों से आया जिन्होंने यमुना को जल दिया तथा किन्हीं भू-गर्भीय हलचल के कारण इसकी धारा में अवरोध आ गया और यह यमुना के जल क्षेत्र की ओर मुड़ गई तथा इसका फल यह हुआ कि सरस्वती सूख गई। यह भी स्थापित किया जा चुका है कि सरस्वती नदी 2000 BC के आसपास सूख गयी थी। मिले जुले जल-विज्ञान व भू-विज्ञान तथा पुरातत्व व रेडियोकार्बन तिथियों के समस्त प्रमाणों के आधार पर, ऋग्वेद काल की महान सरस्वती नदी 2000 BC के आसपास सूख गई थी, जिससे यह स्पष्ट निष्कर्ष निकलता है कि ऋग्वेद 2000 BC से पूर्व के हैं। इससे कितने पूर्व, यह किसी के लिए भी अनुमान का विषय है।

ऋग्वेद की नदी स्तुती से भी एक और महत्वपूर्ण तथ्य प्राप्त होता है। इस स्तुती में पूर्व दिशा में गंगा व यमुना से लेकर पश्चिम की सहायक नदियों समेत जो सरस्वती को सीचती हैं सभी नदियों की गिनती क्रमवार की गई है। इससे यह स्थापित होता है कि ऋग्वेद के आर्यों द्वारा इन नदियों से घिरे क्षेत्र पर आधिपत्य था, अर्थात् वर्तमान भारत के उत्तर प्रदेश, हरियाणा, पंजाब व राजस्थान तथा पाकिस्तान के पंजाब, सिन्ध व उत्तर-पश्चिम फ्रंटियर प्रदेश तथा अफगानिस्तान के पूर्वी प्रदेश इसमें सम्मिलित थे।

इन सबसे यह विदित है कि 2000 BC से पूर्व जो सभ्यता फली-फूली वह अवश्यक हड़प्पन सभ्यता नहीं होगी। इससे ना बचने वाला निष्कर्ष यह निकलता है कि हड़प्पन सभ्यता के जनक अवश्य वैदिक आर्य रहे होंगे। इस समस्या का समाधान हड़प्पन लिपी के निश्चित अर्थ निकालने में है। आजकल कई प्रयत्न किये जा रहे हैं तथा जब इस लिपी के निश्चित व निर्णायक अर्थ निकाल लिए जाऐंगे तभी इस समस्या का अन्तिम हाल हो सकेगा।

6

महान महाकाव्य

जैसा कि हमने पिछले अध्यायों में देखा है वेद भारतीय सभ्यता के आध्यात्मिक तथा मनोवैज्ञानिक बीज हैं, उपनिषद सर्वोच्च आध्यात्मिक ज्ञान के सत्य की अभिव्यक्ति हैं। तथापि, एक साधारण मनुष्य के लिए इस आध्यात्मिक सत्य को प्रभावशाली बनाने के लिए इसे आध्यात्मिक व बौद्धिक स्तर से उतर कर नीचे बौद्धिक व क्रियात्मक स्तर पर आना पड़ा था। इस कार्य को हमारे महान महाकाव्यों, रामायण तथा महाभारत ने किया।

इतिहास के ज्ञान की परम्परा वैदिक शिक्षाओं का एक महत्वपूर्ण पहलू था। इसके अनुसार इतिहास एक प्राचीन ऐतिहासिक या पौराणिक परम्परा का रचनात्मक तरीके से प्रयोग करते हुऐ एक कथा के रूप में किसी आध्यात्मिक या धार्मिक या नीति सम्बन्धी या सैद्धान्तिक अर्थ की अभिव्यक्ति होती थी। इस प्रकार यह लोगों के मन पर एक रचनात्मक अभिकर्ता की भांति कार्य करता था। ये दो कथाएँ किसी प्राचीन गाथा को केवल एक सुन्दर या प्रभावशाली तरीके से बताने के उद्देश्य से ही संकल्पित नहीं की गई थीं; ये एक ऐसे भाव से लिखी गई थी जिसकी क्रिया जीवन के शिल्पकारों व वास्तु-निर्माताओं, रचनात्मक प्रतिपादकों, राष्ट्रीय विचार व धर्म, नीति व संस्कृति के प्रभावशाली शैलियों में प्रदान करने वालों के कार्य की भांति था। इन महाकाव्यों का कार्य उच्च दार्शनिक व नीति सम्बन्धी विचार एवं सांस्कृतिक प्रथा को लोकप्रिय बनाना था। इन्होंने एक गहरे प्रभाव में व मुख्यत: काव्य व काव्य में कहानी के रूप में महत्वपूर्ण व्यक्तियों के कार्यों को प्रस्तुत किया। ये व्यक्तित्व भारतवासियों के लिए स्थिर राष्ट्रीय यादगारें व भारतीय सभ्यता के विचार व आत्मा में जो कुछ भी श्रेष्ठ था उनका प्रतिनिधित्व करने वाले चरित्र बन गऐ। कुल मिला कर, वह सब जो सभ्य श्रेणियों के लिए वेदों तथा उपनिषदों में सम्मिलित था, उसे यहाँ एक रचनात्मक तथा जीवन्त रूपों द्वारा, जो जानी पहचानी कथा तथा पौराणिक गाथा के साथ संस्थापित थे, जीवन की एक सजीव अभिव्यक्ति के साथ मिश्रित करके एक करीबी व जीवित शक्ति बना दिया जिसको भारत के सभी लोग आसानी से आत्मसात कर सकते थे। हम इन दो महाकाव्यों की कथाएँ संक्षिप्त रूप में देते हैं।

रामायण की कथा

राजा दशरथ के चार पुत्रों में से सबसे बड़े राजकुमार राम थे तथा उन्हें राजा बनना था जब उनके पिता राजगद्दी से बनवास ले लेते। उनकी सौतेली माँ, अपने बेटे भरत को, जो राम के छोटे भाई थे, राजा बनवाना चाहती थी। यह याद करते हुए कि राजा ने एक बार उन्हें इच्छित दो वरदान देने की सौगन्ध खाई थी, उसने माँग की कि राम को बनवास दिया जाए तथा भरत को राज-गद्दी। राजा को अपनी रानी को दिए सौगन्ध की लाज रखनी पड़ी तथा राम को बनवास की आज्ञा दी गई। राम ने इस फैसले को बिना प्रश्न किए कबूल किया और अपनी सौतली माँ से कहा कि वह खुशी-खुशी अपने पिता की आज्ञा का पालन करेगा।

जब राम की पत्नी सीता को राम के बनवास का ज्ञान हुआ, उसने राम के साथ बनवास जाने की भीख मांगी तथा राम को याद दिलाया, "जैसे पदार्थ के साथ साया वैसे ही पति के साथ पत्नी। क्या पत्नी का धर्म नहीं कि वह पति का साथ निभाए? मुझे अपने से आगे-आगे चलने दें ताकि मैं आपके पैरों के लिए रास्ता साफ कर सकूँ।" उसने मिन्नत की। राम मान गऐ, तथा वे सीता व छोटे भाई लक्ष्मण के साथ वन में चले गए। जब भरत को ज्ञात हुआ कि उसकी माता ने क्या किया है वह राम को वापस बुलाने वन में गया। उसने राम को याद दिलाया कि सबसे बड़े पुत्र को राज करना चाहिए। इसलिए कृपया वापिस चलें और राजा के तौर पर अपना सही हक प्राप्त करें। राम ने अपने पिता की आज्ञा के विरुद्ध कार्य करने को मना कर दिया, तो भरत ने अपने भ्राता के खड़ांऊ ले लिये और कहा, "मैं यह खड़ांऊ आपके प्रभुत्व की निशानी के तौर पर सिंहासन पर विराजूंगा। मैं आपके स्थान पर आपके राज-प्रतिनिधी के तौर पर राज चलाऊँगा, तथा हर रोज अपने भगवान के चरणों में अपना समर्पण करूंगा।"

वर्ष बीतते गये तथा राम सीता व लक्ष्मण वन में बहुत प्रसन्न थे। राम और लक्ष्मण ने उन सब राक्षसों का नाश किया जो ऋषिगणों की तपस्या में बिध्न डालते थे। एक दिन एक राक्षसी राज-कन्या स्वरूपनखा ने राम को मोहना चाहा, तब लक्ष्मण ने उसे उसका अंगभंग करते हुऐ भगा दिया। वह अपने भ्राता रावण जो दस-सिर वाला राजा था, के पास गई और सीता का एक स्पष्ट वर्णन दिया व अपने भाई को बदला लेने के लिये उकसाया।

रावण ने सीता के हरण की एक चाल बनाई। उसने एक जादूई स्वर्ण मृग भेजा जिसे सीता ने सदा प्राप्त करना चाहा था। राम तथा लक्ष्मण उस मृग का

शिकार करने निकल पड़े, लेकिन उससे पहले उन्होंने सीता के चारों ओर एक सुरक्षा का वृत बना दिया तथा उसे चेतावनी दी कि वह यदि वृत को ना लांघे तो पूर्णतया सुरक्षित रहेगी। जब वे चले गऐ तो रावण, जो अपनी भेष-भूषा बदल सकता था, एक साधु के भेष में भिक्षा मांगने के लिए उपस्थित हुआ। जैसे ही सीता भिक्षा देने के लिए वृत से बाहर आई रावण ने उसे दबोच लिया और उसे अपने सम्राज्य लंका में उड़ा के ले गया।

सीता को खाली कुटिया में नहीं पाकर राम का दिल टूट गया। बन्दरों के एक झुन्ड ने सीता को ढूँढ़ निकालने की कटिबद्धता जताई। दूसरी ओर, रावण सीता को लंका में अपने महल में ले गया लेकिन वह उसे अपनी पत्नी बनाने के लिए मजबूर ना कर सका इसलिए उसने उसको एक उपवन में रख दिया तथा उसे लुभाने का प्रयत्न करने लगा ताकि वह उससे विवाह करने को मान जाए। सीता उसे देखने तक को मना कर गई तथा अपने पति राम पर ही उसने अपना पूरा मन लगााए रखा। हनुमान, जो राम का भक्त था, वह बन्दरों का सेनापति था। उसमें उड़ने की शक्ति थी क्योंकि वायुदेव उसके पिता थे। हनुमान लंका की ओर उड़ गया तथा उसने सीता को उपवन में ढूंढ निकाला और उसे तसल्ली दी कि राम जल्द आकर उसे बचा लेंगे।

रावण के सैनिकों ने हनुमान को पकड़ लिया और उसे रावण के पास ले गये। रावण ने आज्ञा दी कि हनुमान की पूँछ में कपड़ा बांध कर उसे आग लगा दी जाए। अपनी जलती हुई पूँछ के साथ हनुमान एक भवन से कूद कर दूसरे भवन की छत पर जाता रहा तथा इस प्रकार सारी लंका में आग लगने के बाद वापिस राम के पास सीता का पता और हाल बताने लौट गया।

राम, लक्ष्मण तथा हनुमान की सेना ने भारत के एक समुद्री-तट से लंका तक का पुल बनाया तथा वे लोग लंका में प्रवेश कर गए। वानरों और राक्षसी सेना के बीच एक घमासान युद्ध हुआ। राम ने रावण के कई भाइयों को मार गिराया तथा अन्त में दशानन रावण के साथ एक निर्णायक युद्ध में राम ने रावण को मार दिया।

तदोपरांत राम ने सीता को बन्धन मुक्त किया। एक आदर्श उदाहरण स्थापित करने के लिये राम ने सीता से मांग की कि वह अपनी पवित्रता स्थापित करें और इसके लिये उसने एक अग्नि-परीक्षा दी। सीता द्वारा पवित्रता स्थापित करने के बाद राम सीता और लक्ष्मण को लेकर अयोध्या वापिस चले गये और वहाँ के राजा बने। उनका साम्राज्य, जिसे राम-राज्य के नाम से भी जाना जाता है, एक आदर्श साम्राज्य माना जाता है। एक ऐसा काल जब सभी लोग, राजा और

प्रजा, अपने धर्म की पालन करते थे। भारत के राष्ट्रीय पटल पर राम, सीता व भरत अपने धर्म की पालन करने में श्रेष्ठ व आदर्श मानव माने जाते हैं।

महाभारत की कथा

महाभारत पांडवों व कौरवों की गाथा है। वे चचेरे भाई हैं–राजा पाण्डु के पाँच पुत्र तथा पाण्डु के भाई अन्धे राजा धृतराष्ट्र के एक सौ पुत्र। वे पक्के प्रतिस्पर्धी हैं तथा पैतृक भरत साम्राज्य के अधिपत्य के लिए एक दूसरे के विरुद्ध हैं। भरत साम्राज्य की राजधानी हस्तिनापुर उत्तरी भारत में गंगा के किनारे है।

पांडु के पाँच पुत्र, जिन्हें पांडव कहा जाता था, वास्तव में पांच देवताओं द्वारा पैदा किये गये थे। पाण्डव वीरों को सारी कथा में विभिन्न देवताओं तथा ऋषियों द्वारा सहायता की जाती रही जिनमें ऋषि व्यास भी सम्मिलित थे जिन्होंने बाद में महाभारत महाकाव्य की रचना की। धृतराष्ट्र के एक सौ पुत्रों को कौरवों के नाम से जाना जाता था। इनके जन्म भयानक दैत्यों की भान्ति हुए तथा महाकाव्य में एक से अधिक बार कहा गया है कि वे दैत्यों के मानुषी अवतार हैं जो देवताओं के सदा से शत्रु रहे हैं। सारे महाभारत में सबसे महत्वपूर्ण स्वरूप तथापि श्रीकृष्ण का है जो स्वयं सर्वोपरी भगवान विष्णु थे, जिन्होंने, धर्म की सुरक्षा व उसे बचाने के लिये, मनुष्य के भेष में धरती पर अवतरण लिया था। श्रीकृष्ण दोनों धड़ों से सम्बन्धित थे, लेकिन वे पाण्डवों के मित्र व सलाहकार थे, तथा अर्जुन के साला बने व महायुद्ध में उसके रथवान तथा परामर्शक बने। श्रीकृष्ण को धर्म के संरक्षक के रूप में चित्रित किया गया है तथा पाण्डवों की विजय प्राप्ति के लिये उत्सुक थे क्योंकि पाण्डव उनके धर्म के संरक्षण के कार्य को पूरा करने के मानवीय यन्त्र थे।

पाण्डवों के प्रारम्भिक शैशव काल से ही, कौरव उनके प्रति कई प्रकार से दुष्टतापूर्वक व निर्दयतापूर्वक व्यवहार करते थे। उनका द्वेष बहुत ही नाटकीय ढंग से तब प्रदर्शित हुआ जब उन्होंने सबसे बड़े पाण्डव भ्राता युधिष्ठिर के स्वाभाविक तौर पर देश का शासक बन जाने पर उसकी स्थिती का लाभ उठाया। कौरवों ने पांण्डवों को जुआ खेलने के लिये ललकारा जिसे कौरवों ने जीत लिया। तब उन्होंने पाण्डवों की भरे दरबार में निन्दा की तथा उनकी पत्नी द्रौपदी पर भी शारीरिक तौर पर अत्याचार किया। तदोपरांत उन्होंने पाण्डवों को बारह वर्ष के लिए देश निकाला दे दिया तथा इन बारह वर्षों की समाप्ति के पश्चात एक वर्ष के लिए अज्ञातवास का समय भी बिताना था।

पाण्डवों ने अपने हिस्से की शर्त को पूरा किया, लेकिन कौरवों के सबसे बड़े भ्राता दुर्योधन ने, तेरह वर्षों के पश्चात पाण्डवों के भाग का आधा साम्राज्य

देने से इंकार कर दिया। तब दोनों पक्षों ने अपने-अपने मित्रों को इकत्रित किया तथा कुरुक्षेत्र के मैदान में दोनों की सेनाएँ आमने-सामने इक्ट्ठी हो गई जिसमें दुर्योधन की ग्यारह भाग सेना युधिष्ठिर के सात भाग सेना के विरुद्ध थी। महाभारत का युद्ध आरम्भ होने से तुरंत पहले युद्ध-भूमि में, समस्त काल में सर्वश्रेष्ठ, भगवद्गीता का प्रवचन दिया गया। महाभारत की एक प्रमुख व महान देन श्रीकृष्ण का आध्यात्मिक प्रवचन एवं अपने सखा अर्जुन को अपनी दिव्यता का दर्शन देना था। महाभारत के कुछ महत्वपूर्ण नीति-सम्बन्धी व आध्यात्मिक विषयों की व्याख्या इस प्रवचन में है तथा इस भगवद्गान ने भारतीय सभ्यता पर एक शक्तिशाली व दूरगामी प्रभाव डाला है। पाण्डवों ने अठारह दिवसीय युद्ध में विजय प्राप्त की, लेकिन इस विजय ने सभी को गहरे दुखः में डाल दिया सिवाय उनके जो दिव्य-स्तर पर इन बातों को समझ सके थे जिनमें प्रमुख थे श्रीकृष्ण, व्यास, तथा भीष्म पितामह जो इस बीतते हुए युग के गुणों के प्रतीक-स्वरूप थे। पाण्डवों की लगभग सारी संताने इस दुखदः युद्ध के भेंट चढ़ गई। सबसे बुरा शायद यह हुआ कि पांण्डवों को विजय श्री चार पुरुष-श्रेष्ठ को मारने से मिली जो इनके गुरु तथा आचार्य थेः भीष्म, द्रोण, विदुर तथा इनके मामा शल्य। विजयी होते हुऐ भी, युधिष्ठिर अत्यंत दुखी थे, इस तथ्य के होते हुऐ भी कि द्रोपदी से लेकर श्रीकृष्ण तक सभी ने इन्हें समझाया कि युद्ध सही तथा ठीक था; इस सत्य के बावजूद कि मृत्युशैय्या पर लेटे पितामह भीष्म ने धर्म के सभी पहलुओं पर विस्तार से इन्हें प्रवचन दिया, तथा इस तथ्य के होते हुए भी कि इन्होंने युद्ध में भाग लेने के प्रायश्चित-स्वरूप एक महान अश्वमेघ यज्ञ भी किया था।

युद्ध-पश्चात के वर्षों में धृतराष्ट्र, उनकी पत्नी गन्धारी तथा पांण्डवों की माता कुन्ती एक जंगल में बनवासियों की भांति प्रवास करते हुए जंगल की एक आग में यौगिक शांति के साथ मृत्यु को प्राप्त हुए। श्रीकृष्ण की आत्मा भी परमेश्वर विष्णु में पुनः लीन हो गई। जब पांण्डवों को इसका पता चला तो वे समझ गये कि संसार से कूच करने का समय आ गया है, तथा वे एक महान यात्रा पर निकल पड़े, जो उत्तर दिशा में हिमालय की ओर जाती थी यानि कि स्वर्ग-भूमि की ओर, तथा चलते रहे जब तक कि देह मृत्यु को प्राप्त नहीं हो गई। एक के बाद एक करके द्रौपदी तथा अन्य छोटे भाई रास्ते में मरते चले गये और अन्त में एक कुत्ते के साथ जो उनके पीछे चलता रहा, युधिष्ठिर अकेले रह गये। युधिष्ठिर स्वर्ग के द्वार तक पहुंच गये तथा वहाँ उन्होंने कुत्ते को वापिस भेज देने की आज्ञा को ठुकरा दिया व कुत्ते को स्वर्ग में साथ ही ले जाने को अड़ गये। उसी समय कुत्ते ने अपने असली धर्म-देव का स्वरूप धारण

किया व जो युधिष्ठिर के सदाचार की परीक्षा लेने के लिए साथ-साथ था। जब वे स्वर्ग में प्रवेश कर गये तो उनके सदाचार की एक अन्तिम परीक्षा ली गई: उन्होंने स्वर्ग में केवल धृतराष्ट्र को ही पाया तथा उन्हें बताया गया कि उनके सभी भाई नरक में हैं। यदि ऐसा है तो उन्होंने अपने भाइयों के साथ नरक में जाने की जिद पकड़ी। तब उन्हें बताया गया कि उनके सभी भाई वास्तव में स्वर्ग में ही हैं, तथा यह तो उनकी अन्तिम परीक्षा लेने के लिए केवल एक माया थी। इस प्रकार महाभारत की कथा समाप्त होती है।

महाकाव्यों का प्रभाव

इन दो महाकाव्यों, रामायण तथा महाभारत का भारत पर अत्यधिक प्रभाव रहा है। श्री राम व श्रीकृष्ण के चरित्रों के द्वारा भारत के राष्ट्रीय मानस को बहुत गहरे प्रकार से ढाला गया है। ये दो महाकाव्य लोकप्रिय शिक्षा तथा सभ्यता के प्रमुख साधनों में से एक सदा रहे हैं। लोगों के धार्मिक व भावना-पूर्ण मन, विचार तथा चरित्र को इन महाकाव्यों ने ढाला तथा अनपढ़ लोगों को भी इन्होंने दर्शन, नीति, सामाजिक व राजनैतिक विचारों, भावनापूर्ण भावों, पद्य, कथा-सार तथा प्रेम की पर्याप्त मात्रा दी।

रामायण तथा महाभारत का महत्व

रामायण तथा महाभारत एक ही सारभूत प्रकार के कार्य हैं। रामायण में केवल योजना की अधिक सरलता, आदर्श स्वभाव की एक अधिक कोमलता, तथा काव्य की उष्णता व रंगों के सूक्ष्म चमक का अन्तर है। इस महाकाव्य में दर्शन-शास्त्र कम तथा काव्यपूर्ण चेतना अधिक है, निर्माण कार्य कम व कलात्मकता अधिक है। यहाँ कवि बाल्मीकि ने एक प्राचीन भारतीय वंशावली से सम्बन्धित एक पौराणिक गाथा को, एक इतिहास को, एक प्राचीन कथा को विषय के रूप में लिया तथा इसे पौराणिक व लोक परम्परा के विस्तार से भर दिया। यहाँ भी महाभारत की भांति विषय वही है, धरती के जीवन में दिव्य तथा आसुरी शक्तियों का संघर्ष। रामायण ने इसको अधिक आदर्शपूर्ण चरित्रों द्वारा, एक स्पष्ट अलौकिक विस्तार में, तथा मनुष्य के चरित्र में अच्छे व बुरे दोनों को एक कल्पनापूर्वक विस्तार द्वारा चित्रित किया है। इसमें एक ओर तो एक आदर्श पुरुषत्व, एक दिव्य गुणों की सुन्दरता व नीतिपूर्ण व्यवस्था, धर्म पर स्थापित एक सभ्यता तथा नैतिक आदर्श का श्री सामन्जस्य व मधुरता के विलक्षण आकर्षण द्वारा ऊपर उठाए जाने का चित्रण किया गया है तथा, दूसरी ओर उन्मत्त, अराजकतापूर्ण व लगभग अदृष्य महामानवीय अहंकार, स्वेच्छा, तथा हिंसा की शक्तियाँ हैं। इन दो शक्तियों और सिद्धांतों का संघर्ष, तथा देवताओं का राक्षसों के ऊपर एक निर्णायक विजय की ओर ले जाते दिखाया गया है।

यह कहा जा सकता है कि दोनों ही महाकाव्य एक ही विषय का दृष्टांत हैं: दैवी-शक्तियों व धर्म की शक्तियों का अहंकार, स्वेच्छा व विभाजन की शक्तियों के ऊपर विजय जिसके द्वारा अंत में एकीकृत धर्म-राज्य की स्थापना होती है।

महाभारत महान आर्य सभ्यता का प्रतिबिम्ब है। यह बहुत प्रखर रूप व स्पष्टता से भारत देश के वीरतापूर्वक तथा फलप्रद काल के प्रकारों, विचारों, उद्देश्यों व आवेगों को समक्ष लाती है। इसलिए यह एक रचनात्मक नीति तथा धार्मिक आत्मा की प्रतिनिधत्व करती है, जोकि उन दोषों को पूर्णतया सुधारती है जिन्होंने भूतकाल में विकृति की तथा वर्तमान काल तक भी भारतीय चरित्र और विचारशैली को विकृत किया है।

महाभारत एक कथा है जिसे दोहरे आवरण में प्रस्तुत किया गया है। इसमें सर्वप्रथम, एक ओर भारतीय धर्म के बृहद नीतिगत विचारों को साकार रूप में प्रतिनिधित्व करते व्यक्तियों का तथा दूसरी ओर आसुरी अहंकार व धर्म के गलत प्रयोग के साकार रूप का प्रतिनिधित्व करने वालों के बीच एक व्यक्तिगत संघर्ष है। दूसरा इसमें एक राजनैतिक युद्ध है जिसमें व्यक्तिगत लड़ाई अंतर्राष्ट्रीय युद्ध में बदल जाती है जिसकी समाप्ति एक न्यायोचित तथा सत्यनिष्ठा के नये साम्राज्य में स्थापित होती है, एक साम्राज्य या एक धर्म का साम्राज्य जिसमें उच्च जातिय कुलों और राजाओं के लालसामयी गर्व के स्थान पर, युद्ध करते कुलों को एकीकृत करते हुए, प्रभुसत्ता, शांति व निश्चलता के एक न्यायपूर्ण व दयालु साम्राज्य की स्थापना होती है।

महाभारत में उपनिषदों और महान दार्शनिकों के विचारों को बारंबार लाया जाता है तथा जैसा कि गीता में है, नऐ विकासशील विचारों को भी स्थान दिया जाता है। एक कथा या घटना के स्वरूप में नीति-शास्त्रों के उद्देश्यों को भी अभिव्यक्त किया जाता है या उन्हें परिवर्तित किया जाता है। राजनैतिक तथा सामाजिक उद्देश्यों तथा संस्थाओं को भी इसी भांति स्पष्टतापूर्वक दृष्टांतों सहित विकसित किया जाता है या उदाहरणों के साथ समझाया जाता है। बल्कि भारतीय लोगों के जीवन के साथ जुड़े हुए मनभावन सुन्दर सुझावों को भी महाकाव्य में पिरोया गया है।

महाभारत इस प्रकार भारतीय लोगों के सम्पूर्ण आत्मा व विचारों की एक काव्य रचना बन जाती है जो अपनी शक्ति तथा भरपूरता में अतुलनीय है।

यह दो महाकाव्य भारतीयों में एक प्रगाढ़ सांस्कृतिक व आध्यात्मिक एकता की रचना करने वाले साधन बन गए। इस सांस्कृतिक तथा आध्यात्मिक

एकता को राजनैतिक एकता में बदलने के लिए यह सर्वप्रथम जाने पहचाने प्रयत्न भी हैं।

महाकाव्यों के राजनैतिक संदेश

महाकाव्यों का इस प्रकार एक राजनैतिक संदेश भी है। दोनों महाकाव्यों में साफ तौर पर सारे देश को एक ही राज के अधीन एकीकरण किए जाने के प्रयास को भी दिखाया गया है। केन्द्रभिसारी प्रवृति या राजनैतिक विकेन्द्रीकरण सम्राट या चक्रवर्ती राजा के आदर्श के रूप में व अश्वमेघ एवं राजसूय यज्ञ सैनिक तथा राजनैतिक व्यवहार के रूप में अभिव्यक्त किये गये हैं। यह भी कहा जा सकता है कि विकेन्द्रीयकरण तथा राजनैतिक एकीकरण के इस सिद्धांत को दिखाने के लिए ये दो महाकाव्य लिखे गए हैं। रामायण इस देश के प्राचीन व पुनीत भूतकाल में जिस प्रकार एक आदर्श एकीकृत धर्म-राज्य हुआ करता था उसके वर्णन से प्रारम्भ होती है, महाभारत ऐसे ही एकीकृत धर्म-राज्य या न्यायोचित सम्राट के साम्राज्य की स्थापना का पुनः चित्रण या वर्णन करता है। प्राचीन भारत का एक स्पष्ट राजनैतिक बोध था-एक पहले से ही स्थापित सांस्कृतिक व आध्यात्मिक एकता को एक जीवंत तथा प्रगतिशील राजनैतिक एकता में बदलने का यह एक पर्याप्त प्रमाण है।

महाभारत की तीन महान देन

भारत के नीतिगत संस्कृति में महाभारत ने कुछ महान अंशदान भी किए हैं। भारतीय नीति व विचारों में ऋषि वेदव्यास द्वारा तीन महान अंश-दान किए गए हैं, अर्थात, निष्काम धर्म, निष्काम कर्म तथा भगवान एवं असुर में अंतर। अब हम हरेक को विस्तार से लेंगे।

आओ पहले हम धर्म की संकल्पना को लें। यह संकल्पना भारतीय संस्कृति की अपुपम देन है तथा किसी दूसरी भाषा में ऐसा शब्द मिलना कठिन है, जो इसकी वास्तविक धारणा से मेल खाता हो। इसके सबसे समीप जो आ सकता है वह इस प्रकार परिभाषित होता है, "किसी की चेतना के विकास का आन्तरिक सिद्धांत या नियम।"

धर्म का वर्णन हमारे स्वभाव के गूह्यतम सिद्धांत के रूप में किया जा सकता है। यह केवल एक धार्मिक मत, पन्थ या नीतिपूर्ण एवं सामाजिक नियम ही नहीं है। जीवन में जीने की एक उचित तथा नियमावली की सत्यता व न्यायोचितता मनुष्य धर्म में ही पाता है। धर्म अपने मूल तत्व में सदा स्थिर है, तथापि यह हमारी चेतना में विकास करता है, ऐसा प्रकट होता है तथा इसकी अपनी अवस्थाएँ होती है। मानवीय प्रकृति के सर्वोच्च सिद्धांत की तलाश में आध्यात्मिक व आचार-सँहिता के आरोहण के कई स्तर हैं। यह इसलिए है क्योंकि सभी मानव सभी वस्तुओं में एक सांझे तथा अडिग नियम की पालन

नहीं कर सकते। जिस प्रकार नैतिकता का उपदेश देने वाले सिद्धांत प्रणेता किसी मनमाने सरल सिद्धांत को स्वीकार करने पर इतना बल देते हैं, जीवन उतना सरल नहीं है बल्कि बहुत जटिल है। स्वभाव बदलते हैं, वह स्थिती, वह कार्य जो हमें करने होते हैं उनके अपने ही मानक व दावे होते हैं। हर किसी के लिए ध्येय व झुकाव, जीवन की पुकार तथा आत्मा की पुकार एक समान नहीं होती। इसी प्रकार हरेक उम्र का, कार्य का, स्वभाव का एक धर्म होता है।

निष्काम धर्म

निष्काम धर्म की धारणा का इस प्रकार अर्थ यह होगा कि प्रत्येक व्यक्ति को निष्काम भाव से अपने कर्त्तव्यों की पालना करनी चाहिए जिन्हें उसका जीवन उन्हें करने को पुकारता है। इस प्रकार एक क्षत्रीय को उसके कार्य में, बिना किसी और विचार द्वारा बिध्न डालने की आज्ञा दिए, एक योद्धा के कर्त्तव्य की पालना अवश्य करनी चाहिए। इसी प्रकार एक व्यापारी, एक दार्शनिक व एक साधारण कार्यकर्ता को अपने कर्त्तव्य अवश्य करने चाहिए क्योंकि यही उनका धर्म है। जाति की दृष्टी से तथा उनके द्वारा अपने कर्त्तव्यों की निष्काम भाव से पालना करने पर बल दिये जाने की भारतीय नीति-शास्त्र की यह सोच, तीन महान देनों में से एक है।

निष्काम कर्म

नीति-शास्त्र की दूसरी देन है निष्काम कर्म की धारणा। इस धारणा में कर्म पर अत्यधिक बल दिया गया है ना कि अकर्म पर। हमारे अस्तित्व का अंतिम ध्येय दिव्य-चेतना के साथ एक होना है व इसे जीवन में अवतरित करना है। इस नीति ने बल दिया कि इस ध्येय की प्राप्ति कर्म के द्वारा हो सकती है ना कि कर्म को त्याग देने से। लेकिन इस कर्म के पीछे-पीछे कामनाओं की इच्छा-रहित स्थिरता अवश्य होनी चाहिए।

कर्म से पीछे हटने से तथा ना ही त्यागने से मनुष्य अपनी आत्मा की पूर्णता को प्राप्त करता है। इसका अर्थ यह हुआ कि केवल कर्म का त्याग करके व संसार से भागकर संयास ले लेना पूर्णता का रास्ता नहीं है, तथा जो लोग अपने कर्म व कर्म के धर्म के ऐसे त्यागने से भगवान की प्राप्ति पर भरोसा करते हैं, वे एक टूटी हुई शाखा पर भरोसा करते हैं। कर्म का कथित त्याग एक नाम मात्र त्याग है, क्योंकि वे एक प्रकार के कर्मों को छोड़कर दूसरे प्रकार के कर्मों की ओर मुड़ते हैं जिनके लिए अधिकतर लोग ना तो योग्य होते हैं और ना ही उसकी कोई पुकार होती है। यदि वे उसके योग्य होते हैं, तो वे भगवान के दर्शन अवश्य कर सकते हैं, लेकिन फिर भी, कर्म सन्यास से अधिक उत्तम है। यही है वह महान व फलप्रद विरोधाभास कि कर्म में ही वास्तविक अकर्म है जबकि अकर्म स्वयं में मात्र एक अन्य प्रकार का कर्म है। वह जो कर्म में

अकर्म को देखता है तथा अकर्म में कर्म को, वह मनुष्यों में श्रेष्ठ है, वह सभी कर्म अपनी आत्मा को भगवान में लीन किये हुए करता है। यह भारतीय नीति-शास्त्र के सोच की दूसरी महान देन है।

देव तथा असुर में भेद

अंत में हम भारतीय नीति-शास्त्र के तीसरे व अन्तिम देन पर आते हैं, अर्थात देव तथा असुर में भेद। यह भारत की नीतिगत विचार के प्रति, एक सर्वदा भिन्न तथा विशेष देन है। यह इन्द्र और विरोचण के मूलभूत पौराणिक गाथाओं में से एक पर आधारित है।

इन्द्र देव और असुर विरोचण-दोनों ही भगवान को जानने हेतु गुरु बृहस्पति के पास आते हैं। गुरु ने इन्हें घर जाकर दर्पण में निहारने को कहा। विरोचण ने स्वयं को दर्पण में देखा और निष्कर्ष निकाला कि वह स्वयं ही भगवान है तथा आगे कुछ नहीं पूछा। उसने अपने में स्थित व्यक्तित्व की भावना को, भगवान मानने की भूल करते हुए, पूरी लगाम छोड़ दी। लेकिन इन्द्र की संतुष्टि नहीं हुई। यह अनुभव करते हुए कि उससे अवश्य कोई त्रुटि हुई होगी वह वापिस बृहस्पति के पास गया तथा उनसे भगवान के ज्ञान की सत्यता को प्राप्त किया जिसके अनुसार उसे शिक्षा दी गई कि वह भगवान तभी है चूंकि सभी वस्तुएँ भगवान हैं, क्योंकि सिवाय उस एक भगवान के, किसी का भी कोई अस्तित्व नहीं है। यदि वह अनादि भगवान है तो उसके शत्रु भी भगवान है, पृथकता व शत्रुता के भाव स्थाई नहीं हैं अपितु मात्र अनित्य प्राकृतिक घटनाएँ हैं।

इसलिए असुर वह है जो अपने पृथक व्यक्तित्व के प्रति प्रगाढ़तापूर्वक सचेत है तथा संसार पर इसे एक अकेले व्यक्तित्व के रूप में थोपना चाहता है। इस प्रकार वह स्वकेन्द्रित, अहंकार से भरा होता है तथा अपनी इच्छाओं और कामनाओं की आँधी के साथ बह जाता है जब तक कि वह ठोकर खाकर टूट नहीं जाता। दूसरी ओर देवता आत्मज्ञान के प्रकाशवान स्वर्ग में अडिग बना रहता है। वह वस्तुओं व जीवों में दिव्यता की उपस्थिती के प्रति सचेत है। इसी कारण उसके कर्म अहंकार रहित तथा कभी अपने प्रति नहीं बहते बल्कि बाहर संसार की ओर बहते हैं। वह अंतर जो इन्द्र निकालता है वह परोपकार व अहंकार के बीच नहीं है वस्तुत: इच्छा और इच्छा-रहित होने के बीच है।

यह भारतीय नीतिगत सोच की तीन महान देन हैं जो महाभारत के द्वारा ऋषि व्यास ने भारत को दी है।

7

भारतीय सामाजिक व्यवस्था

हमने पिछले अध्यायों में देखा है कि भारतीय संस्कृति का आधार आध्यात्मिक रहा है। वेदों ने भारतीय आध्यात्मवाद के मनोवैज्ञानिक बीज को एक ऊँचे दर्जे के गहन स्तर पर स्थापित किया, उपनिषदों ने इस ज्ञान को एक ऐसे आकार में प्रस्तुत करते हुए सर्वसाधारण किया जो विकसित बौद्धिक मानव के पकड़ में था तथा महाकाव्यों ने कथा और पौराणिक गाथाओं के द्वारा इस ज्ञान को साधारण मनुष्य की समझ के स्तर पर ला दिया। इस प्रकार समस्त समाज आध्यात्मिक धारणाओं के ज्ञान से ओत-प्रोत हो गया, जो कि भारतीय सभ्यता तथा संस्कृति के आधार रही थी। लेकिन यदि आध्यात्मिकता का जीवन में कोई मूल्य होना है तो यह पर्याप्त नहीं है कि मानव का उच्चतर मन इन उद्देश्यों द्वारा छूआ जाए और द्रवित हो, इनको निम्न जीवन में अवश्य प्रवाहित होना चाहिए, मनुष्य के दैनिक जीवन, उसके सामाजिक सम्बन्धों, उसकी राजनीति, उसकी शिक्षा तथा उसकी चेतना के ब्राह्यतम भागों में भी अवश्य व्याप्त होना चाहिए।

तथापि, आध्यात्मिकता को मनुष्य के वास्तविक जीवन में उतार लाना एक कठिन प्रयास है। लेकिन भारतीय सभ्यता ने यह प्रयास वस्तुतः किया और इस कारणवश मनुष्य के साधारण जीवन, यहाँ तक कि समुदायों पर भी एक आध्यात्मिकता की छाप लगा दी।

समस्या

भारतीय सभ्यता को यह समस्या सुलझानी थी कि वह कैसे जीवन में एक ऐसा स्थिर व बाह्य आधार स्थापित करे जिस पर आध्यात्मिक सिद्धांतों और विचारों का व्यवाहरिक विकास हो सके। हम किस प्रकार साधारण मनुष्य के आम जीवन को लें तथा उसके विभिन्नताओं एवं स्वतंत्रता को पर्याप्त स्थान देते हुए भी, उसे एक विधि, नियम, धर्म के अधीन करें। हमें किस प्रकार एक वर्ग के नियम तथा कर्म के नियमों की रचना करनी होगी। इसके साथ-साथ हम अपने वास्तविक आदर्शहीन, मानसिक प्रवृति वाले निम्न भागों को कैसे एक विधि दें। तथा अन्त में हम अपने सर्वोच्च आदर्शों को किस प्रकार एक अभिव्यक्ति का साधन, एक नियम तथा एक मार्ग-दर्शन दें।

इन समस्याओं के समाधान हेतु, भारतीय सभ्यता ने प्रारम्भ से ही एक ऐसी व्यवस्था स्थापित की जिसमें तीन चतुवर्ण थे।

इसका पहला वृत जीवन के चार प्रकार के उद्देश्यों को समन्वयित तथा श्रेणीयुक्त करता था: प्राणों की इच्छाएँ तथा कामनाओं की पूर्ति, व्यक्तिगत तथा समुदाय का हित, नैतिक नियम तथा अधिकार, एवं आध्यात्मिक मुक्ति। भारतीय शब्दावली में जिन्हें अर्थ, काम, धर्म तथा मोक्ष से जाना जाता है।

इसका दूसरा वृत समाज के चार प्रकार के वर्गों का था, जिनका ध्यानपूर्वक वर्गीकरण किया गया था तथा उनके आर्थिक कार्यकलापों को इसके गहरे सांस्कृतिक, नीतिपूर्ण तथा आध्यात्मिक महत्व के साथ जोड़ा गया था। ये थे ब्राह्मण, क्षत्रीय, वैश्य तथा शूद्र।

जीवन के पद्धतियों को चार प्रकार के क्रम व तरतीब अनुसार एक के बाद एक आने वाली अवस्थाओं को अपने में लेते हुए तीसरा सबसे मौलिक व वास्तव में अनूठा वृत था: विद्यार्थी, गृहस्थ, वनवासी, तथा स्वतंत्र परासामाजिक मानव। ये ब्रह्मचर्य, गृहस्थ, वानप्रस्थ तथा सन्यास की श्रेणियाँ थीं।

इस प्रकार हम देखते हैं कि जीवन के चार प्रकार के उद्देश्यों को चार वर्णों तथा चार आश्रमों के दोहरे व्यवस्था में ढाल दिया गया था–समाज के चार वर्णों में विभाजित समुदाय तथा विकासशील मानव जीवन की चार क्रमशः अवस्थाएँ।

कुल मिला कर तीन चतुवर्ण को इस प्रकार संजोया गया था

जीवन का लक्ष्य-अर्थ, धर्म, मोक्ष

जीवन की अवस्थाएँ–ब्रह्मचर्य, गृहस्थ, वाणप्रस्थ, मोक्ष

वर्ण–ब्राह्मण, क्षत्रीय, वैश्य, शूद्र

यह सारी व्यवस्था हमारे अस्तित्व के दो मौलिक या दो महत्वपूर्ण सत्यों पर आधारित था, जो कि भारतीय संस्कृति के मूल रहे हैं। अस्तित्व के सिद्धांत के ये दो मौलिक सत्यों का सार क्रमिकता का सिद्धांत तथा जटिलता का सिद्धांत कहा जा सकता है।

दो मौलिक सिद्धांत

पहला सत्य यह है कि हर मानव के अपने विकास में ऐसी अवस्थाएँ आती हैं जिन्हें उसे अवश्य लांघना पड़ता है। कोई भी कितनी ही तीव्र गति से क्यों ना विकास करे, उसे विकास के क्रमिक उत्थान में से लांघना ही पड़ता है। सबसे द्रुत गति से चलने वाली जाती के अपने ही मापदण्ड होते हैं।

दूसरा सत्य यह है कि जीवन जटिल है तथा मनुष्य की प्रकृति भी जटिल है। हर जीवन में मानव को अपने जटिलता के कुछ भाग को किसी प्रकार के क्रम में डालना पड़ता है।

यथार्थ में यह मान लेना चाहिए कि लगभग सभी मानवों के जीवन की प्रारम्भिक गति मनुष्य के स्वभाविक अहंकार के चारों ओर केन्द्रित है। स्व-लाभ तथा पदार्थिक भोगों की इच्छाएँ यानि कि–काम तथा अर्थ मूल मानवीय प्रेरणाएँ हैं। भारतीय संस्कृति ने मनुष्य की प्रकृति के इस प्रारम्भिक रूख को जाना। इसने इन शक्तियों को स्वीकार किया लेकिन यह भी जाना कि इनको एक क्रम में लाना होगा। इस स्वाभाविक अहंकारमय जीवन को जीना पड़ेगा या इसको सार्थक करना पड़ेगा। लेकिन इसे निरंकुश दावे से या फिर अपनी संतुष्टी की ओर सरपट भागने की प्रक्रिया से रोकना होगा। क्योंकि तभी यह प्रकृति बगैर तहस-नहस किये अपने सम्पूर्ण परिणामों को पा सकती है तथा अन्ततः अपने से एक अधिक आध्यात्मिक अच्छाई और आनन्द की ओर जाने के लिये प्रेरित की जा सकती है।

एक आन्तरिक या बाह्य अराजकता नियम नहीं बन सकता। किसी सम्पूर्ण या अत्यधिक हद तक स्वेच्छा, कामनापूर्ण, इन्द्रीयकर्षण, स्वार्थ तथा इच्छा के द्वारा संचालित कोई भी जीवन मानवीय तथा दयापूर्ण अस्तित्व की स्वभाविक सम्पूर्णता को नहीं ला सकता। इसलिए, कामना और स्वार्थ को काबू में लाने तथा स्वेच्छा से इनसे ऊपर उठने के लिए एक और शक्ति की आवश्यकता है। और वह शक्ति है धर्म।

धर्म

धर्म का वर्णन हमारे स्वभाव के गूह्यतम सिद्धांत के रूप में किया जा सकता है। यह केवल एक धार्मिक मत, पन्थ या नीति एवं सामाजिक नियम ही नहीं है। जीवन में जीने की एक उचित या पूर्ण प्रवृति की सत्यता व न्यायोचितता मनुष्य धर्म में ही पाता है। धर्म अपने मूल तत्व में स्थिर है, लेकिन फिर भी यह हमारी चेतना में विकास करता रहता है, प्रकट होता है तथा इसके अपने स्तर होते हैं। हमारे प्रकृति के सर्वोच्च सिद्धांत की तलाश में आध्यात्मिक व आचार-संहिता के आरोहण के कई स्तर हैं। यह इसलिये है क्योंकि सभी मानव सभी वस्तुओं में एक साँझे तथा अडिग नियम की पालना नहीं कर सकते। जिस प्रकार नैतिकता का उपदेश देने वाले सिद्धांत प्रणेता किसी मनमाने सरल सिद्धांत को स्वीकार करने पर इतना बल देते हैं, जीवन इतना सरल नहीं है बल्कि बहुत जटिल है। स्वभाव बदलते हैं, वह स्थिति, वह कार्य जो हमें करने होते हैं उनके अपने ही मानक व दावे होते हैं। हर किसी के लिए ध्येय व झुकाव, जीवन की

पुकार तथा आत्मा की पुकार एक समान नहीं होती। इसी प्रकार हरेक उम्र का, कार्य का, स्वभाव का एक धर्म होता है।

कुल मिलाकर, यह कहा जा सकता है कि धर्म हमारे जीवन के अधिक गहरे स्तरों से उठने वाली नीति या विज्ञान है जो हमारी क्रियाओं पर अंकुश लगाता है या उन्हें करने की राह दिखाता है। यह पूर्णता का मानक देता है तथा जो वस्तु अभिव्यक्त होना चाहती है उसे एक क्रम देता है।

जीवन के इस उद्देश्य को पूरा करने के लिए, भारतीय सामाजिक व्यवस्था ने उसे एक रूप रेखा दी। उसने उसे उसके जीवन के लिए एक मापदंड व आरोहण माप दिया जो कि ऊपर उठने की दिशा में एक प्रकार की सीढ़ी का भाव था। यह सब चर्तुाश्रम ने उसे दिया।

चार आश्रम

जीवन को चार स्वभाविक कालों में बाँटा गया तथा हरेक काल ऐसा बनाया गया जिसमें जीवन के सांस्कृतिक विचार-धारा को जीया जा सकता था। ये थे विद्यार्थी का काल, गृहस्थ का काल, वनवासी या एकान्त वास का काल, तथा स्वतंत्र या परासमाजिक पुरुष या परितृजक का काल।

मनुष्य को क्या करना था, क्या जानना था तथा क्या बनना था इसकी आधार-शिला रखने के लिए विद्यार्थी जीवन को स्थापित किया गया था। यह काल आवश्यक कलाओं, विज्ञान, व ज्ञान की शाखाओं में एक सम्पूर्ण अभ्यास देता था, लेकिन इससे अधिक स्वभाव के नीतिगत अनुशासन पर अधिक बल देता था तथा आरम्भिक काल में आध्यात्मिक ज्ञान के वैदिक सूत्रों के अभ्यास को आवश्यक भाग के रूप में रखा जाता था। यह अनुशासन विद्यार्थी को किसी हद तक उसके चार प्रकार के उद्देश्यों की प्राप्ति के लिए तैयार करता था, अर्थात, अर्थ, काम, धर्म तथा मोक्ष।

तदोपरान्त वह गृहस्थ-आश्रम में अपने ज्ञान को जीवंत रूप देने के लिए प्रवेश करता था। इस अवस्था में वह मानव जीवन के पहले तीन उद्देश्यों की प्राप्ति करने के काबिल होता था, वह अपने स्वभाविक जीव की कामनाओं और इच्छाओं को जीवन में खुशी प्राप्त करने के लिए संतुष्ट करता था। वह समाज के प्रति ऋृण तथा उसकी आवश्यकताओं की पूर्ति करता था तथा जिस प्रकार वह जीवन के कार्यों को करता था वह अपने अस्तित्व के अन्तिम सर्वोच्च मनोरथ के लिए उसके द्वारा तैयारी करता था।

तीसरी अवस्था में वह वन को प्रस्थान करता था या एंकांत-वास में जाकर जीवन से विमुख होता था ताकि आत्मा के सत्य को जान पाए। वह कठोर

सामाजिक बन्धनों से मुक्ति की अवस्था में रहता था, तथा यदि उसकी धारणा बने तो वह छोटों को अपने पास रखता था। इस प्रकार उभरती जवान पीढ़ी को अपने ज्ञान का भण्डार अध्यापक या आध्यात्मिक प्रशिक्षक के तौर पर देता था।

अपने जीवन की अंतिम अवस्था में, वह अपने सभी बन्धनों को तोड़ते हुए तथा सामाजिक जीवन के सभी रूपों से अत्यंत आध्यात्मिक निरासक्त भाव रखते हुए संसार में विचरण करता, अपने अति आवश्यक आवश्यकताओं को तुष्ट करता, विश्व चेतना के साथ विचार-विमर्श करता हुआ, अपनी आत्मा को अनन्तता के लिये तैयार करता।

वास्तव में, अधिकतर लोग पहली दो अवस्थाओं से आगे कभी जाते ही नहीं थे। कई तो वाणप्रस्थ या वनवास के काल में ही मृत्यु को प्राप्त हो जाते थे तथा कुछ बिरले ही अन्तिम जोखिम भरे जीवन को प्राप्त करते तथा भटकते भिक्षुओं की भांति जीवन यापन करते।

वास्तव में इस विद्वत्तापूर्ण सोचे समझे वृत ने एक व्यवस्था दी तथा जिसने मानवीय आत्मा के पूर्ण क्रम को ध्यान में रखा। इसका लाभ अपने वास्तविक विकास के द्वारा सभी के द्वारा उठाया जा सकता था तथा जो पर्याप्त रूप में विकसित थे वे इसका पूर्णतया लाभ उठा पाते थे। इस दृढ़ और प्रभावशाली आधार के बलबूते पर भारतीय सभ्यता अपने पूर्ण विकास को प्राप्त हुई तथा एक समृद्ध, धनी तथा अद्‌भुत वस्तु बनी।

जाति प्रथा चर्तुवर्ण

भारतीय समाज चार जातियों या समाज के चार वर्गों में बांटा गया था। प्राचीन भारतीय विचार था कि मानव अपने स्वभाव के अनुसार चार प्रकारों में विभाजित होता है। इसमें से सर्वप्रथम ज्ञान और सोच और विद्वत्ता वाला पुरुष है। दूसरा, शक्ति तथा कर्मशील, शासक, योद्धा, नेता, प्रशासन करने वाला मनुष्य। तीसरा प्रकार धन-प्राप्ति तथा उत्पादक, व्यापारी, दस्तकार, किसान, वाणिज्य वाला मनुष्य। इन तीनों को ब्राह्मण, क्षत्रीय तथा वैश्य के नाम से पुकारा गया। ये तीनों द्वी-जन्मे माने जाते हैं, जिन्हें दीक्षा-संस्कार प्राप्त था। सबसे बाद में अविकसित प्रकार के मनुष्य के प्रकार थे, जो अभी तक इन स्तरों के काबिल नहीं थे, शक्ति-विहीन मूढ, ज्ञानपूर्ण उत्पादन या रचना करने में असमर्थ, मनुष्य जो केवल अदक्ष मेहनत तथा निम्न प्रकृति की सेवा करने योग्य, शूद्र थे। समाज की आर्थिक व्यवस्था को इन चार प्रकारों के श्रेणियों तथा सीढ़ियों में ढाला गया था। ब्राह्मण समुदाय से समाज को अपने पुजारियों, विचारकों, पंडितों, विद्वानों, धार्मिक नेताओं, पथ-प्रदर्शकों तथा विधायकों को प्रदान करने की अपेक्षा की गई थी। क्षत्रीय वर्ग राजाओं, योद्धाओं, राजप्रमुखों, तथा प्रशासकों

को प्रदान करता था। वैश्य समुदाय अपनी ओर से उत्पादकों, कृषकों, दस्तकारों, शिल्पकारों, व्यापारियों, तथा वाणिज्यकों को प्रदान करता था। शूद्र समुदाय इनके सेवकों तथा दासतापूर्ण कार्यों की देखभाल करने वाली आवश्यकताओं की पूर्ति करता था।

भारत की इस अद्‌भुत व्यवस्था में, जब तक यह चली, कुछ भी विशेष नहीं था। क्योंकि यूरोप में भी भारतीय विभाजन की भांति समाज को चार भागों में इसी प्रकार बाँटा गया था। भारत के ब्राह्मण वर्ग को यूरोप में चर्च के नाम से जाना गया, क्षत्रीय जाति को रईसों द्वारा वैश्य को बुर्जुओं तथा शुद्र को सर्फ द्वारा जाना गया।

लेकिन जो भारतीय व्यवस्था में अद्वितीय था वह था इसका असाधारण रूप से स्थाई होना तथा शायद धर्म, विवेक एवं विद्वता को सबसे उच्च व अधिकृत शक्ति के रूप में सर्वोच्च स्थिति दिया जाना। यह भी आवश्य जान लेना चाहिए कि इसके आरम्भ में व इसके पवित्रता के समय मनुष्य की स्थिति उसके वंश तथा जन्म से नहीं बल्कि उसके क्षमताओं व आंतरिक स्वभाव द्वारा आंकी जाती थी। जैसा कि हम देखते हैं कि समाज का चार भागों में विभाजन किया जाना या जैसा कि भारत में कहा जाता है जातियों में बाँटा जाना वास्तव में एक भली प्रकार व्यवस्थित आर्थिक विभाजन था। लेकिन भारतीय व्यवस्था के चार वर्णों की मूल महानता किसी और प्रकार की थी। इसकी मौलिकता तथा स्थायित्व का मूल्य सही मायनों में इसके नैतिक तथा आध्यात्मिक विषयवस्तु में था, जिसको समाज के संस्थापकों व विचारकों ने इस चतुवर्ण के स्वरूप में भर दिया था। यह आन्तरिक विषयवस्तु इस विचार से प्रारम्भ होती थी कि जीवन का लक्ष्य व्यक्ति के बौद्धिक, नीतिगत व आध्यात्मिक विकास से था जो कि मानवता की वास्तविक आवश्यकता थी।

इसलिए परिवारिक जीवन जीने का एक नियम स्थापित किया गया था। व्यक्तिगत स्व-प्रशिक्षण व पालन की व्यवस्था, पालन-पोषण तथा शिक्षा की एक ऐसी शक्ति जो आवश्यक नीतिवान एवं आध्यात्मिक गुणों को उभार व संवार सकती थी। एक मनुष्य को ध्यानपूर्वक उसकी क्षमताओं, आदतों व प्राप्तियों में प्रशिक्षित किया जाता था तथा कर्त्तव्य एवं प्रतिष्ठा की भावना की आदत डाली जाती जो कि उसके जीवन में एक निश्चित कर्म की पालन करने में आवश्यक होती थी। क्योंकि भारत में सदा यह महत्वपूर्ण माना गया है कि हर कार्य की एक प्रतिष्ठा व नीतिगत संहिता होती है। इसलिये उसे सदा किसी वस्तु के किये जाने के विज्ञान, अर्थ के स्वरूप में सफल होने के सर्वोत्तम मार्ग को विचारशीलता से भरा जाता था। साथ ही साथ उसे दिखाया जाता था कि किस

प्रकार सर्वोच्च मार्ग को विचारशीलता से भरा जाता था। साथ ही साथ उसे दिखाया जाता था कि किस प्रकार सर्वोच्च नियम को प्राप्त किया जाए, उसके कार्य कलापों में पूर्णता लाई जाए, चाहे वे कोई भी कार्य क्षेत्र–आर्थिक, राजनैतिक, पठन-पाठन, विद्वतापूर्ण या अनुष्ठातिक हों। सभी व्यवसायों की अपनी शिक्षा, विधि-विधान होती थी, सफलता की अपनी पराकाष्ठा होती थी, उनके किए जाने के अनुष्ठान के करने में अपनी मर्यादा होती थी, पूर्णता के एक निश्चित मापदंड की अपनी इज्जत थी। यही कारण था कि एक अति साधारण व्यवसाय भी, सबसे तुच्छ तथा निकम्मा कार्य भी, एक निश्चित दृष्टिकोण में आत्म-प्राप्ति एवं व्यवस्थित आत्म-संतुष्टी का मार्ग बन जाता था।

जाती व्यवस्था की एक सबसे बड़ी देन सामाजिक-प्रतिष्ठा की भावना थी। ब्राह्मण की प्रतिष्ठा पवित्रता, दया, आत्मा व मन वाली वस्तुओं के प्रति आदर भाव, मोह-विहीन सम्पत्ति अधिकार तथा पठन-पाठन व ज्ञान प्राप्ति की अनन्य जिज्ञासा में रहती थी। क्षत्रीय की प्रतिष्ठा धैर्य, युद्ध-कला, शौर्य, एक प्रकार का अहंपूर्ण आत्म-संयम व आत्मस्वामित्व, चरित्र की गुणवत्ता, तथा ऐसे गुणों के बंधन में रहती थी। वैश्य की प्रतिष्ठा व्यवहार में इमानदारी, व्यापार में कर्त्तव्य-निष्ठा, अधिक उत्पादन, व्यवस्था, उदारता एवं परोपकार में रहती थी। शूद्र की प्रतिष्ठा कर्त्तव्य पालन, अधीनता, निष्ठापूर्ण सेवा, मोह विहीन लगाव में रहती थी।

लेकिन भारतीय सभ्यता यही नहीं रूकी, श्री अरविन्द ने व्यक्ति को सम्बोधित करते हुए यह कहा है, "यह केवल उप-व्यवस्था है, अवश्य ही यह अत्यन्त आवश्यक है, लेकिन फिर भी, सर्वोच्च तथा अंतिम वस्तु नहीं है। जब आपने समाज के प्रति अपना कर्त्तव्य चुका दिया है, उसके जीवन में अपना स्थान भलि-भांति स्थापित कर दिया है, उसके पालन-पोषण में सहायता की है तथा उससे अपने अधिकृत एवं इच्छित तृप्तियों को प्राप्त कर लिया है, तब भी एक सबसे सर्वोच्च वस्तु बकाया रहती है। आपका स्वः अभी भी रहता है, आपके अंदर की आत्मा तथा इस स्वः एवं आत्मा की खोज आपको अभी करनी है। तुम यहां धरती पर उसी के लिए हो तथा जहां व जो जगह मैंने तुम्हें जीवन में प्रदान की है, तुम उसी के अभ्यास द्वारा उस आत्मा को जानने के लिए प्रयत्न प्रारम्भ कर सकते हो। वही तुम्हारे समक्ष वास्तविक उद्देश्य है। जीवन का आधार मैंने जो तुम्हें दिया है, तुम उससे उठ कर मुक्तीदाता ज्ञान की ओर बढ़ सकते हो, जो कि एक आध्यात्मिक मुक्ति या मोक्ष लाता है। जब तुम वह कर लेते हो तभी तुम मुक्त होते हो।"

इस उत्तम और स्थाई आधार पर स्थित हो कर भारतीय सभ्यता अपने प्रौढ़ता को प्राप्त हुई तथा एक समृद्ध, शानदार तथा अद्भुत वस्तु बनी। जहां इसने

सर्वोपरी आध्यात्मिक उत्थान के प्रस्तावित आखिरी पर्वतमाला के दृष्यों से हमें दृष्टिगोचर कराया, वहीं इसने जीवन के समतल को भी नकारा या अनदेखा नहीं किया। यह शहर व गांव के व्यस्त जीवन के बीच रही, वनों के एकान्त एवं स्वतंत्र व अंतिम तेजोमय अनन्त ऊर्ध्व-वायु के झुकावों के बीच भी रही। इस प्रकार स्थापित, इस प्रकार अभ्यासित, प्राचीन भारतीय-जाति सभ्यता और संस्कृति के अद्भुत ऊंचाईयों तक चढ़ी। यह एक उत्तम, स्थिर-आधार, अत्यधिक व तेजोमयी बन्धन एवं स्वतंत्रता के साथ जीवित रही। इसने एक महान साहित्य, विज्ञान, कला, कृतियां तथा उद्योग का विकास किया। यह सम्भावित सर्वोच्च उद्देश्यों तक उठी, तथा इसने असाधारण ज्ञान व सभ्यता का, अद्वितीय महानता व वीरता, दयालुता, परोपकार व मानुषी सहनशीलता तथा एकता का आचरण किया। इसने अद्भुत आध्यात्मिक दर्शन-शास्त्रों का तेजोमय आधार रखा। इसने बाह्य प्रकृति के रहस्यों को खोजा तथा आंतरिक जीवन के अनन्त व अद्भुत सत्यों को खोजा व जीया। इसने स्वयं की गहराईयों को जाना व समझा तथा संसार को भी जाना व अधिकार में किया।

8

भगवान बुद्ध का आगमन

लगभग 2500 वर्ष पहले, नेपाल-भारत की सीमा के समीप, हिमालय की पर्वत माला के आधार में स्थित लुम्बिनी के एक उद्यान में, रानी महामाया के गर्भ से एक शिशु ने जन्म लिया। यह शिशु जिसे सिद्धार्थ का नाम दिया गया, संसार के इतिहास में महानतम शिक्षकों में से एक, बनने के लिए पूर्वनिश्चित था।

सारे इतिहास में लोग बुद्ध के जीवन से, जिसे गौतम के नाम से भी जाना जाता है, अचम्भित रहे हैं। यह कहा जाता है कि इनकी माता श्रीमति महामाया ने गर्भ धारण करने से पहले एक सुन्दर हाथी को उनके बगल में प्रवेश करते हुए एक स्वप्न में देखा था। इनके जन्म के समय इनका शरीर बत्तीस शुभ चिन्हों को धारण किये हुऐ पाया गया। नये जन्में शिशु की परीक्षा करने पर ब्राह्मण पुजारियों ने घोषणा की थी कि यह शिशु एक दिन संसार को त्याग देगा तथा एक बुद्ध बन जाऐगा अर्थात एक अलौकिक जीव। यह भविष्यवाणी की गई थी कि जैसे ही वह चार चिन्हों–एक वृद्ध मनुष्य, एक बिमार मनुष्य, एक मृत जीव व एक भटकते साधु को देखेगा–वह संसार को त्याग देगा। सिद्धार्थ के पिता सुधोधन ने वे सभी उपाय किए जिनके द्वारा उनके पुत्र की दृष्टी इन चार घटनाओं पर ना पड़े। लेकिन सिद्धार्थ के यौवन काल में जब उनका विवाह यशोधरा से हुआ और उनका एक शिशु राहुल पैदा हुआ उनका इन चारों घटनाओं के साथ सामना हुआ तो एक रात वे उन्हें सोता छोड़ कर चुपचाप महल को त्याग कर चले गऐ।

वह क्या था जिसकी खोज बुद्ध को थी? एक बूढ़े व्यक्ति, एक बिमार पुरुष, मृत शरीर और भटकते साधु पर दृष्टी पड़ने से वह एक वस्तु जो इन्हें तंग कर रही थी वह थी कि मनुष्य के दुखः का क्या कारण था। मानव को दुखः क्यों होते हैं और क्या इस दुखः से उभरने का कोई रास्ता है? बुद्ध तब इन प्रश्नों का उत्तर ढूंढने के लिए निकल पड़े।

एक भटकते भिक्षु का जीवन अपनाते हुए वे एक गुरु की खोज में निकल गए, तथा अपने समय के महानतम गुरुओं के सम्पर्क में आए। इन गुरुओं से

उन्होंने वह सब सीखा जो वे सिखा सकते थे, अपने विवेक द्वारा उनके बराबर भी हो गए बल्कि उनसे ऊपर भी उठ गये लेकिन फिर भी इनकी संतुष्टी नहीं हुई। तब इन्होंने घोर तप करना शुरू किया तथा शारीरिक उपवास भी रखने शुरू किए। यह समय आत्मा की खोज का था जिसमें इन्होंने व्यक्तिगत ज्ञान और व्यक्तिगत अनुभव पर भरोसा किया। यह कहा जाता है कि इस घोर अनुशासन के कारण वे ऐसी स्थिती पर पहुँचे कि जब वे अपने पेट के मांस को छूते तो अपनी रीढ़ की हड्डी को पकड़ लेते।

छः वर्ष ऐसा कठिन तप व अभ्यास करने के बाद बुद्ध को अपने बचपन का एक अनुभव याद आया। एक बार जब वे एक पेड़ की छाया तले अपने पिता की प्रतीक्षा कर रहे थे, वे स्वतः ही चेतना की एक ऐसी अवस्था में पहुंच गये जो शारीरिक स्वस्थता, आनन्द तथा स्वतंत्रता की भावना से ओतप्रोत था इस अनुभव से, उन्होंने पाया कि अत्यधिक शारीरिक तप तथा व्रतों से भरे जीवन द्वारा वे मुक्ति तथा आनन्द की अवस्था प्राप्त नहीं कर सकते। उन्होंने तुरन्त अपना तप बंद किया और अपने शरीर को पुनः हृष्ट-पुष्ट व स्वस्थ बनाया।

उन्होंने पास ही एक बोधी पेड़ के नीचे आसन जमाया तथा निश्चय किया कि जब तक ज्ञान प्राप्त नहीं हो जाता वे वहाँ से नहीं उठेंगे। मारा नाम की एक विरोधी शक्ति तब उनके समक्ष आई तथा उसने भरसक प्रयत्न किए–प्रलोभनों, धमकीयों द्वारा व अंत में प्रेरणाएँ दी ताकि वे अपने लक्ष्य को प्राप्त ना कर पाएँ। तब बुद्ध ने मारा से कहा:

> "वासनाएँ तुम्हारी प्रथम सेना है, दूसरी है तुम्हारी उच्चतर जीवन के प्रति घृणा, तीसरी भूख और प्यास है, चौथी लालसाएँ, पाँचवी है जड़ता और आलस्य, छठी है भय तथा कायरता, सातवीं है संशय, आठवीं है हठ तथा पाखंड, नौवीं है लोभ, प्रशंसा, प्रतिष्ठा तथा झूठा सम्मान, दसवीं है आत्म-उत्कर्ष व पर-निन्दा, मारा यह तुम्हारी सेनाएँ हैं। कोई भी दुर्बल व्यक्ति इन पर विजय नहीं पा सकता, तथापि इन पर विजय पाने के बाद ही मनुष्य को आनन्द की प्राप्ति होती है। मैं तुम्हें ललकारता हूँ, मुझ पर लानत है यदि मैं हार गया। पराजय का जीवन जीने से युद्ध में लड़ते हुए मर जाना बेहतर है।"

मारा ने उत्तर दिया, "सात वर्ष तक हर कदम पर मैंने आपका पीछा किया। मैं सदा सचेत एवं सर्व-चैतन्य मनुष्य के भीतर प्रवेश का कोई द्वार नहीं पा सका। जिस प्रकार एक कौवा मांस के टुकड़े की भांति दीखने वाले पत्थर के ऊपर झपटा, उसी प्रकार में यहाँ एक नादान शिकार को पाता हूँ, जिसमें कोई मिठास नहीं है, तथा जिस प्रकार दुखीः होकर कौवा एक पत्थर पर वार करता

है और पीछे हट जाता है, मैं भी दुखीः मन गौतम से विदा लेता हूँ।" मारा वापिस चला गया तथा भगवान बुद्ध को अपना लक्ष्य मिल गया।

इस संसार में मृत्यु और दुखः की जानकारी ही थी जिसने युवा सिद्धार्थ को अपनी खोज में भेजा था। उन्होंने प्रश्न किया था, "दुखों का क्या कारण है?" वह उत्तर जो उन्हें प्राप्त हुआ वह था, "इच्छाएँ ही सब दुखों का कारण हैं।" इसलिए मनुष्य को अपनी चेतना से इच्छा को ही समाप्त करना होगा। चेतना से इच्छाओं को समाप्त करने के लिए उन्होंने एक अष्ट मार्ग की स्थापना की जिस पर चलने से मनुष्य सभी इच्छाओं से मुक्ति प्राप्त करते हुए एक असीम और अडिग शांति को प्राप्त कर सकता था। इस अवस्था को उन्होंने निर्वाण कहा। लेकिन इस अवस्था पर पहुँचने के बाद इस संसार में क्या मनुष्य को कुछ और करने को शेष रह जाता है? क्या इसके पश्चात आगे कुछ और प्राप्त करने का जीवन का कोई उद्देश्य रह जाता है? बुद्ध के जीवन से यह स्पष्टतया विदित होता है कि निर्वाण की अवस्था और कर्म की अवस्था एक दूसरे का विरोध नहीं करते हैं। इच्छारहित मनुष्य के लिए कर्म की प्रेरणा किसी और कारण से होती है। कर्म का आधार आवश्यक नहीं कि इच्छा ही हो। सच्चा कर्म शांति में से उत्पन होता है, तथा शांति की और भी गहरी व गंभीर विद्वतापूर्ण अवस्थाएँ हैं जिनके प्रतिरूप और भी प्रभावशाली कर्म मेल खाते हैं। इस प्रकार बुद्ध के लिए ऐसे निर्वाण की अवस्था को प्राप्त करने तथा साथ ही साथ इस संसार में कर्म करना भी सम्भव था इसी कारण अपनी आंतरिक चेतना में तथा अपने कर्म में तटस्थ रहते हुए भी वे एक सर्वोपरी शक्तिशाली व्यक्तित्व को प्राप्त हुए।

तदानुसार 35 वर्ष की आयु में निर्वाण की अवस्था को प्राप्त करने के बाद अपने जीवन के अगले 45 वर्ष महात्मा बुद्ध ने इस संदेश को फैलाते हुए बिताए। वे पैदल एक गाँव से दूसरे गाँव, एक शहर से दूसरे शहर गए। तथा सभी जातियों और आयु के लोगों से मिले। उस काल में भारतीय समाज श्रेणी-बद्ध हो चुका था तथा जाति व्यवस्था की संहिता बन चुकी थी व वह अपना लचीलापन गंवा चुकी थी। लेकिन महात्मा बुद्ध हरेक से मिले, हर किसी को समान रूप में इज्जत दी तथा किसी की जाति या श्रेष्ठता के अनुसार नहीं बल्कि मनुष्य की सच्चाई और समझ के अनुसार हर किसी को शिक्षा दी। उन्होंने राजाओं तथा साधारण मनुष्यों से, अमीर व्यापारियों व गरीब किसानों से, डाकुओं व स्त्रियों से, सभी के साथ बातचीत की। उन्होंने ऊपरी शिक्षा को अवस्थानुसार श्रेणीबद्ध किया, साधारण मनुष्यों को कहानियों व नीति-कथाओं द्वारा, अधिक विकसित मनुष्यों को गहरे मनोवैज्ञानिक सिद्धांतों की व्याख्या देते

हुए तथा सबसे विकसित शिष्यों को अत्यधिक व गुढ़ ध्यान के अभ्यास द्वारा शिक्षा प्रदान की। *उनकी शिक्षा चार महान सत्यों पर आधारित थी:*

- दुखों के सार्विकता का सत्य
- दुखों के कारणों का सत्य
- दुखों के समापन का सत्य
- निर्वाण प्राप्ति की राह

81 वर्ष की आयु में महात्मा बुद्ध ने अपना शरीर त्यागा और समाधी प्राप्त की। पौराणिक गाथा के अनुसार, जब वे निर्वाण प्राप्ति के द्वार पर खड़े थे, तो उन्होंने उस दलहीज को ना लांघने की सौगन्ध खाई जब तक कि प्रत्येक चेतन-जीव निर्वाण को प्राप्त नहीं हो जाता।

बौद्ध मत का भारतीय समाज पर प्रभाव

यह कहा जाता है कि भारतीय समाज पर प्रभावशाली वैदिक आदर्शों के भ्रष्ट होने के विद्रोह के रूप में बौद्ध धर्म का उदय हुआ। वैदिक आदर्श जो उस समय तक भारतीय समाज का मार्ग-प्रदर्शन कर रहे थे वे रूढ़ीवादी हो गए थे तथा वे अपनी आन्तरिक शक्ति गँवा बैठे थे। जैसा कि हमने पूर्व अध्याय में पढ़ा है, जाति प्रथा का एक उच्च व कुलीन उद्देश्य था, लेकिन अब यह आनुवंशिक, दृढ़, व अपना लचीलापन गंवाने की ओर अग्रसर हो चला था। इसके साथ ही साथ वैदिक ऋषियों की शिक्षाओं का व्यवहार अधिक रूढ़ीवादीतापूर्ण व स्वचालित रूप में अधिक से अधिक होने लग गया था।

जैसा कि पहले देखा जा चुका है, भारतीय समाज को इस प्रकार श्रेणीबद्ध किया गया था कि सभी पुरुष धर्म के अंतर्गत अपने विकास क्रम की अवस्था अनुसार इस में पूरा जीवन बिता सकते थे। जब कभी भी कोई तैयार हो जाता, वह उचित समय पर सम्पूर्ण आध्यात्मिक जीवन अपना सकता था। जीवन आध्यात्मिक जीवन व साधारण जीवन की श्रेणियों में नहीं बँटा हुआ था क्योंकि आध्यात्मिकता की ओर शनैः शनैः उत्थान होता है।

लेकिन अब वैदिक आदर्शों के कमजोर हो जाने पर, आध्यात्मिकता में कमी आने लग गई और जीवन की भरपूरता भौतिक संतुष्टियों तथा अनियंत्रित इच्छाओं की पूर्ति के लिए एक बहाना बन गई। इस कारण एक नकारात्मकता के अस्थाई काल का आना आवश्यक हो गया था। इस आवश्यकता को बुद्ध धर्म का इस संसार की अयथार्थता तथा संसारिक इच्छाओं पर अतिश्योक्तिपूर्ण बल के दिये जाने ने पूरा किया लगता है। संक्षेप में, वैदिक आदर्शों के ह्रास होने के प्रतिक्रिया के रूप में बुद्ध धर्म आया।

तथापि, बुद्ध धर्म ने निश्चलता व आत्म-ग्लानि पर अपने अत्यधिक एवं अतिश्योक्तिपूर्ण बल दिए जाने के कारण, अनजाने व अज्ञानतापूर्वक भारतीय समाज में बँटवारा कर दिया। इसने दो स्पष्ट वर्गों को जन्म दिया-भिक्षु तथा साधारण मनुष्य, आध्यात्मिक पुरुष तथा संसारी पुरुष। इस बंटवारे का यह आशय हुआ कि संसारिक पुरुष भिक्षु से निम्न था तथा इस प्रकार संसार के कर्मों को सबसे निम्न कोटी के महत्व में धकेल दिया। समाज के इन दो श्रेणियों के विभाजन ने, अर्थात आध्यात्मिक जिज्ञासुओं और साधारण मनुष्य ने एक असंतुलन पैदा कर दिया जो समाज में अव्यवस्था का जन्मदाता बना फलस्वरूप, इसके प्रभाव के अधीन आधा देश तो आध्यात्मिक नीरवता तथा नकारात्मकता की दिशा को चल दिया, व दूसरा आधा स्वभाविक प्रतिक्रिया के रूप में एक वैभवशाली परन्तु दुर्बलतापूर्वक भौतिकता में गहरा डूब गया। भारतीय समाज अपनी प्राचीन वीरतापूर्ण पुरुषत्व के तीन भाग, यानि संसार पर अपनी पकड़, अपना उत्तमतापूर्ण क्रम में पिरोया राजतंत्र तथा अपने कुलीन सामाजिक तंत्र की व्यवस्था, को गँवा बैठा।

इस प्रकार बौद्ध धर्म ने भारतीय समाज को दुर्बल कर दिया बेशक भगवान बुद्ध ने स्वयं भारतीय आध्यात्म के प्रति बहुत अधिक मात्रा में योगदान दिया। बुद्ध धर्म वास्तव में कभी भी भारत में अपनी जड़ें नहीं जमा पाया। वह भारत के बाहर चीन, जापान तथा तिब्बत में ही स्थापित हो पाया। लेकिन भारतीय धर्म ने स्वयं भगवान बुद्ध को एक अवतार के रूप में स्थापित किया।

तथापि यह अवश्य कहा जा सकता है कि बौद्ध धर्म का प्रभाव कला पर प्रचुर मात्रा में रहा तथा सदियों तक भारतीय मूर्तिकला तथा कला-कृतियों को प्रेरित करता रहा। वास्तव में भारतीय कला की कुछ सबसे उत्कृष्ट कृतियाँ बौद्ध धर्म के स्पष्ट प्रभाव के कारण ही बनी है। एक ऐसा ही उदाहरण अजन्ता व एलोरा में स्थापित मूर्तियाँ तथा कलाकृतियाँ हैं।

यह संदर्भ से हट कर नहीं होगा कि यहां हिन्दु धर्म और बौद्ध धर्म के अंतर को स्पष्ट किया जाए।

1. हिन्दु धर्म वेदों पर आधारित है जबकि बौद्ध धर्म वेदों को नकारता है। वेदा का अर्थ है प्रकट ज्ञान, जिसको मनुष्य स्वीकार करता है ताकि वह ज्ञान में आगे बढ़ सके। यह अवश्य ध्यान में रखना चाहिए कि वेद कट्टर नहीं थे। वे अनुभव के आधार पर स्थापित थे। योग अनुभव के आधार पर वेद की सत्यता के प्रमाणीकरण पर बल देता था। बौद्ध धर्म दूसरी ओर, विश्वस्तता के आधार पर किसी को भी नहीं स्वीकार करता, बल्कि हर वस्तु को पहले अपने तर्क द्वारा तथा बाद में अनुभव द्वारा प्रमाणित करने को कहता है।

2. वैदिक ज्ञान का पहला मूल सिद्धांत जो स्थापित होता है वह है सत्, चित्, आनन्द, की वास्तविकता। पहला सिद्धांत जो बौद्ध धर्म स्थापित करता है वह है असत्य, चित-विहीनता, अवास्तविकता।

3. यह तात्विक स्थिती दोनों के तर्कपूर्ण स्थितियों में दृढ़तापूर्वक अनुवादित होती है। बौद्धिक-तर्क नकारता को सकारता के केवल विपरीत स्थिति के रूप में समझता है। यह एक अस्तित्व नहीं है, यह अस्तित्व का ना होना है (अभाव है)। हिन्दु-तर्क नकारता को एक सकारात्मक रूप में मानता है लेकिन ऋणात्मक दृष्टि से, उसी प्रकार जिस प्रकार हिन्दु-गणित शून्य को मूल्यहीन नहीं समझता और इसे एक विशेष स्थिति देता है।

4. वैदिक ऋषियों ने यह घोषणा की कि समस्त अस्तित्व आनन्द के आधार पर स्थापित है, सभी वस्तुएँ आनन्द में से ही उत्पन्न हुई हैं तथा आनन्द की ओर चलती हैं व आनन्द ही उनका अन्तिम चरम बिन्दु है। बौद्ध-धर्म कहता है कि दुखः ही समस्त उत्पत्ति का मुख्य प्रमाण-चिन्ह है। दुखः ही इस अस्तित्व का सर्वोपरी महान रहस्य तथा आदी व अन्त है।

संक्षेप में, जबकि भगवान बुद्ध एक महान आध्यात्मिक व्यक्तित्व थे, करुणा के प्रतिरूप थे, तथापि बौद्ध धर्म लोगों को पूर्णतयाः नहीं बाँध पाया। भारतीय धर्म बहुत अधिक समन्वयकारी तथा बहुमुखी था तथा बेशक उसने बुद्ध-धर्म के अनुभवों तथा सत्यों को सम्मिलित कर लिया, उसने बुद्ध-धर्म के तीक्ष्ण तथा चरम स्थितियों को तिलांजित कर दिया।

9

प्रथम अतिक्रमण

भारतीय सभ्यता का आन्तरिक सिद्धांत बहुत सहनशील तथा बोधगम्य है। यह उग्र रूप से अनन्य नहीं है। बिना अपनी शक्तिशाली स्वभावगत विशिष्टता तथा अपने अस्तित्व के नियम को खोए, यह जहाँ तक हो सके आत्मसाती रहा है, यह समन्वयिक, प्राप्तिकर्ता तथा समावेशी रहा है। भारतीय सभ्यता की आत्मसात करने की शक्ति इसकी विशेषताओं में से एक विशेष विशेषता रही है।

अनेकों अनेक आक्रमणकारी इस देश पर धावा बोलते रहे तथा इसे जीतने का प्रयत्न करते रहे। कुछ को अस्थाई सफलता मिली लेकिन अन्त में वे सभी आत्मसात व ग्रहण कर लिए गए तथा इस देश के एक जीवन्त भाग बन गऐ।

पहला ऐसा आक्रमण इरानियों द्वारा किया गया। यह ईसा से पहले छठी सदी (558-530 BC) का समय था जब ईरानी सम्राट साइरस ने भारत के द्वार पर चोट की और गन्धार के क्षेत्र को अपने अधिकार में किया। यह जिला सिन्धु नदी के पश्चिम में इरान को कर देने वाला राज्य बना तथा ईरान के साम्राज्य का बीसवाँ व सबसे घनी आबादी वाला राज्य-प्रदेश बना। यह साम्राज्य को बहुत अधिक कर देता था।

तदोपरान्त लगभग दो सदी के पश्चात भारत पर ग्रीक द्वारा सिकन्दर के नेतृत्व में आक्रमण किया गया। वर्ष 336 BC में मेकडोन के सिंहासन पर सिकन्दर द्वारा राज्य किया गया जो कि दक्षिण-पूर्व यूरोप में ग्रीस की धरती पर एक शक्तिशाली सैनिक राज्य था। सिकन्दर एक अत्यन्त स्फुर्ति व योग्यता भरा राजा था। सन् 331 तथा 333 BC में सिकन्दर ने ईरानी साम्राज्य को दो बार पराजित किया तथा उस साम्राज्य पर अपना अधिकार किया। कुछ वर्षों बाद ईरान का सम्राट मर गया तथा सिकन्दर का उस सारे साम्राज्य पर एकछत्र अधिकार हो गया। उसके बाद उसने हिन्दुकुश पर्वतमाला लांघने का फैसला किया और उन भारतीय राज्यपालों को पुनः प्राप्त करने का निर्णय लिया जो कभी ईरानी राजाओं के अधीन स्वयं को मानते थे। अपनी संचार व्यवस्था को सुदृढ़ करने के इरादे से उसने आधुनिक काबुल के समीप अपनी सेना की बलवान छावनियों की स्थापना की तथा 327-326 BC की शर्द ऋतु कुनार

और स्वात घाटियों के जुझारू पहाड़ी राज्यों के कबीलों के साथ संग्राम करते हुए बिताई। जल्द ही उसने पुष्पकावलती नगर पर विजय पाई जो कि पेशावर से लगभग सत्रह मील की दूरी पर स्थित था। उसके बाद सिकन्दर ने ओहिन्द के घने जंगलों में से अपनी राह बनाई तथा नावों के एक पुल के द्वारा सिन्धु नदी को पार किया। पास ही तक्षशिला का साम्राज्य था जिस पर अम्भी नामक राजा राज्य करता था। तक्षशिला के दक्षिण-पूर्व भाग में पौरवों के जुड़वें साम्राज्य स्थापित थे तथा वहाँ के लोगों को वैदिक प्रथाओं तथा ऋचाओं का अच्छा ज्ञान था। ज्येष्ठ पुरु का साम्राज्य झेलम व चिनाब नदियों के बीच फैला था तथा उसके भतीजे का क्षेत्र चिनाब तथा रावी के बीच का था। अपने अभियान के दौरान सिकन्दर को तक्षशिला के राजा अम्भी द्वारा मूल्यवान सहायता मिली, तथा उसने सिकन्दर का अपनी राजधानी में खूब स्वागत किया। तक्षशिला का प्रदेश उरसा तथा अभिसार राज्यों द्वारा प्रशासित था जो कि जम्मू-कश्मीर राज्य के आजकल हजारा, पूंछ और नौशेरा प्रदेशों में है। कुछ देर विश्राम करने के बाद सिकन्दर ने अपना अभियान चालू रखा और वितास्ता की ओर धकेला जो कि आजकल आधुनिक झेलम है। वहाँ नदी की दूसरी ओर एक विशाल सेना, उसके आगे की प्रगति का विद्रोह करते हुए प्रतीक्षा करती मिली। ज्येष्ठ पौरव राजा-महान पुरुराज-उस सेना का नेतृत्व कर रहा था। वह एक दैत्यनुमा व शक्तिशाली शरीर का स्वामी था तथा जिसे अपने पड़ोसी साम्राज्य तक्षशिला के व्यवहार पर क्षोभ था। वैदिक काल से चली आ रही अपनी प्राचीन वंशावली की परम्परा के प्रति सच्चे पुरुराज ने निर्णय लिया कि वह अपने परिवार के स्वाभिमान और साम्राज्य की स्वतंत्रता की रक्षा पश्चिम से आए उदण्ड आक्रमणकारी के विरुद्ध हर हाल में करेगा। सिकन्दर ने बाड़ से भरी नदी को पार करके हाथियों व वीर सैनिकों के चक्रव्यूह का सामना करना असम्भव पाया। उसने अपने शत्रु का ध्यान विभिन्न स्थानों पर दिखावा करके बाँट दिया और अपनी छावनी से सत्रह मील ऊपर नदी के एक तीखे मोड़ पर जंगल से भरे एक तट-शैल की ओर रास्ता बना लिया जहाँ नदी एक जंगली द्वीप से होकर जाती थी। नदी पार करने का वह स्थान झेलम शहर के ऊपर की ओर स्थित है। एक छोटी सैनिक टुकड़ी लेकर पुरुराज का पुत्र उस राह को रोकने के लिए गया जिसको आक्रमणकारियों ने झटपट पराजित कर दिया तथा उसी में पुरुराज का पुत्र शहीद हो गया।

राजा से युद्ध करने के लिए सिकन्दर तुरन्त आगे बढ़ा। पुरुराज भी अपने शत्रु का सामना करने को आगे बढ़ा और अपनी सेना को युद्ध के चक्रव्यूह में सजाया। उसके नेतृत्व में 30,000 पैदल सैनिक, 42000 घुड़सवार, 300 रथ

तथा 200 हाथी थे। उसने पैदल सेना के आगे हाथियों को लगाया तथा घुड़सवारों को किनारों पर रखा जिनके आगे-आगे रथ-सैनिक थे। यह विशाल और विस्तृत सेना एक शहर की भांति लग रही थी जिसमें हाथी मिनार लग रहे थे तथा फौज एक शहर को घेरती हुई दीवार लग रही थी। पुरुराज ने यह गलती की कि उसने मेक्डोनियन सेना को धावा बोलने दिया जिनके पास अधिक उत्तम घुड़सवार थे। शत्रु ने भारतीय फौज के बाऐं छोर पर धावा बोला। भारतीय रथसवार और घुड़सवार उस आक्रमण को सह नहीं सके और ग्रीक घुड़सवारों के धावे के आगे टिक नहीं पाए तथा भारतीय तीरन्दाज अपने तीर कमानों का सही प्रयोग नहीं कर पाए क्योंकि उस गीली फिसलती धरती पर उनके कमान टिक नहीं पाए और फिसलने लगे। कुछ काल तक हाथियों की सेना ने शत्रुओं की सेना में तबाही मचाई, लेकिन उनमें से कुछ घायल हाथी घावों के कारण पागल हो उठे तथा अपनी व पराई फौजों को रौंदने लग गए। पौरव सेना की अधिक हानी हुई तथा सिकन्दर के जुझारु सैनिकों द्वारा जल्द ही तितर-बितर कर दी गई। पुरुराज मैदान छोड़कर नहीं भागा और हाथी पर सवार शत्रुओं से लड़ता रहा जब तक वह भाले की चोट से अत्यधिक घायल नहीं हो गया। पुरुराज ने अंत में नौ घावों समेत मैदान छोड़ा। तभी एक पुरुष घोड़ा दौड़ाता हुआ उसके पास एक संदेश देने पहुँचा। पुरुराज ने यह पहचानते हुए कि वह तक्षशिला का राजद्रोही राजा है उस पर भाले से वार किया। शायद यही लड़ाई का दृश्य एक जानी पहचानी मुद्रा पर अंकित है। उसके मित्र मीरोज के समेत कई दूत पुरुराज के पास आए। तब पुरुराज ने आत्म-समर्पण करने को हाँ कही। तब उसे विजयी राजा के समक्ष लाया गया जिसने तब उससे पूछा कि उसके साथ कैसा व्यवहार किया जाए। वीर पुरुराज ने उत्तर दिया, "मुझसे राजा की भांति व्यवहार किया जाए।" सिकन्दर ने उस पर जोर दिया कि वह सही तथा सटीक उत्तर दे, तब बिना घबराहट उसने कहा, "तब मैंने कहा है कि राजा की भांति, तो उसमें सभी कुछ आ जाता है।" सिकन्दर ने अपने शत्रु के साथ उदारतापूर्वक व्यवहार किया तथा उसे उसका राज्य वापिस कर दिया।

आक्रमणकारियों के विरुद्ध यह एक भारतीय राजा के द्वारा प्रथम प्रमुख विद्रोह था। बेशक वह पराजित रहा, लेकिन यह एक वीरतापूर्ण लड़ी गई लड़ाई थी जिसके द्वारा विद्रोह की भावना तथा वीरता को जीवित रखा गया। पुरुराज उन सभी बाद के भारतीय शासकों के लिए प्रेरणा-स्रोत बन गए जिन्होंने आने वाले आक्रमणकारियों के विरुद्ध लड़ाइयाँ लड़ीं। यह अतिक्रमणकारी इस देश पर सदियों तक धावे बोलते रहे। उन सभी ने इस देश को जीतने का प्रयत्न किया और अपनी सभ्यता में बदलने का प्रयत्न किया। लेकिन अस्थाई काल को छोड़ कोई भी सफल नहीं हो पाया।

यह जानना रुचिकर होगा कि जल्द ही ग्रीक छावनियों का चन्द्रगुप्त मौर्य द्वारा सफाया कर दिया गया अतः कुछ वर्षों के भीतर ही सभी विदेशी अधिकार क्षेत्रों के नामों निशान मिटा दिए गए। यह प्रतिभाशाली चाणक्य की सहायता व सलाह द्वारा किया गया था। इरानी और ग्रीक आक्रमणों ने भारत को पश्चिमी संसार के लिए खोल दिया। इस उन्मुक्ति के कारण नई संचार की राहें तथा व्यापारिक रास्ते खोल दिए गए। जबकि ग्रीक लोगों ने भागवत् द्वारा धर्म और दर्शन-शास्त्र सीखा, वहीं भारतीयों ने मुद्रा-व्यवस्था, खगोल-शास्त्र, वास्तुकला तथा चित्र-कला ग्रीक से ली व अपनायी। यह सभी कुछ इस प्रकार हुआ कि यह सभी भारतीय संस्कृति के भाग बन गए तथा बाद में इनकी पहचान विदेशी वस्तुओं के रूप में भी समाप्त हो गई। यह भारतीय सभ्यता व संस्कृति के प्रमुख विशेषताओं में से एक है।

हम इन घटनाक्रमों को बारम्बार होते देखेंगे। एक के बाद एक आक्रमणकारी भारत में आए और यहाँ की धरती पर उसने विजय पाई, लेकिन वे केवल कुछ ही समय के लिए सफल हुए, क्योंकि वे सभी भारतीय संस्कृति में आत्मसात कर लिए गए। हम अब अगले अध्यायों में देखेंगे कि यह किस प्रकार हुआ।

संक्षेप में भारत तभी आत्मसात करता है जब दूसरे वर्ग द्वारा इसके केन्द्रीय सत्य को पहचान लिया जाता है, तथा आत्मसात करते समय भी वह इस प्रकार करता है कि वह भाग जिनको आत्मसात किया गया वे विदेशी मूल की पहचान लायक ही नहीं रह जाते बल्कि इसके ही भाग बन जाते हैं। इस प्रकार, इसने ग्रीक से वास्तुकला ली तथा इरान से चित्र-कला इत्यादि।

10

चाणक्य

326 BC में भारत के सम्मुख एक क्रान्ति बेला आई। सिकन्दर के नेतृत्व में ग्रीक सेना ने पंजाब तथा उत्तर-पश्चिम भारत प्रदेश को हथिया लिया। सिकन्दर बेबीलोनिया की ओर चला गया तथा उसके तुरन्त बाद मृत्यु को प्राप्त हुआ, लेकिन उसके सेना नायक सम्पूर्ण उत्तर-पश्चिम भारत को अपने साम्राज्य में मिला लेने के लिए दृढ़संकल्प थे। मकडोनिया के राज्यपालों को इस क्षेत्र पर राज्य करने के लिए नियुक्त किया गया था। लेकिन सिकन्दर की मृत्यु के बाद उनके बीच आंतरिक मत-भेद उठ खड़े हुए। यही वह समय था जब मगध का राजा चन्द्रगुप्त मौर्य उठा और चाणक्य उर्फ कौटिल्य की सहायता से उसने विदेशी आक्रमणकारियों को पहले मार भगाया तथा उसके बाद सारे भारत को एक राज्य के अधीन किया।

चन्द्रगुप्त मौर्य के उदय से तुरन्त पहले यह देश कई छोटे-छोटे राज्यों में बँटा हुआ था जिन पर विभिन्न राजा राज्य करते थे। इन सबमें से प्रमुख नन्द वंश का साम्राज्य था जिस पर धनानन्द राज्य करता था जो स्वयं एक निम्न जाति का तथा निम्न चरित्र वाला था। उसके राज्य में प्रजा बहुत अप्रसन्न थी तथा साम्राज्य में बहुत से कलह बिन्दु थे। चाणक्य ने इनका पूरा लाभ उठाया और धनानन्द को हराने चल पड़ा। असल में नन्द वंशावली जो अब तक मगध पर राज्य करती आई थी उसकी तबाही के पीछे दिमाग कौटिल्य का था।

जब कौटिल्य अपने ज्ञान का व्याख्यान करने पाटलीपुत्र आया तो उस समय धनानन्द का राज था, व उस अहंकारी नन्द राजा ने उसको अपमानित किया। उसने कौटिल्य को भोजन के लिए बुलाया लेकिन जैसे ही यह ब्राह्मण भोजन खाने लगा इसका भोजन हटा दिया गया। क्षोभ और क्रोध में कौटिल्य ने सौगन्ध ली कि जब तक दुराचारी नन्द वंश पाटलीपुत्र की राजगद्दी पर विराजमान है वह अपने सिर की चोटी नहीं बाँधेगा। वह ऐसा संकल्प लिए हुए था कि पूरे नन्द वंश को इस प्रकार नष्ट करेगा कि सम्पूर्ण परिवार ही समाप्त हो जाए। इसके पश्चात वह साधु के वेश में छिपता इधर-उधर एक उपयुक्त पुरुष की खोज में भटकने लगा जो इसके संकल्प में इसकी सहायता करे। यह कहा जाता है कि

एक दिन वह एक चतुर बालक चन्द्रगुप्त से मिला जो एक छोटे राज परिवार के वंश से था। अपने बचपन में ही तिलांजित किए जाने पर उसका पालन-पोषण एक चरवाहे द्वारा किया गया। कौटिल्य ने उसे अन्य बालक के साथ खेलते देखा। एक नाटक-शैली में वह राजा के पात्र को निभाते हुऐ न्याय प्रदान कर रहा था। कौटिल्य उस छोटे बालक के आचरण से इतना प्रभावित हुआ कि उसने तुरन्त निश्चय किया कि वह उस बालक को अपना शिष्य बना लेगा तथा भविष्य में राजा के कर्त्तव्यों के बोझ को सहने और निभाने की शिक्षा देगा। वह उसे समस्त छोटे राज्यों को एक सूत्र में बाँधते हुए एक केन्द्रीय साम्राज्य की स्थापना में उसकी सहायता करेगा। दूसरी ओर यह भी कहा गया है कि यह चन्द्रगुप्त ही था जिसने चाणक्य को अपने गुरु के रूप में पहले स्वीकार किया। चन्द्रगुप्त ने नन्द को पराजित करने के कई असफल प्रयास पहले किए थे। एक रोज, पराजय के बाद जब वह कुछ उजड़ी हुई राहों से जा रहा था उसने एक क्रोधित ब्राह्मण को देखा जो कंटीली झाड़ियों को जड़ समेत उखाड़ रहा था और उस खेत में मीठी लस्सी डाल रहा था। पूछने पर उस ब्राह्मण ने बताया कि झाड़ी के कुछ कांटे उसे चुभ गऐ थे तथा तदोपरान्त उसने निश्चय किया कि वह उनको समूल नष्ट कर देगा ताकि वे दुबारा ना उग सकें। इसीलिए वह सारे खेत में मीठी लस्सी डाल रहा था जो चींटियों को आकर्षित करेगी। चाटियाँ उन झाड़ियों की सारी जड़ें ही चट कर जाएगी। उसने यह भी इसी प्रकार जताया कि वह नन्द वंश को समूल नष्ट कर देगा। चन्द्रगुप्त उस पठित ब्राह्मण की दृढ़ता और संकल्प से इतना प्रभावित हुआ कि उसने उसी समय उसे अपना गुरु स्वीकार कर लिया।

कौटिल्य के मार्ग-दर्शन पर चन्द्रगुप्त पूरी लगन से नन्द साम्राज्य पर आक्रमण करने लग गया। प्रारम्भ में नन्द को विस्थापित करने के प्रयत्न में वह बुरी तरह विफल रहा। यह कहा जाता है कि अपने पुत्र को डाँट रही एक बुढ़िया को उसके द्वारा सुने जाने पर उसे सही व्यूह-रचना अपनाने का संकेत मिला। पुत्र गर्म खीर को मध्य से खाने का प्रयत्न कर रहा था। बुढ़िया ने उसे डांटा और कहा कि वह चन्द्रगुप्त की भांति नादान है और उसने पुत्र को परामर्श दिया कि वह खीर को किनारों से खाना आरंभ करे। चन्द्रगुप्त ने उस बिन मांगे परामर्श का अनुकरण किया। अपनी व्यूह-रचना को बदलते हुऐ उसने नन्द की छावनियों को अनदेखा करके दूर गांवों में तैनात सैनिकों की टुकड़ियों को तंग करना आरम्भ कर दिया।

चाणक्य ने अपने लक्ष्य की प्राप्ति के लिए कई व्यूह-रचनाओं तथा तरीकों को अपनाया। नन्द राजा के पास एक योग्य मंत्री उसकी सहायता के लिए था

जिसका नाम राक्षस था। उसके पास महान प्रशासनिक योग्यताएँ, संकल्प तथा नन्द के प्रति स्वामी-भक्ति के गुण थे। चाणक्य ने अनुभव किया कि साम्राज्य में तब तक कोई शांति की स्थापना नहीं हो सकती जब तक वह राक्षस को अपनी ओर ना कर ले।

जब चन्द्रगुप्त नन्द राजा पर धावा बोलने की तैयारी कर रहा था, उसने एक मलेच्छ राजा पर्वतका के साथ संधि का प्रस्ताव रखा। विजय प्राप्त करने की अवस्था में उसने पर्वतका को आधा नन्द साम्राज्य देने का वचन दिया। नंद की सेना की पराजय हो गई तथा राक्षस नन्द वंश के बचे हुए सदस्यों को लेकर भाग गया। चाणक्य ने अपने जासूसों द्वारा नन्द परिवार को खोज डाला व उन सभी को मरवा डाला। राक्षस अब अपने मृत स्वामी का बदला लेने की प्रक्रिया में लग गया। उसने राजमहल में एक विषकन्या भेजी जिसको छूने मात्र से ही मनुष्य मर जाता था। चाणक्य को अपने जासूसों द्वारा इस छल का पता चल गया तथा उसने उस विषकन्या को पर्वतका के पास भेजने का प्रबन्ध कर दिया। मलेच्छ राजा मर गया तथा इस प्रकार साम्राज्य के विभाजन से चन्द्रगुप्त बच गया।

चाणक्य ने राक्षस को चहूँ ओर से पूर्णतया अलग-थलग करने का निश्चय किया। एक उत्तम व्यूह-रचना द्वारा उसने हरेक के मन में यह विश्वास बैठा दिया कि यह राक्षस ही था जिसने पर्वतका को मारा था। उसने एक ऐसे झूठे संदेश की भी प्रति तैयार करवा ली जिसमें जताया गया था कि वास्तव में राक्षस ही नंद-वंश के विरुद्ध षड्यंत्र कर रहा था। इस प्रकार सर्व-साधारण की नजरों से राक्षस पूर्णतया अलग-थलग हो गया। यह निर्णय लिया गया कि राक्षस को फांसी देनी चाहिए। तथापि, पूरे मौके पर राक्षस को बचा लेने का चाणक्य ने प्रबन्ध कर दिया तथा उसे बाद में चन्द्रगुप्त मौर्य का एक प्रमुख मंत्री बना दिया। इस प्रकार राक्षस की सहायता द्वारा चन्द्रगुप्त राजधानी को घेरने लगा तथा एक अंतिम प्रयास में उसने नंद की सेना को पराजित कर दिया। युद्ध के बाद धनानन्द को मार दिया गया। तदोपरान्त चाणक्य तथा राक्षस दोनों ने उत्तम प्रकार की व्यूह-रचनाएँ की जिनके द्वारा उत्तर-पश्चिम भारत पर अभी भी राज कर रहे ग्रीक राज्यपालों को पूर्णतया पराजित कर दिया गया।

थोड़े ही समय में दक्षिण भारत के सुदूर प्रदेशों को छोड़कर पूरा भारतवर्ष चन्द्रगुप्त मौर्य के राज्य के अधीन आ गया। भारत चाणक्य की पांडित्यपूर्ण परामर्श की सहायता से तथा चन्द्रगुप्त के उत्तम प्रशासनिक प्रबन्ध द्वारा राजनैतिक स्तर पर एक हो गया। मौर्य वंश के राज्य को भारतीय इतिहास के स्वर्ण युगों में से एक समझा जा सकता है।

साम्राज्य की स्थापना में चन्द्रगुप्त का पथ-प्रदर्शन करते हुए व सफल होने के पश्चात कौटिल्य जीवन के कार्यकलापों से अवकाश प्राप्त कर गए ताकि एक स्थाई साम्राज्य या संस्था स्थापित करने के लिए किन मूलभूत दृढ़ नीतियों को अपनाना चाहिए, उसको अभिलिखित कर सकें। उनके गूढ़ विचारों का प्रतिफल "अर्थशास्त्र" नामक पुस्तक है। "प्रजा की प्रसन्नता में ही राजा की प्रसन्नता रहती है, उनकी भलाई में ही उसकी अपनी भलाई है। राज्य की भलाई राजा को जो अच्छा लगता है उसमें नहीं है, बल्कि प्रजा की भलाई ही उसकी प्रसन्नता है।" चाणक्य, "अर्थशास्त्र" या राज्य के नीति-शास्त्र के लेखक, ने यह पद्य लिखा था। वह ऐसे समय में पैदा हुआ जब भारत स्वयं अनगणित छोटे-छोटे राज्यों में बँटा हुआ था। कौटिल्य ने अनुभव किया कि इस विस्तृत देश की कई समस्याओं का मूल कारण यही विभाजन था। एक छोटा राज्य अधिक बड़े शत्रु के आक्रमण का सामना करने में असमर्थ था। साथ ही साथ, जब तक कोई इकाई एक निश्चित आकार ना प्राप्त कर ले विस्तृत समृद्धी संभव नहीं है। कौटिल्य ने एक महान साम्राज्य की स्थापना का प्रयत्न किया जिसके अधीन इस विस्तृत भारतीय उपमहाद्वीप के सभी विभिन्न छोटे राज्यों को लाया जा सके। इस का भावार्थ यह हुआ कि इन सभी इकाइयों का केन्द्रीयकरण करके एक सांझे प्रशासन के अधीन लाया जाना होगा। कई बार यह छोटी इकाइयाँ स्वयं ही अपने आपको एक बड़े साम्राज्य के साथ जोड़ना चाहेगी ताकि उन को वह साम्राज्य सुरक्षा प्रदान कर सके। वरना, चाणक्य के अनुसार, यदि आवश्यक हो तो बल का भी प्रयोग किया जाना चाहिए ताकि सभी छोटी इकाइयाँ एक के अधीन हो सकें। लेकिन यदि एक बार इनको केन्दीय सरकार के अधीन ले आया जाए तो जब तक प्रशासक द्वारा एक स्वच्छ, बुद्धिमान तथा न्यायोचिक नीति नहीं अपनाई जाती, इन छोटी इकाइयों का प्रयत्न सदा ही रहेगा कि वे टूट कर अपनी निजी स्वतंत्रता प्राप्त करें। अर्थशास्त्र में ऐसे लड़े गए युद्ध के कई परामर्श व टिप्पणीयाँ दी हुई है जिनका राजा को अनुसरण करना चाहिए, ताकि केन्द्रीय प्राधिकार लम्बे समय तक स्थापित रहे।

अर्थशास्त्र यह निर्देश देता है कि जीवन को धर्म, सत्य तथा पवित्रता के नियमानुसार जीना चाहिए। कौटिल्य चूंकि एक यथार्थवादी पुरुष भी था इसलिए उसने अनुभव किया कि चारों ओर यदि गरीबी और मांगों के हालात रहते हैं तो एक धार्मिक जीवन व्यतीत करना सम्भव नहीं है। इसलिए उसने यह सिद्धांत दिया कि जीवन का लक्ष्य धर्म है, लेकिन धर्म का आधार अर्थ है या चारों और फैली समृद्धी एवं अर्थ का आधार स्थिर व स्वस्थ सरकार है। इसी कारण एक उत्तम प्रशासन का विशेष महत्व है।

उसने अनुभव किया कि साम्राज्य में शांति कभी स्थापित नहीं हो सकती यदि अधिकतर प्रजा संतुष्ट नहीं है। एक न्यायोचित वातावरण होना चाहिए तथा प्रजा को अधिकारियों की मन-मर्जी से बचाकर रखना चाहिए। न्याय प्रदान करने की एक समूची व्यवस्था होनी चाहिए तथा दण्ड को न्यायाधीशों के वहमों की दया पर नहीं छोड़ देना चाहिए। इसके साथ ही साथ न्यायधीशों की शक्तियों को इतना कुंठित भी नहीं कर देना चाहिए कि व्यवस्था चूर-चूर हो जाए। इसका एक सही संतुलन प्राप्त करना ही एक अच्छी सरकार बनाने की कला है। इस प्रकार अर्थशास्त्र में प्रशासन के हर भाग की शक्तियों और विशेषाधिकारों का वर्णन है जो होनी चाहिए तथा उनकी शक्तियों की सीमाएँ भी परिभाषित हैं। शासक का धर्म यह है कि वह सभी राजकर्मियों पर अंकुश लगा कर रखे और सुनिश्चित करे कि वे अपने उत्तरदायित्व निभा रहे हैं।

चाणक्य के अनुसार जीवन जीने का आधार धर्म के पथ पर चलने से ही है। वह कहता है, "वह राजा जो धर्मपरायण शासक पर आक्रमण करता है वह अपने ही लोगों व दूसरों द्वारा भी घृणा का पात्र बनेगा। इसके उल्टे जो अधर्मी-शासक पर आक्रमण करता है वह सभी का प्रिय होगा।" जब एक बलवान लेकिन अधर्मी राजा या एक दुर्बल धार्मिक राजा पर आक्रमण करने के बीच चुनाव करना हो तो कौटिल्य परामर्श देता है कि अधर्मी राजा पर आक्रमण करना चाहिए, चाहे वह बलवान शत्रु ही क्यों ना हो क्योंकि धार्मिक राजा की सहायता के लिए पूरी प्रजा मृत्यु तक उसके साथ होगी। शासक सदा प्रजा का प्रिय बन कर रहे। इसके साथ-साथ कौटिल्य परामर्श देता है कि एक बार किसी प्रदेश को विजित कर लिया जाये तो उसे एक उत्तम प्रशासन देने के लिए विशेष प्रयत्न करना चाहिए। शासक को जहाँ तक हो सके पराजित लोगों के रीति-रिवाजों का सम्मान करना चाहिए। एक केन्द्रीय अनुदान की व्यवस्था सुनिश्चित कर सकती है कि सीमान्त क्षेत्रों के लोगों को यह सदा लगे कि उनके लिये यह लाभप्रद है कि वे महत् इकाई के साथ जुड़े रहें। क्योंकि बल द्वारा किसी क्षेत्र को कुछ काल के लिए ही अधिकृत किया जा सकता है। अंत में उस छोटे समुदाय को लगना चाहिए कि वे बड़े समुदाय के साथ आंतरिक तौर पर बंधे हुए आकृष्ट होने के कारण संबंधित हैं।

कौटिल्य के अर्थशास्त्र को एक शासक व प्रजा के बीच उचित सम्बन्धों को बनाए रखने के लिए एक सर्वोत्तम व्याख्यान माना गया है। यह कौटिल्य की विद्वता का एक प्रचुर प्रमाण है। समय के साथ-साथ मौर्य साम्राज्य समाप्त हो गया लेकिन आने वाली सदियों में कौटिल्य का संदेश राजनैतिक विचारधारा में सदा स्थापित रहा।

"भारतीय प्रायद्वीप के उत्तर-पश्चिम दर्रों के कारण इस पर आक्रमण होने की संभावना आधुनिक समय तक एक ऐतिहासिक दुर्बलता रही है। जब तक प्राचीन भारत सिन्धु नदी से पार उत्तर की ओर सुदूर फैला रहा तथा गंधार और वाहलिका के शक्तिशाली साम्राज्य विदेशी आक्रमणों के प्रति एक सुदृढ़ परकोटा बनकर सामने रहे यह दुर्बलता अस्तित्व में नहीं आई। लेकिन अब वे व्यवस्थित इरानी साम्राज्य के आगे पराजित हो गए थे तथा उस समय के बाद से सिन्धु पार के प्रदेश, भारत का भाग ना रहते हुए, इसको सुरक्षा प्रदान करने से भी वंचित हो गए तथा हरेक आने वाले आक्रमणकारी के लिए बल्कि एक सुरक्षित आधार बन गए। सिकन्दर द्वारा भेदन किए जाने पर इस समस्या की गम्भीरता भारत के राजनैतिक मन को समझ में आई तथा उस समय से राजनैतिक विचारकों, लेखकों व कवियों द्वारा बृहद साम्राज्य की भावना को समर्थन करते या इसको प्राप्त करने के तरीकों को सोचते हम देखते हैं। इसका तत्काल यथार्थ परिणाम चाणक्य की राजनितिज्ञता द्वारा एक अद्‌भुत द्रुतगति से उदित तथा स्थापित साम्राज्य था जो, अपनी क्षणिक दुर्बलताओं व विभाजनों के कालों के होते हुए भी आठ या नौ सदियों तक लगातार स्थापित रहा या चलता रहा। इस प्रायद्वीप के साम्राज्य का इतिहास, इसका अद्‌भुत संचारण, प्रशासन, लोकहित कार्यों, प्रफुल्लता, विशाल संस्कृति व जीवन की शक्ति, चमक, अद्‌भुत फलदायकता, बिखरे हुए अधूरे अभिलेखों के द्वारा उभरती है, एवं सिद्ध करती है कि यह धरती के महान लोगों की विद्वत्ता द्वारा व्यवस्थित व स्थापित की हुई जीवनशैलियों की महानतम शैलियों में से एक है।"

श्री अरविन्द

11

प्राचीन भारतीय राजतंत्र भाग 1

अब हम प्राचीन भारतीय राजतंत्र पर एक दृष्टि डालेंगे। जैसा कि हम इससे पूर्व भारतीय सामाजिक व्यवस्था को देख चुके हैं, भारतीय राजनीतिक व्यवस्था भी कुछ स्वयं के बहुत विशिष्ट व विशेष गुणों के कारण अतुलनीय थी।

भारतीय सभ्यता का राजनीतिक विकास क्रम निम्नलिखित अवस्थाओं में से गुजरा: सर्वप्रथम, साधारण आर्य समुदाय, उसके बाद एक लम्बे समय तक परिवर्तन की अवस्था जिसमें, राजनैतिक ढांचे के बनाने में कई प्रयोगात्मक विभिन्नताएँ हुई तथा अंत में एक राजतंत्रीय साम्राज्य, जिसमें सभी प्रकार के लोगों के सामुदायिक जीवन के जटिल भागों का समन्वय करते हुए एक प्रादेशिक व साम्राज्य की इकाइयों की स्थापना हुई।

पहली अवस्था गाँव के एक स्थाई समुदाय के साथ प्रारम्भ हुई। इस समुह का शक्ति चिन्ह सभा-स्थल या लोगों के इकट्ठे होकर सामुदायिक सोच-विचार के लिए मिलने का स्थान था। इन सभाओं में यज्ञ, पूजा तथा युद्ध जैसी बातों पर विचार-विमर्श होता था। इस सभा का मुखिया या प्रतिनिधी राजा होता था। आरंभ में यह आनुवंशिक नहीं था परन्तु जब यह स्थान आनुवंशिक भी हो गया तो भी अपने औपचारिक निर्वाचन व स्थाई होने के लिए लोगों की सहमति पर निर्भर करता था।

भारत में एक वस्तु जिस पर ध्यान देना चाहिए वह थी धार्मिक व आध्यात्मिक प्रवृत्ति की प्रधानता। इससे धार्मिक यज्ञ का महत्व बढ़ गया जिस कारण पुजारियों और प्रेरित गायकों के वर्ग की स्थापना हुई। यह लोग धार्मिक कृत्यों में दक्ष थे व यज्ञ के प्रतीकों के पीछे के गूह्य ज्ञान के ये अधिकारी थे। सर्वप्रथम, यहाँ भी यह आनुवंशिक नहीं थे तथा सभी वर्गों के मनुष्यों में से चुने जा सकते थे। इसके बाद की विकास की शैली इस प्रकार की शैली की भांति किसी हद तक सामान्य विकास-क्रम की ओर चलती रही, जैसा कि हम लगभग सभी दूसरे समुदायों में पाते हैं। आनुवंशावली का सिद्धांत उसके बाद जल्द ही उदय हो गया तथा एक राजसी योद्धाओं का शक्तिशाली वर्ग, व्यापारियों का वर्ग, दस्तकारों

व किसानों का वर्ग पैदा हुआ तथा एक मजदूरों या दस्तकारों का वर्ग आर्थिक कारणों के होने से शायद बाद में जोड़ा गया। जब तक यह चला ये अन्य समाजों के विकास-क्रम से किसी भी प्रकार भिन्न नहीं था। परन्तु साथ ही साथ भारतीयों की विशिष्ट मानसिकता के कारण कुछ बहुत विशिष्ट विशेषताएँ भी इसमें उभरी। इन विशेषताओं ने जड़ पकड़ ली तथा ये विशेष गुण बन गए और भारतीय सभ्यता के राजनैतिक, आर्थिक व सामाजिक पहलुओं को एक भिन्न एवं अतुलनीय छाप दे गए।

यह आवश्यक है कि हम इन गुणों पर विचार करें। धार्मिक प्रवृति की प्रधानता के कारण ब्राह्मण वर्ग सामाजिक व्यवस्था के सबसे ऊँचे स्तर पर उभरा। इसने पुजारी, विद्धान, कानून को रचने वाले तथा वेदों के संरक्षक पैदा किये। अन्य सभ्यताओं तथा समाजों में भी यह विकास हुआ था परन्तु भारत में इसे एक अतुलनीय स्थायित्व तथा सर्वोच्च महत्व दिया गया था। अन्य लगभग सभी सभ्यताओं में यह परिणाम-स्वरूप धर्म-तंत्र हो जाता, परंतु अपनी जटिल मानसिकताओं के कारण भारत में ऐसा कभी नहीं हुआ। सदा बढ़ते हुए तथा अंत में उनके प्रमुख प्राधिकार के होते हुए भी ब्राह्मणों ने राजनैतिक अधिकार ना तो अवैध रूप में हड़पी और ना ही वे ले सके। वे पर्याप्त प्रभाव रखते थे परन्तु वास्तविक व सक्रीय राजनैतिक अधिकार साधारण लोगों, उच्च वर्ग तथा राजा के हाथ ही रहा। यह जानने योग्य एक महत्वपूर्ण बात है कि बहुत उत्कृष्ट धार्मिक और आध्यात्मिक प्रवृत्तियों के होते हुए भी भारत में कभी भी धर्म-तंत्र स्थापित नहीं हुआ। यह भारतीय राजनीतिक व्यवस्था का पहला महत्वपूर्ण गुण-विशेष है।

इसी संदर्भ में श्री सुधीर की पुस्तक प्राचीन भारत का अंश-दान में से एक उदाहरण नीचे दिया जाता है:

"इसका कारण हिन्दुत्व के चरित्र में पाया जा सकता है जोकि एक ऐसे राजतंत्र की उपजाऊ धरा रही है जो विभिन्न धर्मों को सहन करती रही है तथा अति प्राचीन समय से ही हमारे में विराजमान रही है। कई विदेशी जो भारत में आक्रमणकारी के रूप में आए वे स्वयं भी भारतीय संस्कृति में इस हद तक आत्मसात हो गये कि वे अपने विदेशी मूल होने की भावना को ही गंवा बैठे तथा कई प्राचीन भारत के सम्राट जिन्हें हम भारतीय समझते हैं वे वास्तव में विदेशी मूल के थे।

ऐसे सम्राटों में मुख्यत: हैं कनिष्क जो कि कुशान (मंगोल) था तथा मिलिन्द जो एक ग्रीक था। कई हिन्दु साम्राज्यों ने विदेशियों को शरण दी जो अपनी मातृभूमि में उत्पीड़न से बचते हुए भारत आऐ थे। इस संदर्भ में पारसियों की घटना याद करने योग्य है:

सातवीं सदी में सुसानियन शासकों के नीचे एक शक्तिशाली ईरानी साम्राज्य अरबों द्वारा अधिकृत कर लिया गया। जब अचानक ही अरब अपने नव प्राप्त इस्लाम धर्म के जोश तले आ धमके तो उस समय सुसानियन, जोरास्ट्रीयन धर्म जो लगभग चार सौ वर्षों से प्रचलित था, उसके संरक्षक थे। अरबों की विजय से उस क्षेत्र में शक्ति संतुलन उलट गया तथा वे ईरानी जो अरबों समेत कई जातियों पर सर्वोच्च शासक के रूप में शासन कर रहे थे उन्हें एक ऐसी जाती ने अपने अधीन कर लिया जिसके वे कभी स्वामी थे।

उन क्षेत्रों पर जिन पर अरबों ने सैनिक अधिकार प्राप्त किया था वे वहीं तक नहीं रूके बल्कि अपने धर्म के अनुरूप जिहाद (धर्म-युद्ध) की भावना तले क्रमबद्ध तरीके स्थानीय प्रजा को इस्लाम धर्म के अनुयायी बनाने लग गए। सभी इस्लाम-विहीन लोगों को वे काफिर के रूप में देखने लगे तथा जो जब तक सच्चे इस्लाम धर्म को अपनाने के लिये ना तैयार होते उन्हें पशु धन से अधिक उचित ना समझा जाता। अरबों के इस करारे झटके को जोरोस्ट्रीयन-धर्म सहन ना कर सका जो इस बात से विदित है कि इस धर्म का अपने ही जन्म-धरा में लगभग पूरा नामों-निशान ही मिट गया। अपने जन्म के धर्म को बचाने की खातिर एक साहसी जोरास्ट्रीयन समूह ने अपनी मातृभूमि से भाग जाने का संकल्प किया और लगभग 700 AD में वे समुद्री रास्ते भारत आ पहुँचे। उनके पलायन के कई वृतान्त है तथापि ऐसा कहा जाता है कि एक जोरास्ट्रीयन समूह पश्चिम भारत के गुजरात प्रान्त में संजन नामक तट पर उतरा। वे शरण लेने के लिये स्थानीय राजा जदी राणा (यादव राणा) के पास आए।

उनकी दयनीय स्थिति जान कर राजा का दिल द्रवित हो उठा लेकिन हामी भरने से पहले उसने अपने मंत्री से पूछा कि उनको अपने राज्य में शरण दे देने से क्या प्रतिक्रिताएँ सम्भावी हो सकती है। शरणार्थियों की पूछताछ करने के पश्चात मंत्री को उनकी सत्यता पर विश्वास हो गया। उनका पक्ष राजा के समक्ष रखते हुए जागृत मंत्री ने राजा के सम्मुख एक दूध से भरा पात्र रख दिया और उसमें शक्कर डाल कर उसे हिला दिया। उसने तब राजा से कहा कि अब शक्कर को दूध से अलग कर दें। दुविधा में पड़े राजा ने उससे ऐसा करने का कारण पूछा। उत्तर में मंत्री ने कहा कि जोरास्ट्रीयन लोगों को साम्राज्य में आत्मसात कर लिया जाए लेकिन वे स्थानीय लोगों के साथ इस प्रकार मिले कि वे समाज का एक अभिन्न अंग बन जाए, जिस प्रकार शक्कर दूध में मिल गई थी।

उसके मंत्री ने जो कहा था वह सुनिश्चित करने के लिए राजा ने इन लोगों को जो विदेशी धरती से आए थे तथा एक अनजाने धर्म के अनुयायी थे शरण दे दी तथा यह सुनिश्चित करने के लिये कि वे स्थानीय लोगों के साथ घुलमिल

जाए उसने आज्ञा दी कि यह नए नागरिक अपने हथियार समर्पित कर दें, वे स्थानीय भाषा (गुजराती) को अपनाएँ तथा स्थानीय कपड़े (साड़ी) पहनें। ईरान से ये जोरास्ट्रीयन तब से ही भारतीय समाज के जुड़वें तथा प्रगतिशील समाज के रूप में एक अभिन्न अंग बन गए हैं।

भारतीय नीति का एक और अतुलनीय लक्षण ऋषि का स्थान था। ऋषि एक आध्यात्मिक, अनुभवी व ज्ञानी पुरुष जाना जाता था, जो किसी भी जाती का हो सकता था तथा अपनी आध्यात्मिक व्यक्तित्व के कारण सभी ओर उसका एक अधिकार होता था। प्रारंभिक काल में उस का सम्मान किया जाता था व राजा भी उससे विचार-विमर्श किया करता था एवं वह ही अकेला ऐसा व्यक्तिव था जो लोगों के रीति-रिवाजों तथा धर्मो-सामाजिक विचारों में परिवर्तन करता तथा नये मूलभूत विचारों के विकास में महत्वपूर्ण भाग लिया करता था। ऐसा होता तो हम आजकल भी देखते हैं–जो कि भारत की एक अतुलनीय वस्तु है–जब प्रमुख राजनीतिक व्यक्ति आध्यात्मिक अग्रिम पुरुषों के परामर्श तथा आशीर्वाद पाते हैं।

भारतीय मानस का एक और प्रमुख गुण है कि वह सब अवस्थाओं को एक आध्यात्मिक अर्थ तथा धार्मिक स्वीकृति देते हैं। यहाँ तक कि असीम ब्राह्य सामाजिक तथा राजनैतिक परिस्थितियों को भी आध्यात्मिक व धार्मिक स्वीकृति दी जाती है। इस प्रकार सभी वर्गों पर ना केवल उनके अधिकार बल्कि कर्तव्य भी थोपे गये थे। आध्यात्मिक महत्व से भरपूर कर्म तथा धर्म का एक आदर्श मार्ग अपनाया गया। यह ऋषी का कार्य था कि राष्ट्रीय मानस पटल पर इसकी स्थाई मोहर लगाए।

इस व्यवस्था का राजनैतिक विकासक्रम भारत के अलग-अलग भागों में विभिन्न स्तर पर था। अधिकतर अवस्थाओं में यह राजा के बढ़ते प्रभुत्व पर अंकुश लगाने पर अधिक था। शासन और प्रशासन के अधिक बढ़ते जटिल व्यवस्था के केन्द्र में राजा का स्थान एक मुखिया व एकरूप करने वाले तत्व के रूप में होता था। लेकिन भारत में इस प्रवृति का विरोध हुआ तथा विपरीत प्रवृत्तियों द्वारा इसे बाँध कर रखा गया जिसके फलस्वरूप बलशाली व स्थाई जनतंत्र सामने उभर कर आए। वैदिक काल से ही इन जनतंत्रों का अस्तित्व था परंतु बौद्ध धर्म के काल में ये सबसे शक्तिशाली हुई। इन्होंने एक शक्तिशाली व स्थाई व्यवस्था को स्थापित करने के योग्य सिद्ध किया तथा इन व्यवस्थाओं का जीवन काल कई सदियों तक रहा। कुछ स्थितियों में वे प्रजातांत्रिक सदन द्वारा संचालित की जाती तथा अन्य में अल्पतांत्रिक राज्य सभा द्वारा प्रशासित की जाती।

एक लेख का नीचे सार दिया जा रहा है जिसका शीर्षक "प्राचीन भारत में प्रजातंत्र" है तथा निपिसिंग विश्वविद्यालय के इतिहास के सह-प्रोफेसर श्री स्टीव मल्हबर्जर द्वारा लिखा गया है:

"सन 1903 में श्री T.W. Rhys Davids, एक प्रमुख पाली भाषा के विद्वान ने अपनी पुस्तक Buddhist India में टिप्पणी की कि धार्मिक सिद्धांतों (और बुद्ध मत के पौराणिक गाथाओं की लड़ी जातक कथाएँ जो कि उसी काल में रची गई परन्तु इसके बहुत समय बाद लिखी गई) ने चित्रण किया है एक ऐसे देश का जिसमें विस्तृत व घनी आबादी वाले क्षेत्रों पर अधिकार जमाए हुए कई समुदाय या जातियाँ थी जो अपने जनहित के निर्णय सभाओं, कानूनी विचार-गोष्ठियों या संसद में करती थीं।

Rhys Davids की टिप्पणी शून्य में नहीं की गई थी। लगभग कुल उन्नीसवीं सदी के दौरान, भारत में स्थानीय सरकार के विद्यार्थी (जिनमें से कई अंग्रेज प्रशासक भी थे) ग्रामीण जीवन के लोकप्रिय अंगों से प्रभावित हो चुके थे। गाँव के स्व-सरकार की विवेचना, अंग्रेजी साम्राज्य की नीति के उद्देश्यों व विधियों तथा भारत के स्व-प्रशासित देश के रूप में उसके भविष्य पर निरंतर वाद-विवाद, का एक भाग थी। Rhys Davids की पुस्तक ने भारत की प्राचीन संस्थाओं को इस वाद-विवाद के लिये संगतपूर्ण बना दिया था। 1910 के दशक वाले राष्ट्रवादी भारतीय विद्वानों द्वारा उसके पुनर्रचित भारत के भूतकालीन लोकतंत्र को अपना लिया गया था। बाद के भारतीय विद्वानों की पीढ़ियाँ अपने बुजुर्गों द्वारा इन प्रारम्भिक लोकतंत्र के प्रति जोश के लिए तनिक घबड़ा सी गई और इन लोकतंत्रों को अधिक संतुलित और निष्पक्ष प्रकार से विवेचन करने का प्रयत्न करने लगी। जो भी हो, उनका कार्य, उनके मार्ग-दर्शक राष्ट्रवादियों के कार्य की भांति अत्यधिक फलदायक रहा है। ना केवल प्राचीन स्रोत तथा पाली धार्मिक सिद्धांत बल्कि संस्कृत में बौद्धों के कार्य, पाणिनी की संस्कृत का व्याकरण (अष्टाध्यायी), महाभारत, जैन धार्मिक सिद्धांत तथा कौटिल्य के अर्थशास्त्र की भी छानबीन, प्रमाण व परिज्ञान प्राप्त करने के लिये की गई। मुद्राओं तथा शिलालेखों ने भी लोकतंत्रों व जन-सभाओं के कार्यशैली के अस्तित्व के प्रमाण दिए हैं। बीसवीं सदी के विद्वानों के कार्यों ने भारत में प्राचीन राजनैतिक जीवन के प्रति एक पर्याप्त भिन्न दृष्टिकोण रखने की सम्भावना बनाई है। इसने हमें दिखाया है एक ऐसा प्राकृतिक-भूदृश्य जिसमें अनेकों अनेक राजा है, एक ऐसी सभ्यता जिसमें शासन की परिभाषित शब्दावली अधिकतर स्रोतों में बारम्बार राजतंत्रीय है, लेकिन जहाँ, साथ ही साथ, राजनीति की वास्तविकताएँ इतनी जटिल कि उनको मात्र राजतांत्रिक कह देना एक गम्भीर विकृति है। वास्तव में,

प्राचीन भारत में राजतांत्रिक विचारधारा लगातार एक दूसरी विचारधारा से भिन्न रही थी, जोकि एक समुदाय, गाँव, या एक विस्तृत सह-समुदाय, या दूसरे शब्दों में, किन्हीं ऐसे लोगों का समूह जो समान साँझा स्वार्थ रखते हों, तथा जो स्वशासन के पक्ष में थी। सहकारी स्व-शासन का यह परिदृश्य लोकतंत्र व गणतंत्र की भी भावना प्रायः पैदा करता रहा जिनका मुकाबला प्राचीन ग्रीक गणतंत्र से किया जा सकता है।"

तथापि, राजनीति के विकास क्रम के अगले स्वरूप में राजतांत्रिक प्रवृतियाँ छा गई तथा सारे भारत पर विजयी रही। इसकी आवश्यकता किसी हद तक विदेशी आक्रमणों के खतरे के कारण तथा अंशतः इस सत्य के कारण कि शक्ति का विकेन्द्रीयकरण सरकार का कार्य सुगम कर देती दीखती पड़ती थी। फिर भी, यहाँ भी, कुछ गुण विशेष हैं जिन्हें हमें ध्यान में रखना होगा। भारतीय राजतंत्र मुस्लिम आक्रमण से पहले किसी प्रकार एक व्यक्तिगत पूर्ण एकतंत्र वाला या पूर्णतया निरकुंश शासन नहीं था। इसका प्राचीन ईरानी राजतंत्र या रोम के राजतंत्रीय सरकार या बाद के यूरोपीय निरंकुश शासन के साथ कोई अनुरूपता नहीं थी यह बिल्कुल अलग प्रकार का था। भारत में सम्राट वास्तव में एक सीमित या संवैधानिक सम्राट था। भारतीय राजा सर्वोच्च प्रशासनिक व न्यायिक अधिकार रखता था, इसके अधिकार में साम्राज्य की समस्त सेनाएँ थी तथा अपने परिषद के साथ मिलकर वह अकेला शांति तथा युद्ध के लिए उत्तरदायी था तथा अपनी प्रजा के कल्याण व सुचारू व्यवस्था के ऊपर इसका एक सामान्य प्रबन्ध एवं नियंत्रण होता था। लेकिन इसका प्रभुत्व व्यक्तिगत नहीं था अतिक्रमण तथा दुरुपयोग के विरुद्ध रक्षोपाय के बीच बँधा व सीमित था दूसरे सरकारी प्राधिकारों, स्वार्थों और विशेषाधिकारों की शक्तियों के द्वारा, जो कि कहा जा सकता है कि उसके साथ राजसत्ता एवं प्रशासनिक विधान व अधिकार के प्रयोग में उसके लघु साझीदार थे।

राजा के ऊपर भी धर्म की एक उच्चतर राजसत्ता थी, जो लोगों के धार्मिक, आचार-सम्बन्धी, राजनैतिक, न्याय संबंधी तथा प्रथागत कानून को सुव्यवस्थित एवं क्रियाशीलतापूर्वक प्रशासित करता था। धर्म को अव्यक्तिगत प्राधिकारी, पवित्र एवं आत्मा की अनन्तता व स्वरूपता की सम्पूर्णता में भी अनन्त, मूल रूप से सदा नित्य समझा जाता था। तथापि जब कभी भी बदलाव आए, उन्हें स्वयं समाज के विकास-क्रम द्वारा स्वाभाविक तथा समग्र रूप से लाया गया। बदलाव सदा आंतरिक रूप में भीतर से आए तथा किसी भी लौकिक प्राधिकारी को निरंकुश एकतंत्रीय हस्तक्षेप का कोई अधिकार नहीं था। ब्राह्मण स्वयं धर्म के अभिलेख लिखनेवाले तथा व्याख्याकार थे, उसके रचनाकार

नहीं थे ना ही उन्हें अपनी इच्छा से कोई बदलाव लाने का अधिकार था। राजा धर्म का केवल एक संरक्षक, निष्पादक व दास था, जिसका कर्त्तव्य था राज धर्म का व्यवहार में लाया जाना तथा अपराधों के गंभीर अनियमितताओं व उल्लघंनों की रोकथाम। वह स्वयं धर्म का पालन करने के लिये सर्वप्रथम बँधा हुआ था तथा धर्म के द्वारा उसके व्यक्तिगत जीवन, कर्म व साम्राज्य, उसके राजधर्म व उसके राजकीय अधिकार के सख्त नियमों के प्रति बँधा था।

राजा की शक्ति का धर्म के अधीनस्थ होने के आदेश की प्रथा वास्तव में अप्रचलनीय नहीं थी। क्योंकि धर्मो-सामाजिक विधि के नियम सम्पूर्ण जीवन को सक्रीय रूप से व्यस्थित करते थे एवं इस प्रकार यह एक जीवन्त सत्य था। किसी भी क्षेत्र में राजा को पूर्णाधिकार प्राप्त नहीं था। विधि-शास्त्र के क्षेत्र में उसके पास प्रत्यक्ष विधि निर्माण का अधिकार नहीं था। उसकी शक्ति समुदाय के धार्मिक, सामाजिक, राजनैतिक तथा आर्थिक संविधान के समरूप प्रशासनिक विधानों के नियमों द्वारा सीमित थी। हम अर्थशास्त्र के एक अध्याय में से नीचे लिखा उल्लेख देते हैं जिसमें राजा के कर्तव्यों का वर्णन किया गया है।

"राजा जब अपने दरबार में हो तो उसे कभी भी प्रार्थियों को द्वार पर प्रतीक्षा नहीं करने देनी चाहिए, क्योंकि जब राजा स्वयं को अपने लोगों के पहुँच से दूर करता है तथा अपने कार्य को अपने समीप के अधिकारियों को सौंप देता है, तो वह निश्चय ही कामकाज में अनिश्चितता का वातावरण पैदा कर देता है तथा इस प्रकार प्रजा की असंतुष्टी का कारण बनता है व स्वयं अपने शत्रुओं का शिकार बन जाता है इसीलिए वह स्वयं व्यक्तिगत तौर पर देवताओं के, ऋषि के, वेदों के पठित ब्राह्मणों के, पशुओं के, पवित्र स्थानों के, नाबालिग व्यक्तियों के, बूढ़ों, रोगियों, दीन-दुखियों तथा स्त्रियों के कार्यों व समस्याओं को ध्यान देगा। यह सब क्रमवार दिए के अनुसार या उन कार्यों की बाध्यता या आवश्यकतानुसार ध्यान देगा। सभी अतिशीघ्र प्रस्तावों को वह तुरन्त सुनेगा, परन्तु कभी भी टालेगा नहीं, क्योंकि जब टल गये, तो वे पूरे करने अत्यंत कठिन या असंभव सिद्ध होंगे।

जिस कमरे में पवित्र अग्नि का कुंड रखा गया है उस कमरे में स्वयं विराजमान होने पर, वह वैद्यों और तप करते मुनियों के कार्यक्रमों को ध्यान देगा, तथा वह कार्य अपने गुरु और प्रधान पुरोहित के संग में तथा प्रार्थीयों को प्रारम्भिक प्रणाम करने के बाद सुनेगा। उसके सानिध्य में वे पुरुष होंगे जो तीन विज्ञानों में सिद्ध होंगे परन्तु कभी भी अकेले नहीं। इससे पहले कि प्रार्थी खिन्न हो जाए, वह उनके कार्य को सुनेगा जो तपस्वी हैं, साथ ही साथ उनके भी जो योग और वेताल विद्या में प्रवीण हैं।

राजा की धार्मिक प्रतिज्ञा उसके कर्म की तत्पर्ता में है। अपने कर्त्तव्यों का संतुष्टिपूर्ण निर्वाह उसका यज्ञ करने के समान है। सभी को समान रूप से सुनना तथा समान रूप से ध्यान देना संस्कारों के प्रति शुद्धी कर देने के बराबर है। प्रजा की खुशी में ही उसकी खुशी है। उनकी भलाई में ही उसकी भलाई है। जो भी उसे प्रसन्नचित करता है वह उसके लिये अपना भला नहीं मानेगा, बल्कि जो भी उसकी प्रजा को प्रसन्न करे वह ही उस राजा के अपने भले के लिये माने। इस प्रकार राजा सदा ही सक्रीय रहेगा तथा अपने कर्त्तव्यों का निर्वाह करेगा। समृद्धी की जड़ कार्यशीलता में है, तथा बुराई की इसके उलट में। कार्यशीलता की अनुपस्थिती में वर्तमान तथा भविष्य में आने वाला धन नष्ट हो जाएगा। कार्यशीलता द्वारा वह अपने इच्छित ध्येय तथा धन की प्रचुर मात्रा में प्राप्ति कर सकता है।"

इस प्रकार यह स्पष्ट है कि प्राचीन भारतीय प्रणाली में निरंकुश सनकी या राजसी अत्याचार व दमन का साधारणतया बिल्कुल ही नहीं या बहुत कम स्थान था। भारत में राजपद वास्तव में प्रजातांत्रिक, संयमित, दक्ष तथा फलदायी सिद्ध हुआ। इसके लिए प्रस्तावित उद्देश्य इसने भली भांति निभाए तथा जनता की प्रीति पर इसने एक सुदृढ़ पकड़ लंबे समय तक बनाए रखी।

12

प्राचीन भारतीय राजतंत्र-भाग–2

जैसा कि हमने इस विषय के पहले भाग में देख ही लिया है, सामाजिक-राजनैतिक विकास-क्रम तीन अवस्थाओं में से लांघा: सर्वप्रथम साधारण आर्य समुदाय, उसके बाद एक लंबे समय तक परिवर्तन की अवस्था जिसमें राजनैतिक ढांचे के बनाने में कई प्रयोगात्मक विभिन्नताएँ आई तथा अंत में एक राजतंत्रीय साम्राज्य की, जिसमें सभी प्रकार के लोगों के समुदायिक जीवन के जटिल भागों का समन्वय करते हुए एक प्रांतिक तथा राष्ट्रीय साम्राज्य की इकाइयों की स्थापना हुई।

भारतीय शासन-व्यवस्था के निर्माण तथा पुनर्निमाण की सभी स्थितियों में एक सिद्धांत उस निर्माण की नींव में स्थाई रूप से उपस्थित था। वह था स्व-संकल्पित सामुदायिक जीवन की सुव्यवस्था का सिद्धांत। यह समुदाय के मतदान की प्रक्रिया द्वारा सतह पर एक प्रतिनिधियों की रचना करता स्व-संकल्पित था तथा जो देश में एक भाग के राजनैतिक मानस का केवल प्रतिनिधित्व करता। यह व्यवस्था जीवन के हर धड़कन व हर पृथक सदस्य के अस्तित्व में स्व-संकल्पित थी। एक स्वतंत्र समन्वयिक सामुदायिक संघ इसका चरित्र था तथा स्वधीनता की अवस्था इसका उद्देश्य, जो मात्र व्यक्तिगत स्वाधीनता ही नहीं बल्कि सामुदायिक स्वाधीनता भी था।

इस स्वतंत्र जीवन के आधार की रचना थी स्व-प्रशासित गाँव के समुदाय की व्यवस्था। अपने गाँव में रहते हुए समस्त मनुष्य जो अधिकतर खेतीहर थे पूर्णतया एक धार्मिक, सामाजिक, सैनिक तथा राजनैतिक इकाई के रूप में अपनी सभा-समिति में राजा के नेतृत्व में स्वयं को प्रशासित करते। अभी तक कार्यों या श्रम के वर्ग के विभाजन पर कोई स्पष्ट पृथकता नहीं थी। जब तक जीवन छोटे क्षेत्रों तक सीमित रहा यह व्यवस्था पर्याप्त रही, लेकिन जैसे-जैसे जीवन विकास करता गया और समुदाय बढ़ते गए तथा नए हालातों की गम्भीरता पैदा होती गई, एक नयी व्यवस्था की आवश्यकता पड़ी। इस नई आवश्यकता की चुनौती का सामना करने के लिए भारतीय मानस ने एक स्थाई चतुवर्ण के धर्मो-सामाजिक व्यवस्था की रचना की। हमने इससे पहले के एक अध्याय में भारतीय सामाजिक व्यवस्था के वर्ण-व्यवस्था का कुछ विस्तार में वर्णन पढ़ लिया है। यह इंगित करना समुचित होगा कि प्राचीन भारत में चतुवर्ण समाज

की धार्मिक, सांस्कृतिक, सामाजिक, राजनैतिक तथा आर्थिक रूप से एक दम जटिल एक रूपरेखा थी तथा इसी रूपरेखा के अंदर-अंदर हरेक वर्ण का एक स्वाभाविक भाग था। इस बात पर अवश्य बल देना होगा कि किसी भी मूलभूत कार्यक्षेत्र में उनमें से किसी का भी भाग या श्रेय अनन्य नहीं था। प्राचीन भारतीय व्यवस्था की यह गुण-विशेषता उस व्यवस्था को समझने के लिए अति आवश्यक है, जबकि गलत धारणाओं के कारण इसे झुठला दिया गया है। भारतीय इतिहास की बाद की कुछ घटनाओं की गलत धारणाएँ तथा उसके ह्रास के काल के दौरान उनको बढ़ा-चढ़ा कर कहा जाना इन धारणाओं की उत्पत्ति का कारण बनीं।

इन चारों विभाजनों में से हरेक के साथ एक आध्यात्मिक जीवन तथा सार्वजनिक कल्याण, एक विशेष सामाजिक प्रतिष्ठा, एक शिक्षा, सामाजिक और नैतिक आदर का सिद्धांत तथा सामुदायिक निकाय में एक स्थान, कर्त्तव्य तथा अधिकार जुड़ा हुआ था। इस प्रकार ब्राह्मण के साथ उसकी आध्यात्मिक जीवन व नैतिक एवं सामाजिक प्रतिष्ठा जुड़ी हुई थी जिसे उसको पूरा करना ही होता था। यही, बाकी सभी जातियों क्षत्रीय, वैश्य तथा शूद्र के साथ था; हरेक को उनके अपने आध्यात्मिक जीवन तथा अनुशासन, नैतिक एवं सामाजिक प्रतिष्ठा को पूरा करना होता था। इससे यह परिणाम भी निकलता है कि यह सामाजिक वर्गीकरण एक राजनैतिक वर्गीकरण नहीं था। नागरिक के सांझे राजनैतिक अधिकारों में इनका अपना भाग होता था। सभाओं तथा प्रशासनिक निकायों में भी उनका अपना स्थान तथा प्रभुत्व का हिस्सा होता था। परिणामस्वरूप, भारतीय शासन-व्यवस्था ने किसी भी समय, या कम से कम अधिक समय तक, उन वर्णों के शासन की रूप रेखा को अनन्य भाव से चलाए नहीं रखा जितना कि दूसरे देशों के राजनैतिक इतिहास को इतने लंबे काल तक तथा इनती दृढ़ता से बाँधे रखा।

राजनीतिक ढाँचे के शिखर पर तीन प्रशासनिक निकाए होते थे यानि, राजा व उसका मंत्रीमंडल, मुख्यनगरीय सभा, तथा राज्य की जन-सभा। मंत्रीमंडल के सभी सदस्य सभी वर्णों से लिये जाते थे। विधान सभा में एक निश्चित संख्या में ब्राह्मण, क्षत्रीय, वैश्य तथा शूद्र प्रतिनिधी होते थे। वैश्य समुदाय के सबसे अधिक प्रतिनिधी होते थे क्योंकि जनता में संख्या के हिसाब से सबसे अधिक प्रभावशाली समुदाय को वे दर्शाते थे। प्रारम्भिक आर्य समाज में वैश्य जाती में केवल व्यापारी तथा छोटे व्यवसायी ही नहीं होते थे बल्कि शिल्पकार, दस्तकार तथा किसान भी होते थे इसलिए साधारण लोगों का एक बड़ा समूह वैश्य होता था। सारे समुदायों का प्रतिनिधित्व करने वाली यह सभा सर्वोच्च प्रशासनिक व कार्यकारी निकाय होती थी इसकी स्वीकृति तथा इसका भाग लेना राजा के सभी आज्ञाओं तथा कार्यों में आवश्यक होता था। राजा द्वारा सरकार के सभी महत्वपूर्ण

मामलों, अर्थ-सम्बन्धी नीतियों तथा अन्य नीतियाँ व राज्य के हित में सभी मामलों को इस सभा को अवश्य भेजना पड़ता था। राजा की सहायता प्रशासन के परिषदों की व्यवस्था द्वारा की जाती तथा वह अपने मंत्रियों तथा सभा द्वारा राज्य के सभी कार्यों के विभिन्न विभागों को नियंत्रित व प्रबंधित करता। राजा की शक्ति समय के साथ-साथ बेशक बढ़ती गई, लेकिन वह अपने मंत्रियों और राज्य सभा की इच्छा और राय की कभी भी उपेक्षा या इंकार नहीं कर सका।

वास्तव में, संवैधानिक सिद्धांत के तौर पर तथा आम व्यवहार में राजा के सभी कार्य वास्तविक तौर पर राजा के अपने राज्य सभा के साथ मिल कर तथा मंत्रियों की सहायता से होते थे एवं उसके सभी व्यक्तिगत कर्म उनकी सम्मति पर निर्भर होते हुए ही मान्य थे। यह सम्मति निर्भर करती थी कि क्या यह कार्य धर्म द्वारा दिए गए कार्यों के निर्वहन के अनुरूप न्यायोचित था कि नहीं। राज्य-सभा सबसे महत्वपूर्ण शक्ति-निकाय थी तथा चारों वर्णों द्वारा प्रतिनिधित्व करती थी एवं इस प्रकार राजा केवल एक कार्यकारी (सक्रीय) मुखिया था तथा एक निरंकुश एकतंत्रीय राज्य की भांति स्वयं ही साम्राज्य नहीं था या देश का स्वामी तथा आज्ञाकारी प्रजा वाले एक देश का व्यक्तिगत निरंकुश शासक नहीं था। राज्य में दो शक्तिशाली निकाय समूह होते थे-मुख्यनगरी सभा तथा जन-सभा-जो कि सामाजिक व्यवस्था को एक बड़े स्तर पर प्रतिनिधित्व करती थी। वे समाज के मानस की इच्छाशक्ति व जीवन की अभिव्यक्ति, जो कि प्रत्यक्ष राजसी प्रभाव से मुक्त थी, के अधिक समीप व सानिध्य में थे। इन निकायों के पास प्रशासन की विस्तृत व स्थाई शक्तियाँ एवं प्रशासनिक विधि-निर्माण की शक्तियाँ थीं। ये निकाय सदा ही राजसीशक्ति पर अंकुश लगाने का कार्य करते थे।

पौर या महानगरी सभा सदा ही साम्राज्य या राज्य की राजधानी में बैठती थी। इसकी स्थापना शहर के सहकारी संस्थाओं के प्रतिनिधियों तथा समाज के सभी वर्णों के निकायों के प्रतिनिधियों द्वारा होती थी। यह जानने योग्य बात है कि सहकारी संस्थाएँ तथा वर्ण निकाय भी स्वयं देहात तथा नगर के समुदायों की स्व-प्रशासित इकाइयाँ होती थी। यह एक कृत्रिम नहीं बल्कि उस महानगर की सीमाओं के अंदर उस समय विद्यमान कुल जीवन्त समूह की समग्र व्यवस्था के सुव्यवस्थित प्रतिनिधि होते थे। यह प्रत्यक्ष रूप में या अपने अधीनस्त पाँच या दस सदस्यों वाली छोटी-छोटी सभाओं के द्वारा नगर के समस्त जीवन तंत्र पर प्रशासन करतीं। ये अधिनियम या विधान निकालती जिन की पालना सहकारी संस्थाओं के लिए अनिवार्य होते तथा प्रत्यक्ष प्रशासन द्वारा नागरिकों के व्यापारिक, औद्योगिक, आर्थिक तथा नगर पालिका के मामलों को नियंत्रित व निरीक्षण करती। सबसे महत्वपूर्ण यह तथ्य था कि यह एक ऐसी शक्ति थी जिसकी राय साम्राज्य के मामलों में अवश्य लेनी पड़ती तथा साम्राज्य के विस्तृत मामलों में यह स्वयं भी कार्य कर सकती थी। इसकी राजधानी में उपस्थिती इसे एक ऐसी

शक्ति बनाता जिसका लोहा राजा को अपने मंत्रियों सहित व उनके राज्य-परिषद को भी मानना पड़ता।

इसी प्रकार राजधानी से बाहर समस्त देश की इच्छाओं एवं मानस को समग्र रूप से प्रतिनिधित्व करने वाली जन-सभा थी। चूंकि यह गांवों तथा कस्बों के निर्वाचित मुखियों, उप-मुखियों के द्वारा निर्मित थी इस कारण इसका विशेष महत्व था। इस सभा में भी सभी जातियों के सदस्य थे तथा यह लोगों के मानस और जीवन की एक सजग अभिव्यक्ति थी। इसकी कोई मूलभूत वैधानिक शक्ति नहीं थी, उसी प्रकार जिस प्रकार राजा तथा राज्य-परिषद की नहीं थी। अधिनियमों तथा विधानों का निकालना इसकी एकमात्र शक्ति थी। देश के जीवन-तंत्र के विभिन्न कार्यक्रमों के समन्वय में लोगों की इच्छाशक्ति का एक प्रत्यक्ष यंत्र बनाना इसका कार्य था, इनका एक सही दिशा में जाते देखना तथा देश के व्यापारिक, औद्योगिक, कृषि, सामाजिक तथा राजनैतिक जीवन की सामान्य व्यवस्था व कल्याण को सुनिश्चित करना इसका कार्यक्षेत्र था। इसके अतिरिक्त यह राजा के कार्य के प्रति लोगों की स्वीकृति का देना या उन द्वारा की गई मनाही को दे सकती थी। यदि आवश्यकता पड़े तो यह सक्रिय रूप से उसका विरोध कर सकती थी तथा कुशासन को रोक सकती थी या उसे लोगों के प्रतिनिधित्व के द्वारा प्राप्त साधनों के साथ समाप्त भी कर सकती थी।

राजा की नीति सम्बन्धी किसी मामले पर राजकीय प्रस्तावों को इन सभाओं में घोषित किया जाता तथा देश के विशेष हित के सभी प्रश्नों के मामलों में इनकी स्वीकृति लेना आवश्यक होता था। यह दो सभाएँ लगातार बैठती लगती थी, क्योंकि नित्य ही ऐसे मामले आते थे जो इनके द्वारा राजा को भेजे जाते। इनके कृत्य राजा के द्वारा स्वीकृति की मोहर लगाऐ जाने पर स्वाभाविक तौर पर कानून का प्रभाव रखते।

इसलिए यह स्पष्ट है कि ये राजसत्ता में भागीदार थे तथा इनकी शक्तियाँ इनमें निहित थीं। यह जानना महत्वपूर्ण होगा कि अशोक जैसे शक्तिशाली सम्राट को भी समाज के धर्म को बदलने के प्रयत्न में, मात्र अपने विधान द्वारा ही नहीं बल्कि इन सभाओं के साथ विवेचन द्वारा ही अग्रसर होना पड़ा था। इस प्रकार प्राचीन भारत में एक शक्तिशाली लोकतांत्रिक मौलिक घटक था तथा ऐसी संस्थाएँ भी जिनकी तुलना गणतांत्रिक प्रकार के साथ की जा सकती है। लेकिन वास्तव में यह विशेषताएँ भारत की अपने प्रकार की हैं तथा आधुनिक गणतंत्र तथा लोकसभा की भांति कदापि नहीं हैं। यह किसी भी प्रकार से पार्टी व्यवस्था और छद्मवेश की अल्पतंत्रीय, संघर्षपूर्ण तथा खींचतान वाली लोकतांत्रिक व्यवस्था जो कि आधुनिक काल का वास्तविक रूप में प्रतिनिधित्व करती है, उससे कहीं भी मेल नहीं खाती थी।

13

मौर्य व बाद के साम्राज्य

पिछले अध्यायों में यह देख लिया गया है कि भारतीय सामाजिक व राजनैतिक व्यवस्था का आधारभूत सिद्धांत सामुदायिक स्वायतत्त-शासनों का एक समन्वय था, गांव का स्वराज, नगर तथा राजधानी का स्वराज्य, जाति, संस्था, परिवार, धार्मिक समाज व क्षेत्रीय इकाइयों का स्वराज्य। राज्य या साम्राज्य या संयुक्त लोकतंत्र इन स्वायत्त-शासनों को एकत्रित करके व एक स्वतंत्र एवं जीवन्त सुव्यवस्था में समन्वयिक प्रकार बांधे रखने की व्यवस्था का एक साधन था।

भगवान बुद्ध के काल में तथा बाद में जब चन्द्रगुप्त एवं चाणक्य एतिहासिक भारतीय साम्राज्य की स्थापना कर रहे थे, देश तब भी स्वतंत्रत राज्यों तथा लोकतंत्रों से भरा था। अभी तक कोई एकछत्रीय संयुक्त साम्राज्य नहीं था। साथ ही साथ, सिकन्दर के आक्रमण ने देश में एक शक्तिशाली तथा केन्द्रीय शासन की आवश्यकता को जन्म दिया। इसने एक राजतंत्रीय शासन का रूप लिया जोकि मौर्य साम्राज्य के रूप में स्थापित हुए। मौर्य साम्राज्य की सफलता के साथ सारा देश एक संयुक्त शासन के अधीन आ गया। यह साम्राज्य पूर्वी अफगानिस्तान, बलूचीस्तान तथा सिन्धु के पश्चिमी क्षेत्रों तक फैला था।

चन्द्रगुप्त मौर्य

चन्द्रगुप्त के अधीन सारा उत्तरी भारत संयुक्त हो गया था। व्यापार फैला, कृषि को व्यवस्थित किया गया, तथा तौल एवं माप के यंत्रों का मानकीकरण किया गया। पहली बार मुद्रा को व्यवहार में लाया गया। स्वास्थ्य, अकाल तथा कर लेना राज्य से संबंधित कार्य बन गए। उसके पुत्र तथा उत्तराधिकारी बिन्दुसार (296-273 BC) ने अपने साम्राज्य का और विस्तार किया तथा दक्षिण भारत में मैसूर तक का क्षेत्र विजित किया।

उसका पुत्र अशोक उसके पद चिन्हों पर अग्रसर हुआ तथा उसके समय में मौर्य साम्राज्य अपने शिखर पर पहुँचा। तथापि यह उडीसा में प्रसिद्ध कलिंग की लड़ाई के पश्चात ही पाना संभव हुआ। यह कहा जाता है कि कलिंग की विजय बहुत बड़ी संख्या में लोगों की मृत्यु का कारण बनी जिस कारण लोगों को अत्यधिक कष्ट हुआ। प्रथम बार सुदूर दक्षिण को छोड़कर समस्त प्रायद्वीप

राजतंत्र के अधीन आया। अशोक को कलिंग के युद्ध के पश्चात घोर पश्चाताप हुआ तथा उसने बुद्ध धर्म को अपना लिया। उसने बुद्ध धर्म का प्रचार समस्त भारत में तथा पड़ोसी देशों बर्मा (स्वर्ण भूमि) तथा श्रीलंका (सिलोन) तक में भी किया।

अशोक अपनी प्रजा के साथ सीधा सम्बन्ध विभिन्न राजाज्ञाओं द्वारा रखता था। ये राजाज्ञाऐं चट्टानों, मिनारों तथा गुफाओं में खुदी होती थी तथा इनका ध्येय लोगों के सामान्य व्यवहार को ढालना था। आधुनिक भारतीय गणतंत्र के प्रतीक के रूप में अशोक के कई मिनारों में से एक के ऊपर अंकित व खुदे हुए चतुर्शेर सिरों को अपनाया गया है।

मौर्य प्रशासन एक उच्चस्तरीय केन्द्रीय राजतंत्र था। साम्राज्य के पास एक बहुत बड़ी सेना तैयार थी। कर कई स्रोतों से इकट्ठा किया जाता। साम्राज्य नवीन क्षेत्रों की भूमि को कृषि अधीन करता तथा सिंचाई साधनों को विकसित करता। सम्पूर्ण प्रायद्वीप में सड़कों का जाल बिछा था। एक प्रधान राजसी राजमार्ग तक्षशिला और पाटलीपुत्र को जोड़ती हुई बनाई गई,–एक ऐसा मार्ग जो कुछ लोगों के अनुसार ग्रान्ड ट्रंक रोड की अग्रदूत थी। मौर्य काल के शिल्पकार भिक्षुओं के निवास के लिए चट्टानों में से गुफाओं को बनाने की कला के धंधे में जुड़ गए। सबसे पुराने उदाहरण गया के समीप बाराबारा नामक पहाड़ी गुफाएँ हैं। भगवान बुद्ध के अस्थी-अवशेषों के पवित्र-संचय के लिए पूरे साम्राज्य में स्तूप स्थापित किए गए। इनमें से सर्वाधिक प्रसिद्ध सांची तथा बारहूल नामक स्थानों के स्तूप हैं।

साम्राज्य की स्थापना ने अनिवार्य रूप से भारतीय राजनैतिक प्रतिभा के समरूप एक नये राजनैतिक ढांचे व व्यवस्था की आवश्यकता को समक्ष ला खड़ा किया। राज्यों, लोगों, देशों को उनके स्व-शासन का आदर करते हुए उनको संयुक्त करना तथा एक विस्तृत रूप से स्वतंत्र तथा जीवन्त व्यवस्था को समन्वयित करना इस राजतंत्र के समक्ष एक समस्या थी। एक एसी व्यवस्था को ढूंढना ही था जो उनके सभी सदस्यों के बीच शांति तथा एकता रखती, विदेशी आक्रमण के विरुद्ध सुरक्षा प्रदान करती तथा उसकी एकता व विभिन्नताओं को स्वतंत्र खिलवाड़ एवं विकासक्रम की सम्पूर्णता देती। उसके सभी क्षेत्रीय तथा समुदायिक क्षेत्रों के भागों में संघर्ष रहित तथा सक्रीय जीवन प्रदान करती। एक व्यवस्था की आवश्यकता थी जो भारतीय सभ्यता एवं संस्कृति की आत्मा तथा शरीर का सत्कार करती तथा धर्म की क्रिया को एक विस्तृत तथा पूर्ण स्तर पर होने देती।

मौर्य साम्राज्य सौ वर्ष से कुछ अधिक काल तक स्थापित रहा तथा अशोक की मृत्यु के 50 वर्ष बाद टूट गया। अशोक के निर्बल

उत्तराधिकारियों तथा विघटनकारी व बाह्य-मुखी शक्तियों के कारण यह छिन्न-भिन्न हुआ। साम्राज्य के विभिन्न राजप्रमुख साम्राज्य से टूटने लग गये तथा उन्होंने स्वतंत्र राज्य स्थापित कर लिए। इसका सबसे गम्भीर परिणाम यह हुआ कि उत्तर-पश्चिम भाग मौर्य साम्राज्य से छिन गए। ये भाग विदेशी शक्तियों के हाथ लग गये तथा भविष्य में होने वाले सभी आक्रमणों का मार्ग बन गए। हम यह घटनाक्रम भारतीय इतिहास में बार-बार होता देखेंगे: सर्वप्रथम एक साम्राज्य का निर्माण होता है जिससे एक राजनैतिक एकीकरण स्थापित होता है, तदोपरान्त लगभग अटल रूप से इसके पीछे-पीछे बाह्यमुखी विघटनकारी शक्तियों तथा आक्रमणों के कारण यह टूटना प्रारम्भ कर देता है। इसके होते हुए भी साम्राज्य स्थापना के हर प्रयत्न के पश्चात समस्त भारत की एकता और भी समीप आती दीखती रही।

यह लगभग निश्चय ही कहा जा सकता है कि भारत का राजनैतिक इतिहास, साम्राज्यों के द्वारा लड़ी गई युद्ध एवं स्थापना की कहानी है, देशी तथा विदेशी, इनमें से हर कोई बाह्य-मुखी शक्तियों द्वारा तबाह हुआ लेकिन प्रत्येक साम्राज्य भारत के अंतरमुखी प्रवृति को विजयशाली उदय के समीप लाता गया।

बाद के साम्राज्य

185 BC में सशस्त्र सेनाओं के एक महत्वाकांक्षी सेनापति पुष्यामित्र शुंग ने मौर्य सम्राट को हरा दिया। उसने मगध में शुंग राजवंश प्रारम्भ किया। इसके पश्चात भारत में अगला साम्राज्य गुप्त साम्राज्य था।

ईसा पश्चात चौथी सदी में मगध में एक नया गुप्त राजवंश जो भारतीय था वह उठा और उसने उत्तरी भारत के अधिकतर भाग पर एक विस्तृत साम्राज्य स्थापित किया। यह चीन का एक यात्री फाह्यान था जिससे हमें गुप्त साम्राज्य के बारे में पता चलता है। इसके लेखों के अनुसार, उस समय भारत संसार के किसी भी अन्य देश से कहीं अधिक आगे था।

एक धनाढ्य जमींदारों के गुप्त परिवार ने धीरे-धीरे मगध क्षेत्र में राजनैतिक नियंत्रण स्थापित किया। गुप्त राजवंश का संस्थापक चन्द्रगुप्त 1 लगभग 320 AD में राजसिंहासनारूढ़ हुआ। राज्य का विस्तार उसके पुत्र समुद्रगुप्त द्वारा किया गया जिसने कई राजाओं के विरुद्ध युद्ध किये तथा प्रायद्वीप के उत्तरी भाग के क्षेत्रों को अपने साम्राज्य में मिलाया। जो भी हो, उसका प्रत्यक्ष राजनैतिक नियंत्रण केवल गंगा के मैदानी भाग पर ही था ना कि मौर्य साम्राज्य की भांति जिनका प्रभाव दक्षिण भारत तक फैला हुआ था। यह समुद्रगुप्त के उत्तराधिकारी चन्द्रगुप्त II (जिसे विक्रमादित्य के नाम से भी जाना जाता था) के शासन के दौरान था कि गुप्त का उत्थान अपनी चरम सीमा पर हुआ। उसने एक विजय

अभियान पश्चिम भारत में शाका राजवंश के विरुद्ध (338-409 AD) किया। उसने वैवाहिक सम्बन्ध कर्नाटक राजवंश से जोड़ा जोकि सतवाहना राजवंश के उत्तराधिकारी थे, तथा इस प्रकार अपने साम्राज्य के दक्षिण प्रदेश में मित्रता के सम्बन्ध सुनिश्चित किये। चन्द्रगुप्त II को विद्वानों तथा कलाओं के संरक्षक के रूप में भी याद किया जाता है। इस काल को भारत का स्वर्ण काल भी कहा जाता है।

यह काल महान सांस्कृतिक तथा वैज्ञानिक उत्थान का काल था। यह बेझिझक. माना जाता है कि संस्कृत साहित्य का एक महानतम नाटककार कालीदास इसी काल से सम्बन्धित है। इसी काल में जन्तु-कथाओं का संग्रह पंचतंत्र भी रचा गया था। खगोल-शास्त्र के ज्ञान में एक आश्चर्यजनक प्रगति हुई। 499 AD में आर्यभट्ट (II) ने पाई की गणना 3.1416 स्थापित की तथा सौर-वर्ष की लम्बाई 365.358 दिन स्थापित की। उसने ग्रहणों के कारणों का विस्तार किया। उसने यह सिद्धांत भी स्थापित किया कि धरती अपनी धुरी की चारों ओर घूमती है तथा वह एक गोला है एवं सूर्य के चारों ओर घूमती है। बिहार में बौद्ध धर्म का नालन्दा विश्वविद्यालय था जिसकी ओर संसार भर से विद्यार्थी आकर्षित होते थे।

गुप्त के प्रशासन में मौर्य के प्रशासन काल के मुकाबले प्रान्तों के राजप्रमुख अधिक स्वतंत्र थे। धरती के कर संख्या में अधिक हो गए। तीसरी सदी के बाद रोमन साम्राज्य के साथ व्यापार में कमी आई। भारतीय व्यापारी दक्षिण-पूर्व एशिया के व्यापार पर अधिक निर्भर करने लग गए। बौद्ध धर्म को अब राज्य की ओर से कोई संरक्षण नहीं मिलता था। जैन धर्म में कोई बदलाव नही आया और वह पश्चिमी भारत के व्यापारी समुदायों द्वारा अनुमोदित होता रहा। इसाई धर्म मालाबार क्षेत्र तक ही सीमित रहा। हिन्दु धर्म में वैदिक यज्ञ को हटाते हुए प्रतिमा की पूजा स्थापित हुई। गुप्त काल के वास्तु-कला के उदाहरण जबलपुर में वैष्णवी तिगवा का मंदिर (415 AD) तथा झांसी के समीप देवगढ़ में एक अन्य मंदिर (510 AD) में पाए जाते हैं। उत्तर प्रदेश में भीटा नामक स्थान पर गुप्त काल के कई प्राचीन मंदिर हैं। अजन्ता की कुछ गुफाओं को गुप्त काल से सम्बन्धित किया जा सकता है।

चन्द्रगुप्त II के बाद कुमारगुप्त सिंहासन पर बैठा। कुमारगुप्त के बाद स्कन्द गुप्त सिंहासनारूढ़ हुआ। इन दो अंतिम सम्राटों के काल में हुण विदेशियों ने उत्तर-पंश्चिम भारत पर आक्रमण किए तथा गुप्त साम्राज्य की शक्ति जल्द ही क्षीण हो गई।

साम्राज्य स्थापना का अगला प्रयत्न कुछ सदियों के बाद पुनः हुआ। यह स्थापना हर्षवर्धन के उदय के साथ हुई। सातवीं सदी के दूसरे हिस्से में,

हर्षवर्धन (या हर्ष) द्वारा साम्राज्य स्थापना का प्रयत्न हुआ। वह पशुभक्ति परिवार से सम्बन्धित था, जो दिल्ली के समीप थानेश्वर पर राज्य करती थी। उसके राज्य काल का वृत्तांत तथा उसके उत्थान की कथा के भली भांति संगृहित प्रलेख उसके दरबारी कवि बाना के कारण पद्य के रूप में उपलब्ध हैं जिनको हरिष-चरित्र के नाम से जाना जाता है। चीन के एक बौद्ध भिक्षु यात्री हुआन-सांग ने भी अपनी यात्राओं का एक लम्बा वृत्तांत लिखा जो हर्ष के राज्य काल में भारत आया था एवं जो हमें उपलब्ध है। हर्ष अपनी राजधानी को थानेश्वर से कन्नौज ले गया। उसके अधीन क्षेत्र उत्तरी गंगा का मैदान जो आसाम तक चला गया सम्मिलित है। उसके साम्राज्य में सुदूर प्रादेशिक राजाओं के क्षेत्र भी सम्मिलित थे। हर्ष अपने साम्राज्य पर उसी प्रकार प्रशासन करता था जैसा कि गुप्त काल में था। वे राजा जिन पर वह विजय प्राप्त करता उसे राज-कर देते तथा जब वह युद्ध करता तो उसे अपनी सेना भेजते। वे उसके अधीन स्वयं को मानते लेकिन अपने राज्यों पर स्वयं शासन करते रहते। हर्ष की दक्षिण भारत तथा दक्कन तक अपने साम्राज्य को बढ़ाने की लालसा को उत्तरी मैसूर में वैतापि के चालुक्य राजा पुलकेसिन II द्वारा रोक दिया गया।

हुआन-सांग ने हर्ष के काल में पाया कि बौद्ध धर्म की पकड़ भारत के अधिकतर भागों में शिथिल पड़ रही थी तथापि पूर्वी भारत के कुछ भागों में वह अभी भी लोकप्रिय था। नालन्दा विश्वविद्यालय अभी भी बौद्ध धर्म का प्रसिद्ध केन्द्र था। हर्ष की मृत्यु के तुरन्त बाद उसी के साथ उसका साम्राज्य भी समाप्त हो गया। उसका कोई उत्तराधिकारी नहीं था तथा साम्राज्य शीघ्र ही छोटे-छोटे राज्यों में विघटित हो गया। इसके पश्चात का काल धुंधला है, लेकिन यह एक ऐसी प्रक्रिया को चरम बिन्दु पर पहुँचा देती है जो कि गुप्त साम्राज्य के अंतिम वर्षों में हुणों के आक्रमण से प्रारम्भ हुई थी। इसी काल में दक्कन तथा दक्षिण भारत के साम्राज्य शक्तिशाली हो गए।

लेकिन लोगों के मन में एक संयुक्त भारत का स्वप्न सदा रहा। मौर्य साम्राज्य ने जो कि मुश्किल से दो सौ वर्ष तक स्थापित रहा, एक ऐसा स्वप्न उदित कर दिया जोकि जीवित रहा तथा आने वाली शताब्दियों में बारंबार गुंजता रहा।

14

दक्षिण भारतीय साम्राज्य

दक्षिण भारत ने जिसे दखबन के नाम से भी जाना जाता है, भारत के इतिहास में प्रारम्भ से ही एक बहुत महत्वपूर्ण भूमिका निभायी है। बहुत से इतिहासविज्ञों ने दक्षिण के इतिहास को उपेक्षित किया है तथा वे अधिकतर जिन्होंने इस ओर ध्यान दिया है, उन्होंने उत्तरी भारत से विभाजित करने के प्रयत्न की रचना की है। जैसा कि पिछले अध्यायों में देखा गया है इन इतिहासाकरों ने दो स्पष्ट विभिन्न जातियों, दो पृथक भाषा समूहों तथा दो पृथक संस्कृतियों आर्य तथा द्रविड़ के सिद्धांतों को प्रस्तुत किया है। हम इस अध्याय को पढ़ते हुए पाएंगे कि यह पृथकता कृत्रिम है तथा इसका कोई एतिहासिक आधार नहीं है।

इस अध्याय में हम विशेषतया तमिल तथा आंध्र लोगों के इतिहास रो सम्बन्ध रखेंगे क्योंकि इन दो वर्गों के बारे में ईसा से पूर्व के काल से ही बहुत-सी जानकारी प्राप्त है। तथापि हम ऋषि अगस्त्य के पौराणिक गाथा से प्रारम्भ करेंगे। पौराणिक गाथा यह कहती है कि जब भगवान शिव ने कैलाश पर्वत पर पार्वती से विवाह रचाया तो समस्त भारत से जो अतिथी गण आए वे संख्या में इतने अधिक थे कि पर्वत धंसने लग गया। तब भगवान शिव ने अगस्त्य ऋषि को संतुलन बनाने के लिये दक्षिण में भेजा। दक्षिण के रास्ते में उनके समक्ष अत्यधिक ऊंचे विंध्याचल पर्वत खड़े मिले। तब ऋषि ने पर्वतमाला से कहा कि वह नीचे झुक जाए ताकि वे लांघ सकें। और जब वे शिव जी का कार्य करके लौट आएँ तो वह फिर दुबारा ऊंचे हो जाएँ। विंध्याचल छोटे हो गये और तब अगस्त्य दक्षिण में चले गए तथा कभी लौट कर नहीं आए। ऋषि के आगमन से दक्षिण भारत में वैदिक ज्ञान तथा परम्परा की स्थापना हुई। बेशक यह एक पौराणिक गाथा है, तथापि यह सिद्ध करने के लिए प्रर्याप्त ऐतिहासिक प्रमाण प्राप्त हैं कि दक्षिण भारत वैदिक ज्ञान तथा रीतियों में गहरे रूप से सम्मिलित था।

तमिल लोग

तमिलनाडु के पास इतिहास का एक समृद्ध संस्कृति का चित्रण है। यह एक शक्तिशाली सभ्यता का ओजस रंग प्रस्तुत करती है जिसके उद्गम की

तिथियाँ पीछे प्राचीन समयों तक की हैं। हमारे ज्ञान का मुख्य स्रोत तमिल लोगों के प्रशासन, कला, वास्तु-कला तथा आर्थिक अवस्थाओं को बताने वाला तमिल संगम है। संगम राजाओं के संरक्षण के अधीन कवियों की सभाओं को कहते हैं। वे तमिल साहित्य की स्वर्ण युग कही जाती हैं। उनका यथार्थ समय बताना सम्भव नहीं है कि कब यह तमिल संगम फला फूला, लेकिन कुछ निश्चय से यह अवश्य कहा जा सकता है कि दो संगम ईसा से काफी पूर्व के समय में हुए थे तथा तीसरा संगम 100 से 250 AD में हुआ था। संगम काल की चार शताब्दियों में सर्वोत्तम रचनाओं में से कुछ तिरूवलूर की थिरूकुरल रचनाएँ हैं जिनमें 1330 दोहे हैं जो व्यक्तिगत तथा सामाजिक जीवन में नैतिकता के अतिरिक्त जीवन के सर्वोत्तम सत्यों के साथ सम्मिलित हैं। साथ ही साथ हैं संत-कवयित्री एवियार की रचनाएँ, पाथुपाटु या दस ग्राम्य काव्य जो कि कई रचनाकारों के कार्य का दर्शन-शास्त्र पर संकलन है जिसके साथ मिश्रित है प्राकृतिक संसार के वृत्तांत तथा एटुथोगाई या आठ पद्य-गद्य संग्रह। इनमें से एतिहासिक तौर पर अंतिम अति महत्वपूर्ण है क्योंकि इसमें लोगों के दैनिक जीवन का वृत्तांत दर्शाया गया है। जहाँ तक तमिल लोगों के इतिहास का सम्बन्ध है तो कविताओं का यह संकलन अपने प्रकार का सबसे प्राचीन अभिलेख है। संगम काल के समाप्त हो जाने पर भी, शाही राजवंशों के संरक्षण तले तमिल कवि व लेखक श्रेष्ठ साहित्य की रचना करते रहे जैसे कि दो तमिल महाकाव्य सिलापथिकरम जो कि चेरा राजा के पुत्र इलांगो आदिगल द्वारा 200-300 AD के बीच लिखा गया तथा मणिमेकालाई जो सतानार द्वारा दूसरी तथा तीसरी सदी के बीच ही लिखा गया। दोनों महाकाव्यों में उन समयों के दौरान जीवन का विस्तृत वृत्तांत दर्शाया गया है। काल के साथ-साथ दक्षिण भारत में दूसरे कई महान कवि हुये जैसे कि नयन्मार तथा अलवर एवं बाद में कवी कंबन जिसने रामायण की तमिल भाषा में रचना की। इस प्रकार यह विदित हो जाता है कि तमिल लोगों की प्राचीन भाषा, संस्कृति तथा प्रतिभा की एक दृढ़ छाप तथा चरित्र अपने ही प्रकार की थी। गणपति सुब्बैया के शब्दों में तमिल कवियों की कई कविताओं की सृजनात्मक विशेषता दिल को छूने वाली स्वच्छता लिए हुए है।

तमिल भाषा ने किन्हीं स्वतंत्र लीकों पर अपने ही साहित्य का विकास किया। इसके कविता की रीतियाँ, उदाहरणार्थ अन्यंत्र तौर पर मौलिक हैं तथा आम तौर पर संस्कृत साहित्य से भिन्न हैं। इसके होते हुए भी ये समग्र रूप से भारतीय संस्कृति का भाग हैं। डेविड फ्राले के शब्दों में:

"बेशक द्राविड़ भाषाएँ संस्कृत से भिन्न प्रतिमान पर आधारित हैं, तो भी दक्षिण भारतीय भाषाओं में तीस से सत्तर प्रतिशत संस्कृत शब्द हैं। तेलगु

तथा तमिल में उत्तर भारतीय भाषा हिन्दी से संस्कृत के शब्दों की कहीं अधिक प्रतिशतता है। इसके अतिरिक्त दोनों उत्तरी तथा दक्षिणी भारतीय भाषाओं की एक समान निर्माणशैली तथा वाक्य-शैली है जो कि उन्हें आपस में सम्बन्धित करती है एवं जो यूरोपियन भाषाओं में प्रायः सांझी नहीं हैं। इसी कारण कुछ भाषाविदों ने यह सुझाव देने का भी कारण किया है कि हिन्दी एक द्रविड़ भाषा थी। संक्षेप में, भाषा विभाग, जातियों के विभागों की भांति, इतने दृढ़ नहीं हैं जितने कि समझे गए थे।

यथार्थ में यदि हम प्राचीनतम वैदिक संस्कृत की परीक्षा करे तो द्राविड़ भाषाओं के समान ध्वनियाँ पाते हैं (उदाहरणार्थ, प्रमस्तिष्कीय अक्षर), जो कि अन्य इंडो-यूरोपीय भाषाओं में उपस्थित नहीं है। इस तथ्य से यह पता चलता है कि या तो द्रविड़ जातियाँ पहले से ही वैदिक लोगों के उसी क्षेत्र में थी, तथा उनके साथ समान संस्कृति का भाग थे, या यह कि द्रविड़ भाषाएँ भी संस्कृत की प्रारम्भिक शाखाएँ हो सकती थीं, जो कि आधुनिक ऋषि श्री अरविन्द का मानना है। इसके अतिरिक्त द्रविड़ भाषाओं का पारम्परिक अविष्कारक और कोई नहीं बल्कि ऋषि अगस्त्य को कहा जाता है, जो प्राचीनतम संस्कृत पुस्तक ऋगवेद के अत्यधिक महत्वपूर्ण ऋषियों में से एक हैं।

दक्षिण भारत के सम्राट जैसे कि चोल और पांड्य राजवंश मनु के साथ अपनी वंशावलियों का सम्बन्ध मानते थे। मत्स्य पुराण, समस्त आर्यों के जन्मदाता मनु को, मौलिक रूप से एक दक्षिण भारतीय सम्राट सत्यव्रत मानता है। इसी प्रकार ऐसी परम्पराएँ भी हैं जो द्रविड़ों को वैदिक ऋषियों और सम्राटों की सन्तति मानते हैं बल्कि वे उत्तरी भारत के आर्यों को भी द्रविड़ सम्राटों की सन्तति मानती हैं। ये दो संस्कृतियाँ इस प्रगाढ़ रूप से संबंधित हैं कि यह कहना कठिन है कि कौन-सी पहले आई। इनके बीच के अंतर गौण लगते हैं, तथा ऐसा कुछ भी नहीं जिसने आर्य-द्रविड़ जाति विभाजन के सिद्धांत को प्रोत्साहित किया हो"

नारायणन के शब्दों में, "आर्य-द्रविड़ या आर्य-तमिल दुफाड़ जो कुछ विद्वानों द्वारा सोचा गया उसे तिलांजित कर देना पड़ेगा क्योंकि हमने ऐसा कुछ भी नहीं पाया जिसे हम पूर्णतया आर्य या संगम काल के दक्षिण भारतीय चरित्र में पूर्णतया द्रविड़ का नामकरण दे सकें। इस दृष्टिकोण से संगम संस्कृति को प्राचीन हिन्दु संस्कृति के अति आवश्यक विशिष्टताओं का स्थानीय भाषा शैली में अभिव्यक्त किया जाना माना जा सकता है।"

जहाँ तक दक्षिण के मूलभूत अंशदान मंदिर वास्तुकला, संगीत, नृत्य तथा हिन्दु संस्कृति का दूसरे दक्षिण एशियाई देशों में फैलाने आदि का प्रश्न है वह

इस अध्याय के पिछले भाग में हम इनका मूल्यांकन करेंगे। इसके अतिरिक्त, दक्षिण भारत ने कई महत्वपूर्ण संस्कृत की पुस्तकों (कुछ वैदिक गान, भाषा के नाटक, अर्थशास्त्र इत्यादि) के संरक्षण में निर्णायक भाग उत्तर भारत की क्षमताओं से अधिक लिया है। आज भी भरत के सर्वोत्तम संस्कृत के विद्वान तमिलनाडु तथा केरल में मिलते हैं। स्वामी विवेकानन्द जी ने भी कहा कि दक्षिण भारत वैदिक ज्ञान का भण्डार रहा है।

हम इस प्रकार देखते हैं कि भारत के उत्तर तथा दक्षिण के बीच वास्तव में कोई मूलभूत सांस्कृतिक अंतर नहीं है, वे मात्र इस प्रायद्वीप की विस्तृत सांस्कृतिक जटिलता तथा इसकी आपस में संबंधित आध्यात्मिक परम्पराओं की क्षेत्रीय विभिन्नताएँ हैं। द्रविड़ लोग बहुत लम्बे समय से भारत के अत्यन्त प्रमुख लोगों में से एक रहे हैं तथा स्वयं वैदिक संस्कृति के सर्वश्रेष्ठ संरक्षक रहे हैं। सर्वोत्तम वैदिक संस्कृत, रीतियों और परम्पराओं को केवल भारत के दक्षिण में ही पाया जा सकता है। दक्षिण भारत ऐसा कर सका था, इस बात को इंगित करता है कि इस क्षेत्र को वैदिक संस्कृति की प्राचीनता तथा महत्व का कितना ज्ञान था।

तमिल इतिहास के बाद के काल में कई साम्राज्यों के शासन को हम पाते हैं। इनमें से कुछ साम्राज्य चोल, चेरी, पल्लव तथा पांडया के हैं। हम इनमें से दो साम्राज्यों, यानि पल्लव तथा चोला साम्राज्य को लेंगे।

पल्लवों का साम्राज्य

पल्लव राजवंश का मूल धुंधला है। पल्लव छठी सदी में प्रबल हुए जब कल्म्राओं के विरुद्ध उन्होंने एक विजयी आक्रमण किया, जिनका क्षेत्र दक्षिण में सुदूर कावेरी नदी तक फैला था। पल्लवों की पराकष्ठा महेन्द्रवर्मन I (600-630 AD) के राज्यकाल में पहुँची जो कि हर्षवर्धन का समकालीन था। इस काल के स्त्रोतों में से ह्वेनसांग के वृत्तांत एक कड़ी की भांति कार्य करते हैं, क्योंकि उसने बहुत विस्तृत यात्रा की थी। पल्लव और चालुक्य राज्य के बीच एक लम्बे समय तक के युद्ध के लिये वेन्नगी के लिए संघर्ष एक बहाना बनी जो पल्लवों की पराजय से प्रारम्भ हुई। महेन्द्रवर्मन का उत्तराधिकारी नरसिंह वर्मन I महामल्ल (630-668 AD)ने वातापि को अधिकृत करने के साथ पल्लवों की पराजय का बदला लिया। श्रीलंका के राजा मन्नावमा द्वारा अपने सिंहासन को पुनः प्राप्त करने की सहायता देने के लिए उसने दो समुद्री अभियान महाबलीपुरम (ममलापुरम) से श्रीलंका को भेजे। पल्लव की समुद्री रूचियों ने उसके बाद आने वाले चोल राजवंश को समुद्री सेना पर अत्यधिक भरोसा करने का आधार रखा। आठवीं सदी के अंत के समीप गंगा तथा पांडया की साझी सेनाओं ने पल्लवों के विरुद्ध मोर्चा खोला। राष्ट्रकूटों के दवाब तले चूंकि चालुक्य क्षीण हो गए थे,

इसलिए पाडंया ने धीरे-धीरे पल्लवों पर चढ़ाई करनी प्रारम्भ कर दी तथा नौंवी सदी के मध्य तक कम्भकोणम तक की दूरी तक बढ़ आए। इस पराजय का बदला ले लिया गया, लेकिन नौवीं सदी के अंत तक, पल्लवों की शक्ति का महत्व समाप्त हो गया था।

पल्लवों के शासनकाल में एक महान सांस्कृतिक उत्थान देखा गया। पल्लव राजाओं ने भक्ति प्रथा पर आधारित नऐ प्रकार का प्रचार करने वाले वैशनवों तथा शिव-भक्तों के अल्वरों तथा नयानारों धार्मिक अध्यापकों में रूची दिखाई। शिव-भक्तों में अपार व मणिक्कावक्कार थे। वैशनव-भक्तों में नम्मालवर तथा एक स्त्री प्रचारक अंडल थे। इस भक्ति आंदोलन का उद्देश्य एक ऐसे लोकप्रिय हिन्दु-धर्म का प्रचार करना था जिसमें तमिल को संस्कृत के स्थान पर वरीयता देना एवं विचरने वाले प्रचारक के योगदान पर बल दिया जाना था। स्त्रियों को धार्मिक सम्मेलनों में भाग लेने पर प्रोत्साहन दिया गया। तमिल धार्मिक प्रथा या भक्ति-आंदोलन प्रचलित हुआ और जल्द ही भारत के दक्षिण में जड़ें पकड़ गया।

पल्लव अपने भवन-वास्तुकला तथा शिल्प-कला के लिये प्रसिद्ध हैं। उनके कुछ महान कार्यों में से एक कार्य चट्टानों को काट कर बनाए गये महाबलीपुरम के मंदिर हैं। परंतु जब वे उन्मुक्त खड़े मंदिरों को बनाने लगे तो उन्होंने अपने काल के सबसे अधिक प्रभाव डालने वाले उदाहरण कांचीपुरम के मंदिर बनाये। उन्हीं के काल में दो शैक्षिक कार्य तिरूकुल्लर तथा नालादियार एवं अधिक संगीतमय दो तमिल महाकाव्य सिलापद्दीकरम व मणीमेखालाई द्वारा तमिल साहित्य भी फला-फूला।

चोला राजवंश

दक्षिण भारत में 200 वर्ष से अधिक समय के लिए चोला साम्राज्य सबसे शक्तिशाली साम्राज्य था। 100 से 700 AD तक आजकल के तमिलनाडु क्षेत्र में चोल लोग जाति-नायक थे। प्राचीन चोल वंश के वृत्तांत राजाओं, मंदिरों के उदघोषों, वाणिज्य समुदायों के अभिलेखों तथा ग्राम-सभा के शिला-लेखों में पाए गये हैं। चोल वंश ने अपनी प्रथम राजधानी उरैयूर में स्थापित की तथा समुद्री व्यापार में भी स्वयं को स्थापित किया। थन्जावूर नगर पर विजय प्राप्त करने के बाद उन्होंने उसे अपने फैलते राज्य की नई राजधानी बनाया। चोल साम्राज्य की शक्ति बढ़ने के साथ-साथ उसके शासकों की महत्वकांक्षाएँ भी बढ़ी।

विशुद्ध चोल साम्राज्य की महानता की नींव श्री पारणतका I ने रखी जिसने 907 से 953 ईस्वी तक राज्य किया। उसके बाद राजाराम I आया जिसने

953–1014 ई. तक राज्य किया। राजाराम ने साम्राज्य बढ़ाना आरम्भ किया। उसने श्रीलंका पर आक्रमण किया जहां अनुराधापुरा नगर का विनाश किया, तथा पोलोनारूवा के स्थान पर एक नयी राजधानी स्थापित की। द्वीप का उत्तरी भाग चोल साम्राज्य का एक प्रांत बन गया। उत्तर दिशा की ओर राजाराम ने चालुक्य तथा गंगा नामक राज्यों को पराजित किया तथा अपनी सीमाऐं तुंगभद्रा नदी के तट तक बढ़ा ली। उसने, मसालों के लिये बहुत प्रसिद्ध व मूल्यवान मालद्वीप द्वीप-समूह तथा मालावार तट को भी अपने अधिकार में किया। इन विजयों के कारण चोल साम्राज्य ने अपनी समृद्धि को बढ़ाया। उन्होंने अपने व्यापार सम्बन्ध चीन, दक्षिण-पूर्व एशिया, पूर्वी अफ्रिका तथा मध्य-पूर्व एशिया के देशों के साथ बढ़ाऐ। 1012 ई. में राजाराम I ने अपने पुत्र तथा उत्तराधिकारी राजेन्द्र का राज्यभिषेक बहुत सुगमता से कर दिया। राजेन्द्र अपने साम्राज्य के विस्तार में लगा रहा व उसने 1014 से 1044 ई. तक राज्य किया। उत्तर में उसने मान्याखेता पर अधिकार जमाया। यह चालुक्य क्षेत्र के मध्य में था। दक्षिण में श्रीलंका के स्वतंत्र भाग पर राज्य कर रहे राजा महिन्दा V के विरुद्ध राज्य में विद्रोह हो गया। इस विद्रोह ने राजेन्द्र को हस्तक्षेप करने के लिये एक बहाना दे दिया और उसने सारे द्वीप पर अधिकार कर लिया। 1021 ई. में उसने दो वर्ष का सैनिक अभियान प्रारम्भ किया जो उसे पूर्वी तट के साथ-साथ बंगाल तक तथा उसके बाद उत्तर की ओर व देश के भीतरी भाग में गंगा नदी तक ले गया।

1025 ई. में राजेन्द्र ने एक और भी अतुलनीय सैनिक अभियान छेड़ा। उसने समुद्र के रास्ते दक्षिण-पूर्व एशिया में श्रीविजय के साम्राज्य पर आक्रमण करने के लिए एक साहसिक अभियान भेजा। श्रीविजय ने चीन के साथ चोल के व्यापारिक सम्बन्धों में बाधा डालने का प्रयत्न किया था। इसके परिणामस्वरूप चोल की उपस्थिती संसार के उस भाग में लगभग 50 वर्षों तक रही तथा इसी कारण दक्षिण-पूर्व एशिया में हिन्दु-धर्म तथा हिन्दु कलाओं का विस्तार हुआ।

अंतिम स्मरणीय चोल शासक कुलोटुंगा I था जिसने 1070 से 1118 ई. तक राज्य किया। उसके पश्चात यह राजवंश धीरे-धीरे पतन की ओर बढ़ा एवं पश्चिम में होएसालों की बढ़ती शक्ति तथा दक्षिण में मदुराई के पांडया राज्य के बीच सिकुड़ के रह गया। पांडया ने चोला को 1279 ई. में पराजित किया।

चोल शासक अपने भवन-वास्तुकला के लिए प्रसिद्ध हैं। थन्जावूर तथा गंगाइकोंड़ाचोलापुरम में बृहदेश्वर के मंदिर भवन-वास्तुकला तथा शिल्प-कला के अति उत्तम उदाहरण हैं।

आन्ध्रा

ईसा से प्रथम शताब्दी पूर्व दक्षिण में एक स्वतंत्र शक्ति के रूप में सतवाहन (28 BC-250 AD) उभरे। इनको आन्ध्रा के नाम से भी जाना जाता था।

इनकी स्थापना सिमुका (65BC-25 BC) द्वारा रखी गई। इसका पुत्र सत्तकरणी (25 BC-20 AD) इसका उत्तराधिकारी बना। मौर्य साम्राज्य के पतन के बाद आन्ध्रा का इतिहास सत्वाहनों का एक राजनैतिक शक्ति के रूप में उभरने के साथ प्रारम्भ होता है। यह कहा जाता है कि इस राजवंश के 29 शासक थे। इन्होंने दक्षिण समेत आन्ध्रा देश पर 400 वर्ष, यानि कि दूसरी शताब्दी ईसा पूर्व से ले कर ईसा पश्चात दूसरी शताब्दी तक राज्य किया। सत्वाहना राजवंश के संस्थापक सिमुका ने आन्ध्रा के अनेकों राजप्रमुखों को संयुक्त करके एक राज्य बनाया तथा इसका शासक बना। गुन्टूर जिले में अमरावती के समीप धारणीकोटा नामक स्थान सिमुका की प्रथम राजधानी थी। इस राजवंश का छठा शासक सत्तकरणी II (184) एक योग्य शासक था जिसने पश्चिम में मालवा को जीतते हुए अपना साम्राज्य बढ़ाया। शिलालेखों के प्रमाणों के अनुसार उसने अपने साम्राज्य की सीमाऐं सुदूर विंध्याचल के उस पार मध्य भारत तक, और शायद गंगा नदी तक बढ़ाई। उसने 56 वर्ष के एक लम्बे समय तक शासन किया। पुलुमावी I के सिंहासन पर आरूढ़ होने पर इनके साम्राज्य को एक नया जोश तथा प्रसिद्धी मिली। उसने कनव शासकों के अंतिम शासक सुसरमन को 28 BC में पराजित किया और मगध पर अधिकार जमाया। सतवाहन साम्राज्य इस प्रकार नन्दा, मौर्य, सुन्गा तथा कनव के साम्राज्य वाले शासकों की लीक में क्रमशः समस्त भारत के स्तर पर एक महत्वपूर्ण साम्राज्य बना।

62 AD में सिंहासन पर आरूढ़ इस राजवंश के तेईसवें शासक गौतमीपुत्र सतकरणी के काल में साम्राज्य अपने सर्वोच्च ख्याति को प्राप्त हुआ। यह सतवाहनों की प्रतिष्ठा को पुनः स्थापित करने वाला कहा जाता है। उसके साम्राज्य के अंतर्गत आसिका, आसाका, मुलाका, सौराष्ट्र, कुकुश, अप्रनता, अनूप, विदर्भ, अकारा एवं अवन्ती के क्षेत्र तथा विन्ध्य के पहाड़ी क्षेत्र, अछावा, परियात्रा, सहाया, कान्हागिरी, सिरीतना, मलाया महेन्द्र, सत्ता एवं चकोरा के क्षेत्र थे तथा दोनों समुद्रों तक फैला उसका साम्राज्य था। यह स्पष्ट है कि गौतमीपुत्र का साम्राज्य ना केवल भारतीय प्रायद्वीप को ही बल्कि गुजरात के दक्षिण भाग, राजस्थान, मध्य प्रदेश तथा उड़ीसा के क्षेत्र को भी अपने में लिए हुए था। वह 86 AD में मृत्यु को प्राप्त हुआ तथा उसके उत्तराधिकारी अपने इस दूर-दूर तक फैले साम्राज्य के अंग-भंग को होते देखते रहे। पुलुमावी II गौतमीपुत्र का उत्तराधिकारी हुआ और 28 वर्ष तक उसने शासन किया। अपने विस्तृत साम्राज्य की सीमाओं की सुरक्षा के भरसक प्रयत्न करते हुए भी उसके शासन के अंतिम वर्षों में उसने सतवाहन अधिकारों का पतन होते देखा। यज्ञश्री सतकरणी के 128 AD में सिंहासन पर आरूढ़ होने पर संघर्ष चरम बिन्दु पर आ गया। उसका सामना साका राजप्रमुख रूद्रदमन के साथ हुआ और उसे पराजय मिली

तथा तदोपरांत वह अपने समस्त पश्चिमी आधिपत्य को गवां बैठा। तथापि वह 157 AD तक एक अंग-विक्षिप्त हुए साम्राज्य पर शासन करता रहा। उसकी नाव-चित्रित मुद्राएँ उसके समय के दौरान विस्तृत समुद्री व्यापार होने की संभावना को दर्शाती हैं। उसके साथ ही महान सतवाहनों का काल समाप्त हो गया तथा दूसरी शताब्दी AD के अंत तक सतवाहनों का शासन एक पूर्वकालीन इतिहास बन कर रह गया।

इस काल के दौरान दक्षिण भारत एक समुद्री तथा अंतर्देशीय व्यापार का व्यवसाय केन्द्र था। गोदावरी तथा कृष्णा नदियों के बीच का क्षेत्र बंदरगाहों से भरपूर तथा व्यवसाय से सरगर्म था। व्यापार को रूचीकर बनाने के लिए प्रचुर मात्रा में धन था तथा तेलगु लोग एक महान औद्योगिक, व्यापारिक तथा समुद्री वाणिज्य के काल में आ पहुँचे। इस सारे काल में यहाँ के शासक वैदिक रीति रिवाजों के प्रति समर्पित रहे लेकिन साथ ही साथ बुद्ध धर्म भी फला-फूला। शासकों ने विभिन्न बौद्ध स्तूप, चैत्य तथा विहारों का निर्माण किया। अमरावती के स्थान पर बना स्तूप भवन वास्तुकला का एक श्रेष्ठ उदाहरण है। सतवाहन ना केवल योग्य शासक ही थे बल्कि साहित्य तथा वास्तुकला के प्रेमी भी थे। इस राजवंश का सत्रहवाँ शासक जिसका नाम हल था वह स्वयं एक महान कवि था और उसके द्वारा रचित प्राकृत भाषा में गाथासप्तसती की सभी प्रशंसा करते हैं। सतवाहनों के अधीन बौद्धों के अनेकों पूजा-स्थल (चैत्य) तथा विहारों को चट्टानों से काट कर स्थापित किया गया था। कुछ प्रसिद्ध उदाहरण अमरावती तथा नार्गाजुनकोंडा हैं।

सतवाहना राजा तथापि स्वयं ब्राह्मणिक धर्म के अनुयायी थे, वे बौद्ध धर्म के भी संरक्षक थे, तथा इस प्रकार सहनशीलता के भाव को प्रकट करते हैं। माध्यामिका-दर्शन के रचनाकार प्रसिद्ध बौद्ध दार्शनिक आचार्य नागार्जुन सतवाहना काल से सम्बन्धित हैं। उन्होंने बौद्ध धर्म के महायाना पन्थ को एक निश्चित रूप दिया जो अंत में बौद्ध धर्म को हिन्दु धर्म में आत्मसात होने के लिए उत्तरदायी था। संसार में प्रचलित विभिन्न दर्शनों के सम्प्रदायों में बौद्ध धर्म के मध्यामिका-दर्शन का विकास आन्ध्रा की एक विशिष्ट देन है। आचार्य नागार्जुन के योग्य पथ-प्रदर्शन के अधीन ही नागार्जुनकोंडा में बौद्ध धर्म की शिक्षा का प्रसिद्ध केन्द्र फला-फूला।

सतवाहन शासकों के काल के दौरान ही अजन्ता की कला कृतियां तथा अमरावती के मूर्ती-कला को चट्टानों में से काट कर निखारा गया था। इस प्रकार कला-कृति तथा मूर्ती कला के क्षेत्र में भी आन्ध्रा ने कला के एक विशिष्ट शैली का विकास किया। दक्षिण भारत के लोगों के जीवन में इन साढ़े चार शताब्दियों के शासन काल में सतवाहनों ने किसी भी पूर्व राजनैतिक शक्ति से कहीं अधिक सुरक्षा तथा स्थिरता प्रदान की थी।

सतवाहन साम्राज्य के पतन और समाप्ति ने आन्ध्रा प्रदेश को एक राजनैतिक अव्यवस्था में डाल दिया। स्थानीय शासक तथा आक्रमणकारी भी अपने वंश की स्थापना तथा स्वयं के लिये छोटे-छोटे राज्य स्थापित करने के प्रयत्न में लग गये। 180 AD से 624 AD के काल के दौरान इक्ष्वाकु, बृहतफूलयान, सालंकयाना, विष्णुकुंडीन, वाकाटका, पल्लव, आनन्दगोत्र, कलिंग तथा अन्य ने अपने छोटे राज्यों के साथ आन्ध्र क्षेत्र पर राज्य किया। यह अस्थिरता पूर्वी चालुक्य के उत्थान तक चलती रही।

इनमें से इक्ष्वाकु महत्वपूर्ण थे। वर्तमान नागार्जुनकोंडा उनकी राजधानी थी। उन्होंने बौद्ध-धर्म को संरक्षण दिया जबकि वे स्वयं वैदिक रीतियों के अनुयायी थे। इक्ष्वाकुओं के पश्चात कृष्णा नदी के उत्तर के आन्ध्र क्षेत्र का एक भाग जयवर्मा द्वारा शासित हुआ। 514 AD तक गोदावरी नदी के उत्तर की धरती जो कलिंग के नाम से जानी जाती थी, वह स्वतंत्र हो गई। कृष्णा नदी के दक्षिण का क्षेत्र पल्लवों के भाग आया जो कांचीपुरम से शासन करते थे। वाकाटाका ने वर्तमान तेलंगाना क्षेत्र पर अधिकार किया। यह हालात थोड़े से बदलाव के साथ सातवीं सदी के आरम्भ तक यूं ही चलते रहे। लेकिन इस सारे काल के दौरान भवन वास्तुकला तथा शिल्पकला को विस्तृत संरक्षण मिलता रहा। उनके कलात्मक रूची के प्रमाण मोगलराजापुरम स्थित गुफाओं में मंदिर तथा विजयवाड़ा के निकट उन्डावली मंदिर हैं।

624 AD से 1323 AD के बीच का सात सदियों का फैला समय जिस प्रकार सामाजिक, धार्मिक भाषाई तथा साहित्यक क्षेत्रों में मानवीय कार्यकलापों में एक विशाल तथा विस्तृत बदलाव लाया वह आंध्र के इतिहास के लिए महत्वपूर्ण है। इसी काल के दौरान स्थानीय तेलगु भाषा देशी का एक साहित्यिक माध्यम के तौर पर उभरना हुआ जिसने प्राकृत तथा संस्कृत भाषाओं के प्रभुत्व को विस्थापित किया। इसके परिणामस्वरूप आंध्र देश ने भारतीय सांस्कृतिक समूह में अपनी ही विशिष्टता तथा विशेष पहचान एक महत्वपूर्ण भाग के रूप में प्राप्त की।

यह परिवर्तन पूर्वी एवं पश्चिमी चालुक्य, राष्ट्रकूट तथा आरम्भिक चोल के बलवान ऐतिहासिक शक्तियों द्वारा लाया गया था। इस काल के बाद वाले आधे भाग में काकातिया शक्ति का उदय हुआ और वे उत्तरपूर्व के छोटे से भाग को छोड़ सारे तेलगु क्षेत्र पर शासन करने लगे। उनके उदारवादी संरक्षण के अधीन कला, हस्त कलाएँ, भाषा तथा साहित्य फले-फूले।

इस प्रकार हम देखते हैं कि उत्तर और दक्षिण भारत के बीच एक विशिष्ट सांस्कृतिक सम्बन्ध है। दक्षिण भारत यथार्थ रूप से अपने एक शक्तिशाली छाप व चरित्र, प्राचीन भाषाओं, संस्कृति तथा प्रतिभा के लिये गर्व कर सकता है।

दूसरे शब्दों में, जो मुक्त रूप में हिन्दु धर्म कहा जाता है, वह दक्षिण के वगैर वह नहीं हो सकता जो अब है। यह अब स्पष्ट रूप से साफ हो जाना चाहिए कि ऐसा कुछ भी नहीं था जिसे पृथक, आर्य-पूर्व या चिरकालिक द्रविड़ संस्कृति कहा जाता। ऐसा दिखाने का कोई भी प्रमाण नहीं है। एक स्पष्ट सत्य यह है कि भारत के हरेक क्षेत्र ने अपनी प्रतिभा के अनुसार विकास किया, अपने ही स्वभावानुसार रचना की, तथा इस सारे समय वह भारतीय आत्मा के केन्द्र के प्रति निष्ठावान रहा।

15

शंकराचार्य

अब हम भारतीय इतिहास के एक भिन्न तथा निर्णायक पहलू में प्रवेश करते हैं। एक ओर वैदिक आदर्श अत्यधिक बाह्य-स्वरूप धारण कर रहे थे तथा धार्मिक संस्कार अधिक महत्व प्राप्त कर रहे थे। इसके साथ-साथ बौद्ध धर्म ने अपना प्रभाव स्थापित कर लिया था तथा संसार को छोड़कर संयास की वृत्तियाँ बढ़ रही थी, जिस कारण स्वरूप जीवन-शक्ति क्षीण होती जा रही थी। दूसरी ओर, एक नये प्रकार के धार्मिक आंदोलनों ने जन्म लेना आरम्भ कर दिया था। ये आंदोलन भक्ति या भागवत-प्रेम के तत्व पर केन्द्रित थे। इन्होंने भगवान की संकल्पना को लोकप्रिय किया तथा आध्यात्म के नये द्वार खोले।

इन सभी आंदोलनों के परिणाम दोहरे थे। एक ओर तो जीवन शक्ति के ह्रास होने के कारण सामाजिक तंत्र क्षीण हो गए तथा दूसरी ओर भारतीय संस्कृति के आध्यात्मिक एवं दार्शनिक तत्वों की लोकप्रियता बढ़ गई। इस अध्याय में हम भारतीय आध्यात्म तथा दर्शन के उत्थान के इन पहलुओं की ओर एक दृष्टी डालेंगे।

शंकराचार्य

आठवीं सदी के अंत के आसपास भारत में एक ऐसे अद्वितीय पुरुष ने जन्म लिया जिसने भारतवासियों पर एक अद्भुत प्रभाव डाला। यह पुरुष आदि शंकराचार्य थे। केरल प्रान्त में 788 AD में पैदा होकर, 32 वर्ष के एक छोटे से काल में, वे भारतीय लोगों पर अपने प्रचण्ड व्यक्तित्व, अपने विशाल बुद्धि तथा अपने आध्यात्मिक कट्टरता द्वारा एक अमिट छाप छोड़ गए। उन्होंने अद्वैत वेदान्तिक दर्शन के सम्प्रदाय की आधारशिला रखी, सारे देश में मठ खोले एवं स्थापित किये तथा हिन्दु धर्म को एक नई दिशा प्रदान की।

शंकर 788 AD में केरल की पूर्णा नदी के तट पर स्थित कालादी नामक छोटे से गाँव में पैदा हुऐ। जब वे मात्र तीन वर्ष के थे तो उनके पिताजी का देहांत हो गया जिसके परिणामस्वरूप उनकी माता ने उनका पालन-पोषण किया। पाँच वर्ष की आयु में उनकी माता ने उन्हें एक गुरुकुल में भेजा। वहाँ उन्होंने एक युवक फकीर की भांति वैदिक पुस्तकों को कंठस्थ करते तथा धर्म-ग्रंथों

पर प्रभुत्व करते हुए निवास किया। उनकी माता चाहती थी कि वे विवाह करें तथा अपने परिवारिक-धर्म को पूरा करें, परन्तु शंकर ने मना कर दिया। इसके उलटे उन्होंने माता से विनती की कि वे उन्हें संन्यास की दीक्षा लेने की अनुमती दें तथा माता को वचन दिया कि उनकी मृत्यु से पूर्व वे उनके पास आएंगे। अपनी यात्राओं के दौरान, जीवन के द्वि-भाव-अच्छा व बुरा, खुशी व खेद, ज्ञान व अज्ञान, सभी ने उनका रास्ता काटा। लौकिक संसार से परे जो सत्य है उसकी खोज में शंकर नर्मदा नदी के किनारे रहने वाले महान पथ-प्रदर्शक गोविन्द के पास गए। गुरु ने इस युवक विद्वान की छिपी हुई विद्वता को पहचानते हुए तथा रूढ़ीवादी हिन्दु धर्म से अंदर फैलती विकृतियों के प्रति सचेत होने के कारण शंकर को वैदिक पुस्तकों पर एक नई टिप्पणी लिखने का कार्य सौंपा। वह ऐसा समय था जब पुरानी पुस्तकों पर परस्पर-विरोधी भाष्यों तथा विसंगतियों के कारण धर्म के निर्वहन में रीति रिवाज तथा रूढ़ीवादिताएँ अत्यधिक महत्वपूर्ण होती जा रही थी। शिक्षा पर आधिपत्य कर लेने के पश्चात वे एक गुरु, पथ-प्रदर्शक बन गए। तदोपरान्त वे केरल के हरियाली भरे गाँवों से लेकर, मध्य भारत में से होते हुए हिमालय के बर्फ से ढके पहाड़ों की चोटियों तक यात्रा पर गए। हिन्दु धर्म के ज्ञान की स्थली बनारस में वहाँ के राजा ने जब इनके आने का समाचार सुना तो इन्हें श्रद्धा सुमन भेंट करने चला आया। अपनी सभी यात्राओं के दौरान, विद्वान इनको ढूंढते, अज्ञानी इनसे ज्ञान प्राप्ति के लिये इन के पीछे भागते। लेकिन शंकर पर इन सभी प्रशंसाओं का कोई प्रभाव ना पड़ा। एक बार एक शूद्र इनका रास्ता काट गया। इनके शिष्य चिल्ला उठे और उसे दूर हटने को कहने लगे। शूद्र ने एक पहेली से भरा उत्तर दिया, "किसे दूर हटना चाहिए? मेरे शरीर को या कि अंतरआत्मा को?" अपने शिष्यों की अचंभित आंखों के आगे शंकर ने उस शूद्र के पाँव छूए और कहा, "वह जो मुझे इस सत्य को दिखाता है वह मेरा महानतम गुरु है।"

शंकर अपने प्रतिभाशाली तर्क के साथ मुक्ति के राह का ज्ञान व उपदेश देते। देश के सर्वोत्तम उपदेशकों के साथ लम्बे वाद-विवाद तथा भाष्यों के द्वारा उन्होंने अपने दर्शन के वैधता को स्थापित किया। उन्होंने अपना ही वैराग्य-संघ स्थापित किया तथा सारे भारत में मठों की स्थापना की—बद्रीनाथ, पुरी, द्वारिका तथा श्रृंगेरी—जहाँ शंकर के अनुयायी पठन-पाठन कर सकते थे। लेकिन शंकर पहले की ही भांति अपनी छड़ी व भिक्षा पात्र को लिए हुए विचरते रहे। ब्राह्मण समुदाय की अवहेलना करते हुए उन्होंने अपनी माता की मृत्यु पश्चात अपने वचन को निभाते हुए माता के शरीर की अंत्येष्ठी क्रिया का कार्य सम्पन्न किया। उनके लिये हिन्दु धर्म के रीति रिवाज उतने ही भ्रम वाले थे जितने कि मनुष्य का शरीर तथा संपूर्ण भौतिक जगत। बत्तीस वर्ष की छोटी-सी आयु में

एक रोज शंकर अपनी बीमारी की दशा में नदी में नहाने के लिये अपने शैय्या से उठे। तदोपरान्त अपने बिलखते अनुयायियों से विदा लेकर, वे बर्फ से ढके पहाड़ों की उन्नत चोटियों की ओर अकेले चल दिये। समय अब आ गया था उस एक अनन्त, अनादि सत्य ब्राह्मण के साथ एकाकार होने के अनुभव के लिये तथा जो सारे अस्तित्व का सच्चा ध्येय है।

शंकराचार्य के आध्यात्मिक दर्शन को समझना आवश्यक है। क्योंकि उनके दर्शन के मूल ने भारत के सामान्य मानसिकता, विचार तथा धर्म पर एक अत्यधिक शक्तिशाली प्रभाव डाला है। हर जगह उस दर्शन की महान छाया का चिन्तन है, हर स्थान पर कर्म के बंधन, पुर्नजन्म के चक्र से छुटकारा तथा माया रूपी तीन महान सूत्रों की छाप है। श्री अरविन्द के शब्दों में, "जब से बुद्ध धर्म ने प्राचीन आर्य संसार का संतुलन बिगाड़ा है, तभी पिछले दो हजार वर्षों से, आत्मा का भौतिकता के विरुद्ध का विद्रोह, भारतीय मानस पर बढ़ते क्रम में प्रभावशाली रहा है। मिथ्या जगत की भावना ही केवल भारतीय विचारधारा में सर्वोपरि नहीं है। इसमें अन्य कई दार्शनिक कथन तथा अन्य धार्मिक प्रेरणाएँ भी हैं। ना ही इन दो कथनों के बीच अत्यंत विरोधी दर्शनों द्वारा भी समायोजन किये जाने के कुछ प्रयत्नों की कोई कमी रही है। लेकिन सभी मिथ्या की इस विशाल छाया तले रहे हैं तथा सभी के लिए जीवन का निर्णायक अंत साधु का चोला है। अस्तित्व की व्यापक धारणा को बौद्धिक-दर्शन के कर्म-बंधन द्वारा भेदन किया गया तथा इसके फलस्वरूप बंधन एवं मुक्ति, जन्म द्वारा बंधन, जन्म-बंधनों से मुक्ति का विरोधाभास उत्पन्न हो गया।"

उपनिषदों के महत्वपूर्ण धारणाओं में से एक यह है कि मनुष्य इस संसार में अपने जीवन के बंधनों द्वारा दुखः भोगता है। इसका अर्थ यह हुआ कि मनुष्य जन्म-मरण के एक अन्तहीन चक्र में जकड़ा जाता है। इसलिए खोज इस बंधन से मुक्ति के राह का पता लगाने की है, पुनर्जन्म के चक्र को तोड़ने तथा मोक्ष प्राप्ति या मुक्ति की है। शंकराचार्य के अद्वैतवाद के दर्शन का मानना है कि मुक्ति का एकमात्र मार्ग मनुष्य के सत्य स्वरूप को जानने के ज्ञान द्वारा है। बंधन मनुष्य के सच्चे स्वरूप की अज्ञानता द्वारा उत्पन्न होता है तथा इसलिये अज्ञान का आवरण हटाने से इस बंधन को जड़ से हटाया जा सकता है। मुक्ति इस कारण अपने सत्य स्वरूप को जानने से कम या अधिक नहीं है। यह सत्य स्वरूप उसका अंतरंग तत्व आत्मा है जो ब्राह्मण के अतिरिक्त कुछ नहीं। वह, जो अपने अनुभव द्वारा इसे जान लेता है वह जीवित रहते हुए भी मुक्त है।

इस मुक्ति को प्राप्त करने हेतु, शंकराचार्य ने वेदान्त की अपनी व्याख्या में यह निष्कर्ष निकाला कि यह संसार तथा जगत मिथ्या है या एक माया है। ब्राह्मण ही केवल एक सत्य है। इसका सारांश उन द्वारा उच्चारित एक प्रसिद्ध

वाक्य में है: "ब्रह्म सत्य, जगत मिथ्या।" इस प्रकार शंकराचार्य ने एक नकारात्मक संसार के दर्शन की रचना की जो उसी प्रकार थी जिसे भगवान बुद्ध ने कुछ शताब्दियों पहले प्रचारित किया था। दोनों यह मानते थे कि संसार मौलिक रूप से मिथ्या तथा दुख:पूर्ण है। इसलिए संसार से पलायन ही उनके लिये एकमात्र विवेक था। शंकराचार्य को इसी कारण कभी-कभी प्रच्छन्न बुद्ध के नाम से भी संबोधित किया जाता है तथा उनके विरोधियों द्वारा एक मुखौटा धारण किए बुद्ध भिक्षु के रूप में निंदित भी किया जाता था। यह सत्य है कि उत्तरकालीन भारतीय मानस उनके माया के इस दृष्टिकोण से शक्तिशाली रूप से प्रभावित हो चुका था, लेकिन साथ ही साथ यह भी याद रहे कि सर्वमान्य विचार तथा संवेदनाएँ पूर्णतया इस द्वारा कभी भी ढाली नहीं गई। भक्ति के धर्म, जिन्हें हम जीवन में भागवत लीला या खेल के रूप में देखते हैं, का एक बढ़ता हुआ प्रभाव था। इसी संदर्भ में यह कहा जा सकता है कि शंकराचार्य का तात्पर्य वैदिक शिक्षाओं को पुनर्स्थापित करना था। लेकिन वेदों ने संसार को मिथ्या समझकर उसका त्याग नहीं किया था। बल्कि उन्होंने शिक्षा दी कि संसार भगवान के अभिव्यक्ति होने के तात्पर्य के लिए है।

शंकराचार्य के दर्शन को एक मर्यादायुक्त मिथ्यावाद कहा जा सकता है। क्योंकि यह दर्शन माया के लिए एक योग्य सत्य की पुष्टी करता है। यह माया को वास्तव में एक अकथनीय तथा अनुत्तरदायी रहस्य की भांति दर्शाता है लेकिन साथ ही साथ यह हमारे समक्ष एक तर्कसंगत समाधान भी प्रस्तुत करता है, जो प्रथम दृष्टि में पूर्णतया संतोषजनक है, उस विरोधाभास के लिये जो हमारे मन को ग्रसित करता है। यह जगत के दृढ़ तथा अति आवश्यक सत्य के हमारे भाव को वर्णित करता है तथा जीवन एवं प्रकृति के अनिर्णित, अपर्याप्त, दम्भपूर्ण, क्षणभंगुर असत्य के भाव को भी वर्णित करता है।

कई टीकाकारों द्वारा यह प्रस्तावना दी गई है कि जब तक कोई संसार के आकर्षणों तथा कामनाओं से मुक्त होकर परब्रह्म के साथ स्वयं को एकीकार ना कर सके तब तक शंकराचार्य संसार का माया के रूप में उल्लेख मात्र एक अस्थाई सत्य के तौर पर करते हैं, क्योंकि यह सभी आध्यात्मिक जिज्ञासुओं को पता है कि संसार के सभी आकर्षणों तथा कामनाओं में से लांघना ही पड़ता है। इसे करने के कई साधनों में से एक साधन का प्रस्ताव यह है कि संसार को मिथ्या जाना जाए या माया समझा जाए चाहे वह एक अस्थाई समय के लिए ही क्यों ना हो। स्वामी विवेकानन्द के शब्दों में, "इन्द्रिय भोग मनुष्य की आत्मा को बाहर खींच लाते हैं। मनुष्य आनन्द व खुशी वहाँ तलाश कर रहा है जहाँ उसे कभी भी पाया नहीं जा सकता। अनन्त काल से हम सबको यह शिक्षा दी जाती है कि यह व्यर्थ तथा वृथा है, यहाँ कोई खुशी नहीं है। परन्तु हम सीखते

नहीं। हमारे लिए, सिवाय हमारे अपने ही अनुभवों के द्वारा, ऐसा करना असम्भव है। जब हम उन्हें आजमाते हैं, तो हमें एक धक्का लगता है। क्या तब हम सीख जाते हैं? तब भी नहीं। जिस प्रकार पतंगे स्वयं को अग्नी की ज्वाला में झोंकते हैं, हम बारंबार स्वयं को इन्द्रीय-सुखों की ओर झोंक रहे हैं यह उम्मीद लगाए कि वहाँ हमें तृप्ति मिलेगी। हम बारम्बार एक नये जोश के साथ वापिस आते हैं। इस प्रकार क्रम चलता रहता है, जब तक हम दुर्बल हुए तथा धोखा खाये हुए मर नहीं जाते। तथा यह ही माया है।"

इस दर्शन के चाहे कोई भी गुण रहे हों, यह कहना पर्याप्त होगा कि भारत पर शंकराचार्य का प्रभाव अत्यधिक रहा। भारत के मानस पर इनकी शिक्षाओं की एक शक्तिशाली छाप पड़ी। इन शिक्षाओं का भाव संसार को नकारात्मक दृष्टि से देखना तथा संसारिक जीवन को त्यागने की ओर उन्मुख था। इस दृष्टि से सच्ची आध्यात्मिकता जीवन से भागने तथा कर्म से पीछे हटने में थी। मूलभूत स्वाभाविक प्रवृत्तियों और रूझानों का खेल जो साधारण मनुष्य के सामाजिक जीवन में सम्मिलित था उसे निम्न प्रकृति माना गया। अपने सच्चे स्वरूप को पाने के लिए मनुष्य को बाह्य-मुखी प्रवृत्तियों को काबू में करना, उन्हें रोकना तथा अंत में उन्हें अंतर्मुखी करना आवश्यक था। यह स्पष्ट है कि एक धार्मिक मत जिसका मौलिक आदर्श जीवन से पलायन करना था वह जीवन के रस को सुखाने के सिवाय कुछ नहीं कर सकता था।

लेकिन भारत के वेदों, उपनिषदों तथा गीता में वर्णित प्राचीन तथा स्वाभाविक आध्यात्मिकता ने कभी भी जीवन और कर्म के त्याग को मान्यता नहीं दी है। जैसा कि उपनिषद कहते हैं, "इस संसार के सभी कार्यों को करते हुए मनुष्य को सौ वर्ष तक जीने की इच्छा करनी चाहिए। यही आप में निहित है इसके अन्यथा कुछ भी नहीं, कर्म मनुष्य को बाँधते नहीं हैं।" परन्तु जगत को मिथ्या की संकल्पना के साथ भारतीय आध्यात्मिकता का एक मूल आदर्श बनाना, अंत में, भारत में जीवन-शक्ति के ह्रास का कारण बनी। फलतः जीवन-शक्ति पर बाहर से नये बंधन थोपे गये। जीवन को उसके समस्त विवरण में नियमित करने के लिए नये संहिता का निर्धारण किया गया। सोचने की शक्ति बंद हो गई तथा दूसरों के द्वारा स्थापित नियमों की लीक पर जीवन चल पड़ा। प्रारम्भ में जो रिवाज मात्र एक स्वैच्छिक अनुशासन थे वे अब अत्यंत निर्दयी बेड़ीयों व बंधनों में बदल दिये गये। जीवन की एक नियमावली अनुशासन के नाम पर जीवन को अवरोधित कर गई। परिणामस्वरूप बंधनों के बीच भी स्वतंत्रता को बनाए रखने की कला खो गई। और अंत में यहाँ वर्ण-व्यवस्था थी जो हर व्यक्ति के स्वभाव पर आधारित थी, लेकिन जीवन-शक्ति के समाप्त हो जाने पर यह एक सख्त बेड़ी में बदल गई तथा अपने महत्व को दिखाने का एक साधन बन गई।

किसी के जन्म के गर्व के साथ फूली हुई यह भारतीय समाज के घोर पतन के कारणों में से एक प्रमुख कारण बन गई। परिणामस्वरूप जीवन-शक्ति के खोने से विचार-शक्ति के निश्चित रूप से खोने का समय आ गया। इसी से प्रारम्भ हुआ भारतीय सभ्यता के पतन का काल जो आक्रमणों के अगले क्रम से तुरन्त पहले था।

तथापि हम शंकराचार्य की शिक्षाओं के अत्यधिक महत्व को कदापि कम ना करें, क्योंकि श्री अरविन्द के शब्दों में, "यह अस्तित्व के एक सत्य के अनुरूप है, एक सचेत अनुभव की स्थिति जो हमारी सम्भावनाओं की परम चोटी पर खड़ी है। कार्यान्वयन में भी मानव की पूर्णता में तपस्वी भाव का होना एक अपरिहार्य तत्व है तथा इसकी पृथक सकारात्मकता से भी बचा नहीं जा सकता जब तक संपूर्ण जाती अपनी बुद्धि तथा प्राणों की आदतों को सदा-हठी पशुता की दासता से मुक्त नहीं कर लेती।"

सारांश में हम देखते हैं कि बुद्ध-धर्म ने अनन्त की स्थिरता व जीवन की अस्थिरता के वैदिक शिक्षाओं के बीचों-बीच एक आध्यात्मिक व बौद्धिक नकारात्मकता को पकड़ा। इसको अतिश्योक्तिपूर्ण वैराग्य के मत के सर्वोच्च शिखर पर पहुँचाया गया। लेकिन समन्वयिक भारतीय मानस ने इस नकारात्मक दृष्टिकोण के विरुद्ध संघर्ष किया एवं अंत में बुद्ध-धर्म को तिरस्कृत कर दिया। लेकिन ऐसा करते हुए इस नकारात्मक दृष्टिकोण की ओर अपना पक्षपात-पूर्ण रूख अपनाया। वह पक्षपात शंकराचार्य के दर्शन यानि माया के सिद्धांत में चरम ऊचाइयों तक पहुँचा व उसने भारतीय मानस पर एक शक्तिशाली छाप डाली। भारतीय समाज के समस्त-प्राणशक्ति के बढ़ते हुए पतन के साथ मिलकर इस माया के सिद्धांत ने बृहद भारतीय आदर्श को विकृत करते हुए संसारिक जीवन के नाकारात्मक व उदासीन दृष्टिकोण को कुछ काल के लिये स्थापित अवश्य कर दिया। परंतु इनका दर्शन वैदिक प्रमाणिकताओं, उपनिषदों, ब्रह्म-सूत्रों व गीता से निकला हुआ अभिप्राय हो ऐसा कतई आवश्यक नहीं है तथा इसी कारण इसका विरोध अन्य वैदिक दर्शनों व धर्मों द्वारा सदा होता रहा। इन अन्य दर्शनों व धर्मों ने अपने आध्यात्मिक अनुभवों द्वारा बहुत भिन्न निष्कर्ष निकाले। इन धार्मिक आन्दोलनों में से एक भक्ति आंदोलन या उपासना का आंदोलन था।

16

भक्ति आंदोलन

1. अल्वर

अल्वर भगवान विष्णु के गहरे उपासक थे। प्रथा के अनुसार वे 12 अल्वर थे जिनके नाम क्रमशः पोयकाई, भूतम, पेय, तिरुमाजीसाई, नामल्वर, पेरीयाल्वर, अंडल, कुलाशेखरण, अनुराकवि, टोंडर-आदी-पोड़ी, तिरूपान तथा तिरूमंगाई थे। वे विभिन्न जातियों से थे तथा दक्षिण भारत में पाँचवीं से नौवीं सदी के बीच रहे। भगवान विष्णु के उपासक होने के कारण, विशेषतया रंगनाथ के, उन्होंने भगवान की स्तुती में अनेकों भक्ति गीत रचे। उनके व्यक्तिगत रचनाओं को बाद में एक ही **दिव्य प्रबन्धम** नामक धर्मग्रंथ में एकत्रित कर दिया गया। अल्वरों ने भक्ति पंथ के विकास में, विशेषतया दक्षिण भारत में वैष्णव भक्ति की लोकप्रियता के प्रति एक महत्वपूर्ण भाग लिया।

2. श्री रामानुजाचार्य

श्री रामानुजाचार्य जो सन् 1017 तथा 1137 के बीच रहे, वे विशिष्ट अद्वैत दर्शन (योग्य द्वैतवाद) के एक प्रमुख प्रतिपादक थे, जो कि इस विचार पर आधारित था कि भगवान और आत्मा अलग-अलग तत्व हैं तथा शंकराचार्य के अद्वैतवाद (द्वैत विहीन) दर्शन के विपरीत थे। वे दक्षिण भारत में श्री पेराम्बदूर में पैदा हुए तथा उनके माता पिता ने उनका नाम इल्या पेरूमल रखा। छोटी उम्र में ही पिता का देहांत होने के बाद, वे तथा उनकी माता कांचीपुरम चले आए, जहाँ पेरूमल बड़े हुए तथा 16 वर्ष की अल्पायु तक उन्होंने समस्त वेदों पर पूर्ण ज्ञान प्राप्त कर लिया। एक वर्ष के पश्चात उनका विवाह हो गया। लेकिन विवाह-बंधन बहुत सफल नहीं सिद्ध हुआ। उनकी पत्नी रामानुज के वैष्णव मत के उच्च आदर्शों में गहरी रूची की सराहना नहीं कर सकी तथा उसे वैष्णव मत के अत्यधिक धार्मिक अनुयायियों के प्रति कोई आदर की भावना ना थी। शायद इन्हीं मन मुटाव के कारण उनका संयास लेने का कार्य सुगम हो गया। उन्होंने 30 वर्ष की आयु में सांसारिक जीवन त्याग दिया तथा रामानुज मुनी नामक एक नया नाम पा लिया। वैष्णव मत की गूह्य दीक्षा लेने के पश्चात उन्होंने उस प्राप्त ज्ञान के साथ लोगों की सहायता करने का निश्चय किया।

जल्द ही उनकी लोकप्रियता बढ़ी। उनके कई शिष्य बन गये। वे भारत के विभिन्न भागों में विशिष्ट अद्वैतवाद का संदेश फैलाते घूमते रहे तथा अपने मत में अनेक लोगों को सम्मिलित किया। उन्होंने ब्रह्म सूत्रों पर श्री भाष्यम: नामक टीका (भाष्य) लिखा तथा और भी कई अन्य पुस्तकों व कार्यों की रचना की। अपने भक्ति आंदोलन की सफलता को गहन सरगर्मी के काल के दौरान निश्चित करते हुए उन्होंने 1137 ई. में अपना शरीर त्यागा।

3. माधवाचार्य

वर्तमान कर्नाटका के उदीपि नगर के समीप 760 वर्ष पूर्व एक छोटे से गाँव में जन्मे श्री माधवाचार्य ने तत्ववाद नामक द्वैत-दर्शन का प्रचार किया। अपनी अल्प बाल्य-अवस्था में अपनी आयु से अधिक मेधावी तथा अत्यधिक धार्मिक माधव को 11 वर्ष की छोटी आयु में ही उदीपि के एक संत द्वारा संयास की दीक्षा दे दी गई। उहोंने अपना बाकी का सारा जीवन एक स्थान से दूसरे स्थान तक यात्रा करते हुए द्वैत दर्शन का प्रचार करते तथ प्राय: खतरों का सामना करते बिताई। आचार्य के कई शिष्य थे जिनमें से आठ बाद में उदीपि के आठ मठों के आचार्य बने। श्री माधव को उदीपि के प्रसिद्ध मंदिर में श्रीकृष्ण की मूर्ति की स्थापना का श्रेय जाता है। दंत कथाओं के अनुसार एक स्वप्न देखने के बाद श्री माधवाचार्य ने स्थानीय मछुआरों की सहायता से मालपे के समुद्र से मूर्ति को निकलवाया तथा उसे मंदिर में स्थापित करवाया। अपने जीवनकाल में उन्होंने कई पुस्तकें व भाष्य भी लिखे जिनमें भगवदगीता, दस उपनिषद तथा ब्रह्मसूत्रों पर भाष्य भी सम्मिलित हैं। ह्रष्ट-पुष्ट, स्फुर्ती वाले, मन में बलवान तथा अत्यधिक धार्मिक माधवाचार्य ने अनुपम नेतृत्व की योग्यता का परिचय दिया तथा अपने जीवनकाल के दौरान आध्यात्मिक अनुठेपन के साथ भारत के धार्मिक इतिहास में अपने लिये एक अद्वितीय स्थान अर्जित किया। वे 1317 ई. में मृत्यु को प्राप्त हुए।

आंदोलन की देन

इन आंदोलनों की एक महान देन आध्यात्मिकता तथा धर्म को एक अपूर्व स्तर तक लोकप्रिय कर दिया जाना था। श्री अरविन्द के शब्दों में,: "परंतु यह महानतम धार्मिक सत्य कुछ दीक्षा प्राप्त पात्रों तक ही अब सीमित नहीं था। यह अब अधिक से अधिक शक्तिशाली, विस्तृत तथा गहन तरीके से सामान्य मानवों के मन और भावनाओं को सम्मिलित कर रहा था। तथाकथित बहु-ईश्वरीय तत्व वाले वैदिक विचारधारा को भी एक बृहद व अधिक सुगम विष्णु या शिव की स्तुती तक स्थापित व विस्तृत किया, जिनको जगत के आदि तथा सबसे ऊँचे प्रभुत्व का पद दिया गया एवं बाकी अन्य सभी उनकी जीवन्त शक्तियाँ तथा

रूप दिखाए गए। मनुष्य में दिव्यता होने के विचार को एक असाधारण स्तर तक लोकप्रिय किया गया, ना केवल मानव जाति के बीच भगवान का कभी-कभी अवतरण ही, जिसने अवतारों की पूजा का आधार रखा, बल्कि उस दिव्य उपस्थिति का हर जीव में खोजा जाना भी लोकप्रिय किया गया। योग की प्रणालियां ऐसे ही साँझे आधार पर स्वयं विकसित हुई। कई प्रकार के भौतिकी मनोविज्ञान, आंतरिक मनोमय, आंतरिक प्राणमय, तथा आध्यात्मिक मनोविज्ञान की विधियों द्वारा समस्त भारतीय आध्यात्मिकता के साँझे लक्ष्य, एक बृहद चेतना तथा एक भगवान के साथ लगभग पूर्ण योग या अन्यथा अनन्त चेतन शक्ति में व्यक्तिगत आत्मा के डूबने की ओर ले जाने के लिये सभी राह दिखाने की इच्छा करने लगे या ले जाने लगे। पुराणो-तांत्रिक विधि एक विस्तृत, विश्वसनीय तथा बहु-मुखी प्रयास थी, जो अपनी शक्ति, दूर-दृष्टि एवं विस्तार में अद्वितीय थी, तथा जो जाति को एक सर्व-साधारण मनोवैज्ञानिक-धार्मिक आधार प्रदान करती थी जिससे मनुष्य ज्ञान, कर्म या प्रेम या किसी भी अन्य अपने स्वभाव के मूलभूत मानसिक शक्ति के द्वारा किसी सिद्ध किये सर्वोपरी अनुभव तथा सर्वोच्च पूर्ण पद की ओर उठ सकता था।"

17

मुस्लिम आक्रमण

आठवीं शताब्दी AD में कई विदेशी आक्रमणों की लड़ी आरम्भ हुई, जिसका भारत पर एक गहरा तथा स्थाई प्रभाव पड़ा था। यह मुसलमानों के आक्रमण थे जो पहले अरब सागर के रास्ते सिन्ध में हुए तथा बाद में तुर्कों द्वारा उत्तर-पश्चिम भारत के दर्रों में से हुए। यद्यपि अरब लोग प्रथम मुस्लिम विजेता थे जिन्होंने भारत पर आक्रमण किया, लेकिन उनका आक्रमण भारत के राजनैतिक इतिहास में मात्र एक घटना थी। लेकिन सांस्कृतिक दृष्टिकोण से यह महत्वपूर्ण थी। इसने भारतीय संस्कृति के बीजों को विदेशी धरतीयों पर बिखरने के लिए सुगम या सहज कर दिया। अरबों ने भारतीयों से दर्शन, धर्म, औषधियाँ, गणित तथा खगोल-शास्त्र में ज्ञान अर्जित किया। उसके बाद अरबों ने वह ज्ञान यूरोप को दे दिया। दरअसल यह अरब ही थे जिन्होंने शून्य की धारणा को भारत से पश्चिम में पहुँचाया।

अगले आक्रमणकारी उत्तर-पश्चिमी भारत के खैबर व बोलन दर्रों के रास्ते आए। यह मुसलमानों के द्वारा भारत पर विजय की पहल थी। यह अवश्य अभी कह देना होगा कि भारत में मुसलमानों द्वारा जन-संहार का चिरस्थाईकरण इतिहास में अतुलनीय है।, नाजियों द्वारा यहूदियों के सर्वनाश से भी अधिक बड़ा, या तुर्कों द्वारा आरमेनिया के नर-संहार से भी अधिक, स्पेन और पुर्तगाली आक्रमणकारियों द्वारा स्थानीय दक्षिण अमेरिकी जनसंख्याओं के मारकाट से भी अधिक विस्तृत था। हम फ्रांस के इतिहासकार ऐलेन देनिलू तथा डच विद्वान कोनराड ऐलस्ट जिसने बहुत रूचीकर पुस्तक **भारत में नकारात्मकता** लिखी है तथा अंत में श्री अरविन्द की लेखनी का उल्लेख करेंगे जो उन गिने-चुने भारतीय क्रांतिकारियों में से एक थे जिनको साहस था उसके बारे में सत्य कथन करने का जिसको तब **मुसलमानी फैक्टर के** नाम से जाना जाता था। ऐलेन डेनेलु लिखते हैं कि लगभग 632 AD में, जब से मुसलमानों ने आना आरंभ किया, भारत का इतिहास हत्याओं, जन-संहार, लूट-पाट तथा तबाही का एक लंबा नीरस क्रम बन जाता है। उनके मत में यह प्रायः एक धर्म-युद्ध के नाम में, उनके एकाकी भगवान के नाम में था कि इन असभ्य लोगों ने सभ्यताओं

को नष्ट किया, तथा सम्पूर्ण जाति का समूल सर्वनाश किया था। **डेनेलु** आगे लिखते हैं कि महमूद गजनी मुस्लिम क्रूरता का एक प्रारम्भिक उदाहरण था जिसने 1018 में मथुरा के मंदिरों को जलाया, कन्नौज को धरती में मिला दिया, और समस्त हिन्दुओं के पवित्र सोमनाथ के प्रसिद्ध मंदिर को नष्ट कर दिया। उसके उत्तराधिकारी गजनी की भांति ही क्रूर थे। 1030 में बनारस के पवित्र शहर को मिट्टी में मिला दिया, उसके अद्भुत मंदिरों को नष्ट कर दिया, उसके शोभायमान महलों को तहस नहस कर दिया। अंत में डेनेलु लिखते हैं कि मुसलमानों की वास्तव में भारत के प्रति नीति यह लगती थी कि वह सब जो सुंदर, पवित्र तथा सभ्य था उसे सचेत रूप से तबाह कर देना (Histoire de I'Inde, pp. 222)। अमेरिका के एक और इतिहासकार विल डयूरेंट के शब्दों में *इस्लामिक लोगों द्वारा अत्याचार भारत पर विजय के इतिहास में शायद सबसे अधिक खूनी कहानी है। यह एक हतोत्साहित करने वाली गाथा है, क्योंकि इसका स्पष्ट निष्कर्ष है कि सभ्यता एक अनमोल वस्तु है, जिसकी कोमल स्वतंत्रता व जटिल व्यवस्था को किसी भी क्षण असभ्य लोगों के द्वारा बाहर से आक्रमण करके तथा भीतर से गुणा होकर बढ़ती हुई संख्या द्वारा उखाड़ कर फेंका जा सकता है।*

इस्लामिक साम्राज्यवाद के उदय से पूर्व भारत पूर्णतया शांति का क्षेत्र नहीं था। हिन्दु राजाओं द्वारा अनेकों युद्ध लड़े जाते थे। लेकिन अपने सभी युद्धों में, हिन्दुओं ने शास्त्रों द्वारा स्वीकृत किन्हीं समय-प्रतिष्ठित रीतियों की पालन की थी। ब्राह्मणों तथा भिक्षुओं को कभी उत्पीड़ित नहीं किया जाता था। गायों का कभी वध नहीं किया जाता था। मंदिरों को कभी छुआ नहीं जाता था। स्त्रियों की इज्जत पर कभी हाथ नहीं डाला जाता था। असैनिकों को कभी भी पकड़ा या मारा नहीं जाता था। जब तक कि वह किला ना हो मानवों की बस्ती पर कभी आक्रमण नहीं किया जाता था। सार्वजनिक प्रजा को कभी लूटा नहीं जाता था। सैनिकों के वर्ग प्रायः खुले मैदानों में आपस में टकराते थे, तथा उनकी एक आचार-संहिता होती थी। विजय या भौतिक लाभ के लिए आचार-संहिता का उल्लंघन किया जाना मृत्यु से भी बुरा माना जाता था। यह क्षत्रीय धर्म था।

इस्लामिक साम्राज्यवाद एक भिन्न संहिता के साथ आया-पैगम्बर का सुन्ना। यह अपने योद्धाओं से माँग करता था कि वे युद्ध में विजय प्राप्त करने के पश्चात असहाय आम नागरिकों पर टूट पड़ें। यह इनसे माँग करता था कि जब प्रतिरक्षक लड़ते हुए मर जाएँ या भाग चुके हों तो नगरों और गांवों को लूटने के पश्चात जला दिया जाये। असैनिकों के सामुहिक कत्लेआम में गायों, ब्राह्मणों तथा भिक्षुओं पर इनकी विशेष दृष्टि जाती थी। किसी भी लूट और अग्निकांड की धूम में मंदिर और मठ इनके विशेष लक्ष्य होते थे। जिनको वे कत्ल नहीं

करते थे उन्हें वे बंदी बनाते तथा दासों के रूप में उन्हें बेचते। इनके सैनिक अभियान की सफलता का परिमाप इनके द्वारा मृतकों के शरीरों से भी कुल लूटी गई संपत्ती की विशालता होती थी। और वे यह सब मुजाहिद (धर्म योद्धा) तथा घजल (काफिरों को मारने वाले) के रूप में अपने अल्लाह तथा उसके आखिरी पैगम्बर की सेवा में करते थे।

हिन्दु लोग इस नए आक्रमणकारी की मनोवैज्ञानिक अवस्था को समझने में अति कठिनाई पा रहे थे। अपने इतिहास में पहली बार हिन्दु ऐसा नजारा देख रहे थे जो कान्हादादे प्रबन्ध (1456 ई.) द्वारा निम्नलिखित शब्दों में विस्तृत किया गया था:

विजित सेना ने गांव जलाए, खेतों को तबाह किया, लोगों की सम्पत्ति को लूटा, ब्राह्मणों तथा सभी जातियों की स्त्रियों तथा बच्चों को बंधक बनाया, चमड़े के कोड़ों द्वारा उन्हें मारा, एक चलता फिरता बन्दीगृह इनके साथ था, तथा कैदियों को निम्न प्रकार के तुर्कियों में परिवर्तित किया।

यह अलाउद्दीन खिलजी द्वारा गुजरात पर आक्रमण जो वर्ष 1298 ई. में हुआ था उसकी याद में लिखा गया था। लेकिन यह भयंकर खेल प्रारंभ हो चुका था तीन शताब्दी से अधिक समय पूर्व जब महमूद गजनवी ने प्रण किया था कि वह भारत पर हर वर्ष आक्रमण करेगा ताकि वह मूर्तिपूजा को नष्ट कर सके, काफिरों को मारे, युद्ध में पराजित सैनिकों को बंधक बनाए, तथा उस विशाल सम्पत्ति को लूटे जिसके लिए भारत प्रसिद्ध था।

वह अति लोलुप आक्रमणकारी था तथा यह कहा जाता है कि उसने भारत पर 17 बार आक्रमण किया। इन आक्रमणों में उसका मुख्य उद्देश्य था भारत की संपत्ति को हथियाना तथा भारत में शासकों के आत्मविश्वास को नष्ट करना। उसने पंजाब को सम्पत्तिविहीन किया तथा इसके सैनिक स्त्रोतों को बुरी तरह से तबाह किया। मुहम्मद गजनी द्वारा पंजाब पर अधिपत्य ने भारत के भीतरी भाग को खोलने की चाबी समान कार्य किया।

इसके बाद मुहम्मद गोरी के आक्रमणों का क्रम आरम्भ हुआ। उसने हर वर्ष भारत पर आक्रमण किए लेकिन अपने आरम्भिक प्रयत्नों में वह सफल नहीं हुआ। उसने अनुभव किया कि मुल्तान तथा सिन्ध में से निकल भारत को विजय करना संभव नहीं था तथा हिन्दुस्तान की चाबी पंजाब के रास्ते से है। 1179 से 1191 ई. तक उसने बारम्बार भारत पर आक्रमण किये तथा पंजाब, मुल्तान व सिंध का मालिक बन गया। लेकिन हिन्दुस्तान का मालिक बनने से वह बहुत दूर था। गौरवशाली राजपूतों ने समर्पण करने से इंकार कर दिया तथा अजमेर के राजा पृथ्वीराज चौहान के नेतृत्व में उन्होंने मुहम्मद गौरी की प्रगति

को रोकने का फैसला किया। उसने गौरी व उसके सरदारों के विरुद्ध चढ़ाई की जिसमें उसकी बहुत बड़ी सेना में 20,0000 घोड़े तथा 3,000 हाथी थे। कन्नौज के राजा जयचन्द के अलावा सभी राजपूत राजाओं ने उसका साथ दिया। 1191 ई. में दोनों सेनाएँ थानेसर से 14 कि.मी. दूर एक गाँव तारेन में आमने-सामने हुई। मतुहम्मद गोरी ने दाएँ, बाएँ तथा बीच से धावा बोला और मध्य में एक स्थान पर काबू पा लिया। राजपूतों ने मुस्लिम सेना के दोनों किनारों पर धावा बोला जिसके कारण वे इधर-उधर बिखर गईं। मुहम्मद गोरी ने पृथ्वीराज के भ्राता गोविन्द राय के मुख पर अपनी तलवार से वार किया और उसके दांत तोड़ दिये। गोविन्द राय ने जवाबी हमला किया और गोरी की बांह पर वार कर दिया जिसके कारण एक गहरा घाव हो गया। उस वार से अचम्भित होकर वह वापिस मुड़ा तथा उसके घाव से खून की धारा बह निकली और अपने घोड़े से गिरने लगा। तभी उसके खिलजी सैनिक ने उसकी सहायता की एवं उसे मैदान से उठा कर ले गया। मुसलमान सैनिक सभी दिशाओं में बिखर कर भागे और मुहम्मद गोरी वापिस गजनी चल गया।

वापिस आने पर मुहम्मद गौरी ने उन सभी सैनिकों तथा सैनिक अफसरों को सजा दी जो लड़ाई के मैदान से भाग गए थे। उनकी सार्वजनिक तौर पर निंदा की गई तथा सारे शहर में उनको घुमाया गया। 1192 ई. में उसने गजनी से एक बड़ी सेना का नेतृत्व करते हुए कूच किया तथा उस सेना में 1,20,000 सैनिक थे व तारेन में उसने दुबारा डेरा डाला। उसके बाद एक खूनी युद्ध हुआ। 150 राजा राजपूतों की ओर लड़े। प्रारम्भ में राजपूत घुड़सवारों की सेना ने मुस्लिम सेना की प्रगति को रोक दिया। युद्ध सुबह से सूर्यास्त तक चला। उसके बाद रात्री में मुहम्मद गौरी ने 12,000 घुड़सवारों के साथ एक अंतिम धावा बोला और विश्राम कर रही राजपूत छावनी में तबाही और मौत फैला दी। राजपूत इस अनैतिक धावे के आगे खड़े ना रह सके तथा पराजित हो गए। पृथ्वीराज को बंदी बना लिया गया और उसे सिरश्रुति नगर ले जाया गया। यह कहा जाता है कि पृथ्वीराज को दोनों आँखों से अँधा कर दिया गया। पृथ्वीराज तीरन्दाजी में सिद्धस्त था एवं यह कहा जाता है कि वह केवल ध्वनी सुनने मात्र से ही लक्ष्य पर अचूक निशाना लगा सकता था। मुहम्मद गोरी ने उसे अपने दरबार में बुलवाया एवं पृथ्वीराज पर चिल्ला कर बोला कि वह अपने धनुष-बाण का कमाल दिखाए। पृथ्वीराज ने तुरन्त अपना धनुष उठाया तथा मुहम्मद गौरी पर तीर चलाया और उसे उसी समय मार गिराया उसके बाद पृथ्वीराज को मार दिया गया। इस प्रकार महान राजपूत राजाओं में से एक के विरोध का अंत हो गया।

यह विजय निर्णायक थी क्योंकि इसने उत्तरी भारत में मुसलमानों के अधिपत्य की नींव रखी। हम इसके पश्चात होने वाले सारे आक्रमणों और शासकों के विस्तार में नहीं जाऐंगे। कुछ नाम और विशेष वर्णनों को बताया

जाएगा। मुहम्मद गौरी ने पृथ्वीराज पर विजय प्राप्ति के तुरंत बाद दिल्ली के सुल्तान राज्य की स्थापना की। इसकी स्थापना 1192 ई. में दिल्ली पर अधिकार के बाद हुई। 1206 ई. में उसके एक सेनापति कुतुबऊद्दीन ऐबक ने स्वयं को दिल्ली का सुल्तान घोषित किया तथा दास वंश के शासकों के लीक की नींव रखी क्योंकि वह तथा उन सुल्तानों में से कई जिन्होंने उससे सत्ता को प्राप्त किया वे मूल रूप में सैनिक दास थे। इस सुल्तान वंश का इतिहास मारकाट, क्रूरता तथा धोखा-धड़ी से भरा था। यह पांच वंशों में बंटा था (दास, खिलजी, तुगलक, सैय्यद, तथा लोधी)। इल्तुतमिश (1210-1235) तथा बलबन (1266-1287) दास वंश के सबसे प्रसिद्ध शासकों में से थे। विजित क्षेत्रों तथा विद्रोही परिवारों द्वारा लगातार विद्रोह का सामना करते हुऐ, दास वंश 1290 ई. में समाप्त हो गया। खिलजी वंश (1290-1320) के अल्लाउद्दीन खिलजी के अधीन हुई विजयों ने भारत में मुस्लिम आधिपत्य को मुगल साम्राज्य के आने तक अपनी चरम ऊँचाईयों तक पहुंचा दिया।

1316 ई. में अलाउद्दीन खिलजी की मृत्यु के बाद मुस्लिम शक्ति को दुबारा एक झटका लगा लेकिन तुगलकों ने जल्द इसे पुनर्जीवित कर दिया। अब तक भारत में मुस्लिम अधिकार वाले क्षेत्रों की लम्बाई चौड़ाई में आने वाले अधिकतर मंदिरों को गिरा दिया गया था। केवल राजस्थान और उड़ीसा ने अपनी स्वतंत्रता तथा मंदिरों को बनाए रखा था। अब तक लगभग सभी बड़े धनी कोष लूट लिये गये थे एवं मुस्लिम शासक व उनके तलवारधारकों के बीच बँट गये थे। फिरोज़शाह तुगलक ने उड़ीसा पर 1360 ई. में चढ़ाई की। उसने पुरी में स्थित जगन्नाथ का मंदिर ध्वस्त कर दिया, तथा अन्य कई हिन्दु तीर्थों को अपवित्र कर दिया। फिरोजशाह के स्वयं लिखित या उसके द्वारा मुखरित आलेख **सिरते फिरोज शाही** के अनुसार:

अल्लाह, जो अकेला सच्चा भगवान है तथा उसका कोई और स्वरूप नहीं है, ने इस्लाम के राजा को पूर्वी समुद्र के किनारे स्थित इस प्राचीन तीर्थ को नष्ट करने की तथा इसे समुद्र में डुबों देने की शक्ति प्रदान की, तथा उसके नष्ट होने के बाद उसने जगन्नाथ की मूर्ति को छिद्रों से भरने का हुक्म दिया। उसने जाजनगर के राज्य में अन्य मूर्तियों को भी उखाड़ा जिन्हें मूर्तिपूजकों द्वारा पूजा जाता है तथा उन्हें भी पटक दिया जैसा कि जगन्नाथ की मूर्ति के साथ किया गया, ताकि उनको सुन्नियों के रास्ते के साथ तथा मुसलिम (नमाज पढ़ने को जाने वाले मुसलमान) के रास्ते मस्जिदों के सम्मुख लेटाया जाये व हर मस्जिद की मिनारों के समक्ष इन्हें फैलाया गया ताकि प्रवेश पर ऊपर चढ़ते समय या बाहर नीचे आते समय इन मूर्तियों के शरीर और अंग मुसलमानों के पैरों में पड़े जूतों द्वारा रौंदे जाएें।

उड़ीसा के मंदिरों की लूटपाट के बाद फिरोजशाह तुगलक ने समुद्र-तट पर स्थित एक द्वीप पर धावा बोला जहाँ जाजनगर के लगभग 10,000 मनुष्यों ने अपनी स्त्रियों, बच्चों, रिश्तेदारों व मित्रों के साथ शरण ली हुई थी। इस्लाम के तलवारधारियों ने द्वीप को अविश्वासियों के महा-कत्लेआम से खून के कटोरे में बदल डाला। हिन्दु औरतों के ऊपर एक भयंकर किस्मत हिस्से आई। बच्चों के साथ स्त्रियों तथा गर्भवति स्त्रियों को गले से, कलाइयों से, टांगों से जंजीरों से बाँधा गया तथा हर सिपाही के घर में सेवा हेतु दासी की भांति धकेला गया।

इससे भी अधिक क्रूर दृश्य फिरोजशाह तुगलक द्वारा नगरकोट (कांगड़ा) में खेले गये जहाँ उसने ज्वालामुखी के मंदिर को लूटा। तुगलक वंश (1325-1398) के संस्थापक मुहम्मद तुगलक के प्रारम्भिक शासन काल में दिल्ली की शक्ति का सुदूर दक्षिण भारत में भी लोहा माना जाता था। उसके वहमी शासन तथा भयानक स्वभाव ने क्रमवार कई विद्रोहों को प्रेरित किया, विशेषतया दक्षिण भारत में विजयनगर के हिन्दु राज्य द्वारा तथा धीरे-धीरे उसके क्षेत्र उसके अधिकार से हटते चले गये। उसकी मृत्यु तक (1351) दक्षिण भारत के हिन्दुओं ने अपनी स्वतंत्रता पुनः प्राप्त कर ली थी तथा दख्खन के कुछ भाग बाहमनी राज्य के अधीन आ गये। तुगलक के उत्तराधिकारियों के अधीन दिल्ली की सल्तनत छोटे-छोटे राज्यों में टूटती चली गई। 1398 ई. में तिमूर द्वारा दिल्ली को लूटे जाने के बाद कभी महान कही जाने वाली सल्तनत समाप्त हो गई, यद्यपि बाबर के आक्रमण तथा मुगलों के विजयश्री तक स्थानीय शासक दिल्ली पर शासन करते रहे। तिमूर 1399 में **तुजकी तिमूरी में** कुरान का उल्लेख करते हुए प्रारम्भ करता है: *हे पैगम्बर,* काफिरों और *अविश्वासियों पर युद्ध करो और उनके साथ बेरहमी का सलूक करो।* वह आगे लिखता है, *मेरा महान उद्देश्य हिन्दुस्तान पर आक्रमण करने का तथा काफिर हिन्दुओं के विरुद्ध धार्मिक युद्ध करने का रहा है—ताकि इस्लाम की सेना हिन्दुओं की संपत्ति एवं अमूल्य वस्तुओं की लूट द्वारा कुछ लाभ पा सके।* कश्मीर की सीमा पर काटोर के किले पर अचानक धावे के साथ उसने अपना अभियान आरम्भ किया। उसने अपने सैनिकों को हुक्म दिया कि वे सभी पुरुषों को मार दें, बच्चों और स्त्रियों को बंदी बना ले तथा उनकी सारी संपत्ति को लूट लें व तबाह कर दें। उसके बाद उसने निर्देश दिया कि उन जिद्दी काफिरों के सिर-मुंडों के पहाड़ पर मिनारें बनाई जाएँ। उसके जल्दी बाद राजपूतों द्वारा प्रतिरक्षित भटनीर को घेर डाला। कुछ लड़ाई के पश्चात राजपूतों ने हथियार डाल दिए तथा तिमूर ने उन्हें क्षमा कर दिया। लेकिन तिमूर ने अपनी प्रतिज्ञा जो उसने क्षमा के समय राजपूतों को दी थी उसको उसके धर्मान्ध इस्लाम ने नहीं माना। **तुजकी तिमूर** आगे अभिलेख करता है:

थोड़े से समय में ही किले के सभी लोगों को तलवार से मार दिया गया तथा एक घंटे में ही 10,000 काफिरों के सिर काट दिए गऐ। इस्लाम की तलवार काफिरों के खून से नहा ली थी तथा सभी वस्तुऐं तथा सामान, खजाना तथा अनाज, जो किले में कई वर्षों से जमा था वह मेरे सिपाहियों की लूट बन गया। उन्होंने घरों को आग लगा दी तथा उन्हें राख में बदल दिया, तथा भवनों एवं किले को जमीन में मिला दिया।

तथापि, यह जानना आवश्यक है कि सभी मुसलमान आक्रमणकारी इस प्रकार के नहीं थे। इस्लामी आक्रमणकारी कई भिन्न प्रकारों के थे। कुछ ऐसे थे जो मात्र लूट-पाट के लिए आऐ तथा लूटने के पश्चात जल्द वापिस चले गये। ऐसे आक्रमणकारी बेशक एक बहुत दुर्बल प्रभाव छोड़ गये। इसके साथ ही साथ इस्लामी तथा हिन्दु शासकों के बीच सहयोग के प्रमाण भी हैं जैसे कि तिरहुट के कीर्ति सिंह व जौनपुर के शासक इब्राहिम शाह शरकी (1401-1440) के बीच का सहयोग। हिन्दु राजनायक अपने मुस्लिम विरोधियों के विरुद्ध, खास तौर पर लोधीयों के विरुद्ध प्राय: जौनपुर के सुल्तानों की सहायता करते थे।

इसलिये यह चित्रित करना गलत होगा कि सभी इस्लामिक शासक एक समान थे। जबकि अधिकतर स्थानीय जनता के प्रति निश्चयपूर्वक अत्याचारी थे तथा मंदिरों और मूर्तियों को भ्रष्ट करते थे, अन्य, जैसे कि अहमदाबाद के अहमद शाह या बीजापुर के आदिल शाह ने नये शहरों का निर्माण नवनिर्मित भवन सामग्रियों के साथ करवाया। इसी प्रकार शेर शाह सूरी ने अपने छोटे से राज्यकाल में कई नये नगरीय केन्द्रों की रचना व राष्ट्रीय राज-मार्ग के पुर्नस्थापित करने में एक विशेष निर्णायक भाग लिया। लोधी वंश तथा मुगल शासकों, जैसे अकबर ने भी कई नये शहरों का निर्माण किया। यह भी एक सत्य है कि जबकि कुछ शासक अपनी प्रजा से दूर ही रहे, तथा तुर्की, मध्य ऐशिया, इरान या इराक से सांस्कृतिक रीति रिवाजों को आयात करने की ओर बेसब्री से आकर्षित थे–अन्य संस्कृत पढ़ने को अग्रसर, स्थानीय कलाओं को प्रोत्साहन देने तथा बिना भेद-भाव के हिन्दुओं को अपने प्रशासन में नौकरी देने में व्यस्त थे। अहमद शाह ने बिना हिचक हिन्दु व जैन भवन कला के प्रमुख भावों को अपने भवनों में सम्मिलित किया, अन्य जैसे कि दक्कन के प्रशासकों ने नये प्रकारों के कलाओं को जन्म दिया। अधिक जागृत इस्लामिक शासकों में से कुछ (विशेष तौर पर वे जो भारत में ही पैदा हुए तथा पले-बढ़े) भारतीय भौगोलिक तथा जलवायु संबंधी हालातों को समझने लगे तथा राजस्थान, मध्यप्रदेश या तमिलनाडु (तथा और भी जगहों पर) में अपने हिन्दु सह-शासकों की भांति अति-आवश्यक जल-कार्यों जैसे नहरों, बांध, कृत्रिम झीलों, सीढ़ीयों वाले कूओं तथा धरती के नीचे जल-प्रवाहों में धन लगाने लगे। अपने धर्मनिरपेक्ष व्यवहार

में इस्लामिक शासकों में से सर्वोत्तम शासकों ने शहरी जीवन और संस्कृति के विस्तार की ओर उसी प्रकार योगदान दिया जैसे अन्य शासकों ने पूर्वगामी कालों में किया था।

यह अवश्य याद रखना चाहिए कि भारत में मुसलमानों के विशाल जनसमूह जाति द्वारा भारतीय थे एवं हैं, तथा केवल बहुत कम पठानी, तुर्की तथा मुगली खून का मिश्रण हुआ था, व विदेशी राजा एवं सामंत भी अपने मन, जीवन तथा रूचियों में लगभग तुरंत सम्पूर्ण भारतीय बन गये।

मुसलमानों के विशाल जनसमूह धर्म-परिवर्तित हिन्दु थे। अधिकतर धर्म-परिवर्तन बलपूर्वक किये गये थे। इब्नबतुता भी इशारा करते हैं कि लोगों को नित्य प्रार्थना को जाने के लिये धमकाया जाता था। हिन्दु इस प्रकार के धर्म के आदी थे जहाँ उन्हें अधिक स्वतंत्रता थी कि कब और कितनी बार वे मंदिर में जाएँ। वे नित्य बारंबार प्रार्थना के संयमित व्यवस्था का विद्रोह करते थे। इमाम को प्राय: इन धर्म परिवर्तित हिन्दुओं को प्रार्थना सभा में उपस्थित होने के लिये धमकाना पड़ता या डंडे मारने पड़ते।

इस्लाम का एक और नकारात्मक परिणाम यह था कि चूंकि इस्लाम मूर्ति-पूजा का विरोधी था, इस कारण प्राचीन भारत की समृद्ध शिल्प कला की परंपरा को एक बड़ा धक्का लगा। इसके गहरे, चाहे कम विदित कुछ परिणाम भी सामने आए। एक अदृश्य भगवान जिसके पास अनन्त काल तक नरक की सजा देने की शक्ति थी, उसके आगे प्रतिदिन तथा जबरदस्ती घुटने टेकना व प्रार्थना करना वास्तव में कहीं अधिक आत्मग्लानि एवं मन को चेतनाशून्य करने वाला था। इस्लामीकरण स्वतंत्र विचार और धार्मिक मतभेद को धीरे-धीरे समाप्ति की ओर भी ले गया। हिन्दु-धर्म जो दोनों उदार और रूढ़िवादी परम्पराओं का सुमेल था तथा नास्तिकता व देवी पूजा को वैदिक आध्यात्मिकता के समकालीन अस्तित्व की आज्ञा देता था, उसके बिल्कुल विपरीत इस्लाम अपने उपदेशों के समक्ष पूर्ण समर्पण की माँग करता था तथा अन्य धारणाओं को बहुत कम स्थान देने की आज्ञा देता था।

इस्लाम के धर्म-गुरुओं की सामाजिक रूढ़िवादिता में बांध कर रखने की शक्ति कहीं अधिक थी, जबकि दोनों धर्मों के अस्पष्ट विचार उनके अनुयायियों को नपुंसक बना रहे थे। पुस्तक से निकला एक धर्म होने के कारण इस्लाम, हिन्दु-धर्म से कहीं अधिक, सुगमता से कट्टरता के प्रवाहों द्वारा अपहरणित किया गया, जबकि हिन्दु-धर्म में उन औपचारिक व केन्द्रीय संस्थाओं की कमी थी जो इस्लाम के साथ आई थी। हिन्दु-धर्म में उलेमाओं की परिषद नहीं थी जो फतवा (धमकी भरे धार्मिक हुक्म) जारी करने की शक्ति रखती थी। इसमें

कोई नित्य प्रार्थनाएँ भी नहीं थी। इसमें तो कोई एक अकेली पवित्र पुस्तक भी ना थी जो धर्म सम्बन्धी विवादों को सुलझा सके। जबकि कुछ गीता या उपनिषदों को मानते थे, तो दूसरे रामायण के अनुयायी थे जो स्वयं अनेकों भाष्यों में आती थी। इनमें से कई भाष्य अत्यधिक विवादस्पद थे, जिनमें गहन दार्शनिक अस्पष्टता तथा विवाद सम्मिलित थे। धारणाएँ, जैसे धर्म की परिभाषा इत्यादि, बहुत मुक्त थी तथा विचारण में बहुत सूक्ष्म थीं ताकि उन्हें बदलते समयों के बदलती आवश्यकताओं के साथ अनुकूलित किया जा सके।

कुरान ऐसी किसी अस्पष्टता या भाषाई सम्भावनाओं को स्थान नहीं देता था। कुरान की व्याख्या करने वाले अपना समय केवल ऐतिहासिक अनावश्यक छोटी-छोटी घटनाओं की वाक्-छल पर बिता सकते थे। पैगम्बर के कथनों में उलझे तथा ईश्वरीय निर्णय की बेला क्या ला सकती थी, तथा स्वर्ग में कौन प्रवेश पा सकता था, इनपर ही व्याख्याकार समय बिताते थे। ये प्रश्न मृत्यु के पश्चात के थे जो उनको तंग करते, ना कि रोजमर्रा की सच्चाई। बेशक हिन्दु-धर्म में भी ऐसे प्रवाह थे जो असली जीवन से निरासक्ति पर बल डालते थे–लेकिन अधिक असली व संसारी विचारधाराओं के लिए भी स्थान था। हिन्दु-धर्म सदा दर्शन तथा तर्कसंगत विचारों को प्रोत्साहन देता था तथा स्वाभाविक था कि हिन्दु शासक वैज्ञानिकों तथा तर्क-शास्त्रियों को समर्थन देता था। इन समर्थन के कारण भारत के तर्कसंगत प्रथाओं को जीवन दान मिलता था। कुछ हिन्दु शासक, जैसे राजा भोज विशेषतया जाने जाते हैं इन कारणों से कि वे प्रसिद्ध वास्तु-निर्माता तथा अभियन्ता थे तथा अपने कई भवन निर्माणों की योजनाओं के लिये उनका अति आदर किया जाता था।

लेकिन समय के साथ रूढ़ीवादी इस्लामिक धर्म-गुरुओं ने लचीलेपन के प्रयास को सीमित या समाप्त करने का प्रयत्न किया। अपने शुक्रवार के धर्मोपदेशों तथा फतवा निकालने की शक्ति के प्रयोग द्वारा वे हिन्दु पुजारियों से कहीं अधिक राजतंत्र पर प्रभाव रखते थे। शासकों का उनके साथ होने पर, उन्हें ललकारना कहीं अधिक कठिन था। भारत के आध्यात्मवाद तथा तर्कशास्त्र के सामंजस्य के लम्बे नियती-स्थल के अस्तित्व को खतरा इस्लाम के आगमन से प्रारम्भ हो गया तथा इसके अस्तित्व पर अधिक संकट मुसलमानों के भारत पर विजय से आया।

तेरहवीं सदी के मध्य तक ना केवल समस्त उत्तर भारत बल्कि दक्षिण भारत का मुख्य भाग भी मुस्लिम शासन के अधीन आ चुका था। इस्लाम का हरा झंडा पूरे देश पर फहराने लगा। ऐसा लगता था कि भारत का इस्लामिकरण एक अटल तथा पूर्व परिचित निष्कर्ष उसी प्रकार होगा जैसा मिस्त्र और इरान में

घटा था। लेकिन एक शताब्दी के अंदर ही, हिन्दु लोगों ने ना केवल एक अद्‌भुत पुन:स्थली को प्राप्त किया बल्कि वे अब प्रतिरोध भी करने लग गये थे।

निचोड़: तेरहवीं तथा चौदहवीं शताब्दी में हिन्दु धर्म को इस्लाम की चुनौती की समस्या थी। प्रश्न तब यह था कि क्या भारतीय जीवन की निरंतरता को–उसके संस्कृति, समाज की व्यवस्था, धर्म तथा विचारशैली के पृथक पहचान को सर्मथित किया जा सकता था या कि क्या उसे इस्लाम के बढ़ते हुए राष्ट्रमंडल में विलय कर दिया जाना चाहिए। यह हिन्दु धार्मिक और राजनैतिक भावनाओं का पुर्नउत्थान था जिसने भारत की आत्मा को जीवित रखा।

लेकिन साथ ही साथ हमेशा के लिए यह भी तय हो गया कि भारत को एक बहुधर्मी समाज बने रहना था जिसमें मुस्लिम राष्ट्रीय भावनाओं का एक आवश्यक भाग उसमें रहेगा। यह भी स्पष्ट था कि भारत की नियती एक मुसलमान देश बसाना नहीं था। लेकिन साथ ही साथ यह भी स्पष्ट था कि हिन्दु पुनरुत्थान की कोई भी सीमा हो, इसे एक बहुत बड़े मुस्लिम जनसंख्या वाला देश होना ही था जिसे राष्ट्रवाद और आध्यात्मवाद को शक्तिशाली बंधनों के साथ जोड़े रखा जाना था।

18

हिन्दु पुनरुत्थान भाग–1

> भारत में सभी महान जागृतियों, उसके महानतम तथा सबसे अधिक विविध शक्ति के कालों ने अपनी चेतनशक्ति किसी गहरे धार्मिक जागृति के मूल स्रोतों से संचित की है। जहाँ कहीं भी धार्मिक जागृति पूर्ण तथा विशाल रही है, वहाँ राष्ट्रीय शक्ति जो उसने पैदा की वह भीमकाय तथा अधिक प्रभावशाली रही है।
>
> श्री अरविन्द

चौदहवीं सदी के आरम्भिक काल के किसी भी विचारक को यह पता चल जाता है कि ना केवल संपूर्ण उत्तरी भारत मुस्लिम शासन के अधीन आ गया था, बल्कि दियोगिरी, वारान्गल, द्वारासमुद्रम तथा मदुरै के एतिहासिक राज्य जो दक्षिण भारत के राजनैतिक ढांचे का प्रतिनिधित्व करते थे वे भी मुस्लिम तलवार के आगे पराजित हो गये थे। हरा झंडा रामेश्वरम के चारदिवारी तक लहलहा रहा था। पूरी गंगा की घाटी पिछले सौ वर्षों से अधिक समय तक पहले से ही मुस्लिम शासन के अधीन रह चुकी थी तथा सभी हिन्दु धार्मिक तथा आध्यात्मिक जीवन के केन्द्र-मथुरा, बनारस, कन्नौज तथा प्रयाग लगभग खंडहर बन गये थे। किसी भी व्यवस्थित विद्रोह का कहीं नामों-निशान भी नहीं था। ऐसा लगता था कि भारत का पूरा इस्लामीकरण होना अवश्यम्भावी था। ऐसा लगभग स्पष्टयता प्रतीत होता था कि किसी दैवी हस्तक्षेप के वगैर हिन्दु लोगों और हिन्दुत्व का एक धर्म के तौर पर कोई भविष्य ना था।

तो भी, सौ वर्षों के बाद, तस्वीर पूर्णतया भिन्न थी। हिन्दु लोगों ने ना केवल एक अद्‌भुत पुनर्जागृति प्राप्त की थी बल्कि उल्टा विद्रोह कर रहे थे। इस अध्याय में हम इस महान पुनरुत्थान पर धर्म, संस्कृति एवं राजनीति के क्षेत्र में एक निगाह डालेंगे, यद्यपि इस उत्थान का मूल कारण धार्मिक जागृति थी, तथापि हम उन समयों के राजनैतिक गाथा से प्रारम्भ करेंगे।

मुस्लिम शासन को विद्रोह देने वाले दो केन्द्र राजपूत तथा विजय नगर के साम्राज्य थे।

1326 में राजपूतों ने हमीर सिंह के नेतृत्व में चित्तौड़ को पुनः प्राप्त किया और दिल्ली के मुस्लिम संसार को घोषित कर दिया कि राजस्थान में एक नई

शक्ति जाग उठी है। इसके पश्चात जो युद्ध हुआ उसमें दिल्ली के सुल्तान की पराजय हुई और उसे एक विस्तृत क्षेत्र जिसमें अजमेर, रणथम्भौर तथा नागौर भी सम्मिलित थे एवं पचास लाख रुपये व सौ हाथियों को समर्पित करने के साथ अपनी स्वतंत्रता को प्राप्त करना पड़ा। इस प्रकार मेवाड़ के राणा तथा दिल्ली के शासकों के बीच लड़ाई खुल गई। राणा ने **हिन्दुअन सूर्य** तथा **हिन्दुपति** के उपनाम अर्जित किये।

हमीर सिंह मेवाड़ के प्रथम शासक बने जिसने सम्मानजनक महाराणा की पदवी लगाई। इस विजय के परिणामस्वरूप एक प्रायः शांति और समृद्धी का काल प्रारम्भ हुआ। महाराणा हमीर सिंह भूतकाल को जोड़ने वाले, बप्पा रावल द्वारा स्थापित वैदिक प्रथाओं के गुणगान के धरोहर के सिद्धांतों को मानने, तथा पुनः स्थापित करने वाले बने। मेवाड़ के राणा ने तब अपने कबीले के सिसोदिया नाम को अपनाया। महाराणा हमीर सिंह भारत में अकेले शक्तिशाली हिन्दु राजा के रूप में उभरे, बाकी सभी प्राचीन वंश तबाह कर दिये गये थे।

मेवाड़ के राणा के लिये 1382–1421 ई. के बीच का समय सुनहरा काल था। उनका शत्रु के ऊपर विजय, उनका राज्य स्थापित करने का राजनैतिक संकल्प तथा मेवाड़ी संस्कृति के हर पहलु का विकास, तथा जिस प्रकार उन्होंने राजपूतों के चरित्र को संवारा, वह सब अचम्भित करने वाला था। उनकी सफलताओं का प्रभाव, सदियों बाद अभी दृष्टिगोचर है। महाराणा लाखो महलों और मन्दिरों के प्रजनक निर्माणकार थे, कलाओं के एक उत्तम संरक्षक, तथा चान्दी और जस्ता की खानों के विकासकर्ता थे।

राणा कुम्भ

राणा कुम्भ जो कुम्भलगढ़ पर शासन करते थे उन्होंने भी राजपुताना में मुस्लिम आक्रमणों का चौदहवीं सदी में जम कर विद्रोह किया। उनकी राजधानी कुम्भलगढ़ जो ऐरावली पर्वतमाला के घने जंगलों में एक बहुत विशाल व भव्य किले के रुप में स्थापित थी, वह मुसलमानों का सामना करने में उनकी बहुत सहायक थी। ये काल वह था जब अनेकों बार में से इस बार राजपूतों ने शत्रु के विरुद्ध लड़ाई में छिप कर मार–काट करने की नीति को अपनाया था।

राणा कुम्भ ने एक रचनात्मक ऊर्जा तथा सैनिक शक्ति का ऐसा जलवा दिखाया जिसने चित्तौड़ को मध्यकालीन भारत का एक केन्द्र बना दिया। किलों के निर्माणकर्ता तथा कलाओं के प्रगतिशील विकास के संरक्षक के रूप में इनका असाधारण नाम था। इन्होंने भविष्य के शासकों के लिए एक दिशा स्थापित की लेकिन इन सबसे ऊपर वह सैनिक नेता के रूप में सर्वोपरि थे। राणा कुम्भ सिसोदिया राजपूतों के महानतम सैनिक सेनापतियों में से एक माने

जाते थे तथा वे विभिन्न प्रतिभाओं के भी स्वामी थे। वे जिस प्रकार सैन्य युद्ध कला की कठिनाइयों से भली-भांति परिचित थे उसी प्रकार वे साहित्य तथा संगीत के साथ प्रबलतापूर्वक वचनबद्ध थे।

राणा कुम्भ ने 1433 से 1468 तक तीस वर्ष से ऊपर तक राज्य किया तथा मेवाड़ की हिन्दु साम्राज्य के तौर पर स्वतंत्रता सुनिश्चित की। अपने प्रतिभाशाली पूर्वजों की भांति राणा कुम्भ मेवाड़ के क्षेत्रों के प्रतिरक्षक थे, जो दिल्ली के सुल्तानों की गुजरात, मालवा और राजस्थान के कुछ भागों पर आधिपत्य को स्वीकार करने को तैयार नहीं थे। मेवाड़ पर कई बार आक्रमण हुआ था तथा राणा कुम्भ द्वारा सफलतापूर्वक विरोध किया गया। 1437 ई. में मालवा के राजा, सुल्तान महमूद को एक सघन युद्ध के बाद बंदी बना लिया गया और राणा कुम्भ ने विजेता की अपनी उदारता का एक उदाहरण दिखाया। महमूद के साथ एक मेहमान की भांति व्यवहार किया गया तथा बाद में मुआवजे की माँग किए बिना उसे छोड़ दिया गया। इस प्रकार विजय में मेवाड़ी व्यवहार का प्रमाण एक बार फिर स्थापित किया गया।

राणा कुंभ एक अनथक निर्माणकर्ता थे जिन्होंने मेवाड़ में 84 किलों में से कम से कम 32 किलों का निर्माण करवाया। कुम्भलगढ़ का स्मारक किला जो स्वयं राणा के नाम से है एक भव्य किले का शहर है जिसकी 33 किलोमीटर लम्बी पत्थरों की दिवारें पहाड़ी को घेरे हुए हैं। लेकिन यह चित्तौड़ में है जहाँ राणा की सबसे प्रभाती निर्माणकला को देखा जा सकता है: कीर्ति स्तम्भ या विजय की मिनार, नौ मंजिलों वाला 120 फुट ऊँचा स्तम्भ। हिन्दु शैली तथा शिल्प कला का एक संपूर्ण उदाहरण। यह भारतीय सहनशीलता तथा सांस्कृतिक विशालता का एक उत्कृष्ट प्रमाण प्रदान करता है। राणा कुम्भ की विस्तृत साहित्यक उत्पादन–संस्कृत में नाटक, विभिन्न विषयों पर पुस्तकें जैसे वंशावली, व्याकरण, संगीत की रचनाऐं-उनके बहुमुखी प्रतिभा को दर्शाती हैं। उनका पांडित्य, उनका कलात्मक श्रेष्ठता के प्रति लगाव तथा उनके सैनिक शौर्य उनको ना केवल मेवाड़ और राजस्थान बल्कि मध्यकालीन भारत का सबसे श्रेष्ठ व्यक्तियों में से एक व्यक्तित्व बनाते हैं। प्राचीन भारत के प्रतिभाशाली क्षत्रीय राजाओं की भांति महाराणा कुम्भ युद्ध भूमि तथा शांति में प्रतिष्ठा व युद्ध कौशल, निस्वार्थता व मनुष्यता के लिये आदर के अति श्रेष्ठ भारतीय मूल्यों तथा परम्पराओं का एक उज्जवल उदाहरण पेश करते हैं।

कृष्ण देव राय

विजयनगर का प्रारम्भिक इतिहास कुछ धुंधला है। फिर भी यह साधारणतया विश्वास किया जाता है कि संगमा के पांच पुत्रों, जिनमें से हरिहर

तथा बुक्का सबसे प्रमुख थे, ने शहर की तथा विजयनगर राज्य की नींव, उत्तरी छोर पर स्थित आनेगुंडी किले की ओर मुख करते हुऐ, तुंगभद्रा नदी के दक्षिणी किनारे पर रखी। यह भी कहा जाता है कि उन्हें यह करने की प्रेरणा प्रख्यात ऋषि ब्राह्मण माधव विद्यारण्य तथा वेदों के भाष्याकार उनके प्रसिद्ध छोटे भाई सायन से मिली। हरिहरन व बुक्का तथा उनके तीन भाइयों ने उत्तर से मुस्लिम आक्रमणकारियों के विरुद्ध प्रतिरक्षा की व्यवस्था में दृढ़-संकल्प प्रयत्न किये।

विजयनगर शासकों में से सबसे महान कृष्णदेव राय थे तथा वे भारत के इतिहास में सबसे अधिक प्रसिद्ध राजाओं में से एक माने जाते हैं। 1509 ई. में कृष्णदेव राय ने सिंहासन पर पांव रखा तथा तभी से उन्होंने अपने साम्राज्य के विस्तार में एक सक्रीय भाग लेना आरम्भ कर दिया।

वे मध्य ऊँचाई, गौर वर्ण तथा सुंदर तन के स्वामी थे। उनसे अत्यधिक भय भी लगता था तथा सबसे अधिक पूज्यनीय भी थे। उन्हें एक सबसे अधिक संपूर्ण राजा, जैसा कि सम्भवतया हो सकता है, माना जाता था। कृष्णदेव राय हंसमुख प्रकृति के थे। वे विदेशियों से प्रेमपूर्वक मिलते तथा उन्हें सम्मान भी देते। वे न्यायप्रिय व्यक्ति थे तथा उन्हें एक महान शासक के रूप में जाना जाता व सम्मान दिया जाता जिस कारण उन्हें कृष्णदेव महाराय, महाराजा, भारत के महान देवताओं के देव, तीनों समुद्रों तथा धरती के देव की उपाधियों से भी वर्णित किया जाता। उनका व्यक्तित्व बहुत उत्कृष्ट था। वे अपने यौवन के दिनों में शारीरिक तौर पर बहुत बलवान थे तथा अपनी शक्ति को सख्त शारीरिक कसरतों द्वारा बनाए रखते थे। वे सुबह जल्दी उठते तथा भारतीय मुग्दरों के साथ व तलवार-बाजी द्वारा अपनी मांसपेशियों का विकास करते। वे एक उच्चकोटी के घुड़सवार थे तथा उनकी उपस्थिति बड़ी मनमोहक थी, जिस कारण जो भी उनके सानिध्य में आता वह प्रभावी हुए बिना नहीं रहता। वे अपनी सेना का नेतृत्व स्वयं करते, बहादुर व राजकार्यों में दक्ष, काबिल व नर्म स्वभाव व चरित्र की विशालता वाले मानव थे।

सभी दक्षिण भारतीय क्षेत्र कृष्णदेव राय के प्रभाव तले थे तथा कई अर्ध-स्वतंत्र राजप्रमुख उनके सामंत थे। एक वीर तथा सक्रीय योद्धा, वे सदा ही युद्धों में विजयी रहते जोकि उनके लगभग सारे शासनकाल में चलते रहे। इससे पहले कि वे उत्तर में बड़े शत्रुओं से भिड़ने की तैयारी करते उन्होंने पहले अपने साम्राज्य के केन्द्रीय भाग में सामंती राजप्रमुखों को दबाने के प्रति अपना ध्यान दिया। 1510 में उन्होंने दक्षिण मैसूर के क्षेत्र तथा शिवासमुद्र किले पर विजय प्राप्त की।

कृष्णदेव ने उड़ीसा के राजा के साथ लगातार युद्ध किया तथा उसके राज्य पर आक्रमण किया तथा उसके कई नगरों और कस्बों को नष्ट कर डाला या

अपने अधीन कर लिया। उड़ीसा के राजा के कई सैनिकों एवं हाथियों को युद्ध–क्षेत्र से खदेड़ा और उसके पुत्र को बंधक बना लिया। शांति बनाए रखने के लिये उड़ीसा के राजा ने संधि हेतु अपनी पुत्रियों में से एक पुत्री का विवाह कृष्णराय से कर दिया।

1520 ई. में कृष्णदेव द्वारा रायचुर का घेराव किया गया तथा उसके बाद एक घमासान युद्ध हुआ। कृष्णदेव राय ने विजयनगर से एक बहुत बड़ी सेना के साथ कूच किया। यह कहा जाता है कि उनकी सेना में दस लाख लोग थे जिनमें से सात लाख सैनिक थे तथा 550 हाथी थे। सैनिक 11 दस्तों में बँट कर आगे बढ़े तथा रायचुर पहुँचने तक और भी सैनिक टुकड़ियाँ जुड़ती चली गईं। सुल्तान भी अपनी सेना को लाया और रायपुर के पास उसने डेरा डाला। 19 मई को सेनाएँ आमने–सामने भिड़ीं और एक घमासान निर्णायक युद्ध आरम्भ हुआ। सुल्तान ने अपनी सेना एक विस्तृत क्षेत्र में तैनात कर दी। कृष्णदेव ने अपने शत्रु को घेरने का कोई प्रयास नहीं किया और अपने ठीक सामने उसने अपनी सेना के दो भागों को आगे जाने की आज्ञा दी। वह सफल हुआ और मुसलमानों की सेना वापिस अपनी खाइयों में चली गई। लेकिन सुल्तान ने अपनी सुरक्षित सैनिक टुकड़ियों को गोला बारी करने के लिये आगे बुलाया जिसके कारण राय के सैनिक टुकड़ियों को भारी क्षति हुई। राय की सैनिक टुकड़ियाँ इस गहन गोलाबारी के आगे टिक नहीं सकीं और पीछे हट गई तथा यह पीछे हटना भगदड़ में बदल गया। राय ने अपनी सैनिक टुकड़ियों को पुनः स्थापित किया, अपने कई सामन्तों को इकट्ठा किया और जैसा कि वह अपने बहादुरी के गुणों के लिये प्रसिद्ध थे, उसने मृत्यु का सामना करते हुए धावा बोल दिया। घोड़े पर सवार उन्होंने अपनी बाकी बची हुई सेना के भागों को आगे बढ़ने की आज्ञा दी और सुल्तान की सेना पर टूट पड़े। इसके परिणामस्वरूप वह पूर्णतया सफल हुए क्योंकि शत्रु बिखरा हुआ था, तथा एकत्रित नहीं हो सका व उसके गहन धावे के आगे टिक नहीं सका और भाग खड़ा हुआ। राय ने उन्हें नदी तक दौड़ाया तथा उसके उपरान्त शत्रु की सारी सेना भाग खड़ी हुई। राय ने तब नदी को पार किया तथा सुल्तान की छावनी पर धावा बोल कर उसे अपने अधिकार में कर लिया जबकि सुल्तान स्वयं हाथी पर सवार होकर युद्ध भूमि से भाग गया।

कृष्णदेव राय के समय के दौरान विजयनगर साम्राज्य पूर्व में उड़ीसा तक, पश्चिम में भाटकल, होनावर तथा पश्चिमी समुद्र तट तक, उत्तर में रायपुर तक तथा दक्षिण में समुद्र तक फैला था। यह कहा जाता है कि कृष्णदेव श्रीलंका पर भी कर लगाते थे। युद्धों में विजय के बाद राजा ने एक आज्ञा निकाली कि हर मंदिर के सम्मुख स्मारक गोपुरमों का निर्माण होना चाहिए। तदानुसार हम्पी में

विट्ठल मंदिर के आगे व तिरूवनमलाई, चिदाम्बरम, कालाहस्ति, श्रीरंगम तथा तिरूपति मंदिरों के सम्मुख गोपुरमों का निर्माण किया गया जो आज भी खड़े हैं और उन्हें राजगोपुरम कहा जाता है।

कृष्णदेव राय का राज्य काल कला और साहित्य के विकास और प्रोत्साहन के लिये एक अद्भुत काल था। स्वयं एक प्रमुख विद्वान, राय विद्वानों और विद्वता के प्रति एक उदार संरक्षक थे। वह अपने धार्मिक कट्टरता व विशालता के लिये प्रसिद्ध थे। वे हिन्दु धर्म के सभी मतों का एक समान आदर करते थे जबकि वे स्वयं वैष्णव धर्म के प्रति अधिक झुकाव रखते थे। पराजित शत्रु के प्रति उनका दया भाव, उनके द्वारा विजित नगरों के नागरिकों के प्रति दानवीरता के कार्य, उनका उग्र युद्ध कौशल उन्हें अपनी प्रजा व सामंती प्रमुखों का एक समान चहेता बनाता, राजसी आवभगत तथा दयालुता जो वे सदा विदेशी राजदूतों पर न्योछावर करते, उनकी प्रभावशाली व्यक्तिगत आकृति, उनकी आनन्दमयी दृष्टि तथा विनम्रता भरी बातचीत जो उन्हें एक पवित्र तथा ओजसमय जीवन से प्रतिष्ठित करती, उनका साहित्य तथा धर्म के प्रति प्रेम, तथा उनका प्रजा की भलाई के प्रति व्यग्रता तथा इन सबसे ऊपर मंदिरों और ब्राह्मणों पर स्थाई निधी के तौर पर अत्यधिक धन का प्रदान किया जाना, यह सब वास्तव में उनको दक्षिण भारत के इतिहास के पन्नों पर वैभवशाली चित्रण किये गये सम्राटों में से सर्वोच्च स्थान प्रदान करता है।

कृष्णदेव राय संस्कृत, तमिल तथा कन्नड़ के उन्नत कोटी के विद्वान थे। वे तेलगु साहित्य के भी एक संरक्षक थे तथा उनका काल तेलगु साहित्य के अगयस्त काल के नाम से भी जाना जाता है। उनकी अपनी रचनाएँ दोनों तेलगु तथा संस्कृत भाषा में हैं। आठ कवि जिनको अष्ठदिग्गज के नाम से जाना जाता उनके दरबार की शोभा बढ़ाते जिनमें से यह कहा जाता है कि तेनाली रामकृष्ण सबसे प्रसिद्ध थे।

विजयनगर के शासकों ने एक सावधानीपूर्वक सैनिक विभाग की व्यवस्था की हुई थी जिसे डंडानायक या सेनापति के अधीन कण्डाचार के नाम से पुकारा जाता था। राज्य एक बृहद तथा कार्यकुशल सेना को बनाए रखता था जिसे समयानुसार सामन्तों तथा राजप्रमुखों की उप-सैन्य शक्ति के साथ आवश्यकता पड़ने पर बढ़ाया जाता था। इसकी श्रेणियों में सर्वप्रथम पैदल सेना थी जो विभिन्न जातियों और समुदायों जिसमें कभी-कभी मुसलमान भी होते थे, की भर्ती से बनी थी। इसकी दूसरी श्रेणी में घुड़सवार सेना थी जिसको पुर्तगाल के द्वारा ओरमुज घोड़ों के आयात, हाथियों तथा ऊटों से सुदृढ़ किया जाता तथा अंत में तोपखाना जिसका प्रयोग 1368 ई. के बाद से भारतीय राजाओं द्वारा पिछले सौ वर्षों से किया जा रहा था, जिससे अपनी सेना को प्रबल किया गया था।

कृष्णदेव राय सन् 1529 में मृत्यु को प्राप्त हुए तथा इनका उत्तराधिकारी इनका सौतेला भाई अच्युत राय था। साम्राज्य 1565 तक स्थिर रहा जब दक्षिण के सुल्तानों ने विजयनगर की सेना को पराजित किया और इस प्रकार दक्षिण में हिन्दु आधिपत्य का काल समाप्त हो गया।

भारत के इतिहास में विजयनगर साम्राज्य का महत्व यह था कि तीन शताब्दियों तक यह देश की पुरानी संस्कृति और धर्म के लिए खड़ा रहा तथा इन्हें नये विचारों और शक्तियों के प्रवाह द्वारा घिरे जाने से बचाए रखा–यह विजयनगर था जिसके पास उस काल के राजनैतिक स्थिति की चाबी थी। यह तुर्की-अफगान सल्तनत के पतन तथा महत्वपूर्ण स्थानीय साम्राज्यों के उदयकरण का द्योतक था।

R.C. Majumdar

19

हिन्दु पुनरुत्थान भाग–2

धार्मिक पुनरुत्थान

तेरहवीं सदी के अंत तक हिन्दु धर्म इस्लाम के प्रभाव तले दबा पड़ा था। उत्तरी भारत में विशेष तौर पर गंगा के मैदान में इसकी भारी क्षति हुई थी। विद्वता, पुण्यभक्ति तथा धार्मिक उल्लास का एक दम अंत आ गया लगता था। दक्षिण भारत में इसकी स्थिति कुछ अच्छी थी क्योंकि यहाँ इस्लाम के प्रभाव बहुत गहरे नहीं पड़े थे। मुस्लिम शासकों के लिए यह एक प्रथा बन गई थी कि हिन्दु मंदिरों से मूर्तियों को राजधानी भेज दिया जाता जहाँ मुसलमानों द्वारा गलियों में उनको पैरों तले रौंदा जाता। वास्तव में हिन्दु धर्म पराजित लोगों के धर्म के अतिरिक्त कुछ नहीं था इसीलिए इसको निंदा की दृष्टि से देखा जाता। परम्परागत धार्मिक केन्द्र जैसे बनारस, प्रयाग तथा मथुरा विजेताओं के पैरों तले पड़े हुए थे। तथापि अगले दो सदियों के भीतर ही हिन्दु धर्म में एक संपूर्ण पुनरूत्थान आया। यह पुनरूत्थान देश में बहुत से आध्यात्मिक प्रतिभाओं के उदय होने के साथ आया। इन प्रतिभाओं ने एक अत्यंत विशुद्ध आध्यात्मिक जीवनयापन के अतिरिक्त कुछ और विशेष नहीं किया तथा ऐसा करने के साथ ही लोगों को भारतीय आध्यात्मिकता के सच्चे स्रोतों की ओर जागृत किया। इस पुनरुत्थान के पहले महान व्यक्तित्व थे। श्री रामानन्द

श्री रामानन्द

रामानन्द भगवान श्रीराम के बहुत बड़े भक्त थे तथा चौदहवीं सदी में बनारस में रहते थे। उन्होंने *शैव* तथा *वैष्णव* मतों के बीच बढ़ते वैर–भाव को पूर्णतया दूर कर दिया तथा वैष्णव धर्म का इसके निर्वहन में पूर्व–प्रचलित कड़े नियमों को ढीला करते हुए अनुसरण किया। अपने व्यवहार द्वारा इन्होंने इस सत्य को स्थापित कर दिया कि भक्ति मार्ग में छूआ–छूत तथा जातियों व समुदायों के बीच अंतर के लिये कोई स्थान नहीं था तथा किसी भी प्रकार के ऊंच–नीच से मुक्त भगवान का द्वार सबके लिये खुला है। मुस्लिम शासन के दौरान इन्होंने रामानन्दी सम्प्रदाय को इकट्ठे होने की तथा उसकी सुरक्षा की व्यवस्था की। उनके शिष्यों में से प्रमुख शिष्य **कबीर** थे।

महात्मा कबीर ने राम नाम का गुरु मंत्र रामानंद जी से लिया था। एक हिन्दु बच्चा जिसे मुसलमान बुनकर नीरू तथा उसकी पत्नी निम्मा द्वारा पाला गया था। कबीर जी ने धर्म के गूह्य ह्रदय में जाकर हिन्दु धर्म और इस्लाम धर्म के बीच की दिवारों को तोड़ने का बीड़ा उठाया। उन्हें यह दृढ़ विश्वास हो गया था कि जब किसी धर्म-ग्रंथ का सवाल आता है तो **अक्षर मारता** है तथा अनजाने में पंडित और मौलवी उस **आत्मा** को भूल जाते हैं और स्वयं को घृणा के पात्र बना लेते हैं। उनके समय में अरबी और संस्कृत धर्म की मुख्य भाषाऐं थी तथा जनता उनके बारे बहुत कम ज्ञान रखती थी। कबीर जी का निर्देश था कि बहुत कम लोग विद्वान बनने के लिए सक्षम होते हैं लेकिन सभी अच्छे बन सकते हैं। इसलिए धर्म-पुस्तकों को उनके सही अर्थ के विचार को जाने वगैर रटने से, अच्छे पुरुष का सहवास, सत्संग, अच्छा चरित्र बनाने के लिए सकारात्मक रास्ता है।

कबीर जी का आध्यात्मिक उत्साह तभी से प्रकट हो गया जब वे एक बच्चा थे तथा एक चाल के चलने द्वारा उन्होंने महान संत रामानंद से राम मंत्र की दीक्षा लेने का प्रबंध किया तथा संत ने बाद में उन्हें अपने सबसे प्रिय शिष्य के रूप में घोषित किया। यह कहा गया है कि, कबीर जी गंगा के स्नान घाट की सीढ़ियों पर जहाँ रामानंद जी प्रतिदिन नहाने जाते थे वहां उषा-काल की पूर्व की घड़ियों में स्वयं लेट गये। यह प्रतीत होने पर कि अनजाने में उन्होंने किसी के शरीर पर पाँव रख दिया है रामानन्द जी ने *राम, राम* पुकारा, जो कबीर के लिए शुभ गुरु मंत्र बन गया। रामानन्द जी ने जब कबीर जी की सत्यता की गहराई को जाना तो उन्होंने कबीर को गले लगा लिया तथा भविष्यवाणी की कि वह अपने जीवन में एक उच्च स्थान प्राप्त करेगा तथा इस बात को लेकर मुसलमान एवं हिन्दु रूढ़िवादियों ने कबीर जी को दीक्षा देने के लिये रामानन्द जी को दोषी ठहराया।

महात्मा कबीर जो भारत के धार्मिक सुधारकों में एक ऊँची श्रेणी रखते हैं उनके लिए उसके बाद एक विजयपूर्ण आध्यात्मिक प्रगति का द्वार खुल गया। उनके अपने ही काल में गुरु नानक तथा आध्यात्मिक गुरुओं ने कबीर की महानता को माना है तथा पश्चात के समयों में रविन्द्रनाथ टैगोर उन साहित्यक दिग्गजों में से एक हैं जिन्होंने कबीर जी के संदेश का प्रचार किया है। हिन्दु और मुसलमानों में से कई इनके अनुयायी तथा जाने-माने कबीरपंथी हैं।

यह कहा गया है कि राजा सिकन्दर लोदी ने, जिसके आगे कबीर जी ने सलाम करने से मना कर दिया, इन्हें डूबाने द्वारा, जलाए जाने द्वारा तथा अन्य तरीकों द्वारा पीड़ा देने तथा मरवाने का प्रयत्न किया था तथा अंत में इनकी महानता को स्वीकार कर लिया था। एक बात तो निश्चित है कि कबीर जी की मूल्यवान शिक्षाएँ देश की धरोहर हैं तथा उन सबको प्रेरित करती रहेंगी जो धर्म

के मर्म को जानने की इच्छा रखते हों तथा ना कि धर्म के बाह्य रूप को मानना चाहते हों। कबीर जी ने, कहा जाता है कि शरीर का त्याग 78 वर्ष की भरपुर आयु में गोरखपुर जिले में मगहर नामक स्थान पर किया था।

महात्मा कबीर कहते हैं–साधु के साथ संग इत्र बेचने वाले के पास बैठने समान है। वह चाहे तुम्हें कुछ भी नहीं बेचता है तथापि तुम इत्र का मजा लेते हो।

भक्ति का कोई भी कार्य सत्य के बराबर नहीं हो सकता। कोई भी गुनाह इतना भयानक नहीं हो सकता जितना कि झूठ। वह हृदय जिसमें सत्य वास करता है वहीं भगवान का घर है।

संत ज्ञानेश्वर (ज्ञानदेव) 1271-1296–अपने परिवार में ज्ञानेश्वर चार बच्चों में से दूसरे थे। सबसे बड़ा भाई जब केवल आठ वर्ष का था तो भगवान की खोज में घर से भाग गया। दूसरा भाई, यानि कि स्वयं ज्ञानदेव उसके पीछे गया तथा उसे एक जंगल में उसका बड़ा भाई मिल गया; कहा जाता है कि उसने आध्यात्मिक सत्यों की दीक्षा दी। संत ज्ञानेश्वर सदा ही इसके लिए अपने भाई के आभारी रहे। उन्होंने ना केवल अपने भाई को अपना गुरु माना बल्कि यह भी उपदेश दिया कि भगवान की ओर सर्वोच्च पथ अपने गुरु की अडिग भक्ति के द्वारा ही है।

संत ज्ञानेश्वर को भगवद्गीता की शिक्षाओं से प्रेरणा मिली। उन्होंने हिन्दु धर्म के सार को सम्मिलित करने वाले इस अमर पुस्तक के संदेश और अर्थों का धर्मोपदेश दिया। उनके धर्मोपदेश एक पुस्तक जिसका नाम ज्ञानेश्वरी है उसमें संकलित किए गए थे जो कि कथित है कि चौदह वर्ष की आयु में ही पूरे कर लिए गए थे। ज्ञानदेव तपस्या और ब्रह्मचर्य पर बल देते थे तथा गीता पर अपने भाष्यों में यह घोषित किया कि आध्यात्मिक प्रगति के लिए कर्म का मार्ग आधारभूत था तथा कि सभी धर्मों का ध्येय आत्म-अनुभव अवश्य होना चाहिए।

संत ज्ञानेश्वर भक्ति या पूर्ण उपासना के महत्व पर भी बल देते थे। उन्होंने भक्ति की परिभाषा के बारे में कहा कि जिस अवस्था में भगवान के सिवाय मनुष्य कुछ नहीं सोचता, उसके नाम के सिवाय कुछ नहीं सुनता, भगवान के सिवाय किसी की सेवा नहीं करता तथा भगवान के अलावा किसी पर भी चिन्तन नहीं करता वहीं वास्तव में भक्ति है। भक्ति के साथ लिंग या जाती के कारण उभरे आत्मग्लानी को भी लांघा जा सकता था। वे कहते थे कि जिस प्रकार राजा के हुक्म की मोहर कागज को चाँदी बना देती है, उसी प्रकार जो भी पशु, स्त्री या शूद्र भक्ति करता है, उसकी मुक्ति हो जाती है व वह भगवान को प्राप्त होता है।

एक और मुख्य रचना जिसको अमृतानुभव के नाम से जाना जाता है या अमृत का अनुभव, भी इनकी रचना मानी जाती है। इस रचना का उद्देश्य

भगवान के ज्ञान का विस्तार तथा फैलाना बताया जाता है, जो कि उन्होंने स्वयं गुरू की अपार कृपा के द्वारा संसार के सभी मनुष्यों के हित के लिए प्राप्त किया था।

सूरदास (1479-1584)–गरीब माँ बाप के यहाँ अंधा पैदा होने पर सूरदास को ना केवल माता-पिता के प्रेम से ही वंचित रहना पड़ा बल्कि अपने परिवार के सदस्यों द्वारा अवहेलना तथा बुरा व्यवहार भी सहना पड़ा। उनके माता-पिता का शायद तभी स्वर्गवास हो गया था जब वे छोटे ही थे। जिस प्रेम से वे बचपन में वंचित रहे उसे उन्होंने बाल-गोपाल पर यशोदा, नंद, गोपियों द्वारा न्यौछावर किये प्रेम के विविध वर्णनों के अनेकों गीतों की रचनाओं द्वारा प्राप्त किया। एक छोटी-सी कुटिया में रहते हुए, तथा बिन मांगे जो कुछ भी मिलता उसी में अपनी आवश्यकताओं की पूर्ति करते हुए, अपनी प्रबल स्मरणशक्ति की सहायता द्वारा, संस्कृत की कई रचनाओं तथा भगवद्‌गीता को कंठस्थ करते, बृज भाषा में श्रीकृष्ण पर गीतों की रचनाऐं करते सूरदास स्वयं में आनन्द-विभोर रहते।

यह साहित्य के क्षेत्र में एक अचम्भा ही था कि किस प्रकार एक अंधा गीतकार श्रीकृष्ण की बाल्यकाल अवस्था के हर पहलु पर इतना सजीव व रंग-बिरंगे विस्तार से चित्रण कर सका। श्रीकृष्ण के पहले दांत का निकलना, उनका पहले शब्द का उच्चारण, उनका बिन सहायता प्रथम कदमों का चलना, वे सभी सूरदास के गीत लिखने के लिए प्रेरणा के स्रोत थे, जिन्हें आज भी, सैकड़ों घरों में माताएँ अपने शिशुओं में कृष्ण को देखते हुए गाती हैं।

सूरदास के जीवन की सर्वोच्च आनन्द की घड़ी तब आई जब शुद्ध अद्वैत के श्रेष्ठ प्रचारक श्री वल्लभाचार्य ने उन्हें अपने शिष्य के तौर पर अपनाया और उन्हें मंत्र दीक्षा दी। श्री वल्लभाचार्य ने अपने योग्य शिष्य को जो अपने यौवन के दहलीज पर था, वह गुप्त ज्ञान जो राधा-श्रीकृष्ण लीला के द्वारा द्योतक था, वह प्रदान किया। सूरदास जिन्होंने कभी विवाह-सूत्र में बंधने का विचार भी नहीं किया श्री कृष्ण में अपने अनन्त प्रेमी को देखते थे तथा उन्होंने राधा और श्रीकृष्ण के बीच एक व्यक्तिगत आत्मा के अधिमानस के प्रति या जीवात्मा के परमात्मा के प्रति एक चुम्बकीय आकर्षण के समान दैवी प्रेम को चित्रित किया।

नरसी मेहता (1414-1481)–नरसी मेहता, गुजरात के महान गायक, कुछ समय के लिए अपने भ्राता के साथ रहे। वह और उनकी पत्नी मानक बा को घर में कोई शांति नहीं मिली जहां उनकी भाभी उनके साथ तिरस्कार तथा कष्टदायकपूर्ण व्यवहार करती। नरसी वह सब सब्र से सहते लेकिन एक बार जब उन्हें नमक विहीन भोजन परोसा गया तथा कहा गया कि चूंकि वह कुछ कमाते नहीं इसलिए इस भोजन से उत्तम भोजन के अधिकारी नहीं, उन्होंने अपने भाई का घर त्याग दिया।

नरसी भगवान के नाम का गुणगाण गाते रहे। वे उस महान प्रेम के अधीन यह भी कहते कि उनकी भाभी के कारण उन्हें भगवान के दर्शन हुये थे। इस बात से उनके भाई को दया आ गई और उन्हें घर वापिस लौटने के लिए मनाने लगे। परन्तु नरसी अब अंतरमुखी हो चुके थे इसलिये उन्हें घर या सांसारिक सुखों की कोई आवश्यकता नहीं रह गई थी। वे अब केवल श्रीकृष्ण नन्द–कुमार के ही दास हो सकते थे। इसलिये उन्होंने अपने भाई से विदाई ली तथा अपने रास्ते गाते हुऐ चले गऐ।

जूनागढ़ के राजा के आगे द्वेषपूर्ण नगर समुदाय ने नरसी के प्रति कई दोष लगाये। नरसी ने राजा के मंदिर में स्वयं को विचारण हेतु पेश किया। एक चमत्कार हुआ। राजा के समेत वहां सभी उपस्थित लोगों ने देखा कि मंदिर का द्वार स्वयं खुला और वहां से एक फूलों की माला उड़ती हुई आई और नरसी के गले पर आ लिपटी। बाकी सब ने यह देखा, लेकिन भगवान को स्वयं यह करते देख नरसी बेहोश हो गये। नरसी की भक्ति और भगवान का उनके प्रति प्रेम देख कर शासक अचम्भित रह गया।

ये कुछेक नाम ही हैं जिन्होंने मध्यकालीन भारत में वास्तविक धार्मिक पुनरुत्थान किया। इसके पश्चात एक गहन कार्यशीलता तथा प्राणों के नाभकीय काल का समय आया। बासव का शैव–धर्म जो पहले से ही अस्तित्व में आ गया था तथा रामानुज के वैष्णव–धर्म के महत्वपूर्ण धार्मिक आंदोलनों ने नवजीवन तथा जोश भर दिया। इस काल के बाद चैतन्य का पूर्वी भारत में तथा वल्लभाचार्य का मथुरा में भक्ति आंदोलन एवं पंजाब में गुरु नानक के सिख–धर्म का समय आया। ऐसे अनेकों ही थे जिन्होंने भारत की जागृति में शांति व वगैर दिखावे के एक महत्वपूर्ण भाग लिया। इस धार्मिक जागृति का भारतीय जीवन के साहित्य, कला तथा कृति, एवं सामाजिक विकास के समस्त पहलुओं पर प्रभाव पड़ा।

समाज में विजित मुस्लिम समुदाय के विरुद्ध हिन्दु समाज को सुदृढ़ करने का एक गंभीर प्रयत्न किया जा रहा था। इसने स्वयं को समृतियों के पर्नलेखनी के रूप में अभिव्यक्त किया। इनमें से सबसे प्रसिद्ध लेखक मिथिला के देवदित्य थे। वह विभिन्न कार्यों के लेखक थे तथा उनकी रत्नाकार स्मृति विशेष महत्व की है क्योंकि यह हिन्दु सामाजिक जीवन के साथ सम्बन्धित एक प्रमाणिक सार है। बंगाल में भी कर्म–शास्त्रों का पुनरुत्थान इसी प्रकार हुआ। धर्म–शास्त्रों पर बंगाली लेखकों में से सबसे अधिक प्रभावशाली लेखक सुलापानी को माना जाता है। तथापि इस क्षेत्र में सबसे अधिक पुनरुत्थान विजयनगर साम्राज्य में हुआ। यह विद्यारत्न, माधवाचार्य एवं सयानाचार्य की तिगड़ी थी जिसने सामाजिक विचारधारा को एक असाधारण उछाल दिया तथा विजयनगर साम्राज्य को हिन्दु पुनरुत्थान के केन्द्र का स्थान दिया। सयानाचार्य वेदों पर भाष्य के लिए सबसे

अधिक जाने जाते हैं। उनके बृहद कार्य ने वेदों के ज्ञान को परिरक्षित रखा तथा आधुनिक काल में और भाष्यों के लिखे जाने का पथ बनाया। उनके भ्राता माधवाचार्य ने अपने विद्वत्तापूर्ण रचना प्रसार माधवीया में धर्म-शास्त्रों की पुर्नव्याख्या की। यह महान मौलिकता भरा कार्य था तथा इसने सामाजिक समस्याओं की ओर उदार रूख रखने में सहायता दी। धर्म-शास्त्रों का साहित्य महत्वपूर्ण है क्योंकि यह उस काल के सामाजिक उथल-पुथल का प्रमाण देती है तथा इस्लाम के प्रभाव का मुकाबला करने के लिए हिन्दु समाज में पुनर्समायोजन किये जाने का प्रमाण भी देती है।

आओ अब इस साहित्य और कला में हुए पुनरुत्थान को देखें। यह काल विशेष महत्व रखता है क्योंकि इसी काल के संस्कृत के प्रभाव तले क्षेत्रीय भाषाओं के उत्थान को हम देखते हैं। ना ही संस्कृत को तिरस्कारा गया। वास्तव में उस काल ने एक उच्च कोटी के संस्कृत के साहित्य के निर्माण को देखा। अधिक महत्वपूर्ण इस पुनरुत्थान के भौगोलिक विस्तार का था। संस्कृत भारत के सभी भागों, यहाँ तक कि उन क्षेत्रों में भी जहां इस्लामी साम्राज्यों का प्रभुत्व था उनमें भी एक शक्ति बन गई। विजयनगर के दरबार ने इस मामले में अग्र भूमिका निभाई तथा उस साम्राज्य के शासक संस्कृत विद्वता के उदार संरक्षक थे। विद्यारण्य का शंकर विजय तथा माधव का नरकासुर विजय अत्यंत सुंदर रचनाऐं थी। कालीकट के जामोरिन भी विशेष संस्कृत साहित्य की उत्कृष्ठ रचना मानी गई है। बंगाल में भी प्रतीकात्मक नाटकों और भक्ति काव्य की बहुत बड़ी संख्या में रचनाऐं लिखीं गई। सारंगधारा पद्वति एक ऐसा कोष है जो हमें संस्कृत काव्य की समृद्धी और विभिन्नता का परिचय दिलाने में सहायता देता है। संस्कृत साहित्य के रचनात्मक कार्यो का होना अद्भुत था तथा पहले के प्राचीन कालों के समान इसकी गुणवत्ता इतनी अधिक ना थी तथापि यह हिन्दु राष्ट्रीय उत्थान के शक्तिशाली विचारधारा को अवश्य दिखाती है।

क्षेत्रीय भाषाओं ने भी महान साहित्य का उत्पादन किया। यह अवश्य जान लेना चाहिए कि क्षेत्रीय भाषाऐं संस्कृत की शत्रु नहीं थीं बल्कि संस्कृत की सुरक्षित छत्रछाया के अधीन फली फूली। इस गहन क्रियाकलाप का सामान्य गुण यह था कि यह महान संस्कृत कार्यों के अनुवादन, रूपांतरण तथा लोकप्रियकरण का आंदोलन था। बंगाल में हमें कृतिवास, चांदीदास तथा विद्यापति के प्रमुख नाम प्राप्त होते हैं। वास्तव में, विद्यापति को भारत के महान लयवद्ध कवियों में से एक माना जाता है। उसके काव्य का विषय-वस्तु राधा एवं कृष्ण का प्रेम है। गुजरात में हमारे समक्ष नरसी मेहता हैं जो ज्ञान और भक्ति के महान कवि हैं। मराठी कवि नामदेव इसी काल के साथ संबंधित हैं।

दक्षिण भारत में विलुपुत्तुरार ने महाभारत को तमिल में अनुवादित किया तथा इन्हें अल्वर की भांति आदर दिया जाता है। तेलगु में भी साहित्यिक कार्यकलाप में एक अद्‌भुत पुनरूत्थान देखने को मिलता है। श्रीनाथ तेलगु भाषा के शायद एक महानतम कवि थे। एक और अद्वितीय चरित्र थे पोतना जिसने श्रीमद्‌भगवद गीता का तेलगु में अनुवाद किया जिसे तेलुगु के रत्नों में से एक माना जाता है। कन्नड़ साहित्य में इस काल के दौरान कुमार व्यास के द्वारा महाभारत का अनुवाद एक महान प्राप्ति माना जाता है। केरल में निरानाम कवियों द्वारा रामायण, महाभारत तथा भगवद् गीता का मलयालम में अनुवाद उस काल के दौरान हुआ जब मलयालम साहित्य ने पूर्ण यौवन प्राप्त किया।

कलाओं के क्षेत्र में, भारतीय–मुस्लिम भवन कला का एक प्रबल सम्प्रदाय गंगा के मैदान में विकसित हुआ जिसने भारतीय कलात्मक धरोहर की समृद्धता को बढ़ाया। राजस्थान में राणा कुम्भ द्वारा निर्मित जयस्तम्भ या विजय का स्तंभ उन समयों का अत्यंत कलात्मक तथा प्रभावी कार्य था। दक्षिण भारत में विजय नगर शहर जो केवल राजधानी के तौर पर ही रूप रेखित तथा निर्मित ना था बल्कि हिन्दु भवन निर्माण के प्रतिभा के रूप में हिन्दु धर्म की कला का प्रचुर मात्रा में अवसर प्रदान करता था। हम्पी का नगर महान भवन कलात्मक सुन्दरता का सुंदर प्रमाण है जिसे विदेशी पर्यटक भी प्रमाणित करते हैं।

सारांश में, यह वह काल था जिसने भारत को पूरा इस्लामिकरण होने से बचाया तथा भारत देश के भविष्य के भाग्य को निर्धारित किया। ऐसे समय में जब ऐसा सम्भावी लगता था कि भारतीय सभ्यता पूर्णतया ग्रसित हो जाएगी, इस शक्तिशाली हिन्दु पुनरुत्थान ने पुनः एक बार फिर इस को उच्चतर भाग्य के पथ पर ला स्थापित कर दिया।

> भारतीय संस्कृति इतनी दुर्बल तथा थुलथुली वस्तु नहीं है कि इसे आसानी से मिटाया जा सके। यह लगभग 5000 वर्षों से भी अधिक से जीवित है तथा और भी लम्बे समय तक चलती रहेगी एवं इसमें जीवित रहने की पर्याप्त शक्ति है।
>
> श्री अरविन्द

20

सारांश व पुनर्विलोकन

इस अध्याय में हम पिछले कुछ शताब्दियों की राजनैतिक घटनाओं का एक सारांश दे रहे हैं। हम हिन्दु धर्म का सांस्कृतिक तथा राजनैतिक क्षेत्रों में पतन पर भी सार में बात करेंगे। हम यहां प्रस्तुत कर रहे हैं–

- ग्यारहवीं तथा चौदहवीं सदियों के बीच भारत के राजनैतिक इतिहास का सारांश।
- हिन्दु-धर्म की दुर्बलता तथा इस्लाम के साथ इसका कठिन संबंध।
- इस काल के दौरान राजनैतिक, धार्मिक तथा सांस्कृतिक पहलुओं का एक समग्र चित्रण।

एक राजनैतिक सारांश

हमने पिछले अध्यायों में देख लिया है कि हर्षवर्धन की मृत्यु के पश्चात, उसके साथ ही साम्राज्य समाप्त हो गया तथा राज्य शीघ्र ही छोटे-छोटे राज्यों में विघटित हो गया। छोटे राज्य सारे भारत में विशेषतया दक्षिण, पश्चिम तथा पूर्वी भारत में उभर आऐ। दक्षिण भारत के साम्राज्य काफी शक्तिशाली बन गये।

यह तभी की बात है कि भारत में मुस्लिम आक्रमण प्रारम्भ हुऐ। इन आक्रमणों ने भारत के इतिहास में एक बदलाव ला दिया। तथापि यह अवश्य याद रखना चाहिए कि आठवीं सदी में मुस्लिम आक्रमणों के बहुत काल पहले भारत पर पहले से ही ग्रीक, हूण तथा कुशानों के आक्रमण हो चुके थे। लेकिन इन आक्रमणों की भिनन्ता मुस्लिम आक्रमणों से यह थी कि भारतीय समाज के साथ आरम्भिक मुठभेड़ के बाद, पहले वाले आक्रमणकारी पहले से स्थापित भारतीय समाज में पूर्णतया आत्मसात कर लिए गये थे। यहां तक कि वे कभी विदेशी आक्रमणकारी थे इसकी यादाश्त भी पूर्णतया मिट गई थी।

भारत पर पहला मुस्लिम आक्रमण 715 ई. में सिन्ध में हुआ था। ये आक्रमणकारी मुहम्मद बिन कासिम के नेतृत्व में अरब थे तथा उन्होंने राजा दाबीर को विस्थापित किया जो राजधानी देवल से सिन्ध पर शासन करता था (आधुनिक कराची के समीप)।

मुस्लिम आक्रमणकारियों की दूसरी लहर 980 ई. में प्रारम्भ हुई मुहम्मद गजनी के साथ तथा 1020 ई. तक चलती रही। यह वह समय था जब पंजाब के शाही राजाओं ने आक्रमणकारियों के साथ मुठभेड़ की और उन्हें रोका। 1020 ई. तक अफगानीस्तान, पखतूनीस्तान तथा पश्चिमी पंजाब के पश्चिम के भाग पर मुस्लिम शासन स्थापित हो चुका था। उत्तरी भारत पर शासन कर रहे राजपूतों द्वारा और आगे मुस्लिम आक्रमणों को रोक दिया गया।

मुस्लिम आक्रमण की तीसरी सफलतापूर्वक लहर मुहम्मद गोरी के नेतृत्व में 1191 ई. तथा 1255 ई. के बीच आई। यह वह काल था जिसके दौरान मुसलमानों ने दिल्ली तक अपना आधिपत्य बढ़ाया और दिल्ली सल्तनत की स्थापना की थी। इस आक्रमण का मुकाबला पृथ्वीराज चौहान द्वारा व्यवस्थित किया गया था। इस मुस्लिम लहर ने पूर्वी पंजाब, गंगा के मैदान तथा बंगाल को मुस्लिम आधिपत्य के अधीन कर दिया। बंगाल तब लक्ष्मण सेन द्वारा शासित अंतिम हिन्दु साम्राज्य था। कुछ समय तक सामना करने के पश्चात उसे मुसलमानों ने पराजित कर दिया। लेकिन उड़ीसा में मुसलमानों को रोक दिया गया व उन्हें पीछे धकेल दिया गया और इस प्रकार तुगान खांन को हिन्दु राजा नरसिंह के हाथों पराजित होना पड़ा। इस विजय की याद में नरसिंह देव ने कोनार्क में सूर्य मंदिर की स्थापना की।

मुस्लिम आक्रमण की अगली लहर दिल्ली से अल्लाऊदीन खिलजी द्वारा 1310 ई. में उसके सेनापति मलिक काफूर के नेतृत्व में हुई। इस आक्रमण ने महाराष्ट्र में देवगिरी के यादवों, आंध्रा प्रदेश में वारांगल के काकातिया के, कर्नाटका में बेलूर-हेलेवीद के होयसाला के तथा तमिलनाडु में मदुराई के पांडया के हिन्दु साम्राज्यों को रौंद दिया। यह आक्रमण सन् 1328 तक चला तथा इस आक्रमण के साथ उड़ीसा और आसाम को छोड़ सारा भारत मुस्लिम शासन के अधीन आ गया।

मुस्लिम आक्रमणों की समय सारिणी

मुस्लिम आक्रमणों की भारत में समय लीक की सारिणी यहां प्रस्तुत है:

- 1026–मुहम्मद गज़नी सोमनाथ के मंदिर को लूटता है।
- 1191–पृथ्वीराज चौहान मुहम्मद गोरी को पराजित कर उखाड़ फेंकता है: तैरेन का प्रथम युद्ध।
- 1192–मुहम्मद गौरी पृथ्वीराज चौहन को पराजित करता है: तैरेन का दूसरा युद्ध।
- 1206–कुतुबुद्दीन द्वारा दास वंश की स्थापना।

- 1221–चंगेज़ खान के अधीन मंगोल का आक्रमण।
- 1232–कुतुबमिनार की स्थापना।
- 1288–मार्को पोलो भारत आता है।
- 1290–जल्लालूद्दीन फिरोज़ खिलजी, खिलजी वंश की स्थापना करता है।
- 1320–गियासुद्दीन तुगलक तुगलक वंश का आधार रखता है।
- 1325–मुहम्मद बिन तुगलक का सिंहासन आरूढ़ होना।
- 1336–विजय नगर (दख्खन) की स्थापना।
- 1398–तिमूर भारत पर आक्रमण करता है।
- 1424–बाहमनी वंश (दख्खन) का उत्थान।
- 1451–दिल्ली में लोधी वंश स्थापित हुआ।
- 1489–बीजापुर में आदिल शाह का राजवंश।
- 1490–अहमद नगर में निज़ाम शाही वंश की स्थापना।
- 1498–वास्को डी गामा की प्रथम समुद्री यात्रा।

मुस्लिम आतंक के विरुद्ध हिन्दुओं का स्वतंत्रता संग्राम

हिन्दु साम्राज्यों ने पिछले सभी आक्रमणों का विरोध अत्यधिक सफलतापूर्वक किया था। लेकिन मुस्लिम आक्रमणों के आरम्भ होने के साथ हालात ने एक भिन्न रूप ले लिया था। इसमें कोई शक नहीं कि हिन्दु साम्राज्यों ने वीरतापूर्वक विरोध किया तथा वीरता से लड़े लेकिन अंत में पराजित हो गये। हिन्दुओं का भारत में मुस्लिम आक्रमणों के प्रति विद्रोह को 715 से 1328 ई. तक 600 वर्षों तक फैला हुआ कहा जा सकता है। इसके विपरीत मुस्लिमों ने फारस (ईरान) में ज़ोराषट्रीयन, सासानियन के ऊपर तथा मेसोपोटामिया, मिस्त्र तथा उत्तरी अफ्रीका में रोमन(बाईज़ैनटाइन) के ऊपर तुरन्त विजय प्राप्त की थी। मुसलमान भारत को आसानी से दबा नहीं पाऐ तथा भारत के विभिन्न भागों पर आधिपत्य करने के बाद भी वे उस पर पूर्णतया शासन नहीं कर पाए। अगले 400 वर्ष यानि 1328 से 1720 ई. तक हिन्दुओं की वीरतापूर्वक अनथक स्वतंत्रता की लड़ाई भारत को मुस्लिम शासन से मुक्त करवाने के लिए लगातार चलती ही रही।

उत्तरी भारत में राजपूत प्रथम थे जिन्होंने इस संग्राम का नेतृत्व किया जिसके बाद जाट, मराठा तथा सिख संग्राम करते रहे। दक्षिण में विजयनगर साम्राज्य इस संग्राम का सूचक रहा। यह स्वतंत्रता का संग्राम चरम सीमा पर तब आया जब

शिवाजी के नेतृत्व में मराठों ने भारत पर मुस्लिम आधिपत्य को लगभग समाप्त ही कर दिया था।

मुस्लिम शासन की विशेषताऐं

यद्यपि नये मुस्लिम शासकों ने हिन्दु काल के उन्हीं आर्थिक आधारों पर अपना निर्माण किया, तथापि उन्होंने उस काल में स्थापित सामाजिक, सांस्कृतिक तथा धार्मिक ढांचे को पूर्णतया नाश करने का ध्येय रखा। मुस्लिम शासकों ने अपने प्रारम्भिक शासनकाल में एक घोर आतंक का शासन फैला दिया जैसा कि भारत ने अपने इतिहास में कभी भी अनुभव नहीं किया था।

भारत पर विजय के बाद मुस्लिम आक्रमणकारियों का पहला कार्य था सोमनाथ, थानेसर, मथुरा, कन्नौज तथा अन्य स्थानों पर भलिभांति विभूषित हिन्दु मंदिरों को लूटना। इस तरीके तथा एक ही वार में, इन मंदिरों में हिन्दु शासकों द्वारा कई शताब्दियों के दौरान दिये गये दान द्वारा संचित धन गज़नी और गौरी तक के मुस्लिम आक्रमणकारियों के हाथों में आ गिरा। लेकिन उनको इससे ही संतोष ना हुआ, वे समस्त हिन्दु संस्कृति के सर्वनाश का ध्येय रखे हुए थे।

इस क्रम के एक भाग स्वरूप, उन्होंने भारत की समस्त धार्मिक संस्थाओं, हिन्दु, बौद्ध या जैन मंदिरों पर आक्रमण किया। इस कार्य हेतु मुस्लिम आक्रमणकारियों ने पूजा के स्थानों को अपवित्र करने, नालन्दा जैसे विश्वविद्यालयों को नष्ट करने, भिक्षुओं और पुजारियों के थोक में कत्लेआम करने का कार्य किया ताकि जिन लोगों को उन्होंने अपने अधीन किया उनके बौद्धिक आधार को ही समाप्त कर दिया जाये। उन्होंने संस्कृत तथा क्षेत्रीय भाषाओं समेत सभी भाषाओं को विस्थापित करने का प्रयत्न किया। उन्होंने विश्वविद्यालयों (जैसे नालन्दा), परम्परागत विद्या के केन्द्रों (आश्रमों, गुरुकुलों), भवनकला के प्रतीकों (मंदिर, चैत्य, विहार, स्तूप) इत्यादि को तबाह किया। भारत पर 700 वर्ष के दौरान मुस्लिम आधिपत्य की नीति हिन्दु संस्कृति के महान ढांचे को विशेष इस्लामी ढांचे से पूर्णतया विस्थापित किया जाना था। ऐसी अत्याचारी नीतियां जिनका पालन मुस्लिम शासकों ने 1194 ई. में स्थापित अपने शासन काल से प्रारम्भ किया था उसने उनके अधीन आने वाले क्षेत्रों में एक तीखी कड़वाहट की भावना छोड़ दी। हिन्दु परम्परा देश के कुछ सुदूर कोनों जैसे उड़ीसा, आसाम, तथा दक्षिण भारत के कुछ भागों में ही जीवित रह पाई।

हिन्दु-धर्म की अवनती

एक प्रश्न स्वाभाविक तौर पर उठता है कि ऐसा क्यों है कि हिन्दु सभ्यता अपने महान भूतकाल तथा प्रबल संस्कृति के होते हुए भी मुस्लिम आक्रमण के समक्ष खड़े होने में असफल रही। हम इस प्रश्न का संक्षेप में उत्तर देने का प्रयत्न करेंगे।

इतिहास ने हमें दिखाया है कि भारत पर ईसा पूर्व तीसरी शताब्दी से ही आक्रमण होते रहे थे। लेकिन भारतीय साम्राज्य जो चन्द्रगुप्त के समय से स्थापित हुए थे उन्होंने इन सभी आक्रमणों का सामना किया था। इन साम्राज्यों ने जिस कारण इन्हें स्थापित किया था, वह कार्य भली भांति किया और वह था भारतीय भूमि और भारतीय सभ्यता को उस असभ्य उथल-पुथल के प्रबल प्रवाह से बचाना। यह उथल-पुथल जो चौथी सदी में आरम्भ हुई उसने प्राचीन काल से स्थापित व स्थिर सभी संस्कृतियों को धमकाया तथा अंत में वह अत्यंत विकसित ग्रीको-रोमन सभ्यता तथा विस्तृत एवं शक्तिशाली रोमन साम्राज्य के लिए भी अत्यधिक बलशाली सिद्ध हुई। उस उथल-पुथल ने टयूटन, स्लैव, हूण तथा सीथीअन के बहुत बड़े समुदायों को पूर्व, पश्चिम तथा दक्षिण दिशाओं में बाहर निकाला जो भारत के द्वारों पर कई शताब्दियों तक बारंबार खटखटाते रहे, उन्होंने कुछ रास्ते भी बनाऐ, लेकिन जब वह उथल-पुथल डूबी तो भारत की सभ्यता के महान भवन को उसी प्रकार स्थिर महान और दृढ़ छोड़ गई।

तथापि बाद के समय में, आठवीं सदी के मध्य में भारत में साम्राज्य दुर्बल होने लगे। तब क्षेत्रीय भावनाएँ पृथकवाद के आंदोलनों में एकता को विघटित करती हुई या उत्तर के इस अधिकतर विस्तृत विस्तार को तोड़ती हुई पुनः जागृत हो उठीं। यह भारत के पूर्व, दक्षिण, मध्य व उत्तर-पश्चिम भारत के कुछ महान साम्राज्यों में एक अत्यधिक अव्यवस्थित लोगों के समुहों को पीछे छोड़ आई। यह वह दुर्बल कड़ी थी जिसे तोड़ कर मुसलमान अंदर घुस आए तथा थोड़े से समय में ही भारत के उत्तर में एक और साम्राज्य की पुनर्स्थापना कर गये। लेकिन यह साम्राज्य भारतीय प्रकार का ना था, यह मध्य एशिया के प्रकार का साम्राज्य था। इस मुस्लिम विजय के फलस्वरूप भारतीय लोगों के राजनैतिक क्षमता पर शक किया जाता था। लेकिन आओ पहले हम यह देखने का प्रयत्न करें कि ऐसा क्यों हुआ। यह विजय उस समय हुई जब प्राचीन भारतीय जीवन और संस्कृति की प्राणशक्ति कम से कम दो हज़ार वर्षों के कार्यकलाप तथा रचना के बाद कुछ काल के लिए थक कर चूर हो चुकी थी या उस थकावट के बहुत समीप थी। उसे स्वयं के कायाकल्प के लिए कुछ श्वास लेने का समय चाहिए था तथा यह संस्कृत से लोकप्रिय स्थानीय भाषाओं में हस्तांतरण द्वारा तथा नव निर्मित क्षेत्रीय समुदायों के स्थापना द्वारा हुआ था।

मुस्लिम विजय उत्तर में काफी जल्द प्राप्त कर ली गई थी, तथापि पूर्णतया समस्त भारत पर कई शताब्दियों तक वे ऐसा ना कर पाये। दक्षिण भारत ने पहले की ही तरह अपनी स्वतंत्रता को अंतर्देशीय साम्राज्य से बहुत समय तक अलग कायम रखा। राजपूतों ने भी अपनी स्वतंत्रता को अकबर तथा उसके उत्तराधिकारियों के समय तक कायम रखा तथा यह अंत में था कि कुछ भाग

तक राजपूत राजाओं का सेनापति तथा मंत्रियों के रूप में सहायता प्राप्त करके मुगलों ने पूर्व और दक्षिण भारत पर अपना आधिपत्य एक विदेशी शासक के रूप में बहुत जल्द समाप्त कर दिया। मुसलमानों की एक बहुत बड़ी संख्या इस देश में जाती द्वारा भारतीय थे व हैं, केवल बहुत कम पठान, तुर्की तथा मंगोल खून का मिश्रण हुआ, तथा विदेशी राजे व सामंत भी मन, जीवन और रूचियों से तुरंत ही पूर्णतया भारतीय बन गये। यदि भारतीय लोग कुछ यूरोपीय देशों की भांति कई शताब्दियों तक एक विदेशी शासन के तले निश्चेष्ठ, समर्पित तथा नपुंसक बने रहते तो वह स्थिति वास्तव में एक अत्यधिक निहित दुर्बलता का प्रमाण अवश्य होती। वास्तविकता में अंग्रेजों का यह पहला विदेशी शासन था जिसने भारत पर प्रभुत्व किया। भारत की प्राचीन सभ्यता वास्तव में एक मध्य ऐशियाई धर्म व संस्कृति के तले ग्रसित व अवनती की ओर अवश्य दबी लेकिन जिसके साथ वह कभी भी संयुक्त ना हो सकी, वह ना केवल उस विदेशी संस्कृति के दवाब से बच गई बल्कि उस पर कई दिशाओं में इसने अपना प्रभाव भी डाला तथा आज ह्रास में भी जीवित रह कर पुनः प्राप्ति की क्षमता रखती है, एवं सभ्यताओं के इतिहास में अद्वितीय शक्ति व भरपूरता का इस प्रकार एक जीवंत प्रमाण देती है। राजनैतिक क्षेत्र में भी इसने कभी भी महान शासकों, राजनितिज्ञों, योद्धाओं तथा प्रशासकों को आगे लाने में कमी नहीं की। इसकी राजनैतिक प्रतिभा, ह्रास के काल में प्रयाप्त नहीं थी, दूर-दृष्टि एवं कर्म में पठानों, मुगलों और यूरोपियों के विरुद्ध मुकाबला करने के लिए तीव्र या संगत ना थी, लेकिन यह जीवित रहने के लिए दृढ़ थी तथा पुनरूत्थान के हर अवसर की प्रतीक्षा करती, राणा सांगा के अधीन साम्राज्य स्थापना का प्रयत्न करती, इसने विजयनगर के महान साम्राज्य की स्थापना की, तथा इस्लाम के विरुद्ध राजस्थान की पहाड़ियों में सदियों तक इसने पैर जमाये रखे।

हिन्दु-धर्म के अवनती के कारण

तथापि यह प्रश्न फिर भी रहता है कि हिन्दु धर्म की अवनती क्यों हुई। यह अवनती पश्नगति के तीन गतियों के कारण हुई थी। तुलनात्मक दृष्टि से उस अतिबहुल्य प्राण-शक्ति के डूबने तथा जीवन के आनन्द व रचनात्मक आनन्द के क्षीण हो जाने की पहली गति के द्वारा थी। इस शक्ति की अवनती में भी, कुछ अभूतपूर्व तथा वैभवशाली कुछ आवश्य था तथा केवल बहुत कम समय के लिये यह पूर्ण जड़ता के समीप तक डूबी। लेकिन इसके पूर्वकालीन महानता के साथ तुलना करने पर पता चलता है कि यह अवनती में प्रगतिशील तथा स्पष्ट थी।

अवनती का दूसरा कारण पूर्व काल की स्वतंत्र बौद्धिक कार्यशीलता का जल्द ही समाप्त हो जाना तथा एक वैज्ञानिकी व तर्कसंगत एवं रचनात्मक मानस

का गूह्यज्ञान की घोर निद्रा में चले जाना था। जो शेष रह गया वह पूर्व-ज्ञान के खण्डों का गलत प्रकार से समझने पर अधिक से अधिक दोहराई का कारण बन गया। जो भी एक महान बौद्धिक भूतकाल ने रचा था उसके खोखले ढांचों के अवशेषों में मन तथा जीवन जड़ हो कर रह गया था। पुराने प्राधिकार तथा नियम अपने असली भावना और उद्देश्यों को भूल कर कठोरतापूर्वक अत्याचारी हो गये थे।

अंत में, आध्यात्मिकता तो रही परंतु वह पहले वाले समयों के बृहद तथा स्पष्ट ज्ञान की ज्वाला की भांति अब नहीं जलती थी, बल्कि अब वह एक तीव्र धार व एक बिखरे हुए कर्म के रूप में जलने लगी जिसने पुराने वैभवशाली समन्वय की भावना को विस्थापित कर कुछ आध्यात्मिक सत्यों पर बल देते हुऐ अन्य सत्यों की उपेक्षा की। इन तीव्र धाराओं के बारे में चित्रण पिछले दो अध्यायों में किया जा चुका है।

भारतीय संस्कृति का सम्पूर्ण अर्थ है मन तथा जीवन को पूर्ण आध्यात्मिक-करण की ओर प्रगति के पथ पर ले जाना तथा इस प्रयत्न में यह अवनती कुछ कमियों के कारण उस प्रयत्न में तनिक असफलता के बराबर मानी जा सकती है। प्रारम्भ अति उत्तम था, विकास-क्रम बहुत महान, परंतु जहां आत्मसात करने की क्षमता की प्रगति का बिन्दु था उस पर पुरानी सभ्यता पहले ही रूक सी गई, कुछ पीछे हट गई, जिस कारण एक नव-पुष्पीकरण के आने से पहले ही अपना रास्ता गंवा बैठी। परंतु आवश्यक आध्यात्मिकता जीवित रही तथा जाती के हृदय में अभी भी जीवित है। इसने ना केवल अपनी आदतों तथा यादों में इसे अभिव्यक्त किया, बल्कि अपने कर्म में भी किया, परंतु दुर्भाग्य से एक अव्यवस्था के अत्यधिक धूंऐ में ढ़की हुई अभिव्यक्ति की। उन अभूतपूर्व तथा नयी परिस्थितियों के सम्मुख क्षणिक असहाय हो जाना ही भारतीय मानस की असफलता का मूल कारण था।

हिन्दु-मुस्लिम संबंध

इसके साथ ही साथ यह भी याद रखना चाहिए कि दो धर्मों और सभ्यताओं के बीच किस हद तक समांगिकरण भी हुआ था।

पूर्व काल में भारत ने सभी आक्रमणकारी सभ्यताओं जैसे कि ग्रीक, पारसी तथा दूसरे देशों के मौलिक घटकों का आत्मसात किया था। लेकिन यह आत्मसात तभी हुआ जब दूसरी तरफ से भारत के केन्द्रीय सत्य को पहचाना गया, तथा आत्मसात करते समय उसने इस प्रकार किया कि आत्मसात किये घटकों ने अपने विदेशी स्वरूप की पहचान को भुला दिया और वे उसी के भाग बन गये। इस प्रकार भारतीय संस्कृति ने ग्रीक भवन-कला से, पारसी चित्र-कला इत्यादि

से कुछ ना कुछ आत्मसात किया। मुस्लिम संस्कृति का आत्मसात भी काफी हद तक मन में किया गया तथा वह शायद और आगे तक भी जाता। संगीत, भवन-कला तथा भाषा के क्षेत्रों में भी आत्मसात हुआ था। यहां तक कि धर्म में भी एक प्रकार का आत्मसात हुआ। परंतु जीवन के स्तर पर कुछ खास आत्मसात न हो सका। श्री अरविन्द के शब्दों में–

मुस्लिम विजय द्वारा प्रस्तुत वास्तविक समस्या यह नहीं थी कि विदेशी शासन के आगे अधीनस्त होना तथा स्वतंत्रता की पुनः प्राप्ति की योग्यता, बल्कि दो सभ्यताओं के बीच की थी, एक प्राचीन तथा अंतर्देशीय, दूसरी मध्यकालीन तथा बाहर से अंदर लाई गई। वह जिसने समस्या के समाधान को विलयहीन कर दिया वह था हरेक का एक शक्तिशाली धर्म के साथ जुड़े होना, एक युद्धक तथा आक्रमक, दूसरा आध्यात्मिक तौर पर वास्तव में सहनशील तथा लचीला, लेकिन अपने सिद्धांत के अनुशासन के प्रति जिद की हद तक निष्ठावान तथा सामाजिक ढांचों के अवरोध के पीछे प्रतिरोध करता हुआ। दो ही कल्पनीय समाधान थे, एक उच्चतर आध्यात्मिक सिद्धांत तथा रचना का पैदा होना जो दोनों का समझौता कराता या एक राजनैतिक देशभक्ति जो धार्मिक संघर्ष को लांघती तथा दोनों समुदायों की एकता करवाती।

परंतु यह आत्मसात का क्रम पूरा करने के लिए यह आवश्यक है कि मुस्लिम मानसिकता में एक बदलाव अवश्य आये। संघर्ष बाह्य जीवन में है तथा जब तक मुसलमान सहनशीलता नहीं सीखते, आत्मसात होना संभव नहीं लगता। हिन्दु प्रायः सहन करने को तैयार है। वह नये विचारों के प्रति खुला हुआ है तथा उसकी संस्कृति में आत्मसात करने की अद्‌भुत क्षमता है परंतु सदा ही यह शर्त है कि भारत के केन्द्रीय सत्य को पहचाना जाये।

21

मुगल साम्राज्य भाग 1

मुसलमानों के आक्रमण तथा उनके दिल्ली सल्तनत की स्थापना व संघटन के बाद भारत में मूलभूत बदलाव आया। ईसा पूर्व तीसरी शताब्दी के प्रारम्भिक काल से ही भारत पर आक्रमण होते रहे, परंतु भारतीय संस्कृति की शक्तिशाली आत्मसात करने की क्षमता ने पूर्वकालीन आक्रमणकारियों यानि कि ग्रीक, हूण तथा साका की संस्कृतियों को आत्मसात किया था। इस्लामी संस्कृति के मामले में यह घटनाक्रम नहीं हुआ। यद्यपि कुछ किसी प्रकार का आत्मसात तो हुआ था परंतु वह संपूर्ण ना था। इसका कारण था दोनों का अपने धर्म के प्रति वचनबद्धता। मुस्लिम धर्म युद्धक व आक्रामक था, जबकि हिन्दु धर्म आध्यात्मिक तौर पर सहनशील तथा लचीला था, लेकिन अपने सिद्धांतों के अनुशासन के प्रति जिद की हद तक निष्ठावान तथा सामाजिक ढांचों के अवरोध के पीछे प्रतिरोध कर रहा था। तथापि, आपसी संबंध विचारों के बदलाव को लाये तथा एक दूसरे को काफी हद तक परस्पर प्रभावित करते रहे। राजनैतिक संघर्ष के तुफान और हलचल के नीचे, एक दूसरे के लिये पारस्परिक आदर का भाव विकसित हुआ तथा यह कई क्षेत्रों में अभिव्यक्त हुआ। भारतीय गूह्यज्ञान ने इस्लाम को शक्तिशाली तरीके से प्रभावित किया तथा कई मुस्लिम विद्वानों तथा संतों ने भारत में इस्लामिक गूह्यज्ञान के आत्मसात होने में सहायता की। मुस्लिम संतों के लिये हिन्दुओं का एक बढ़ता हुआ आदर भाव था तथा इसके समकक्ष मुसलमानों द्वारा हिन्दु संतों के प्रति आदर भाव की प्रथा बढ़ी। इसने सत्यपीर या सच्चे संत की सांझी पूजा की ओर राह ली।

इसके साथ ही मुस्लिम विद्वानों द्वारा हिन्दु साहित्य और दर्शन पर अधिक अध्ययन किया गया। इसने एक नई और सुंदर भाषा उर्दू के रचना की राह ली जो कि फारसी, अरबी, तुर्की तथा संस्कृत भाषाओं के अंतरमिलन से बनी थी। यह अपने आप में हिन्दु तथा मुस्लिम भाषाओं के भाषाई समन्वय का एक प्रमाण है। यह लेन देन भवन-कला, कला-कृति तथा संगीत के क्षेत्रों में पारस्परिक क्रियाशीलता की ओर ले गया। तदानुसार भारतीय संस्कृति अवश्य ही समृद्ध हुई।

इस्लाम ने इसी काल में हिन्दु धर्म को दो दिशाओं से प्रभावित किया। एक ओर तो मुस्लिम धर्म की धर्म-परिवर्तन करवाने की प्रवृति ने हिन्दुओं की

कट्टरवाद प्रवृत्तियों को सुदृढ़ किया तो दूसरी ओर इस्लाम के कुछ लोकतांत्रिक सिद्धांतों ने हिन्दुओं के सामाजिक व धार्मिक व्यवस्थाओं में अपना स्थान बनाया। तथापि, राजनैतिक क्षेत्र में बेशक मुस्लिम शासकों ने अधिक संख्या में हिन्दुओं को प्रशासन में नौकरी दी, तो भी राजनैतिक खींचतान सतह के नीचे सदा बनी रही।

यह अधिक आवश्यक है जानना कि किस प्रकार राजनैतिक ढांचे में मुख्य बदलाव हुआ। जैसा कि हमने पहले वाले अध्यायों में देखा है, प्राचीन भारत में एक बलशाली लोकतांत्रिक मौलिक तत्व था। इसमें कोई शक नहीं कि राजा होते थे लेकिन मुस्लिम आक्रमण से पूर्व भारतीय राजतंत्र किसी भी प्रकार से एक व्यक्तिगत निरंकुशवाद या एक पूर्णतया एकतंत्रीय शासन नहीं था। इसका प्राचीन इरान के राजतंत्र या पश्चिमी व केन्द्रीय एशिया के राजतंत्रों या रोमन साम्राज्य की सरकार या बाद के यूरोपीय एक तंत्रीय शासनों के साथ कोई भी अनुरूपता नहीं थी। यह बिल्कुल ही भिन्न प्रकार का था। राजसी स्थान को एक पवित्रता तथा अधिक अधिकार प्रदान किए जाने तथा राजा के व्यक्तित्व को दिव्य शक्ति का प्रतिनिधीत्व व धर्म के संरक्षण दिए जाने के बाद भी उसके पास संपूर्ण शक्ति नहीं थी।

लेकिन अब हमारे पास एक बिल्कुल ही भिन्न व्यवस्था थी। भारत में मुस्लिम राज्य एक धार्मिक-तंत्र था तथा सुल्तान को राजा (सीज़र) व प्रमुख पुजारी (पोप) दोनों का एक ही में सम्मिश्रण समझा जाता था। उसका धार्मिक अधिकार कुरान के पवित्र कानून पर आधारित था लेकिन व्यवहार में वह निरंकुश शासक था, किसी भी बंधन द्वारा असिमित तथा उसका शब्द ही कानून था। उसके अधिकार का असली स्त्रोत उसकी सैनिक शक्ति थी एवं यह सभियों के द्वारा-साधारण लोग, सैनिकों, कवियों (अमीर खुसरो) तथा उलेमाओं आदी को भली भांति अवगत था। परंतु जब दिल्ली की सल्तनत विघटन की ओर बढ़ रही थी, स्वतंत्र स्वदेशी राज्यों का उभरना प्रारम्भ हो गया। यह राज्य दोनों हिन्दु जैसे कि विजयनगर, उड़ीसा और मेवाड़ तथा मुस्लिम जैसे कि गुजरात और अहमदनगर राज्य थे। यह सभी आत्म-निर्णय के स्थानीय आंदोलनों का प्रतिनिधित्व करते थे। परंतु इससे पहले कि इन आत्म-निर्णय के स्थानीय आंदोलनों की कोई सूरत उभरती, उनका नाश कर दिया गया एक और आक्रमण द्वारा जिसका नेतृत्व बाबर कर रहा था। इसने भारत के इतिहास को एक नया मोड़ दे दिया।

1526 ई. में भारत पर मुगल शासन प्रारम्भ हुआ। पहला मुगल सम्राट बाबर अपने पिता के वंश से तुर्की विजेता तैमुर का वंशज था तथा माता की ओर से मंगोल (फारसी में मुगल) विजेता चंगेज खान का वंशज था। बाबर, जो काबुल

का शासक था उसने भारत पर आक्रमण किया और पानीपत के युद्ध में उसने इब्राहीम लोदी को पराजित किया। इस पराजय के साथ दिल्ली सल्तनत समाप्त हो गई। पानीपत के 1526 में युद्ध के फलस्वरूप बाबर दिल्ली और आगरा का शासक बन गया। परंतु अब उसे दो अन्य शत्रुओं से युद्ध करना था, बिहार और बंगाल के अफगानी सामंतों तथा मेवाड़ के राणा सांगा के अधीन राजपूतों के विरुद्ध। राणा सांगा एक वीर योद्धा थे। मुगल और राजपूत खानवा के निर्णायक युद्ध में 16 मार्च 1527 को आमने-सामने हुए। राजपूतों ने वीरतापूर्वक युद्ध किया परंतु बाबर ने राजपूतों को पराजित कर दिया।

बाबर ने तब अफगान सामंतों की ओर रूख किया जिन्होंने उसके विरुद्ध एक संगठन बना लिया था। वह अफगानों को पटना से ऊपरी घाघरा और गंगा के संगम के किनारे घाघरा के तट पर मिला। बाबर ने अफगानों को 6 मई 1529 को पराजित किया। इन तीन युद्धों में विजय के फलस्वरूप पानीपत, खानवा तथा घाघरा के युद्ध-बाबर सारे उत्तरी भारत का मालिक बन गया। उसका साम्राज्य उत्तर-पश्चिम में काबुल और कंधार से पूर्व में बिहार तक तथा उत्तर में हिमालय से लेकर दक्षिण में ग्वालियर तक फैला था। फिर भी, वह इन कठिनाई से अर्जित विजयों के फल को भोग नहीं पाया 1530 ई. में, चार वर्ष तक राज्य करने के पश्चात 47 वर्ष की आयु में बाबर का देहान्त हो गया। उसका पुत्र हिमायुं उसका उत्तराधिकारी बना। बाबर की अग्रिम मृत्यु के कारण वह अपने साम्राज्य को व्यवस्थित ना कर पाया। तथापि उसने बाद के सम्राटों पर अपना प्रभाव छोड़ दिया। उसके प्रकृति के प्रति प्रेम ने औपचारिक चारबाग की योजना पर आधारित अत्यधिक सुंदर बागों की रचना के लिये अग्रसर किया। आगरा में उसके आरामबाग के आर्दश पर बागों के रचना के आदर्श बने जो हर मुगल किले, महल तथा दरगाह पर आने वाली सदियों में एक अभिन्न भाग बन गये। बाबर भारतीय इतिहास में मुगल साम्राज्य के संस्थापन के प्रथम शिल्पकार के रूप में महत्वपूर्ण है।

बाबर की मृत्यु के पश्चात 1530 में उसके बड़े पुत्र हिमायुं ने सिंहासन की बागडोर संभाली। तेईस वर्ष की आयु में हुमायूं भारत में मुगल साम्राज्य का शासक बना। परंतु उसे कई कठिनाईयों का सामना करना पड़ा। प्रथम, सिंहासन को प्राप्त करने के लिये कई दावेदार थे तथा दूसरा बाबर द्वारा छोड़े गये साम्राज्य को अभी संगठित नहीं किया गया था। बहादुर शाह के अधीन गुजरात की बढ़ती शक्ति हुमायूं के लिये एक बड़ी चुनौती थी। बहादुर शाह जिसने राजपूतों पर एक महान विजय प्राप्त की थी अब आगरे पर हमला करने के मनसूबे बना रहा था। बिहार और बंगाल के अफगानों को शेरखान में एक नया नेता मिल गया था तथा वे अपनी खोई शक्ति को पुनः प्राप्त करने के प्रयत्न में

थे। 1537 ई. में शेर खान ने बंगाल पर आक्रमण कर दिया। हुमायूं को अफगानों के आक्रमण का बहुत देर से पता चला। 1539 में शेरखान ने हुमायूं को चौसा में पराजित कर दिया तथा 1540 में कन्नौज में उसने हुमायूं को पुनः पराजित कर दिया और दिल्ली तथा आगरा को अपने अधीन कर लिया। इस प्रकार शेर खान ने दिल्ली में पुनः अफगानों का शासन स्थापित कर दिया। हुमायूं भारत से पलायन करने पर मजबूर हो गया। 1542 में वह अमरकोट (सिंध) में पहुंचा जहां अकबर का जन्म नवम्बर 1542 में हुआ। अंत में ईरान के शासक शाह ताहमापस ने उसे शरण दी। हुमायूं ने 1555 में अपने पिता के खोये हुऐ क्षेत्रों को पुनः प्राप्त करने में सफलता प्राप्त की। तथापि उसके तुरंत बाद एक घटना में उसकी मुत्यु हो गई तथा उसका सिंहासन उसके 13 वर्ष की आयु वाले पुत्र अकबर के हाथों आया जिसके 49 वर्ष के राज्य ने साम्राज्य की आधारशिला रखी। 1556 में जब अकबर सिंहासनारूढ़ हुआ तब मुगल साम्राज्य का पूरा अधिकार स्थापित नहीं हुआ था।

14 फरवरी 1556 को मुगलों के तीसरे बादशाह अकबर को 13 वर्ष की आयु में सम्राट घोषित किया गया। चूंकि अकबर बहुत अल्प आयु थे इसलिये प्रशासन की बागडोर उनके अविभावक बैराम खान को सौंपी गई। उनके सिंहासन पर बैठने के तुरंत बाद ही आदिल शाह सूर के योग्य सेनापति हेमु ने मुगलों का विरोध किया। हेमु अकबर तथा बैराम खान के अधीन सेना के साथ पानीपत के ऐतिहासिक मैदान में आमने सामने आया। कुछ प्रारम्भिक सफलताओं के पश्चात हेमु की पराजय हो गई जब अचानक एक तीर उसकी आंख में घुस गया। हेमु को मार दिया गया और युद्ध अकबर द्वारा जीत लिया गया। पानीपत के दूसरे युद्ध का परिणाम निर्णायक था। मुगलों की विजय के साथ अफगान-मुगलों में प्रधानता के संघर्ष की समाप्ति हो गई। इस युद्ध के बाद, अकबर का प्रथम कार्य था अपनी स्थिति को संयोजित करना। मूल-प्रवृति द्वारा दृढ़ साम्राज्यवादी होने के कारण उन्होंने अपने साम्राज्य को बढ़ाने के लिये एक विजय अभियान की नीति अपनाई। भारत के इतिहास में राजपुताना एक शक्तिशाली भाग था। दूरदृष्टि होने के कारण अकबर ने भारत में अपने साम्राज्य का निर्माण करने के लिये राजपूतों के साथ संधी करने के मूल्य का अनुभव किया। इसलिए उन्होंने जहां तक हो सका राजपूतों के साथ समझौता किया तथा उनका अपने सारी गतिविधियों में सक्रीय सहयोग की प्राप्ति व सुनिश्चितता को प्राप्त किया। अपने उदार नीति द्वारा उनमें से अनेकों के हृदय को जीता इस सीमा तक कि उन्होंने अकबर के साम्राज्य के लिये बहुमूल्य सेवाएं भी प्रदान की तथा उनके लिये अपना लहू तक भी बहाया। अकबर का साम्राज्य वास्तव में मुगल शक्ति व कूटनीति तथा राजपूती शौर्य और सेवा के आपसी मेल का परिणाम था।

राजपूतों ने अपनी स्वतंत्रता को अकबर तथा उनके उत्तराधिकारियों के काल तक बनाऐं रखा तथा यह अंत में राजपूत राजाओं की सहायता व उनके सेनापति तथा मंत्रियों के रूप में कार्यरत होने द्वारा मुगलों ने पूर्व तथा दक्षिण भारत पर अपना शासन कायम किया। इस सबके होते हुऐ भी मेवाड़ ने मुगलों के शासन को मानने से मना कर दिया तथा कड़ा सामना किया। उदय सिंह ने अपनी स्वतंत्रता को बनाए रखा चाहे वह अपने पारंपरिक राजधानी से हाथ गंवा बैठा था। 3 मार्च 1572 को उसकी मृत्यु के बाद मेवाड़ को उसके पुत्र राणा प्रताप में एक सच्चा देश-भक्त तथा नेता मिला। अकबर ने अपने विश्वसनीय राजपूत सेनापति मान सिंह को राणा को विद्रोह की व्यर्थता पर समझाने भेजा। राणा ने अपने अतिथी का पूरे सम्मान के साथ आगमन किया जो कि उसके प्रमुखता के अनुसार था तथा मान सिंह ने बदले में राणा के लिये एक भोज का आयोजन किया। राणा ने उस रात्री भोज में आने की असमर्थता जताई और आने से मना कर दिया। राणा ऐसे पुरुष के साथ खाना खाने के लिये तैयार ना था जिसने अपनी सेवाऐं मुगलों के आगे बेच दीं थीं। अपने स्वामी के प्रति गहरी स्वामीभक्ति के अनुरूप मानसिंह ने इस मानहानी के बदले मेवाड़ को पूर्ण रूप से समाप्त करने का कार्य आरम्भ कर दिया। इसी समय राणा प्रताप मुगल सेनाओं के साथ युद्ध करने की सावधानीपूर्वक पूरी तैयारी कर रहा था। उसके कार्य की विशालता भली भांति समझी जा सकती है जब हम देखते हैं कि बिना धन के तथा बहुत कम साधनों के साथ, उसे मुगल सम्राट की व्यवस्थित शक्ति का विरोध करना था, जो उस समय धरती पर लगभग सबसे धनी सम्राट था। इसके अतिरिक्त इसके साथी राजप्रमुख तथा इसके पड़ोसी तथा इसका अपना भाई भी, ऊंचे राजपूती वीरता और स्वतंत्रता के आर्दशों को तिलांजित कर मुगलों के साथ स्वयं को जोड़े हुऐ थे। परंतु अपने सम्बन्धियों से अधिक योग्य पदार्थ के बने राजस्थान के इस राष्ट्रीय नायक के लिए यह बाधा इतनी डरावनी ना थी जितनी कि अपनी स्वतंत्रता को खोना।

उसके क्षेत्र पर अकबर की राजसी सेना का पूर्वनिश्चित आक्रमण अप्रैल 1576 में हुआ तथा इस सेना का नेतृत्व अम्बर के मान सिंह तथा आसफ खान कर रहे थे तथा 21 जून 1576 को हल्दीघाटी के मैदान में एक भयानक युद्ध लड़ा गया। अपने प्रसिद्ध घोड़े चेतक पर सवार होकर प्रताप युद्ध के मैदान के बीचों बीच कूद पड़ा, व वीरता के कारनामे करने लगा जिन्हें राजस्थान के स्वर्णिम सैनिक इतिहास में लिखा गया है। शत्रु की कई गुणा अधिक संख्या होने के बावजूद राजपूत जान की बाज़ी लगा कर लड़े। हल्दीघाटी के दर्रे पर प्रताप खड़ा युद्ध के मैदान के सबसे घने भाग में अपना लाल झण्डा लिये आगे-आगे शत्रु की मार-काट करता चलता तथा एक के बाद दूसरी टुकड़ी

अटूट निडरता के साथ अपने प्रिय राजा की वीरता को दोहराती साथ-साथ आगे बढ़ती। लेकिन वीरता की यह गौरवशाली प्रकटता व्यर्थ थी क्योंकि मुगलों की सेना कई गुणा अधिक थी। हल्दीघाटी में उस दिन इकट्ठे हुए 22000 राजपूतों में से केवल 8000 ही वापस जीवित जा सके। हल्दीघाटी का युद्ध राजपूतों की याद में सदा ही जीवित रहेगा व गौरवान्तित करेगा।

प्रताप पराजित हो गये तथा मुश्किल से अपनी जान गंवाने से बचे, जो कि झाला के प्रमुख की निस्वार्थ स्वामी भक्ति द्वारा बचाई गई, जिसने अपने ऊपर सारे हमले ले लिये यह दिखाते हुए कि वह ही राणा है। अपने प्रिय घोड़े चेतक पर सवार हुए राणा पहाड़ियों की ओर चले गये तथा उनके शत्रुओं द्वारा उनके सभी किलों को एक-एक करके अपने अधिकार में कर लिया गया। परन्तु प्रताप अपने अति घोर मुसीबतों में घिरे होने के बावजूद आत्मसमर्पण की सोच भी ना करते शांत ना किये जा सकने वाले अपने शत्रुओं द्वारा पीछा किये जाने पर एक पहाड़ी से दूसरी पहाड़ी पर रहते हुए तथा अपने परिवार को स्थानीय पहाड़ियों के फलों द्वारा पालते हुए वह अनथक व निडर भाव एवं शक्ति के साथ युद्ध करते रहे। अंत में वे अपने कई किलों को पुनः विजित करने के पश्चात 19 जनवरी 1597 के दिन 57 वर्ष की आयु में स्वर्गवासी हो गये। यह राजपुत देश-प्रेमी अपने अंतिम क्षणों में भी अपनी मातृभुमि के लिये चिंतित थे क्योंकि उन्हें अपने पुत्र पर विश्वास ना था तथा अपनी मृत्यु से पहले उन्होंने अपने प्रमुख सेनापति से एक प्रण लिया था कि उनके समुदाय को मुगलों के समक्ष तिलांजित ना कर दिया जाए।

एक ऊंचा उठता अहंकार, धार्मिक उत्साह का जोश, प्रभावशाली प्रतिभाऐं, व असीमित साधन एक निडर वीर नायक के अडिग धैर्य, उज्जवल प्रतिष्ठावान सत्य, कर्तव्यनिष्ठा जिस पर किसी भी देश को गर्व हो सकता, एवं उसके निरंतर प्रयत्न भरे अपराजित मन का सामना करने में अपर्याप्त सिद्ध हो गये। राजपूतों ने प्रताप से अधिक योग्य सेनापति तथा अधिक चतुर राजनीतिज्ञ पैदा किये हैं, परंतु कोई भी उससे अधिक वीर एवं ओजस देशभक्त नेता पैदा नहीं किया है।

हल्दीघाटी के युद्ध के पश्चात अकबर ने रणथम्भोर तथा कालिंजर को 1599 में हड़प लिया। उसके बाद वह गुजरात को अपने अधीन करने के लिये आगे बढ़े। गुजरात महत्वपूर्ण था क्योंकि इसके समुद्री तटों पर उन्नत बंदरगाहें थी तथा एक आकर्षक वाणिज्य की स्थिति एवं विशेष आर्थिक लाभ थे। गुजरात पर विजय अकबर के इतिहास में एक महत्वपूर्ण घटना मानी जाती है। इसके पश्चात इन्होंने अपना ध्यान बंगाल की विजय पर जमाया। बंगाल पर आक्रमण का नेतृत्व अकबर ने स्वयं किया व 1575 में इस क्षेत्र को अपने

अधीन कर लिया। उड़ीसा को 1592 में अपने अधीन किया तथा मुगल साम्राज्य का भाग बनाया। तदोपरांत उसने उत्तर-पश्चिम सीमांत की ओर अपना ध्यान बढ़ाया। यह क्षेत्र युद्ध-सम्बन्धी तथा आर्थिक महत्व की स्थिति रखता है तथा इसलिए यह आवश्यक था कि इस पर प्रभावशाली नियंत्रण हो। सन् 1595 तक सिंध बलूचीस्तान, कंधार तथा कश्मीर भी अकबर के अधीनस्थ कर लिये गये थे। वे अब बेरोकटोक शासक बन गये थे ऐसे क्षेत्र के जो हिमालय से नर्मदा तक तथा हिन्दुकुश से ब्रह्मपुत्र तक फैला था। इस प्रकार पूरा उत्तरी तथा मध्य भारत उनके साम्राज्य के अधीन था।

अकबर का अगला निशाना दक्कन था। यह किसी धार्मिक धारणाओं पर आधारित न होकर मात्र उनके साम्राज्यवाद की नीति का एक भाग था। इसके अतिरिक्त यह दक्कन को अपने अधीन करना चाहते थे क्योंकि पुर्तगालियों ने दक्कन में स्वयं को पहले से ही स्थापित कर लिया था। उन्होंने पाया कि यह बुद्धिमत्ता नहीं होगी कि दक्कन की आर्थिक समृद्धी को पुर्तगालियों द्वारा भोगने दिया जाये। उन्होंने पहले दक्षिण राज्यों को शांतिपूर्ण राजनितिक साधनों द्वारा अपने वश में करना चाहा, परंतु असफल होने के पश्चात युद्ध का सहारा लिया। वे किसी हद तक अपने अधिकार क्षेत्र को बढ़ाने में सफल रहे व कृष्णा नदी तक अपनी सीमा बढ़ा ली परंतु दक्षिण भारतीय राज्यों पर उनका अधिकार सही अर्थों में कभी भी संपूर्ण नहीं हुआ। इस प्रकार अकबर ने एक बृहद साम्राज्य का निर्माण किया तथा लगभग सारे भारत को मुगल शासन के अधीन ले आये।

22

मुगल साम्राज्य भाग 2

अकबर का देहांत 1605 ई. में हुआ। उनके उत्तराधिकारी जहाँगीर (1605–1638), शाहजहाँ (1638–1658) तथा औरंगजेब (1658–1707) हुए। जहाँगीर ने विजय और विलय की नीति को चालू रखा। यह जहाँगीर के शासन काल में था कि कैप्टन हॉकिन्स-एक अंग्रेज दूत-इंग्लैन्ड के राजा जेम्ज़ के पत्र के साथ 1608 में व्यापार करने की अनुमति लेने आया था। उसकी भेंट के पश्चात सन 1616 में सर थॉमस रो को मुगल दरबार में राजदूत के तौर पर नियुक्त किया गया था। जहाँगीर ने अंग्रेज कंपनी को सूरत में अपना कारखाना स्थापित करने की अनुमति दी। इसके ही राज्य काल के दौरान सिक्खों के छठे गुरु अर्जुन देव की हत्या की गई थी।

शाहजहाँ का राज्यकाल महान स्मारकों के लिये प्रसिद्ध है। ताजमहल के अतिरिक्त, जो उसकी सर्वोत्तम रचना है, दूसरे प्रसिद्ध स्मारक हैं: दिवाने-खास, दिवाने-आम, मोती मस्जिद तथा लाल किला।

औरंगजेब एक धर्मान्ध था तथा उसने हिन्दु आबादी को पूर्णतया अलग-थलग कर दिया। वह अधिकतर लोगों द्वारा एक बहके हुए कट्टरवादी के रूप में देखा जाता था। उसके साम्राज्य को क्रमवार सिक्खों, राजपूतों तथा शिवाजी के अधीन मराठाओं के विद्रोहों ने हिला दिया। उसकी 1707 में मृत्यु के तुरंत बाद साम्राज्य छिन्न-भिन्न हो गया। औरंगजेब के पश्चात बाकी के सब नाम से ही सम्राट थे। उन्नीसवाँ तथा आखिरी मुगल शासक बहादुर शाह ज़फर को अंग्रेजों द्वारा 1858 में सिपाही विद्रोह के बाद देश से निष्कासित कर दिया गया था।

मुगल साम्राज्य तथा इसकी उपलब्धियाँ

अकबर एक उदार व सहनशील राजा थे। ऐसे कई प्रभाव थे जिन्होंने उन पर कार्य किया। यह कहा जाता है कि सहनशीलता के बीज उनकी माता ने उनमें डाले। काबुल में रहने के दौरान सूफी संतों और सूफी धर्म के साथ उनके सम्बन्धों ने उनके मन को उदारता और पवित्र विचारों से प्रभावित किया। अंत में उनकी राजपूत पत्नियों तथा उनका हिन्दु-धर्म के साथ सम्बन्ध व सुधारवादी आंदोलनों ने उनके संवेदनशील मन पर अपना प्रभाव छोड़ा। साथ ही साथ एक

बुद्धिमान शासक व एक तीव्र राजनैतिक मन के होने तथा समस्त भारत पर एक मुगल साम्राज्य के निर्माण की इच्छा ने उनके साम्राज्य में धार्मिक समन्वय के अत्यधिक महत्व को अनुभव किया। इसी दिशा में सन 1582 में उन्होंने अपने साम्राज्य में सभी सम्पद्रायों को एक सार्वजनिक सर्व-धर्म के मिश्रण का एक धर्म जिनको उन्होंने **दीने-इलाही** का नाम दिया प्रदान करने के कार्य के प्रयत्न का संकल्प लिया। उन्होंने स्वयं को भगवान का उप-राजप्रतिनिधी माना जिसे अपनी प्रजा के आध्यात्मिक व संसारिक उद्देश्यों पर शासन करने का अधिकार था। यह साहसी प्रयत्न पूरी तरह निष्फल रहा परंतु इस सत्य को अकबर ने कभी स्वीकार नहीं किया तथा अपने जीवन के अंत तक इन नये धर्म के झूठ को मानते रहे। उस समय के बाद से वे स्वयं को मुस्लिम नहीं होने का उदघोष किया करते। उनके कर्मों से कभी-कभी यह धारणा भी सतह पर आती थी कि वह स्वयं को धरती पर भगवान होने का भाव रखते थे। परन्तु वह सफल ना हुए। यद्यपि यह अवश्य जानना चाहिए कि:

> *अकबर का भारत देश के लिए अपने विकसित तर्क द्वारा एक नये धर्म की रचना का प्रयत्न एक अति बुद्धिमान निरर्थकता थी। क्योंकि राजनैतिक साधनों द्वारा कोई एक आध्यात्मिक धर्म की रचना नहीं कर सकता। केवल कोई दुर्लभ व्यक्ति, अवतार या पैगम्बर ही, जो शायद धरती पर हजारों वर्षों में एक बार आता है, दिव्य सत्य के बारे में सत्यनिष्ठा से बात कर सकता है। क्योंकि उसकी शक्ति का रहस्य राजनैतिक नहीं बल्कि आध्यात्मिक होता है।*

मुगल प्रशासन

अकबर केवल एक महान विजेता ही नहीं थे बल्कि एक अत्यधिक योग्य प्रशासक भी थे। वे एक अद्भुत धैर्य और असाधारण शारीरिक शक्ति द्वारा विभूषित थे। जैसा कि उनके बेटे जहाँगीर ने बताया कि अकबर सदा अपने जीवन को वगैर राजनैतिक परिणामों की परवाह किये हुए खतरे में डालने के लिये तत्पर रहते। अपने गुणों के साथ, वे भारत में एक बहुत समय तक स्थिर साम्राज्य की स्थापना कर सके। वह कला और साहित्य के महान संरक्षक थे। दूरदृष्टि से विभूषित अकबर ने मुगल साम्राज्य के राजनैतिक ढांचे का निर्माण किया तथा अपने प्रशासनिक व्यवस्था को सारे अधीनस्थों के सहयोग तथा सदभावना द्वारा स्थापित किया। उनके प्रशासन की व्यवस्था 200 से अधिक वर्षों तक चलती रही। अकबर ने अपने राज्य को पंद्रह सूबों या प्रांतों में विभाजित किया था। प्रत्येक प्रांत एक सूबेदार द्वारा नियंत्रित था। सूबेदार को सहायता दिवान (अर्थ मंत्री) तथा एक काजी (न्यायाधीश) के द्वारा प्रदान की जाती थी। प्रांतों को आगे सरकारों (जिलों) में विभाजित किया गया था तथा सरकार आगे

परगना में विभाजित थे। उन्होंने पराजित और दीन लोगों के अधिकारों और विशेषाधिकारों की भावनाओं को अपने स्वार्थ के लिये कभी नहीं रौंदा। अकबर ने भूमि-कर लेने के तरीके को बदला। धरती की उपजाऊपन पर आधारित कर लगाया गया तथा किसानों को छूट थी कि वे प्रकार में या नगद भुगतान करें। दयालु-हृदय होने के कारण अकबर अकाल, सूखा या और प्राकृतिक आपदाओं के समय भूमि-कर में कटौती भी कर देते। उन्होंने किसानों को अग्रिम उधार भी दिये। बाद में भूमि-कर दस वर्ष के लिये मूल्यांकित किया गया। इसने किसानों को और धनी बना दिया तथा देश समृद्ध हो गया।

अकबर एक बलशाली तथा सु-सज्जित सेना के महत्व को जानते थे। उन्होंने सारी सैन्य शक्ति को विभाजित कर रखा था। अफसरों को उनके ओहदे से पुकारा जाता था। अकबर ने गैर-मुस्लिमों (हिंदुओं) के बीच भेदों को मिटाने का प्रयत्न किया। उन्होंने हिन्दुओं को ऊँचे ओहदे पर नियुक्त भी किया। अपने राज्यकाल के आठवें वर्ष में उन्होंने यात्री-कर समाप्त कर दिया तथा नौवें वर्ष में जजिया समाप्त कर दिया। मुगल काल में कोई भी लिखित कानून की संहिता नहीं थी। अकबर ने अधिक से अधिक निष्पक्ष होने का प्रयत्न किया। हर रोज अकबर कुछ समय के लिये कुछ लोगों की शिकायतें सुनने और उनका निपटारा करने में लगाते थे फांसी की सजा बहुत ही चरम हालात में किसी-किसी मामले में वह भी सम्राट द्वारा स्वयं सुनाई जाती थी। साधारणतया सजा के तौर पर जुर्माने की सजा होती थी तथा कभी-कभी गुनहगारों को कैद की सजा होती थी। अकबर ने दयालु सामाजिक सुधारों को आरम्भ करने का प्रयत्न भी किया।

> यह किसी भी मध्यकालीन या समकालीन यूरोपीय राज्य या साम्राज्य की तुलना में उतना ही वैभवशाली, शक्तिशाली व परोपकारी था तथा इसमें जोड़ा जा सकता है, औरंगजेब के कट्टरतापूर्ण उत्साह के होते हुए भी, कहीं अधिक उदार तथा धर्म में सहनशील था तथा भारत इसके शासन तले अपने सैन्य तथा राजनैतिक शक्ति, आर्थिक समृद्धी तथा अपने कला और संस्कृति में कही ऊँचा खड़ा था।
>
> *श्री अरविन्द*

मुगल कला

अकबर द्वारा स्थापित शांति और व्यवस्था तथा उस काल के धार्मिक आंदोलनों के सर्वदेशीय विचारों ने लोगों की प्रतिभा को साहित्य, निर्माण-कला, चित्र-कला तथा संगीत जैसे कई क्षेत्रों में जागृत किया। यह अवश्य जान लेना चाहिए कि मुगल काल पूर्ण रूप से नव-निर्माण तथा पुनर्जागरण का काल नहीं था बल्कि

उन क्रमों के निरंतर रहने और चरम बिन्दु पर पहुँचने का था जिनका शुभारम्भ पहले के तुर्की-अफगान काल में हुआ था। वास्तव में 1526 के पहले के समय के कला और भवन-निर्माण की कला भी मुस्लिम तथा हिन्दु कला परम्पराओं और मौलिक घटकों के खुशनुमा मिश्रण का प्रतिनिधित्व करती है।

मुगल भवन-निर्माण कला

बारहवीं सदी के अंत तक इस्लामिक शासन के उत्थान के साथ भारतीय भवन-कला ने नया रूप ले लिया। भारतीय भवन निर्माण कला में नये मौलिक घटकों को आरम्भ किया गया था जिनमें सम्मिलित हैं: आकारों का प्रयोग (प्राकृतिक स्वरूपों के अतिरिक्त) सुंदर लेखों या चित्रित शब्दों के प्रयोग द्वारा शिलालेख की कला, पच्चीकारी द्वारा सजाना तथा रंगीन संगमरमर का प्रयोग, रंगा हुआ लेप तथा चमकते चिकने खपड़े (टाईलें)। गुंबज या गोलाकार की संकल्पना मुसलमानों द्वारा अविष्कारित नहीं थी, परंतु वास्तव में, रोमन काल के बाद के समय के भवन-कला शैलियों से उधार ली हुई एवं बाद में उनके द्वारा आगे प्रवीण किया गया था। मुसलमानों ने पहली बार भारत में भवनों के निर्माण के लिए सुर्खी-चूने को मसाले के रूप में जोड़ने वाले तत्व के लिए प्रयोग किया था। उन्होंने इससे पहले अन्य सभ्यताओं के अनुभवों से लिये गये कुछ वैज्ञानिक तथा मशीनी सूत्रों को भारत में निर्माणों के लिये प्रयोग में लिया। इस्लामिक देशों के अधिकतर स्मारक मुख्यत: ईंट, पलस्तर और रोड़ी से निर्माण किये जाते थे, इसके उलटे भारतीय-इस्लामिक स्मारक मुख्यत: चूना-सुर्खी के मसाले तथा तराशे हुए पत्थरों के निर्मित राजगीर के कार्य थे। यह अवश्य बल देकर बताया जाता है कि भारतीय शिल्पियों के द्वारा प्राप्त ज्ञान और कौशल जो उन्होंने पत्थरों के कार्य की कला को सदियों तक प्रवीणतापूर्वक किया था एवं वह अनुभव जो इस्लामिक स्मारकों को भारत में निर्माण के समय करते पाया, उसके द्वारा भारतीय-इस्लामिक भवन-कला का विकास बहुत अधिक स्तर तक सुगम हो गया था।

भारतीय शिल्पियों की महान प्रतिभाएँ तथा भारत में पाये गये पत्थरों व पदार्थों की प्रचुरता के प्रति मुगल भवन-निर्माण कला की परम्परा में महान उपलब्धियाँ अत्यंत देनदार हैं। एक अद्वितीय अत्यंत सुदंर भवन निर्माण कला की परम्परा को पालने पोसने तथा फलदायी बनाने के लिए प्रत्येक सम्राट ने स्थानीय पदार्थों तथा स्वदेशी स्वरूपों एवं शिल्प कलाओं का प्रयोग किया। मुगल शैली ने ताजमहल के निर्माण में अपनी विजयशाली परिपूर्णता को पाया जो भारत में सदियों से मुगल शासन की सबसे अधिक वैभवशाली अभिव्यक्ति है। ताजमहल मुगलकाल की आगरा में अंतिम तथा महानतम भवनकला का अलंकार है। श्री अरविन्द के शब्दों में–

"ताजमहल किसी राजसी प्रेम कहानी का एक विषयी संस्मारक या चांद के चमकीले पत्थरों की खान से काटी हुई एक परी का जादू ही केवल नहीं है बल्कि एक अनंत प्रेम का स्वप्न है जो मृत्यु के पश्चात भी जीवित है। इसकी महान मस्जिदें पवित्र तप तक उठीं धार्मिक प्रेरणाओं को एक साकार रूप देती हैं जो उसके गौण अलंकार व शोभा के समर्थन को कम नहीं करती। दरगाहें मृत्यु से परे स्वर्ग के आनन्द और सुंदरता को प्राप्त करती हैं। फतेहपुर सीकरी के निर्माण किसी कायर, विलासी पतन के स्मारक नहीं हैं–अकबर के समय के मानस के लिये एक बेहूदा वृत्तांत–बल्कि एक वैभवता, बल और सुंदरता को एक रूप व सुरक्षित आश्रय देती हैं अतः धरती पर उसे कीचड़ में नहीं गिरने देती।"

कुछ लोगों द्वारा यह दावा किया गया है कि मुगल कला अपने मूल में पूर्णतया स्वदेशी थी। परंतु यहाँ एक बार दुबारा हम देखेंगे कि श्री अरविन्द को इसके बारे में क्या कहना है:

"मैं इसकी विशिष्टताओं का मूलतः तथा पूर्णतया स्वदेशी होने के किसी दावे के प्रतिवाद से संबंधित नहीं हूँ। मुझे यह लगता है कि यहाँ भारतीय मन ने अरब और इरानी कल्पनाओं से काफी कुछ अपनाया है तथा कुछ मस्जिदों और दरगाहों में मैंने हृष्टपुष्ट और साहसी अफगान व मुगल स्वभाव जैसा प्रभाव पाया है। लेकिन यह काफी स्पष्ट है कि ऐसा होते हुए भी कुल मिलाकर यह एक प्रतीकात्मक भारतीय रचना विलक्षण भारतीय उगहार लिये हुए ही है। सजाने की कला और कल्पना की शोभा को एक और शैली के प्रयोग के लिये मोड़ दिया गया है, परंतु यह वही प्रवीणता है जिसे हम उत्तरी भारत के हिन्दु मंदिरों में पाते हैं, तथा सतह पर हम देखते हैं, कितना भी रंग आदी को हल्का किया गया हो, कुछ प्राचीन महाकाव्य के विशाल सभा और शक्ति को कभी-कभी, परंतु अधिकतर रूप में उस संगीतमय शोभा को जिसे हम स्वदेशी शिल्पकला में मुस्लिम उत्थान से पूर्व–जैसा कि उत्तरपूर्व और जावा की शैलियों में–एवं कभी-कभी इन दोनों प्रेरक शक्तियों के मिश्रण में विकसित होते देखते हैं।

साहित्य के क्षेत्र में भी, अत्यधिक सुंदर साहित्य सामने आया। शासनकाल का फारसी का सबसे निपुण लेखक अब्दुल फज़ल एक विद्वान, कवि, निबंध लेखक, विवेचक तथा एक इतिहासकार था। सम्राट की आज्ञा से संस्कृत तथा अन्य भाषाओं की कई पुस्तकों का फारसी में अनुवाद किया गया था। महाभारत के कई अध्यायों का कई मुस्लिम विद्वानों द्वारा फारसी भाषा में रज़्म-नमाह नामक शीर्षक तले संकलित किया गया। हिन्दी के साहित्य का भी खूब विकास

हुआ। उस समय का बहुत-सा साहित्य कृष्ण भक्ति या राम कथा को समर्पित था। सूरदास की लेखनी ने बृज भाषा में श्रीकृष्ण के आकर्षित प्रारम्भिक जीवन पर काव्य लिखा था। राम भक्ति पर लिखने वाले लेखकों में से एक तुलसी दास थे। उन्होंने रामचरित मानस लिखा, जिसे *हिन्दुस्तान के दस करोड़ लोगों की एक बाईबल* के नाम से जताया गया है। वह केवल उच्चतम श्रेणी के कवि ही नहीं थे, बल्कि लोगों के आध्यात्मिक गुरु भी थे तथा उनका नाम घर-घर में लिया जाता है एवं उनकी याद की पूजा लाखों द्वारा होती है।

संगीत के क्षेत्र में भी अकबर, जहाँगीर तथा शाहजहाँ ने इसे पर्याप्त संरक्षण दिया। यह कहा जाता है कि अकबर के दरबार में 36 संगीतज्ञों को संरक्षण मिलता था। उनमें से सबसे प्रसिद्ध तानसेन था जिसके बारे में कहा गया है कि इसके समान संगीतज्ञ पिछले एक हज़ार वर्षों से भारत में नहीं हुआ था।

औरंगजेब की मृत्यु ने मुगल साम्राज्य के विघटन का बिगुल बजा दिया। उसके तीन पुत्रों में दिल्ली के सिंहासन और उसके प्राप्ति के लिए गृह-युद्ध छिड़ गया। इसके बाद विदेशी आक्रमण प्रारम्भ हो गये तथा सारे भारत में स्वतंत्र हिन्दु और मुस्लिम राज्य सर उठाने लगे। मुगल साम्राज्य पिछले सभी साम्राज्यों की भांति विघटित हो गया। यह इससे पहले के साम्राज्यों की भांति समाप्त हो गया परंतु यह और भी भयानक तथा आंतरिक विघटन द्वारा टूट गया। एक सैन्य और प्रशासनिक विकेन्द्रीय साम्राज्य भारत के जीवंत राजनैतिक एकता को नहीं जुटा पाया। यद्यपि क्षेत्रीय जनता की भावनाओं में एक नव-जीवन का संचार अवश्य उभरने लग गया था परंतु पेशवाओं की विफलताओं तथा तदोपरांत अराजकता व पतन द्वारा यूरोपियों को मौके का फायदा उठाने का समय मिल गया व उनके हस्तक्षेप के द्वारा उस क्षेत्रीय भावनाओं के मौके को नष्ट कर दिया गया।

जब मुस्लिम हमारे पास आये उस समय भारत साझे संस्कृति में एकत्रित, कई प्रांतों ओर प्रदेशों में बँटा हुआ, एक साझे जीवन में ढला हुआ, विभिन्न रीति-रिवाजों व कानूनों को मानता हुआ, विभिन्न मार्गों द्वारा एक साझे आध्यात्मिक व सामाजिक ध्येय की ओर चलता एक महान देश था। इन अमुल्य उत्तराधिकारों के बीच भारत के मुस्लिम शासक तथा मुगल राजा आये तथा देश के प्राचीन राष्ट्रीय जीवन व चेतना में उन्होंने नए तथा उसी समान मूल्यवान घटकों को जोड़ दिया। हिन्दुओं की प्राचीन एकता वास्तव में धर्मों-सामाजिक थी। यह सांझी सांस्कृतिक और आध्यात्मिक उद्देश्यों व अनुशासन की एकता थी। मुस्लिम तथापि एक भिन्न संस्कृति और एक भिन्न अनुभवों के क्रम के साथ हमारे पास आए। मूल रूप से मिश्रित जातियों का मेल ही इस्लाम की

प्रतिभा है। मिश्रित जाति-चेतना की विशेषता उसके कानूनी प्रभुत्व में रहती है। यह जीवन के कल्पनामय और भावनात्मक घटकों से व्यावहारिक यथार्थता तथा बाह्य-जीवन की ओर अधिक बल देता है। यह मौलिक घटक भारत की धरती में सहज थे। मुस्लिम शासकों ने जो किया वह था उसके प्राचीन चेतना और संस्कृति में राष्ट्रीय जीवन के कुछ सकारात्मक पहलुओं को जोड़ देना। हमारे राष्ट्रीय जीवन और एकता के आधार को अधिक गहरा और विस्तृत करने के लिये यह इस्लाम के कानूनों और प्रशासन को ले आया। सारा देश एक साझे कानून और प्रशासन के अधीन आ गया। मुस्लिम शासन के अधीन भारत की प्राचीन एकता व उसके विभिन्नता भरे लोगों का जीवन एवं चेतना इस प्रकार काफी हद तक और भी गहरी व विस्तृत हो गई।

23

भक्ति आंदोलन तथा सिक्ख सम्प्रदाय

जैसा कि हमने पिछले अध्याय में देखा है, मुगलों का शासन लगभग 200 वर्ष तक रहा। 1526 में बाबर के साथ आरम्भ होकर 1707 में औरंगज़ेब की मृत्यु के तुरंत बाद इसका अंत हो गया। अकबर की उदारवादी घोषणाओं के होते हुए भी यह वास्तव में भारत में इस्लाम के शासन का पूर्ण प्रभुत्व का काल था। राजनैतिक तौर पर लगभग समस्त भारत ही मुगलों के शासन तले आ गया था। साथ ही साथ इस शासन में भारत के धर्म और संस्कृति को नाश करने का प्रयत्न भी किया गया। परंतु जब भी भारत को अपने धर्म, संस्कृति तथा जीवन पद्धति के प्रति गंभीर संकट का सामना करना पड़ा, तो उसने अपने ही प्रकार से अनेकों जागृत आध्यात्मिक व्यक्तित्वों के प्रादुर्भाव द्वारा ऐसे संकट का प्रत्युत्तर दिया जिन्होंने धर्म और संस्कृति की ज्योति को जीवित रखा।

इस अध्याय में हम ऐसे दो आंदोलनों को लेंगे जो भारत में मुगल शासन के दौरान उभरे तथा जिन्होंने भारत को इस्लाम के संपूर्ण प्रभुत्व से बचाया जबकि अन्य अनेकों सभ्यताओं व देशों पर इस्लाम पूर्णतया हावी हो चुका था। पहला आंदोलन जिसका हम अध्ययन करेंगे वह बंगाल, मध्य भारत तथा राजस्थान में हुआ जिसका नाम भक्ति आंदोलन है। इस आंदोलन का नेतृत्व श्री चैतन्य महाप्रभु, तुलसीदास तथा मीराबाई द्वारा किया गया।

दूसरा आंदोलन पंजाब में हुआ तथा श्री गुरु नानकदेव द्वारा प्रारंभ किया गया जिन्होंने सिक्ख धर्म का आधार रखा। यह आंदोलन अपनी प्रेरणा में ना केवल आध्यात्मिक ही था बल्कि इसका एक स्पष्ट राजनैतिक रंग या स्वर भी था तथा इसने मुस्लिम प्रभुत्व के विरुद्ध एक शक्तिशाली अवरोध की भांति कार्य भी किया।

चैतन्य (1486-1534)

चैतन्य महाप्रभु नाडिया में मायापुर नामक स्थान में 18 फरवरी 1486 को पैदा हुए। उनके जन्म के समय चन्द्रग्रहण लगा हुआ था तथा नाडिया के लोग उस समय, जैसा कि प्राय: ऐसे मौकों पर होता है, पवित्र भागीरथी में स्नान करने में व्यस्त थे। उनके पिता, वैदिक परम्परा के एक गरीब ब्राह्मण जगन्नाथ

मिश्र तथा उनकी माता साची देवी एक शुद्ध चरित्र वाली स्त्री, दोनों सिलहट स्थान के ब्राह्मण थे। चैतन्य एक सुंदर बालक थे। उनके नाना पंडित नीलाम्बर चक्रवर्ती जो एक प्रसिद्ध ज्योतिषी थे, उन्होंने भविष्यवाणी की कि समयानुसार वह एक महान व्यक्ति बनेगा। तथा इस प्रकार उन्होंने बालक का नाम विश्वम्भर रखा। 5 वर्ष की आयु में वे एक स्थानीय पाठशाला में दाखिल किये गये जहाँ उन्होंने बहुत कम समय में बंगाली भाषा सीख ली। 10 वर्ष की आयु तक उन्होंने व्याकरण, स्मृति, न्याय तथा विवेचन में अच्छी विद्वता प्राप्त कर ली। यही वह समय था जब उनके बड़े भ्राता विश्वरूप घर छोड़ कर एक संयासी बन गये। चैतन्य बेशक एक छोटे बालक थे तथापि उन्होंने अपने माता-पिता को सांत्वना दी कि वे उनकी सेवा करेंगे। इसके तुरंत बाद उनके पिता का देहांत हो गया। उनकी माता का हृदय टूट गया परंतु चैतन्य ने अपनी शांत चित्त अवस्था में मां को आश्वासन दिया और उन्हें शांत किया।

14 वर्ष की आयु में चैतन्य का विवाह नाडिया के वल्लभाचार्य की पुत्री लक्ष्मी देवी से हो गया। इस समय तक वे नाडिया के सर्वोत्तम विद्वान माने जाने लगे जो कि उन दिनों न्याय दर्शन और संस्कृत शिक्षा का एक प्रसिद्ध केन्द्र था। सभी विद्वान और पंडित साहित्यक और दार्शनिक वाद-विवाद में उनसे सामना करने से भय खाते थे। विवाहित होने के कारण वे धन अर्जित करने के लिये पूर्वी बंगाल चले गये। वहाँ उन्होंने अपनी विद्वता का परिचय दिया तथा काफी धन अर्जित किया। यही समय था जब उन्होंने वैष्णव धर्म का प्रचार करना आरंभ कर दिया। जब वे पूर्वी बंगाल में ही थे तब उनकी पत्नी लक्ष्मी देवी का सर्पदंश के कारण देहांत हो गया। घर वापिस आने पर उन्होंने अपनी माता को प्रायश्चित करते पाया। उन्होंने अपनी माता को मानवीय मामलों में अनिश्चितता पर व्याख्यान देते हुए उनका ढांढस बँधाया। कुछ समय के पश्चात अपनी माता के निवेदन पर उन्होंने राजा पंडित सनातन मिश्र की पुत्री विष्णुप्रिया से विवाह किया। इस समय तक वे इतने प्रसिद्ध हो गये थे कि उन्हें नाडिया का सर्वोत्तम पंडित माना जाने लगा था। कश्मीर के केशव मिश्रा जिन्होंने स्वयं को महान दिग्विजयी घोषित किया था वे नाडिया के पंडित से वाद-विवाद के इरादे से आ पहुँचे। इस प्रकार कहे जाने वाले विजयी पंडित से भय-त्रस्त हो कर नाडिया के तोला प्राचार्य बहाने से नगर छोड़ कर भाग खड़े हुए। केशव महाप्रभु से मायापुर के बारोकोना घाट पर मिले और एक संक्षिप्त वाद-विवाद के बाद उस नवयुवक द्वारा तर्क में हराये जाने के बाद उससे डर कर वे वहाँ से विदा हो गये। अब इस निमाई पंडित को उस काल का एक प्रमुख विद्वान और पंडित के रूप में स्वीकार कर लिया गया।

16 वर्ष की आयु में उन्होंने अपने कुछ विद्यार्थियों के साथ गया जी की यात्रा की और प्रसिद्ध माधवेन्द्र पुरी के शिष्य ईश्वर पुरी जो वैष्णव संयासी थे,

उनसे अपने आध्यात्मिक दीक्षा-संस्कार कराये। उन्हें तुरंत श्री कृष्ण के दर्शन होने लग गये तथा इस प्रकार उनके जीवन में एक मौलिक परिवर्तन प्रारम्भ होने लग गया। नाडिया लौटने पर यह निमाई पंडित पूर्णतया आध्यात्मिक जीवन की ओर मुड़ गया और वह इतना प्रभावशाली हो गया कि वे सब जिन्होंने वैष्णव धर्म को स्वीकार किया था वे इस नवयुवक में हुए परिवर्तन से आश्चर्यचकित हो गये। वह अब केवल एक विवेचक, विद्वान या पंडित ही नहीं रह गये थे। ज्यों-ज्यों उनका कृष्ण के साथ समरूपता बढ़ती चली गई वे कृष्ण के नाम पर बेहोश हो जाते तथा एक प्रेरित मनुष्य की भांति व्यवहार करते। ऐसे समय में उन्होंने श्रीनिवास पंडित के प्रांगण में एक रात्रीकालीन कीर्तन विद्यालय अपने सच्चे अनुयायियों के साथ आरंभ किया। वहाँ उन्होंने प्रचार किया, वहाँ गाथा गाई तथा नाच किया तथा वहीं उन्होंने अपने सभी गहरे आध्यात्मिक उदगारों को अभिव्यक्त किया। बंगाल के विभिन्न भागों से अनेकों पंडित नित्यानन्द प्रभु के स्थानीय पंडितों के साथ मिलकर इनके साथ सम्मिलित हो गये। नाडिया अब वैष्णव सम्प्रदाय का एक नित्य स्थान बन गया। उनका ध्येय था मानव जाति को वैष्णव धर्म के द्वारा आध्यात्मिक बनाना।

नाडिया के लोग अब चकित थे। वे कहते कि निमाई पंडित ना केवल एक बौद्धिक प्रतिभा है बल्कि वह भगवान का अवतार भी है। इस काल के बाद से लेकर 23 वर्ष की आयु तक महाप्रभु ने ना केवल नाडिया में बल्कि अपने नगर के चारों ओर के महत्वपूर्ण कस्बों और गावों में वैष्णव धर्म का प्रचार किया। अपने अनुयायियों के घरों में उन्होंने चमत्कार दिखाये, भक्ति के गूढ़ रहस्यों की शिक्षा दी तथा दूसरे भक्तों के साथ मिलकर संकीर्तन किये। नाडिया नगर के उनके अनुयायी गलियों और बाजारों में हरी के पवित्र नाम का संकीर्तन करने लगे। इससे एक हलचल मच गई और अलग-अलग भागों में भिन्न-भिन्न भावनाएँ पैदा होने लगीं। भक्त लोग अत्यधिक प्रसन्न हुए। समर्थ ब्राह्मण निमाई पंडित की सफलता से ईर्ष्या करने लगे तथा उन्होंने चैतन्य के विरुद्ध हिन्दु ना होने की शिकायत वहाँ के चाँद काज़ी के समक्ष की। काज़ी पंडित के घर आया और उसने वहाँ एक मृदंग तोड़ दी तथा घोषणा की कि यदि निमाई पंडित अपने इस विशेष धर्म के शोर को बंद नहीं करता तो वह उसे और उसके अनुयायियों के ऊपर इस्लाम धर्म थोप देगा। इस बात की सूचना महाप्रभु को दी गई। उन्होंने नगरवासियों को आज्ञा दी कि वे सब अपने हाथों में मशालें लेकर शाम को इक्ट्ठे होवें। लोगों ने वैसा ही किया और महाप्रभु नगरवासियों को 14 भागों में बाँट कर विभिन्न भागों से काज़ी के घर की ओर चल दिये। काज़ी के घर पहुँच कर महाप्रभु ने काज़ी के साथ एक लम्बी वार्तालाप की तथा अंत में काज़ी के शरीर को छूने मात्र से उसके हृदय के भीतर आध्यात्मिक प्रभाव छोड़

दिया। काज़ी तब रो दिया और उसने यह स्वीकार किया कि उसमें एक सूक्ष्म आध्यात्मिक प्रवाह का अनुभव हुआ है और उन्होंने उसकी सारी शंकाओं को दूर कर दिया है तथा उसमें सर्वोच्च आन्नद को उत्पन्न किया है। तब काज़ी संकीर्तन मंडली में सम्मिलित हो गया। सारा संसार महाप्रभु के दिव्य शक्ति से चकित हो गया और हज़ारों ही नास्तिक इस घटना के बाद बदल कर विश्वाम्भर ध्वज के नीचे आ इसमें सम्मिलित हो गये।

इस घटना के बाद कुछ ईर्ष्यालु और निम्नकोटी के कुलिया ब्राह्मणों ने एकत्रित होकर महाप्रभु से झगड़ा किया व एक दल उनका विरोध करने के लिए बनाया। निमाई पंडित स्वभाव से विनम्र चित्त के थे परंतु सिद्धांतों के पक्के थे। उन्होंने घोषणा की कि गुटबंदी और पृथकता की भावना प्रगति की दो बलशाली विरोधी-शक्तियाँ हैं तथा जब तक वे किसी विशेष परिवार व नाडिया के वासी के तौर पर सम्बन्ध रखते रहेंगे उनके ध्येय को पूर्ण सफलता नहीं मिलेगी। तब उन्होंने अपने परिवार से सभी सम्बन्ध तोड़ने का निर्णय लिया तथा सभी जाति और धर्म के बंधनों को तोड़ते हुए उन्होंने 24 वर्ष की आयु में उस नगर के केशव भारती के नेतृत्व तले कटवा नामक स्थान पर संयासी की स्थिति को धारण किया। उनकी माता और पत्नी अत्यधिक रोईं तथापि विनम्र हृदय होते हुए भी वे अपने संकल्प पर अडिग रहे और विचलित नहीं हुए। उन्होंने अपना छोटा-सा परिवार त्यागते हुए श्री कृष्ण के विशाल व असीमित आध्यात्मिक जगत को अपनाया।

संन्यास लेने के पश्चात उन्होंने अपनी माँ से प्रार्थना की कि वे उन्हें वृंदावन जाने की आज्ञा दें। तब माँ ने अपने पुत्र से श्री जगन्नाथ पुरी में स्थित होने को कहा ताकि वे उनके बारे में जान सकें। महाप्रभु मान गये और उन्होंने उड़ीसा जाने के लिये शांतीपुर छोड़ दिया। श्री चैतन्य 31 वर्ष की आयु से लेकर 48 वर्ष की आयु तक वही जगन्नाथ पुरी में ही रहे व अंत में वहीं अदृष्य हो गये। यह कहा जाता है कि अति आनन्द की अवस्था में कीर्तन करते हुए वे समुद्र में चलते चले गये और अदृष्य हो गये। इन 18 वर्षों में उनका जीवन प्रेम और दया का एक लगातार क्रम बना रहा। उनके चारों ओर सभी पवित्र चरित्रवान व पठित, दृढ़ धार्मिक सिद्धांतों और आध्यात्मिक प्रेम वाले अनेकों अनुयायी उनको घेरे रहते। महाप्रभु बहुत कम सोते थे। उनकी भावनाएँ उन्हें दिव्यता में आत्मविभोर किये रात-दिन दूर-दूर तक ले जाती तथा उनके अनुयायी व प्रशंसक उन्हें लगातार निहारते और पीछे चलते। वे पूजा करते, अपने वृंदावन के प्रचारकों को प्रवचन देते, तथा उन सब धार्मिक विभूतियों के साथ वार्तालाप करते जो उन्हें मिलने आते। वे गाते और नाचते, उस धार्मिक उन्माद में अपनी सुध खो देते थे। वे सभी जो उनके पास आते वे उन्हें श्री

कृष्ण का अवतार मानते। वे अपनी माता से सदा प्रेम करते रहे तथा जो भी नाडिया जाता उसके हाथों भगवान का महाप्रसाद कभी कभार भेजते। वे अपने स्वभाव से अति विनम्र थे। वे विनम्रता की प्रतिमूर्ति थे। उनकी सुंदर उपस्थिति उन सभी को आनन्दित करती जो उनके सम्पर्क में आते।

उनका प्रभाव बंगाल और उड़ीसा की जनता पर अत्यधिक था तथा सारे भारत में वैष्णव आंदोलन की प्रगति में उनकी बहुत अधिक देन रही है। श्री चैतन्य के प्रारम्भिक जीवन के बारे में श्री अरविन्द लिखते हैं–"*चैतन्य अपने जीवन के प्रथम भाग में केवल एक निमाई पंडित ही थे तथा उनमें कुछ और होने की कोई चेतना नहीं थी। तब उनका परिवर्तन हुआ तथा वे भक्त चैतन्य बन गये। यह भक्त कभी-कभी श्री कृष्ण की उपस्थिति द्वारा ओत-प्रोत हो जाता स्वयं को श्री कृष्ण ही मानता, बोलता, चलता तथा उसी भगवान के प्रकाश द्वारा ही प्रकट होता–उनके चारों ओर कोई भी इसके अतिरिक्त कुछ भी नहीं सोच पाता या देख पाता जब तक वे इस स्थिति में रूपांतरित व गौरवपूर्ण होते।*"

श्री चैतन्य का कार्य तथा देन के बारे में श्री अरविन्द लिखते हैं–

"*चैतन्य का प्रमुख कार्य था एक आध्यात्मिक व हृत-पुरुषीय भक्ति तथा प्रेम के प्रकार को मनुष्य के भवनात्मक प्राणों वाले भाग में स्थापित करना, हममें स्थित प्राणों को इस प्रकार तैयार करना तथा भगवान की ओर मोड़ना। चाहे किसी भी प्रकार से किया जाये, धरती की चेतना में उस सम्भावना को पक्का करना। ऐसा नहीं है कि इस भावनात्मक प्रकार के भक्त पहले नहीं थे, परंतु इसकी सम्पूर्णता, उत्तेजना, प्राणों का इसमें तन्मयता का आनन्द इससे पहले इतना अभिव्यक्त नहीं हुआ था जितना कि चैतन्य में अभिव्यक्त हुआ।*"

मीरा बाई (1504-1550)

मीरा का जन्म 1504 ई. में राजस्थान के मेहता जिले के चौकारी गांव में हुआ था। उनके पिता रत्न सिंह, जोधपुर के संस्थापक राव जोधाजी राठौर के वंशज राव डूडा जी के दूसरे पुत्र थे। मीरा की माता जी का देहान्त हो गया जब वे दस वर्ष की थी। वे तब अपने दादा जी के साथ रहने लग गई और दादाजी का देहांत 1515 में हो गया। उनके ताया विक्रम देव जो तब सिंहासन पर आरूढ़ हुए, उन्होंने मीरा का विवाह चित्तौड़ के राणा सांगा के सबसे बड़े पुत्र राजकुमार भोजराज के साथ तय कर दिया। इस विवाह ने मीरा का सामाजिक स्तर अत्यधिक ऊँचा उठा दिया क्योंकि चित्तौड़ का शासक हिन्दु राजाओं का नेता माना जाता था। परंतु भाग्य ने राजकुमारी का साथ नहीं दिया। 1527 तक वह अपने पिता और ससुर को गँवा बैठी थी। मीरा ने इस समय तक अपना

जीवन भगवान श्री कृष्ण को समर्पित कर दिया था तथा उन्होंने अपने इन मृत्यु के दुखों को एक शांत भाव से स्वीकार कर लिया।

जब मीरा पैदा हुई थीं उस समय भारत में एक विस्तृत राजनैतिक और सामाजिक उथल-पुथल मची हुई थी। छोटे-छोटे स्वार्थी लाभों के लिए खूनी झगड़े, मानवता के लिये निरादर भाव तथा दूसरों के प्रति घृणा एक आम बात थी। अपने चारों ओर जो हो रहा था उसको वह समझ नहीं पा रही थी अतैव मीरा व्याकुल हो गई। वह शांति की खोज में थी जो उन्हें चैतन्य महाप्रभु के वैष्णव पंथ में मिली तथा उन्होंने अपना जीवन भगवान श्रीकृष्ण के प्रेम के प्रति समर्पित कर दिया।

जब वह एक बालिका थी तब भी मीरा अपना अधिकांश समय पूजा पाठ में बिताती तथा उन्होंने राजघराने के तौर तरीकों पर कोई ध्यान नहीं दिया। फलस्वरूप उन्हें बहुत-सी मुसीबतों ओर दंड को भोगना पड़ा। जब उनकी उम्र के बच्चे गुड्डे-गुड़ियों के साथ खेलते तो मीराबाई भगवान श्री कृष्ण की मूर्ति के साथ खेलती और अपने ही रचित गीत गाती। वह श्रीकृष्ण को अपना पति मानती तथा सारा दिन श्रीकृष्ण पर रचित अपने भजन गाने में बिताती तथा जिस प्रकार एक पत्नी अपने पति के लिए घर के काम काज करती है उसी प्रकार वह अपना समय श्रीकृष्ण की सेवा में बिताती। इस बात से उनके पति और सास उनसे चिढ़ते थे। परंतु उन्होंने श्रीकृष्ण के प्रति अपनी भक्ति को नहीं त्यागा। भगवान श्रीकृष्ण के प्रति अपने भजनों को गाते हुए मीरा झूम उठती। उनके पति और सास ने कई प्रकार से उन्हें उत्पीड़ित करने का प्रयत्न किया परंतु उन्हें कोई हानी नहीं पहुँची। अंत में उनके पति ने अनुभव किया कि मीरा भगवान की दूत हैं तथा उनकी भक्ति दिव्य है तब उसने मीरा के जिज्ञासा में उसकी सहायता की और वृदांवन में एक मंदिर बनवाया जहाँ मीरा भगवान श्रीकृष्ण की भक्ति गान भरे भजनों में डूबी वहीं स्थापित हो गई।

मीरा जन्मजात एक कवि थी। उन्होंने एक अत्यंत सुंदर रूप में भगवान के प्रति अपने प्रगाढ़ और गहरे प्रेम की अभिव्यक्ति की। उन्होंने सैंकड़ों कविताएँ व भजन एक सादे और सच्चे रूप में रचे। वे भजन भावनाओं व सजीवता से भरपूर हैं। भारत के इतिहास में किसी भी कवि को इतना आदर नहीं मिला है जितना कि मीरा को मिला है। आज भी उनकी कविताओं और भजनों को एक अद्‌भुत लोकप्रियता प्राप्त है तथा गरीब, अमीर सभी के द्वारा समान रूप में गाये जाते हैं। सन् 1550 में अपना शरीर त्यागकर उस भगवान में लीन होने तक मीरा ने अपना जीवन अपने प्रेमी भगवान श्रीकृष्ण के गुणों का भजनों द्वारा गान करते व उसी में लीन हुए बिताया। वह एक महान हिन्दु स्त्री संत थी जिन्हें

सदा याद रखा जायेगा। राजस्थान और भारत के लोगों के हृदय में मीरा के लिये सदा एक विशेष स्थान है।

तुलसीदास (1532-1623)

तुलसीदास का जन्म 1532 ई. में उत्तर प्रदेश के जिला बांदा में राजपुर नामक स्थान में हुआ था। वह जन्म द्वारा एक ब्राह्मण थे तथा उन्हें मूल संस्कृत की रामायण के रचनाकार श्री बाल्मिकी जी का अवतार माना जाता है। यह कहा जाता है कि जन्म के समय वे रोये नहीं थे, उनके मुख से पहली ध्वनी राम निकली अतः उन्हें राम बोला भी कहा गया। तथा उनके मुख में सभी 32 दांत उगे हुए थे। बचपन में उनका नाम तुलसीराम या राम बोला था।

तुलसीदास की पत्नी का नाम बुद्धिमती था। तुलसीदास अपनी पत्नी के प्रति अत्यधिक आसक्त थे। वे उससे एक दिन की जुदाई भी सहन नहीं कर पाते थे। एक दिन उनकी पत्नी उन्हें बिना बताये अपने मायके चली गयी। तुलसीदास चोरी-चोरी अपनी पत्नी को मिलने ससुराल चले गये। इस बात से बुद्धिमती लज्जित हुई। उसने तुलसीदास से कहा कि उसका शरीर तो हांड-मांस का बना है और यदि उनकी प्रीति जो उसके उस भौतिक शरीर के लिये है उससे आधी भी भगवान राम के प्रति जागृत हो जाती तो वे अवश्य ही मुक्त हो जाते और अनंत आनन्द और अमरत्व को प्राप्त हो जाते। अपनी पत्नी के इन शब्दों ने तुलसी के हृदय को तीर की भांति चुभो कर रख दिया। वे एक क्षण भी वहाँ नहीं रूके। उन्होंने तुरंत घर त्याग दिया और साधु बन गये। उन्होंने 14 वर्ष विभिन्न तीर्थ-स्थानों के पावन स्थानों के दर्शनों में बिता दिये।

एक दिन जब वे नदी के तट से वापिस आ रहे थे तो पास ही एक पेड़ में एक प्रेतात्मा उनके निकट आई और उनसे वर मांगने को बोली तो तुलसी दास ने भगवान के दर्शनों का वरदान मांगा। प्रेतात्मा ने उन्हें हनुमान मंदिर जाने को कहा और बताया कि रामायण की कथा सुनने सबसे प्रथम एक कोढ़ी के रूप में हनुमान आते हैं और वे सबसे अंत में जाते हैं तथा यदि तुलसीदास उन्हें पकड़ ले तो वे भगवान के दर्शनों में सहायता करेंगे। तदानुसार, तुलसीदास हनुमान जी से मिले और उनकी कृपा से उन्हें श्रीराम जी के दर्शन हुए।

तुलसीदास जी ने बारह पुस्तकें लिखी। उनकी सबसे प्रसिद्ध पुस्तक अवधी में **'रामचरित मानस'** है। उन्होंने यह पुस्तक हनुमान जी के निर्देशन में लिखी। उत्तरी भारत के प्रत्येक हिन्दु के घर में यह पुस्तक अति श्रद्धा से पूजी व पढ़ी जाती है। यह एक प्रेरणादायक पुस्तक है। इसमें बहुत सुंदर ढंग से सुंदर दोहे लिखे हुए हैं। विनय पत्रिका एक और महत्वपूर्ण पुस्तक तुलसीदास जी के द्वारा लिखित है।

एक बार कुछ चोर तुलसी दास जी के आश्रम में चोरी करने के लिये आये। उन्होंने नीलवर्ण एक रक्षक वहाँ देखा जिसके हाथों में तीर-कमान था तथा द्वार पर सुरक्षा हेतु खड़ा था। जब भी चोर इधर-उधर जाते रक्षक भी उनके पीछे आता। वे डर गये। जब सुबह हुई तो उन्होंने तुलसीदास जी से पूछा कि हे आदरणीय व पूजनीय संत, हमने एक नवयुवक रक्षक को तीर-कमान लिए हुए आपके द्वार की रक्षा करते देखा है, वह पुरुष कौन है? तुलसीदास जी शांत रहे और रो पड़े। उन्हें ज्ञात हुआ कि स्वयं श्रीराम उनकी संपत्ति की रक्षा करने का कष्ट उठा रहे हैं। उन्होंने तुरंत अपनी सारी संपत्ति गरीबों में बाँट दी।

तुलसीदास जी कुछ काल तक अयोध्या में रहे। फिर वे वाराणसी चले गये। एक दिन एक हत्यारा आया और उनसे बोला कि वह हत्यारा है और उसे भूख लगी है, खाने के लिये कुछ भीख मिल जाये तो वह अपनी भूख मिटा लेगा। तुलसीदास जी उसे अपने घर ले आये और भगवान के लिये रखे पवित्र भोज से उसे भोजन कराया और घोषणा की कि हत्यारा पाप-मुक्त हो गया है। वाराणसी के ब्राह्मणों ने तुलसीदास जी का तिरस्कार किया और पूछा कि हत्यारा पाप-मुक्त कैसे हो सकता है और वे उसके साथ भोजन कैसे कर सकते थे। उन्होंने आगे वह शर्त रखी कि यदि शिवजी का पवित्र नंदी-बैल हत्यारे के हाथों से भोजन खायेगा तभी वे सब यह स्वीकार करेंगे कि हत्यारा पाप-मुक्त हो गया है। तब हत्यारे को मंदिर ले जाया गया और नंदी बैल ने उसके हाथों से भोजन खा लिया। ब्राह्मण लज्जित हो गये और सबने तुलसीदास जी से क्षमा याचना की।

तुलसीदास जी एक बार वृदांवन गये। वे एक मंदिर में गये। उन्होंने भगवान श्रीकृष्ण की प्रतिमा देखी। उस प्रतिमा को देखकर तुलसीदास जी ने कहा कि हे भगवान मैं आपकी सुंदरता का वृत्तांत कैसे करूं, आपके हाथों में धनुष-बाण तो है ही नहीं मैं तो अपना सिर तभी झुकाऊँगा यदि आप अपने हाथों में धनुष-बाण लें। भगवान ने तुलसी को अपने राम-स्वरूप के दर्शन अपने हाथों में धनुष-बाण लिये हुये कराये।

तुलसीदास जी के आर्शीवाद ने एक बार एक निर्धन स्त्री के मृत पति को पुनर्जीवित कर दिया। दिल्ली के मुगल बादशाह को तुलसीदास जी के द्वारा किए इस महान चमत्कार की सूचना मिली। उसने तुलसीदास जी को बुला भेजा। वे बादशाह के दरबार में पहुँचे। बादशाह ने तुलसीदास जी को कोई चमत्कार करने को कहा। तुलसीदास जी ने कहा कि उनमें कोई महामानव की शक्तियाँ नहीं हैं और वे तो केवल राम का नाम ही जानते हैं। बादशाह ने उनको जेल में भेज दिया और कहा कि जब तक वे चमत्कार नहीं दिखाते उन्हें जेल से नहीं छोड़ा जायेगा। तुलसीदास जी ने तब हनुमान जी से प्रार्थना की कि वे कोई सहायता करें। हज़ारों ही हट्टे-कट्टे शक्तिशाली बंदरों की सेना राज दरबार में ना जाने

कहाँ से आकर प्रवेश कर गई। बादशाह भयभीत हो गया तथा उसने तुलसी जी से क्षमा याचना की और उनकी महानता को जानते हुए उन्हें तुरंत बंदीगृह से मुक्त कर दिया।

तुलसीदास जी ने अपना भैतिक बंधन 1623 में तोड़ते हुए अपना देह त्यागा और 91 वर्ष की आयु में वाराणसी के घाट पर अनन्त आनन्द और अमरत्व की स्थिति को प्राप्त किया।

सिक्खों का उत्थान

सिक्ख धर्म 500 वर्ष पहले गुरु नानकदेव जी द्वारा स्थापित किया गया। सिक्ख धर्म के अनुयायियों की संख्या आज दो करोड़ से ऊपर है जो संसार भर में फैले हैं तथा दुनिया का पाँचवा सबसे बड़ा धर्म माना जाता है। सिक्ख धर्म भगवान को हरदम याद रखना व भक्ति, सत्यमय जीवन, मनुष्यता की बराबरी तथा अंधे रीति रिवाजों व वहमों को तिलांजित करने के संदेश का प्रचार करता है। इस धर्म का अर्थ है शिष्य।

इसके संस्थापक गुरु नानकदेव जी (1469-1538) थे जो पंजाब के उस क्षेत्र में पैदा हुए जो अब पाकिस्तान में है। सुल्तानपुर में उन्हें ज्ञान प्रीप्ति और भगवान के राह का प्रचार करने की दिव्य-दृष्टि प्राप्त हुई। गुरु नानक जी के कथनों में एक सबसे प्रसिद्ध कथन है कि *वहाँ ना कोई हिन्दु है और ना कोई मुसलमान* तथा यह सिक्ख धर्म की नीवों में से एक नींव बन गई है। उन्होंने एकेश्वरवाद व मानवता का आपसी भाईचारा सिखाया। उन्होंने मूर्ति पूजा और जातिवाद की भावना को नकारा। गुरु नानक देव जी और पंथ (अनुयायियों) ने बाद में करतारपुर में पहला सिक्ख मंदिर बनाया।

क्रमानुसार नौ गुरुओं (गुरु नानकदेव जी के अवतार माने गये) ने 1539 में गुरु नानकदेव जी की मृत्यु से लेकर 1708 तक के काल के दौरान इस आंदोलन का नेतृत्व किया। उस समय 1708 में गुरु के उत्तरदायित्व को गुरु ग्रंथ साहिब को सौंप दिया गया, एक दिव्य ग्रंथ जिसे तब से ही ग्यारहवाँ व अंतिम गुरु माना जाता है। मुगल बादशाह सोलहवीं सदी से अठारहवीं सदी के अंत तक दक्षिण एशिया के अधिकांश भाग पर शासन करते रहे। उन्होंने सिक्खों को इस्लाम-धर्म में परिवर्तित करने का प्रयत्न किया परंतु वे असफल रहे। यह कहा गया है (कई सिक्खों द्वारा उन्हें अंतिम गुरु माना जाता है) कि यदि गुरु गोविन्द सिंह नहीं होते तो सारा देश ही मुसलमान बना दिया गया होता यानि कि इस्लाम धर्म में परिवर्तित हो गया होता।

गुरु नानकदेव जी

गुरु नानकदेव जी पश्चिमी पंजाब के गाँव तलवन्डी में 1469 ई. को पैदा हुए। गुरु नानकदेव जी का जन्म-स्थान पाकिस्तान में लाहौर से कुछ दूरी पर है

तथा अब उसे ननकाना साहेब के नाम से जाना जाता है। गुरु जी जब पैदा हुए, उस समय भारत पर मुस्लिम शासकों का शासन था। एक धार्मिक कर जिसे जज़िया कहते थे वह मुसलमानों के अतिरिक्त सब पर थोपा जाता था। इस्लाम के अतिरिक्त सभी धर्मों का पूर्णतया अनादर किया जाता तथा उनके पूजा स्थलों को हीनभाव से देखा जाता था। ऐसे समय में गुरु नानकदेव जी का सादा एकेश्वर (इक ओंकार सतनाम) दर्शन लोगों के लिये बहुत राहत लाया। सिक्ख गुरुओं की शिक्षाओं का संकलन सिक्खों की धार्मिक पुस्तक गुरु ग्रंथ साहिब में किया गया है।

गुरु नानकदेव जी के पिता का नाम कालीदास मेहता था। 6 वर्ष की आयु में बालक नानक को विद्यालय भेजा गया। गुरु नानक को हिन्दी, गणित, मुस्लिम साहित्य, फारसी तथा अरबी में अच्छी पकड़ थी। बालक नानक बहुत जल्द सब सीख गये। एक दिन बालक नानक ने अपने विद्यालय के मुस्लिम अध्यापक के लिये एक भजन (शबद) लिखा जिसमें मनुष्य को लानत थी जो भगवान को भूल गया था तथा जो सदा एक है जिसने संसार को रचा है तथा जो असली दाता था। गुरु नानक ने अपने मुस्लिम अध्यापक को अच्छा, सच्चा व ईमानदार बनने को कहा। उन्होंने अध्यापक से विनती की कि वह सबको प्रेम करे तथा एक परिवार की भांति इक्ट्ठा रखे। गुरु नानक के दोनों मुस्लिम व हिन्दु अध्यापक इस दिव्य बालक के ज्ञान द्वारा अचम्भित रह गये तथा उन्होंने इन्हें अपना गुरु घोषित कर दिया। जब गुरु नानक 13 वर्ष के थे तो उनके माता-पिता पारंपरिक हिन्दु रिवाज़ के अनुसार उनका यज्ञोपवीत संस्कार करना चाहते थे। संस्कार के समय, गुरु नानक ने हिन्दु पुजारी से यज्ञोपवीत का सूती धागा स्वीकार करने से मना कर दिया। उन्होंने निम्न कविता गा दी:

सूत को दया बनने दो संतोष धागे को, ब्रह्मचर्य को गाँठ तथा बँटाई को सत्य। ओ पुजारी, यदि तुम्हारे पास ऐसा धागा है तो मुझे अवश्य दो। वह घिसेगा नहीं, ना ही गंदा होगा, ना जलेगा, और ना ही गुम होगा नानक कहे, धन्य हैं वो जो ऐसा धागा पहने घूमते हैं।

गुरु नानकदेव जी ने विवाह करने का विरोध नहीं किया क्योंकि वे विश्वास रखते थे कि विवाहित जीवन आध्यात्मिक प्रेरणाओं की तालाश में कोई विघ्न नहीं डालता। 16 वर्ष की आयु में उनका विवाह सुलक्ष्मी देवी से हुआ और वे प्रसन्न थे। वे अपनी पत्नी से प्रेम करते थे और अंततः उनके दो पुत्र श्री चंद 1494 में तथा तीन वर्ष पश्चात लक्ष्मी चन्द पैदा हुए।

गुरु नानक देव जी के लिये ध्यान उनकी जीवन पद्धति बन गई। एक बार जब वे भगवान के नाम में चमकती धूप में ध्यान मग्न थे तो एक नागराज ने

उन पर छाया की हुई थी। एक अन्य बार वह पशु जिनको वे चरा रहे थे वे खेत लांघ कर एक अन्य किसान के खेत में घुस गये और वहाँ की फसल नष्ट कर दी। किसान नवयुवक नानक के पिता के पास शिकायत लेकर गया और जब सारे लोग खेत का निरीक्षण करने आये तो फसल को सुरक्षित पाकर अचम्भित रह गये। किसान बल देकर कहने लगा कि यह तो एक चमत्कार था।

नवयुवक नानक के पिता चाहते थे कि नानक एक सामान्य जीवन बिताये और अच्छी कमाई करते हुये रहे इसलिये उन्होंने नानक को कुछ धन दिया ताकि वे एक आरामदायक जीवन जी सके। गुरु नानक देव जी ने वह धन साधु संतों के खान-पान में लगा दिया। उन्होंने दावा किया कि यह एक सच्चा सौदा था। गुरु नानक जी सुल्तानपुर के राज्यपाल नवाब दौलत खाँ के यहाँ एक दुकानदार बन गये। नवयुवक प्रशिक्षु जब भी सामान तौलते हुए 13 (तेरा) की संख्या का उच्चारण करते तो समाधी में चले जाते क्योंकि तेरा का अर्थ है *तुम्हारा*, हे भगवान, सभी कुछ तो तुम्हारा है। वे यह कहते हुए प्रार्थना करने लग जाते और यही संख्या दोहराते चले जाते।

सुल्तानपुर में जहाँ वे एक दुकानदार थे वहीं उनकी भेंट मर्दाना से हुई जो बाद में उनका अनन्य साथी बना। मर्दाना एक संगीतज्ञ था। गुरु नानक देव जी ने *शबद* गाने प्रारम्भ कर दिए और मर्दाना रबाब पर उनकी संगत करता। ऐसे मौकों पर अनेकों लोग उनकी ओर आकर्षित होने लगे। एक सुबह मर्दाना के साथ वे नदी में नहाने गये। नदी में डुबकी लगाने के बाद गुरु नानकदेव जी ऊपर ही नहीं आये तथा लोगों ने विश्वास कर लिया कि वे अवश्य ही डूब गये होंगे। तीन दिन के पश्चात वे एक दिव्य पुरुष बने जल से बाहर आये।

गुरु नानकदेव जी ने जपुजी साहेब के ये प्रसिद्ध शबद उच्चारित किये:

"एक ओंकार सत नाम कर्ता पुरुख निर्भय र्निवैर अकाल मूरत आयूनी सभा गुरु प्रसाद जब आदी सच जुगजी सच है भी सच नानक होसी भी सच।"

(भावार्थ: कई लहरों का एक सागर, सत्य नाम, वह जो सत्य है, वह जो रचनाकार है, वह जो भय रहित है, वह एक जिसका कोई शत्रु नहीं है, वह जिसका स्वरूप समय से परे है, वह जो स्वयं ज्योतिवान है तथा माँ के गर्भ से जन्मा नहीं है, अहंकार की समाप्ति यह आनंदमय अनुभव तथा भगवद नाम का जपना गुरु की कृपा के कारण है। इसलिये भगवान का नाम जप, सत्य, समय के आरम्भ से है सत्य वर्तमान में नानक का दावा है कि वह सदा-सदा के लिये सत्य ही रहेगा।)

ये अमर शबद सिक्खों के पवित्र धर्म-ग्रंथ गुरु ग्रंथ साहेब के आरम्भ में अंकित हैं।

जब गुरु नानकदेव जी अपनी समाधी से बाहर आये, उन्होंने घोषणा की कि ना तो कोई हिन्दु है और ना कोई मुसलमान। उन्होंने समझाया कि चूंकि दोनों ही भगवान की संतान हैं इसलिये वे भाई-भाई हैं।

30 वर्षों की आयु में गुरु नानकदेव जी ने भगवान के शब्द को फैलाने के लिये विस्तृत यात्राएँ आरंभ कर दीं। उन्होंने अपना संदेश संगीतमय शबदों के रूप में दिया। जहाँ कहीं भी वे जाते उनके अनुयायी उन शबदों को उच्चारित करते व ध्यान लगाते।

एक अच्छा मुसलमान बनने के लिये गुरु नानकदेव ने प्रेरित किया कि: भगवान की कृपा मस्जिद बनाती है, तथा भक्ति प्रार्थना की चटाई। कुरान को अच्छा आचरण बनना चाहिए, विनम्रता दया बनती है, अच्छा व्यवहार व्रत बनता है, अच्छे कार्य उनका काबा बनता है तथा सत्य उनका परामर्शदाता उनका कल्मा उनकी प्रार्थना व धार्मिक मत बननी चाहिए।

गुरु नानकदेव जी हिन्दु रीति रिवाज़ों की कट्टरता पर विश्वास नहीं करते थे। एक बार उन्होंने हरिद्वार में हिन्दुओं को अपने पितरों को जल-तर्पण करते देखा। गुरु जी ने इस व्यर्थ के संस्कार का मज़ाक मीलों दूर अपनी सूखती फसलों को पानी अर्पित करने के द्वारा उड़ाया।

गुरु नानक देव जी अपने उच्च जाति के अनुयायियों को कोई प्राथमिकता नहीं देते थे जिसके कारण वे सब बहुत पेरशान थे। गुरु जी एक बुनकर भाई लालो के साथ भोजन करने को प्राथमिकता देते बजाए मलिक भागों के साथ जो एक मुस्लिम सरदार का प्रबन्धकर्ता था। एक बार मलिक ने गुरु नानक जी से अपने यजमान की पसंद के बारे में प्रश्न किया। उसने गुरु जी से पूछा कि वे उसके निमंत्रण को क्यों मना करते हैं और एक निम्न जाति के पुरुष के साथ भोजन करने को प्राथमिकता देते हैं। गुरु जी ने मलिक भागों को अपनी रसोई से रोटी लाने को कहा। गुरु जी के पास भाई लालो की देहाती रोटी पहले से ही थी। उन्होंने भागों की रोटी को अपने हाथों में लेकर उसे दबाया तो उसमें से खून की बूंदें निकलने लगी। गुरु जी ने उसके बाद लालो की रोटी को उसी प्रकार दबाया तो उसमें से दूध की धारा बह निकली। गुरु नानकदेव जी ने समझाया कि कड़ी इमानदार मेहनत से कमाई रोटी मीठी होती है जबकि धोखे से कमाई रोटी गरीब लोगों के खून से दूषित होती है।

गुरु नानकदेव जी एक बार एक खुंखार मानव-मांस भोगी कौडा नामक मुखिया के समक्ष साहसपूर्वक और निर्भयतापूर्वक चले गये। कौडा अपने भोजन को सामने आते देखकर प्रसन्न हो गया। उसने पूर्वधारणा के अनुसार तेल को गर्म करना आरम्भ कर दिया। जब गुरु नानकदेव जी उसके समीप आये तो

कौडा ने तेल का परीक्षण किया। वह तेल को ठंडा पाकर चकित रह गया। जल्दी उम्मीद ना छोड़ने के कारण कौडा ने गुरु नानकदेव जी को अपनी बलशाली बाहों में जकड़ लिया और उन्हें आग में धकेल दिया। कोडा ने देखा कि गुरु नानक आग में से वगैर किसी हानी के बाहर आ गये। कौडा काँप उठा, पछताया और हाथ बाँधे श्रद्धापूर्वक गुरु जी के आगे झुक गया। कौडा ने सौगन्ध खाई कि वह आगे से किसी को भी हानि नहीं पहुँचायेगा। इस प्रकार एक हत्यारे कौडा का रूपांतर एक दास और मनुष्यों में प्रचारक के रूप में हो गया।

मुगलों के राजा बाबर ने अमीनाबाद के कई लोगों के घरों को लूटा तथा उन्हीं से उनकी लूटी हुई सम्पत्ति को लदवा कर बाबर की छावनी तक ले जाया जा रहा था। गुरु नानकदेव जी और भाई मर्दाना जो उस समय अमीनाबाद गये हुये थे उनको भी बंदी बना लिया गया। गुरु जी ने अपना समभाव नहीं गँवाया और वे जेल में भी अपने प्रभु के गुणगान गाते रहे जिससे दूसरे कैदियों को बहुत राहत मिली। बाबर ने इस अनहोनी घटना को स्वयं देखने का संकल्प किया और वह बंदीगृह में गया। चूंकि बाबर को उस दिव्यगान के शब्दों का अर्थ समझ में नहीं आया उसने गुरु जी से उनका अनुवाद करने को कहा। गुरु जी ने साहसपूर्वक उससे कहा कि वे राजा की क्रूरता का तथा बंदियों की दुर्दशा का गान कर रहे हैं। गुरु जी के साहस, स्पष्टता तथा निर्भयता द्वारा प्रभावित होकर बाबर ने सभी बंदियों को मुक्त कर दिया और उनके घर और लूटी हुई संपति भी लौटा दी।

गुरु नानक देव जी 21 वर्षों तक यात्रा करते रहे तथा जहाँ भी उन्होंने कदम रखे वही अपना ज्ञान बाँटते रहे। एक थकान भरी यात्रा के बाद वे मक्का पहुँचे। अपने थके पैरों को आराम देने के लिये वे लेट गये। मुसलमानों को बहुत क्रोध आया जब उन्होंने पाया कि गुरु जी के पाँव काबा या भगवान के घर की ओर थे। एक हाजी ने गुस्से में आकर गुरु जी को लात मारी ओर उनसे इस बात के लिये जवाब माँगा। गुरु जी ने उदारतापूर्वक मुस्कान दी और कहा कि वे भी भगवान के घर का उतना ही आदर करते हैं जितना कि मुसलमान लोग करते हैं। तथापि यदि उनके इस दुराचरण से उन्हें क्षोभ है तो उन्होंने निवेदन किया कि उनके पाँव को दूसरी दिशा में कर दें। हाजी गुरु जी के चरणों को विभिन्न दिशाओं में करता रहा और हर बार उसने देखा कि काबा गुरुजी के पाँवों के सामने सीधी लकीर में है। गुरु जी ने एक बार फिर एक अनन्त पाठ सिखा दिया था कि भगवान सभी स्थानों और सभी के हृदय में वास करते हैं।

गुरु नानकदेव जी ने अपने जीवन का अंतिम भाग करतारपुर में बिताया। यह महान गुरु सुबह जल्दी उठ जाते तथा अपने दैनिक प्रार्थनाएँ जपते। सूर्य के

उदय होने पर वे अपने अनुयायियों को सम्बोधित करते। वे अपने मुफ्त रसोई में कार्य करते जिसे आज भी लंगर के नाम से सम्बोधित लोकप्रियता मिली हुई है। यह भोजन हिन्दु, मुसलमान, अमीर, गरीब, ऊँच तथा नीच सभी जातियों द्वारा एक ही संगत में बैठ कर इकट्ठे लिया जाता। गुरु जी अपने खेतों में कृषि करते और अपनी रोज़ी-रोटी कमाते। 22 सितम्बर 1539 को, 70 वर्ष की आयु में अपने अनुयायियों द्वारा सोहिला (भगवान का गुणगान) गाये जाने के निवेदन के पश्चात गुरु नानकदेव जी ने अपना शरीर त्यागा।

एक बार जब गुरु नानकदेव जी से पूछा गया कि कौन-सा हिन्दु या मुस्लिम धर्म भगवान का सच्चा मार्ग है। गुरु नानकदेव जी ने उत्तर दिया कि भगवान को प्राप्त करने का सही मार्ग भगवान की पूजा है क्योंकि भगवान अनादि हैं और सारे जगत में व्याप्त हैं।

जब गुरु नानक देव जी ज्योतीलीन हो गये तो हिन्दु उनका दाह-संस्कार करना चाहते थे तथा मुस्लिम उनके मृत शरीर को दफनाना चाहते थे। तथापि उस चादर को उठाने पर जिसके नीचे गुरु जी का शरीर पड़ा हुआ था, दोनों को ताज़े फूलों के सिवाय कुछ ना मिला जिन्हें दो भागों में बाँट लिया गया। हिन्दुओं ने फूलों का दाह-संस्कार किया जबकि मुसलमानों ने फूलों को दफनाया। गुरु नानक देव जी अपने एक शबद में इस प्रकार घोषणा करते हैं-

नानक लीन भयो गोविन्द सों
ज्यों पानी संग पानी।

जिसका अर्थ है कि नानक भगवान के साथ इस प्रकार लीन हो गये हैं जैसे जल के साथ जल होता है।

गुरु नानकदेव जी ने इस नये धर्म के जागृत नेतृत्व को आगे क्रमानुसार नौ गुरुओं को सौंप दिया। अंतिम जीवित गुरु, गुरु गोविन्द सिंह जी का देहांत 1708 में हो गया। नौ गुरु निम्नलिखित हैं-गुरु अंगद देव, गुरु अमर दास, गुरु राम दास, गुरु अर्जुन देव जी, गुरु हर गोविन्द, गुरु हर राय, गुरु हरकृष्ण, गुरु तेग बहादुर, गुरु गोविन्द सिंह। सिक्ख यह विश्वास करते हैं कि प्रथम गुरु की आत्मा (गुरु नानकदेव जी) अपने सभी उत्तराधिकारी गुरुओं में स्थापित थी। वे सभी उनके धर्म-ग्रंथ गुरु ग्रंथ साहेब में स्थापित हो प्रकट हुये। सिक्ख का मूल शब्द शिष्य है जिसका अर्थ है सीखने वाला। सिक्ख धर्म में गुरु का बहुत अधिक महत्व है। गुरु को शिष्य और भगवान को जोड़ने वाले पुल के रूप में माना जाता है।

गुरु नानकदेव जी द्वारा पन्द्रहवीं सदी के अंत में किये संस्थापना से ही सिक्ख धर्म का उद्देश्य हिन्दुओं और मुसलमानों की एक समग्र संस्कृति की रचना करना था। गुरु नानक देव जी ने स्वयं एक उच्च जाति के हिन्दु होते हुए

भी, एक निम्न जाति के मुसलमान भाई मर्दाना को अपने नित्य साथी के रूप में चुना। पाँचवें गुरु श्री अर्जुन देव जी ने सूफी संत मियां मीर को हरि-मंदिर साहेब (स्वर्ण मंदिर) की नींव का पत्थर रखने को आमंत्रित किया था। मर्दाना, फरीद, कबीर, सचा, बलवंद तथा अन्य मुसलमानों के शब्दों को पवित्र धर्म-ग्रंथ ग्रंथ-साहेब में समावेश किया। ऐसे एक समग्र संस्कृति की रचना के लगातार प्रयत्नों के होते हुये भी, गुरु अर्जुन देव जी के इस्लाम में धर्म परिवर्तन करने को मना कर देने पर जहाँगीर द्वारा 1605 में सार्वजनिक तौर पर उन्हें यातनाएँ देते मौत के घाट उतार दिया गया। यह अत्याचार नक्षबंदी संप्रदाय के सूफी समुदाय के नेता सूफी शेख अहमद सरहिंदी के उकसाने पर किया गया था। (जहाँगीर अपने आत्मकथा में सिक्ख गुरु को मारे जाने का हुक्म दिए जाने का ज़िक्र करता है। सूफीयों के नेता द्वारा ज़हर भरा पत्र जो भेजा गया वह एक ऐतिहासिक अभिलेख है)। इसी प्रकार 1675 में, इस्लाम धर्म में परिवर्तित होने को मना करने पर नौवें गुरु श्री तेग बहादुर जी तथा उनके साथ गये अनुयायियों में से तीन को औरंगज़ेब की आज्ञा पर सार्वजनिक तौर पर यातनाएँ देते हुऐ मारा गया था। श्री तेग बहादुर जी को इस्लाम में परिवर्तित होने को धगकाने के लिये, जल्लादों ने उनके अनुयायियों की निर्मम हत्या को देखने के लिये मजबूर किया। भाई सति दास को एक चिता पर बैठने को कहा गया और जीवित जला दिया गया और भाई मति दास को उनके सिर से प्रारम्भ करके एक आरे द्वारा दो भागों में चीरा गया। भाई दयाल को एक तेल के कढ़ाई में बैठाया गया और जीवित उबाला गया। यह पाषाण अत्याचार दिल्ली में लाल किले के सामने चांदनी चौक के मुख्य बाज़ार में दुष्क्रित किये गये।

गुरु गोविन्द सिंह

गुरु गोविन्द सिंह जी ने अपने जीवन काल के दौरान खालसा पंथ को स्थापित किया। खालसा का अर्थ है पवित्र तथा ये लोग सैन्य-संत थे। खालसा सर्वोच्च सिक्ख मूल्यों वचनबद्धता, समर्पण तथा एक सामाजिक चेतना को बनाए रखता है। खालसा स्त्री और पुरुष वे हैं जो सिक्ख दीक्षा पर्व व्रत ले चुके हैं जिसे अमृत छकना भी कहते हैं तथा जो सिक्ख रिवाजों और आचरण के संहिता का सख्ती से पालन करते हैं तथा इस धर्म द्वारा दर्शाये भौतिक पदार्थों को धारण करते हैं। यह ऐसे पाँच पदार्थ हैं–केश(बाल जो कभी काटे नहीं जाते), कंघा, कच्छा, कड़ा तथा कृपाण।

1708 में अपनी मृत्यु से पहले गुरु गोविन्द सिंह जी ने घोषणा की कि सिक्खों को अब एक जीवित गुरु की आवश्यकता नहीं है तथा श्री गुरु ग्रंथ साहिब को अपना आध्यात्मिक उत्तराधिकारी खालसा के रूप में नियुक्त किया। गुरु गोविन्द सिंह जी ने अनुभव किया कि सिक्खों को अपने दैनिक जीवन में

अपने आध्यात्मिक मार्ग-दर्शन के लिये सभी आवश्यक ज्ञान सिक्खों के अनादि गुरु श्री गुरु ग्रंथ साहेब में पाया जा सकता था। संसार में श्री गुरु ग्रंथ साहेब जगत के धार्मिक ग्रंथों में से सबसे अद्वितीय है क्योंकि इसे ना केवल सिक्ख धर्म का आध्यात्मिक गुरु होने का श्रेय दिया गया है बल्कि गुरुओं के शब्दों के अतिरिक्त इसमें दूसरे धर्मों के संतों की वाणियाँ भी सम्मिलित हैं जो सिक्ख गुरुओं के विचारों के साथ मेल खाती थी।

सिक्ख धर्म में कोई पुजारी नहीं होते जिनको गुरु गोविन्द सिंह जी के द्वारा समाप्त कर दिया गया था। गुरु जी ने अनुभव किया कि वे अहंकार से भरपूर तथा भ्रष्ट हो गये थे। सिक्खों में गुरु ग्रंथ साहेब के केवल संरक्षक होते हैं (ग्रंथी), तथा कोई भी सिक्ख गुरुद्वारे में जाकर गुरु ग्रंथ साहेब पढ़ने के लिये स्वतंत्र है या अपने घर में भी पढ़ सकता है। सभी धर्मों के सभी लोगों को गुरुद्वारे में जाने के लिये स्वागत है। हर गुरुद्वारे में एक मुफ्त समुदायिक रसोई पाई जा सकती है जहाँ सभी धर्मों से सभी लोगों को भोजन परोसा जाता है। गुरु नानक देव जी ने सर्वप्रथम इस संस्था को आरम्भ किया जो कि सिक्ख धर्म के मूल आदर्शों सेवा, विनम्रता तथा समानता को दर्शाता है।

सिक्खों का सबसे महत्वपूर्ण ऐतिहासिक धार्मिक केन्द्र उत्तरी भारत में पंजाब प्रांत में अमृतसर में स्थित हरमंदिर साहिब (स्वर्ण मंदिर) है। यह सिक्ख धर्म का प्रेरणायुक्त व ऐतिहासिक केन्द्र है परंतु तीर्थ यात्रा या पूजा के लिये विधिक स्थान नहीं है। वे सभी स्थान जहाँ श्री गुरु ग्रंथ साहिब को स्थापित किया जाता है वे सभी समान रूप से सिक्खों के लिये पवित्र हैं।

श्री गुरु ग्रंथ साहिब

जैसा कि श्री गुरु गोविन्द सिंह हमें शिक्षा देते हैं, श्री गुरु ग्रंथ साहिब सिक्खों के लिये पवित्र ग्रंथ है। गुरु जी ने कहा था कि उनके पश्चात धार्मिक पवित्र ग्रंथ गुरु होगा एवं कोई अन्य गुरु मानुषी रूप में नहीं आयेगा। ग्यारहवें सिक्ख गुरु श्री गुरु ग्रंथ साहिब अनादि गुरु हैं। इस पवित्र ग्रंथ में सिक्ख गुरुओं, मुस्लिम फकीरों और हिन्दु संतों की लेखनीयाँ सम्मिलित हैं। प्रार्थनाओं का संग्रह (शब्द) जो गुरुओं द्वारा लिखित है उसे हम संगीत के संग वाचन करते हैं।

पवित्र ग्रंथ की पहली प्रति 1604 में हरमंदिर (स्वर्ण मंदिर) में स्थापित की गई। पाँचवें गुरु श्री अर्जुन देव जी ने ग्रंथ का आशय व संकलन किया। वह उनके चचेरे भाई गुरुदास द्वारा लिखा गया था तथा इसकी छपाई पंजाबी में हुई थी।

इस ग्रंथ में 1430 पन्ने हैं जिनमें कुल 5,894 स्रोत हैं। हर शब्द की एक विशेष धुन जिसे राग कहते हैं। गुरु नानकदेव जी ने कुछ धार्मिक लेखनियों को संगीतबद्ध किया तथा अन्य को संगीत में ढालने की विभिन्न गुरुओं ने सहायता की। इसका दूसरा संस्करण 1706 में दसवें गुरु श्री गुरु गोविन्द सिंह द्वारा पूरा किया गया। धार्मिक ग्रंथ को सभी गुरुद्वारों के भीतर रखा जाता है तथा केन्द्रीय स्थान को तख्त कहते हैं जिसका अर्थ है सिंहासन। ग्रंथ को एक ऊँचे चबूतरे पर रखा जाता है तथा इसके ऊपर एक सजी हुई झालर होती है। हर प्रभात को ग्रंथ को विशेष विश्राम स्थल से सिर पर रखकर लाया जाता है तथा कमरे के केन्द्र में सिंहासन पर रखा जाता है।

श्रद्धालु जन जब भी गुरुद्वारे में प्रवेश करते हैं वे पवित्र ग्रंथ के आगे माथा टेकते हैं।

निष्कर्ष रूप में अब हम देखें कि भारत के इतिहास में इन आंदोलनों के बारे में श्री अरविन्द क्या कहते हैं–

> *भारत के आंतरिक धार्मिक मन का एक जीवन्त व गतिशीलतापूर्ण, ना कि एक कड़ी निरंतरता, उसका विशेष रूख था। बहुत प्रारम्भिक काल से वैष्णव धर्म का विकास, इसके संतों और शिक्षकों का सिलसिला, रामानुज, माधव, चैतन्य, वल्लभाचार्य द्वारा क्रमशः इसको दिये गये आकर्षक विकासक्रम, तथा शिथिलता व कुछ जीवाश्मपूर्णता के काल के बाद इसकी हाल ही में उत्तरजीविता की उत्तेजना, इस आदिकाल की निरंतरता व शक्तिशाली एवं स्पष्ट बदलाव की उदारता की स्थिर परम्परा के एक पक्के जोड़ का एक स्मरणीय उदाहरण बनती है। एक और भी स्पष्ट उदाहरण था सिक्ख धर्म की स्थापना, इसके गुरुओं की एक लम्बी लीक तथा गुरु गोविन्द सिंह द्वारा खालसा के लोकतांत्रिक संस्था की स्थापना में एक नवीन दिशा और स्वरूप का दिया जाना।*

24

शिवाजी

पिछले अध्याय में जैसा कि पहले ही बताया जा चुका है, औरंगज़ेब एक धार्मिक कट्टरपंथी था जिसने हिन्दु प्रजा को पूर्णतया स्वयं से अलग कर दिया था। वास्तव में अधिकतर लोग उसे बहके हुए कट्टरवादी के रूप में देखते थे। उसके साम्राज्य को सिक्खों, राजपूतों तथा शिवाजी के नेतृत्व में मराठाओं के लड़ीवार विद्रोहों ने हिला कर रख दिया था। इस अध्याय में हम शिवाजी के वीरता के कार्यों का अध्ययन करेंगे। शिवाजी का जन्म जुनेर के समीप शिवनेर के पहाड़ी किले में सन् 1630 ई. को हुआ था। वह अपनी माता जीजा बाई के साथ रहते थे, जो एक पवित्र स्वभाव तथा अत्यधिक बुद्धि वाली स्त्री थीं। उन्होंने अपने बच्चे के मन में प्राचीन कालों की वीरता, शौर्य और आध्यात्मिकता की कहानियाँ सुनाकर अपने धर्म की प्रतिरक्षा के जोश को भरते हुए ऊंचे तथा ऊपर उठते आदर्श भर दिये। पश्चिमी घाट के साथ-साथ बसे मावल समुदाय के पहाड़ी लोगों के साथ उनकी बचपन की मित्रता उनके बाद के वर्षों में बहुत काम आई। वे मातृवंश से देवगिरी के यादव शासकों के वंशज थे तथा पितृकुल से वे मेवाड़ के वीर योद्धाओं के वंशज थे। इस प्रकार उज्जवल वंशावली की भावनाओं तथा प्रारम्भिक अभ्यास तथा वातावरण के संयोग ने इस युवक मराठा योद्धा के दिल में एक स्वतंत्र राज्य की स्थापना के स्वप्न जागृत किये। दक्कन सल्तनत की बढ़ती हुई दुर्बलता तथा उत्तर में मुगलों के लम्बे युद्ध काल ने मराठा शक्ति के उत्थान को सुगम किया।

वे 1657 में पहली बार मुगलों से भिड़े तथा अहमदनगर तथा जुनार पर उन्होंने चढ़ाई की। शिवाजी ने उसके बाद कल्याण, भिवन्डी तथा माहुली पर अधिकार किया। तब बीजापुर के सुल्तान ने शिवाजी को नष्ट करने का संकल्प किया। अफज़ल खान को विद्रोही शिवाजी को उनके गढ़ से वापिस लाने के लिए भेजा गया।

ऐसा करने में असफल होने पर उसने शिवाजी के साथ संधी की बातचीत आरम्भ कर दी और उन्हें एक मुलाकात के लिए बुलाया। शिवाजी को अपने स्रोतों द्वारा पता लगा कि बीजापुर के सेनापति के मन में कोई कपट है। इस बात ने उन्हें चेताया तथा वे सभा में बाह्य रूप से शस्त्रविहीन होकर गये परंतु

उन्होंने नीचे लोहकवच पहन रखा था जिसमें हथियार भी छिपे थे। मुस्लिम सेनानायक ने शिवाजी को गले लगाया और तब उसने उनकी गर्दन को लोहे वाले हाथ से दबोचा और उनके बदन में छुरा भोंका। लौह कवच के कारण शिवाजी को कुछ ना हुआ और उन्होंने उसे वहीं मार दिया। अपने सैनिकों की सहायता से जो वहीं आसपास छिपे बैठे थे, उन्होंने नायक विहीन मुस्लिम सेना की छावनी पर धावा बोल दिया, उन्हें पराजित किया तथा छावनी को लूट लिया।

दक्कन के नये मुगल राजप्रमुख सैसता खान से उनकी अगली मुठभेड़ हुई। शिवाजी चुपचाप पूना शहर में घुसे तथा सैसता खान के महल में अपने सेवकों के साथ गुप्त रीति से चले गये। मुगल राजप्रमुख को उन्होंने अचम्भित कर दिया तथा उसी के बिस्तर पर उसे घायल कर दिया, उसके बेटे को मार डाला तथा पास के सिंहगढ़ दुर्ग में चले गये। मुगल राजप्रमुख का अंगूठा कट गया तथा वह कठिनतापूर्वक अपनी जान बचाकर भाग गया। शिवाजी ने उसके बाद सूरत पर आक्रमण कर दिया, जो पश्चिमी तट पर सबसे समृद्ध बंदरगाह थी, तथा वहाँ उन्हें कोई रोकने वाला नहीं था क्योंकि राज प्रमुख वहाँ से भाग गया था।

इन बारंबार की पराजयों से तिलमिलाए औरंगज़ेब ने, आंबेर के राजा जय सिंह को सेना समेत दक्कन में शिवाजी को सज़ा देने भेजा। पुरंधर के निकट एक लम्बे युद्ध के बाद, जय सिंह के साथ एक संधि हुई। जय सिंह ने तब शिवाजी को मनाया कि वे औरंगज़ेब के राज दरबार में आएँ। उसने विश्वास दिलाया कि उनको पूरी सुरक्षा दी जाएगी तथा सम्मान के साथ उनके साथ व्यवहार होगा। तथापि, जब शिवाजी शाही दरबार में पहुंचे तो उनका कोई सम्मान ना हुआ और उन्हें बंदी बना दिया गया। शिवाजी के साथ धोखा हुआ था। परंतु वे ऐसे में घबराये नहीं। उन्होंने एक चाल चली। उन्होंने बिमार होने का बहाना किया और उससे ठीक होने के लिये वे ब्राह्मणों व सामंतों को मिठाइयों के टोकरे तथा फलों के टोकरे भेजने लगे। कुछ दिनों के बाद जब सिपाहियों ने तालाशी में ढील कर दी तथा लापरवाह हो गये तो शिवाजी अपने पुत्र शंभुजी के साथ टोकरों में छिप कर कैद से बाहर आ गये और आगरा से भाग गये। एक साधु के भेष में वह औरंगज़ेब को चमका देते अंत में घर सही सलामत पहुँच गये। अगले कुछ वर्षों के लिये उन्होंने मुगल राजा के साथ शांति बनाई रखी और अपने सभी किले जो उन्होंने पहले समर्पित किये थे वे पुनः वापिस ले लिये। 16 जून 1674 को उन्होंने धूम-धाम से औपचारिक तौर पर स्वयं को रायगढ़ का राजा घोषित किया और छत्रपति की पदवी धारण की।

शिवाजी का साम्राज्य लगभग सारे पश्चिमी घाट के साथ-साथ उत्तर में रामनगर से दक्षिण में कारवार तक फैला था जिसमें पुर्तगाल व अंग्रेजों के क्षेत्र

भी शामिल थे। पूर्व में उनकी सीमा टेढ़ी-मेढ़ी रेखा में उत्तर में बगतारा से शुरू होकर नासिक और पूना जिलों में से होती हुई सतारा को घेरती दक्षिण में कोल्हापुर तक थी। बाद की विजयों से उनके राज्य की सीमा के अंदर पश्चिमी कर्नाटका जिसके अंदर बेलगांव भी था, बलारी जिला तथा मैसूर के कुछ भाग भी सम्मिलित हो गये। श्री आर.सी. मजूमदार के शब्दों में:

"उनकी सबसे गौरवशाली उपलब्धि मराठा जाती को एकत्रित करते हुए एक महान राष्ट्र में बदलना था। उन्होंने यह कार्य औरंगज़ेब साम्राज्य तथा पुर्तगाल जैसी बड़ी शक्तियों द्वारा विरोध करने पर भी कर दिखाया। उनके द्वारा निर्माण किये गए मराठा राष्ट्र ने औरंगज़ेब व उसके उत्तराधिकारी शासकों के होते हुए भी मुगल साम्राज्य को अंगूठा दिखाया ओर अठारहवीं सदी के दौरान वह भारत की एक प्रमुख शक्ति इस प्रकार बना रहा कि औरंगज़ेब का एक उत्तराधिकारी मराठा सरदार महदाजी सिंधिया की एक कठपुतली बन कर रह गया था। मराठा शक्ति ने भारत पर प्रभुसत्ता के लिये अंग्रेजों के साथ भी स्पर्धा लार्ड हेस्टिंग के समय तक की जब अंत में उनके राज्य को समाप्त कर दिया गया।

शिवाजी केवल एक निडर योद्धा एवं सफल सैनिक विजेता ही नहीं थे बल्कि अपनी प्रजा के उत्तम शासक भी थे। उनकी व्यवस्था एकतंत्रीय थी जिसके वे सर्वोच्च मुखिया थे। परंतु राज्य के कार्यों के वास्तविक निर्वहन के लिये आठ मंत्रियों का मंडल उनकी सहायता करता था। इनको अष्टप्रधान कहा जाता था तथा उनका प्रमुख कार्य परामर्श देना था। शिवाजी ने अपने राज्य को कई प्रान्तों में बाँट रखा था एवं हर प्रांत एक राजप्रमुख के अधीन था, जो राजा की इच्छानुसार रहता था तथा राजा की ही भांति हर राजप्रमुख की सहायता के लिए आठ मुख्यमंत्री होते थे। भूमि-कर और सुप्रशासन के लिये ही शिवाजी ने राज्य को प्रांतों में बाँटा था। हर प्रांत आगे परगना तथा तहसील में विभाजित था एवं गाँव प्रशासन की सबसे छोटी इकाई थी। किसानों को अपनी देनदारी का सही मूल्य का ज्ञान होता था जिन्हें वे बिना किसी दबाव, प्रकार में या नकद में भुगतान कर सकते थे। राज्य खेती बाड़ी को प्रोत्साहन देता था तथा इसके लिए किसानों को बीजों और पशुओं के क्रय के लिये नगद उधार भी देता था जिसे किसान आसान किश्तों में बाद में वापिस कर देता।

शिवाजी द्वारा मराठा सेना की व्यवस्था एक नये ढंग से किया जाना उनकी सैन्य प्रतिभा का उत्कृष्ट प्रमाण है। पूर्वकाल में मराठा युद्ध सैनिकों में घुड़सवार सैनिकों की सेना ही मुख्यतः होती थी, जो आधा वर्ष तो खेती बाड़ी करते और गर्मी के सूखे महीनों में कार्यरत सैनिक हो जाते थे। शिवाजी ने एक नित्य सेवा में रत सेना को आरम्भ किया। उनकी सैन्य शक्ति तीस से चालीस हज़ार घुड़सवार सैनिकों तथा दस

हज़ार पैदल सेना तक बढ़ गई। उन्होंने 1260 हाथियों की टुकड़ी तथा 300 ऊंटों की टुकड़ी भी सेना में शामिल की। शिवाजी ने समुद्री सेना भी तैयार की। यद्यपि शिवाजी के अधीन समुद्री सेना ने कोई खास कारनामे नहीं दिखाए परंतु बाद में मराठा समुद्री सेना ने अंग्रेजों को बहुत तंग किया। यद्यपि वे सैनिकों को मासिक वेतन तथा उदार इनामों की घोषणा नकद दिया करते थे, तो भी शिवाजी ने उनको हमेशा सख्त अनुशासन में रखा। शिवाजी का आदर्श भारत में एक स्वदेशी साम्राज्य की स्थापना करना था तथा इसके लिये वे एकाग्र मन से लगे रहे। परंतु उनके पास इसे पूरा करने का पर्याप्त समय नहीं था।

अपने व्यक्तिगत जीवन में शिवाजी उन समय की बुराइयों से दूर ही रहे और ना ही उन पर कोई प्रभाव पड़ा एवं उनके नैतिक मूल्य अत्यधिक ऊँचे थे। बचपन से ही गहरी आध्यात्मिकता होते हुए, अपने राजनैतिक और सैन्य कर्त्तव्यों के बीच भी, वे अपनी माता तथा अपने गुरु रामदास द्वारा प्रेरित और दर्शाए ऊँचे आदर्शों को कभी नहीं भूले। उन्होंने मराठा देश को ऊँचा उठाने में धर्म और आध्यात्मिकता को एक आवश्यक शक्ति माना तथा भारतीय विद्या और धर्म को सदा अपना संरक्षण दिया। दूसरे धर्मों के प्रति संवेदशनील, वे मुस्लिम संतों का खूब आदर सत्कार करते एवं मुस्लिम मस्जिदों और तीर्थ स्थानों को रोशन करने के लिए किराए से मुक्त जमीन देते व खर्चा उठाते तथा क्रिश्चियन पुजारियों के लिये उनका व्यवहार सदा आदरपूर्ण होता। उनके सफल जीवन-चर्या का अंत उनकी असमय मृत्यु के साथ 53 वर्ष की आयु में 14 अप्रैल 1680 को हो गया।

> रामदास की महाराष्ट्र धर्म की कल्पना द्वारा प्रेरित मराठा पुनरुत्थान, जिसको प्राचीन काल के स्वरूप और भावना के रूप में अभी भी याद किया या समझा जा सकता था, तथा शिवाजी के द्वारा एक आकार में ढाला जाना एक पुनर्स्थापना का प्रयत्न था, परंतु आध्यात्मिक प्रेरणा और लोकतांत्रिक शक्तियों द्वारा उसके आरम्भिक स्थापना में सहायता किये जाने के फलस्वरूप भी वह असफल रहा, क्योंकि भूतकाल को पुनर्स्थापित करने के सारे प्रयत्नों को अवश्य असफल होना होता है। पेशवा में अपनी सारी प्रतिभाओं के होते हुए भी संस्थापक की दूरदृष्टि की कमी थी तथा एक सैन्य व राजनैतिक राज्य संघ को ही मात्र स्थापित कर पाये। तथा उनका साम्राज्य स्थापित करने का प्रयत्न सफल नहीं हो पाया क्योंकि वह एक क्षेत्रीय देशभक्ति की भावना से प्रेरित था जो स्वयं को अपनी ही सीमाओं से परे विस्तार करने तथा एक संघटित भारत के जीवन्त आदर्श को जागृत करने में असफल रहा।
>
> *श्री अरविन्द*

बाजी प्रभु तथा तानाजी मालसूरे

शिवाजी की की एक अनोखी योग्यता यह थी कि वह मनुष्यों का सही मूल्यांकन कर लेते थे। उन्होंने शायद ही कभी अपने सहायकों को चुनने में कोई गलती की हो। वे पुरुष जिनको उन्होंने अपने सहायकों के रूप में चुना था उनमें से दो विशेष थे। वे थे बाजी प्रभु तथा तानाजी मालसूरे। बाजी प्रभु ने शिवाजी को बचाने हेतु अपना जीवन रंगना घाट के प्रसिद्ध युद्ध में समर्पित कर दिया। उसने शिवाजी को पीछे लौट जाने का मौका देने के लिए ऐसा किया था। उस मुठभेड़ में उसने अपना जीवन दान दे दिया परंतु उसकी मृत्यु एक नायक की मृत्यु थी। उसका वीरतापूर्वक डटे रहना सही अर्थों में ईसा पूर्व चौथी शताब्दी में ईरान और ग्रीक योद्धाओं के बीच लड़ी गई थरमोपाइले की प्रसिद्ध लड़ाई से तुलना के योग्य है।

तानाजी मालसूरे ने भी पौराणिक गाथा समान प्रसिद्धी प्राप्त की है। कोणकन से यह वीर पुरुष शिवाजी के सबसे प्रारम्भिक साथियों में से एक था। वह सैन्य युद्ध में प्रतिभावान नहीं था परंतु एक सिंह-हृदय पुरुष था। वह अपने मालिक का कभी ना बिछुड़ने वाला साथी तथा विश्वासपात्र था। उसका व्यक्तिगत साहस, उसकी सत्यनिष्ठा तथा खतरे के सम्मुख उसका साधन-पटुता वह सब स्वयं में शिवाजी के समीप साथी बनने की सिफारिश थे। शिवाजी की समीपता के कारण तानाजी का नाम स्मरणीय नहीं हो गया। बल्कि इसलिये स्मरणीय हो गया है क्योंकि उन्होंने अपना जीवन दान दे दिया ऐसे हालात में जो दोनों दुखदायी तथा भव्य थे। आज भी सिंहगढ़ की काव्य गाथा महाराष्ट्र के हर घर में गायी जाती है।

सिंहगढ़ या कोणधाना, जैसा कि वह मूलतया पुकारा जाता था, पूना से बारह मील दूर ऊँचे साहायद्री पर्वत माला के पूर्वी भाग में स्थित है। इसकी संचार व्यवस्था पूर्व और पश्चिम में बहुत ऊँचे व तंग टीलों के पुरन्धर पहाड़ी के साथ है जबकि उत्तर तथा दक्षिण में इसके समक्ष एक बहुत ऊबड़-खाबड़ तथा ऊँचे पहाड़ों में लगभग आधे मील की कठिन व तीखी चढ़ाई के साथ है। पर्वत की ढाल से काले चट्टान की चालीस फीट से ऊँची एक दिवार सीधी उठती है एवं जिसके सिरे पर सिंहनाद की मिनारें हैं। दुर्ग रचना में एक पक्की पत्थर की दिवार जिसके साथ दुर्ग है तथा लगभग दो मील की त्रिभुजी स्थान को गोल शक्ल में घेराबन्दी करती स्थापित है। सभी ओर बाह्य भाग एक अतुलनीय बाधा प्रस्तुत करता है इस प्रकार कि द्वार के अतिरिक्त उस दुर्ग में प्रवेश पाना लगभग असम्भव हैं।

यह वह अत्यधिक बल वाला दुर्ग था जिसे हथियाने के लिए तानाजी को हुक्म हुआ था। यह मुगलों को समर्पित कर दिया गया था तथा अब वह एक बहुत योग्य राजपूत योद्धा उदय भान के अधिकार तले था, जो चुने हुए सैनिक

टुकड़ी के साथ इसकी सुरक्षा करता था। महाराष्ट्र के गौरव सिंहनाद के दुर्ग का छिन जाने के कारण शिवाजी की भावनात्मक माता जी खिन्न थी। उन्हें भय था कि स्वराज का नन्हा पौधा जो शिवाजी द्वारा पाला जा रहा था वह सुरक्षित नहीं बढ़ पायेगा जब तक मुगलों से यह दुर्ग वापिस छीन न लिया जाये। एक सुबह जब जीजाबाई अपने बालों में कंघी कर रहीं थी, उन्होने अपने महल की खिड़की में से सिंहदुर्ग को अचानक देखा। यह मर्म-भेदी विचार कि यह दुर्ग उनके बेटै के पास नहीं है वे उदास हो गईं।

उन्होंने अपने सेवक से कहा कि वह राजगढ़ घोड़े पर जाये और उनके बेटे को लाये। शिवाजी ने उस बुलावे को सम्मान दिया परन्तु उस अनुलंघनीय आज्ञा से उलझ से गये। जब वे आये तो जीजाबाई ने बहाने से उन्हें शतरंज के खेल की बाज़ी के लिये चुनौती दी जिसे शिवाजी हार गये। अपनी विजय के परितोष के रूप में उन्होंने सिंहनाद को महाराष्ट्र के लिये पुनः प्राप्ति की माँग कर दी। शिवाजी अचम्भित हो गये तथा इस माँग पर उदास हो गये। उनकी माता पर इस बात का कोई प्रभाव नहीं पड़ा कि दुर्ग की सुरक्षा भारत के सबसे योग्य सेनापति द्वारा की जा रही है। रानी माँ जिद पकड़े हुऐ थीं। शिवाजी उनकी माँग की उपेक्षा नहीं कर सके। वे जानते थे कि दुर्ग को अधिकार में करना अत्यधिक कठिन है। उन्होंने इस समस्या की परेशानी पर गहराई से सोचा तथा अंत में उन्होंने अपने प्रिय ताना जी को इस मोर्चे पर भेजने का मन बनाया। उन बलशाली सामंतों में से वह अकेला ही रानी माँ के दिल की इच्छा को पूरा कर सकता था। उसने पहले भी कई विलक्षण शौर्य वाले कार्य किये थे। भवानी माता और रानी माँ के आशीर्वाद से स्वराज का यह समर्पित सेवक शायद असंभव को भी प्राप्त कर ले।

तदानुसार कोणकन में उमराथे में रह रहे तानाजी को यह आज्ञा भेजी गई कि वह अपने सुसज्जित सैनिकों और अंगरक्षकों सहित तुरंत राजगढ़ पहुंचे। यद्यपि वह अपने पुत्र के विवाह की तैयारी कर रहा था उसने जल्द जाने की ठान ली और अपने सैनिकों सहित द्रुत गति से अपने महान सरदार के आगे राजगढ़ में पेश हुआ। शिवाजी आदर सहित उसे मिले और उसे अपनी माता जी के पास ले गये जिनके द्वारा वह बुलावा भेजा गया था। ताना जी को जीजा बाई द्वारा अपने सैनिक उद्देश्य का पता चला और वह अपने शिकार को चल पड़ा। उसके साथ एक हज़ार भावली योद्धा थे। वे सब दुर्ग के नीचे चुपचाप ऊपर चढ़ने और उस पर आक्रमण करने के लिये इकट्ठे हुए। वह माघ महीने की कृष्ण पक्ष की नौवीं तिथी थी जो साफ काली रात में शांत व अति ठंडी थी। दक्षिण-पश्चिम में सबसे तीखी संकरी घाटी को चुनते हुए जहाँ सुरक्षा के सबसे कम प्रबंध होने की संभावना थी, ताना जी ने शिवाजी की यशवंती नामक गोह की कमर में रस्सा बांधा तथा उसे उस पहाड़ी पर चढ़ने के लिये छोड़ दिया। गोह तुरंत ऊपर चढ़ी और झाड़ियों में ऊपर अपने पंजे उसने जकड़ दिये

जिसकी सहायता से मावली सेना चट्टान के ऊपर चढ़ गई। केवल तीन सौ के करीब सैनिक ही दुर्ग में प्रवेश कर पाये थे कि किसी हलचल के कारण सुरक्षा कर्मियों का ध्यान उस ओर आकर्षित हो गया जिधर मराठा चढ़ रहे थे। सुरक्षा कर्मियों को मार गिराया गया परंतु तब तक छावनी जाग उठी थी। ताना जी के सात सौ सैनिक अभी भी नीचे थे जबकि दुर्ग में एक हज़ार अरब, पठान, अफगान व राजपूत योद्धा थे। तानाजी ने धावा बोल दिया। बेशक वे गिनती द्वारा बहुत कम हो गये थे, मराठा पुरे जोश और शौर्य से लड़े तथा उस घमासान लड़ाई में उनके नेता की मृत्यु हो गई। यह कहा जाता है कि चंद्रावली, मनुष्यों को मारने वाली हथिनी ने तानाजी पर हमला किया तब वे उसके पीठ पर चढ़ गये तथा अपनी तलवार से उन्होंने हथिनी की सूंड काट डाली व उसे बहते खून का एक मिट्टी का ढेला बना दिया। उसके बाद उदय भान के बारह पुत्र तानाजी पर टूट पड़े। शूरवीर मराठा ने अपनी तेज़ तलवार के तीव्र प्रहारों से उन सबको मार गिराया।

जब सभी कुछ समाप्त हो गया लगता था, उदय भान युद्ध भूमि में अपने शराब के प्यालों और सुंदर स्त्रियों के आलिंगन को छोड़ कर आया। परिणामस्वरूप इन दो महान योद्धाओं के बीच घमासान मुठभेड़ छिड़ गई। ऐसा लगता था कि बिजली चमक रही थी और घने बादल गरज रहे थे। अंत में एक वार आया जिसके कारण अपनी कमर को पकड़े तानाजी मालसूरे सिंह की भाँति खेत हो गये। उनके मुखिया की मृत्यु ने मराठाओं को विचलित कर दिया और वे पीछे मुड़ने लगे, परंतु उससे पहले सब कुछ समाप्त हो जाता तानाजी का भ्राता बाकी सैनिकों को लेकर युद्ध क्षेत्र में आ धमका। उसने उन सबको इकट्ठा कर उनमें युद्ध घोष हर-हर महादेव के साथ जोश भर दिया और वे सब शत्रु पर नई स्फुर्ति के साथ टूट पड़े। उनका हमला रूकने वाला नहीं था तथा छावनी के पाँव उखड़ गये तथा उनके क्रोध से बचने के लिये सैकड़ों शत्रु के सैनिक उन चट्टानों से कूद पड़े और उनके चिथड़े हो गये। युद्ध में वह साहसी और महान योद्धा उदय सेन भी मारा गया।

मराठों के लिये यह एक महान विजय थी लेकिन उनके छावनी में कोई उल्लास नहीं था। शिवाजी अपने साथी को बधाई देने आये तथा जब वे कल्याण द्वार से घोड़े पर गुज़रे तो उन्होंने अपने विश्वसनीय ताना जी का शव बिस्तर पर बैठे पाया। उनका दुखः असहनीय हो गया। उन्होंने बधाई लेना अस्वीकार कर दिया और चिल्लाकर बोले कि उन्होंने दुर्ग तो पा लिया लेकिन अपने सिंह को खो दिया। इस प्रकार एक मनुष्य की जीवन यात्रा समाप्त हुई जिसका कर्त्तव्य के प्रति दत्तचित्तता पूर्णनिष्ठा, जिसका अपने मित्र और स्वामी के प्रति अडिग स्वामीभक्ति तथा जिसका बेखौफ हौंसला व हिम्मत अपने देशवासियों के लिये पथ-प्रदर्शन के रूप में अनूठा उदाहरण बनके सदा रहेगा। सिंहनाद अब खंडहर हैं परंतु तानाजी की विजय भरी मृत्यु की उज्जवल घटना सदा अमिट रहेगी।

25

अंग्रेजों का आगमन

जैसा कि पिछले अध्याय में देखा गया, यह मुगल सम्राट जहाँगीर था जिसने अंग्रेजों को 1608 ई. में भारत में व्यापार करने की अनुमति दी थी। परिणामस्वरूप अंग्रेजों ने सूरत में एक कारखाने की स्थापना की। भारत का पश्चिम के साथ पुर्तगाल के द्वारा पहले से ही संपर्क स्थापित हो चुका था। पुर्तगाली भारत में स्वयं को स्थापित करने वाले सर्वप्रथम थे तथा अंतिम यूरोपीयन जिन्होंने भारत से कूच किया। वे 1498 में वास्को डी गामा के समुद्री रास्ते की खोज द्वारा यहाँ आये थे। परंतु यह अंग्रेजों के सम्राट द्वारा विशेषाधिकार पत्र दिये जाने पर ईस्ट इंडिया कंपनी थी जो अंग्रेजी संसद के प्रति अंत में उत्तरदायी थी, जिसने भारत में अंग्रेजी शासन को स्थापित किया था। अंग्रेजों की ईस्ट इंडिया कंपनी की 31 दिसम्बर 1600 को रानी एलिजाबेथ I के राजसी आज्ञा के अधीन 70,000 पौंड की मुद्रा से मसालों के लिये 15 वर्ष तक व्यापार करने हेतु स्थापना हुई थी। सन् 1640 में कंपनी ने आधुनिक मद्रास (चेन्नई) की भूमि को खरीदा जहाँ उसने जल्द ही सेंट जार्ज किले का निर्माण किया। 1668 में राजा चार्ल्स II ने बम्बई(मुम्बई) की धरती ईस्ट इंडिया कंपनी के नाम हस्तांतरित कर दी जिसे उसने ब्रीगान्जा की पुर्तगाली राजकुमारी केथरीन के साथ विवाह पर दहेज के रूप में पाया था। सन् 1690 में नवाब इब्राहीम खान के निमंत्रण पर जोब चारनोक ने कलकत्ता की नींव रखी। यह भगीरथ पर एक दलदली भूमि थी जिसपर गाँव सुतानती बसा था जिसमें 1698 में कोलीकाटा और गोविंदपुरी गांवों को जोड़ा गया।

इस समय के बाद से बम्बई, मद्रास और कलकत्ता के प्रमुख नगरों को स्थापित किया गया तथा अंग्रेजों की भारत में राजनैतिक व सैन्य गतिविधियों के सभी व्यावहारिक मनोरथ के लिये ये केन्द्र-बिन्दु बन गये। सौ वर्षों के भीतर इंग्लैंड ने भारत पर लगभग पूर्ण राज-सत्ता प्राप्त कर ली थी। परंतु यह ना ही तीव्र और ना ही अचानक की गई कार्यविधि थी। सर्वप्रथम इसने कंपनी के प्रतिस्पर्धियों के साथ उत्तराधिकार-निबंधन संबंधी युद्ध किये—जो पुर्तगाल, डच तथा अधिक भयंकर फ्रेंच के विरुद्ध थे। यह वांडीवाश की लड़ाई

द्वारा था कि फ्रांस के खतरे को दूर किया गया तथा प्लासी की जंग द्वारा उसने बंगाल, बिहार तथा उड़ीसा में अपने पैर जमाये। वांडीवाश का युद्ध संसार व यूरोप के अन्य भागों में अंग्रेजों और फ्रेंच के बीच स्पर्धा के कारण सैनिक संघर्ष का ही एक क्रमानुसार परिणाम था। इयर कूट ने अंग्रेजी सेना का नेतृत्व किया जबकि कोमटे डि लाली ने फ्रेंच फौज का नेतृत्व किया था। अंग्रेजों ने 1759 में वहाँ के किले पर अधिकार जमा लिया। इस लड़ाई ने भारत में फ्रांस के साम्राज्य के भाग्य-द्वार सदा के लिये बंद कर दिये। फ्रांस अब अंग्रेजों के प्रभुत्व को चुनौती देने की स्थिति में नहीं रह गया था।

कुछ वर्ष पूर्व ईस्ट इंडिया कंपनी ने बंगाल, बिहार, उड़ीसा तथा पूर्वी तट पर स्वयं को स्थापित करने व शक्ति प्राप्त करने में सफलता प्राप्त कर ली थी। इस दिशा में निर्णायक कदम प्लासी का युद्ध था, जिसे ठीक से पालाशी कहा जा सकता है (इस क्षेत्र में प्रचुर मात्रा में पलाश के वृक्षों के होने के कारण)। यह युद्ध अंग्रेज फौज तथा नवाब सिराजुद्दौला के फौज के बीच लड़ी गई थी। युद्ध 23 जून 1757 को लड़ा गया था और केवल एक दिन चला जब नवाब के सैनिक मैदान छोड़ कर भाग गये थे। अंग्रेजों की स्फूर्ति तथा दूर दृष्टि के साथ-साथ उनके द्वारा बेशर्मीपूर्वक देश-द्रोह, चालसाजी तथा षड़यंत्र के तरीकों का दुश्मन के बीच व्यवहार में लाये जाने के कारण नवाब की सेना की शक्ति टूट गई थी। रॉबर्ट क्लाईव जो अंग्रेज सेना का सेनापति था उसने अपनी रिपोर्ट में लड़ाई के बारे में लिखा कि मीर जाफर, राय दुर्लभ तथा यार लुत्फ खान ने तटस्थ रहते हुये हमें खूब सहायता दी। ये तीनों ईस्ट इंडिया कंपनी के साथ गुप्त रूप से मिले हुऐ थे। इस युद्ध ने ईस्ट इंडिया कंपनी को बंगाल, बिहार और उड़ीसा पर अधिपत्य दे दिया।

प्लासी की लड़ाई के तुरंत बाद मुगल सम्राट शाह आलम ने बंगाल, बिहार और उड़ीसा की दिवानी अंग्रेजों को दे दी। इसके परिणामस्वरूप इन्हें इन प्रांतों से भूमि-कर इकट्ठा करने की आज्ञा प्राप्त हो गई तथा इसके बदले में एक सालाना राजकर देने तथा शांति व्यवस्था को स्थापित रखने की आज्ञा भी मिल गई। उन्होंने स्थानीय नवाब के द्वारा भूमि-कर इकट्ठा किया और उसकी सेना पर अपना अधिपत्य कर लिया। इसके द्वारा ईस्ट इंडिया कंपनी एक शासन करने वाली शक्ति बन गई तथा अब वह पहले की भांति केवल एक व्यापारिक समूह ही नहीं थी।

जब तक कंपनी का प्रमुख व्यवसाय व्यापार था इसे अपना प्रबन्ध करने को छोड़ रखा था। परंतु प्लासी के युद्ध के बाद जब कंपनी ने क्षेत्रों पर आधिपत्य

किया तो अंग्रेजी सरकार ने एक नियमित कानून के बनाने की आवश्यकता को अनुभव किया। भारत में अंग्रेजों के राजनैतिक, आर्थिक तथा सैन्य अधिकारों पर नियंत्रण करने के अधिकार के लिये पिट्स इंडिया एक्ट के साथ अंग्रेजों की सरकार ने एक विभाग के रूप में कमीश्नरों के एक बोर्ड की स्थापना कर दी। पहली बार एक गवर्नर-जनरल की नियुक्ति की गई जो जल्द ही राजनैतिक तौर पर पूर्ण शक्ति के रूप में उभर कर आने वाला था। अगले सौ वर्ष के अंदर ही अंग्रेजों ने लगभग सारे भारत पर अपना नियंत्रण स्थापित कर लिया।

आओ, अब हम भारत के राजनैतिक नक्शे पर प्लासी के युद्ध के तुरंत बाद के समय पर एक दृष्टि डालें।

- मुगल साम्राज्य पारसी राजा नादिर शाह के मुस्लिम सेना द्वारा 1739 में दिल्ली की लूटमार के बाद लगभग विघटित हो चुका था। बाद में 1756 में अफगानिस्तान के अमीर अहमद शाह जिसने पहले पंजाब को अधिकार में लिया था, उसने दिल्ली को दुबारा अधिकार में ले लिया। मराठाओं और सिक्खों की संयुक्त सेना आक्रमणकारी को पराजित नहीं कर सकी और इस प्रकार भारतीय लोगों का एकत्रित होकर एक शक्तिशाली राष्ट्र के रूप में उभरने की संभावना कम होने लग गई।
- भारत के दक्षिण में हैदराबाद एक स्वतंत्र राज्य के रूप में स्थापित हो गया। यह उन अनेक मुस्लिम और हिन्दु राज्यों में से एक था जो भारत में शीघ्र पतन हो रहे केन्द्रीय मुगल प्राधिकार के बीच राजनैतिक उथल-पुथल के कारण उभर कर आया था।
- ईस्ट इंडिया कंपनी भारत के सबसे घनी आबादी वाले क्षेत्र बंगाल पर पूर्ण अधिकार प्राप्त करने के रास्ते पर थी। इसी काल में दक्कन के कुछ महत्वपूर्ण क्षेत्र ईस्ट इंडिया कंपनी के नियंत्रण में आ गये। समुद्र तट पर अनुकूल स्थानों—मद्रास, बम्बई और कलकत्ता-में ईस्ट इंडिया कंपनी भारत के उच्च विकसित निर्माणकारी अर्थव्यवस्था, विशाल जनसंख्या तथा सुदृढ़ कृषि के आधार के स्वदेशी साधनों को थपथपाने लग गई थी। साथ ही साथ अंग्रेज, संसार भर में भारत के व्यापार संबंधों को करों के द्वारा सीमित करने लग गये थे तथा भारतीय सोने तथा कपड़े के निर्यात पर नियंत्रण करके भी स्वदेशी व्यापार को सीमित कर रहे थे।

- वारेन हेस्टिंग को ब्रिटिश-इंडिया के लिये 1772 में प्रथम गवर्नर-जनरल नियुक्त किया गया। इस समय के बाद से अंग्रेजों ने अपनी बेहतर सैन्य शक्ति का आश्रय लिया एवं साथ ही साथ स्थानीय राजप्रमुखों (सरदारों) का राजनैतिक प्रबंध कौशल, घूस, व अपग्रहण का भी सहारा लिया। इसके साथ ही साथ भारतीय राज्यों के आपसी असंगठन का भी इस सारे उपमहाद्वीप को अपने अधीन करने के लिये शोषण किया।
- शिवाजी के उत्तराधिकारी मराठों ने एक मराठा साम्राज्य का निर्माण किया था परंतु वे लूटपाट करने के धावों के लिये बदनाम थे, तथा कई राज्यों को उनके प्रत्यक्ष या अप्रत्यक्ष अधिकार के लिये उन्हें सुरक्षा धन देने को मजबूर किया जाता। 1761 में अफगान के शाह दुरानी ने उन्हें पराजित किया तथा इसके साथ ही उनका पश्चिम दिशा में बढ़ना समाप्त हो गया।
- 1798 में लार्ड वेलेजली को गवर्नर जनरल नियुक्त किया गया। लार्ड वेलेजली एक साम्राज्यवादी था तथा अपने उद्देश्यों की पूर्ति के लिये उसने युद्ध तथा कूटनीति को मिलाया। सारे विरोध को समाप्त करने के संकल्प तथा स्वतंत्रता की इच्छा को जड़ से समाप्त करने के लिये उसने सबसिडियरी अलाउंस व्यवस्था को स्थापित किया (सहायता अनुदान संधी) यह व्यवस्था ऐसी थी कि जब किसी भारतीय शासक को अपने पड़ोसी से कोई संकट प्रतीत होता तो वह अंग्रेजों की सहायता प्राप्त कर सकता था। इसके बदले उसे अपने राज्य में ब्रिटिश सेना को रखना होगा और उसका खर्चा उठाना होगा। यह व्यवस्था एकदम सफल हो गई। इस व्यवस्था ने भारतीय शासकों की पूर्ण स्वतंत्रता पर अंकुश लगा दिया और अंग्रेजों को भारत में पूर्ण अधिकार व शक्ति दे दी।
- रंजीत सिंह की मृत्यु के बाद पंजाब के सिक्खों ने अंग्रेजों के अड्डों पर आक्रमण किया और एक खर्चीली लड़ाई छेड़ ली। सिक्ख उन कई समूहों या व्यक्तिगत राज्यों में से एक थे जिन्होंने अंग्रेजों के शोषण, क्रूरता तथा थोड़-थोड़े समय बाद क्षेत्रीय छीना झपटी का जमकर विरोध किया।

परिणामस्वरूप अंग्रेजों और भारतीय राज्यों के बीच क्रमवार कई युद्ध लड़े गये। यह युद्ध थे-एंग्लो-मैसूर युद्ध, एंग्लो-मराठा युद्ध, एंग्लो-सिख युद्ध तथा एंग्लो-गोरखा युद्ध। तदानुसार कंपनी ने टीपु सुल्तान को 1792 में पराजित किया

और मैसूर को अपने अधिकार में कर लिया। 1819 में मराठा बुरी तरह पराजित हुए। इसके अतिरिक्त नेपाल को 1814-16 में पराजित करके, सिंध को 1843 में, पंजाब को 1848-49 में, तथा बर्मा को 1886 में पराजित करके इन सब क्षेत्रों में अपना साम्राज्य स्थापित कर लिया। मैसूर का युद्ध हैदर अली और टीपू सुल्तान के विरुद्ध लड़ा गया। वे प्रबल शत्रु सिद्ध हुए तथा चार युद्धों के बाद ही अंग्रेज टीपू सुल्तान द्वारा शासित प्रदेशों पर पूर्ण अधिकार कर पाए। अगला युद्ध नाना फड़नवीस के नेतृत्व के अधीन मराठाओं के विरुद्ध था। 1799 तक टीपू सुल्तान पराजित हो गये थे तथा अगले बीस वर्षों में मराठा राज्य संघ की महान शक्ति धूल में मिट कर राख हो गई थी। इसी काल में मुगल सम्राट दिल्ली में अपने पूर्व काल की छाया मात्र बनकर सिमट गई थी। जल्द ही उसे कंपनी की पेंशन प्राप्ति करके उसका वास्तविक बंदी बन जाना था। इससे अधिक, 1818 तक गौरवशाली राजपूत आपसी ईर्ष्याओं के कारण कंपनी के सामंत बनकर रह गये थे। अब केवल सिंध और पंजाब पर विजय करना रह गया था। सिंध उस भयंकर अंग्रेजों-अफगान के युद्ध के कारण पराजित हो गया। पंजाब में रंजीत सिंह की मृत्यु के बाद की अराजकता के परिणामस्वरूप उसके उत्तराधिकारी अंग्रेजों के आगे टिक नहीं सके। कुछ वर्षों के बाद डलहौजी गवर्नर-जनरल बना। अंग्रेजों के प्रत्यक्ष अधिकार को बहुत बड़े क्षेत्र में फैलाने के लिये संकल्पित डलहौजी ने लैप्स की नीति का प्रस्ताव रखा। इस सिद्धांत के अधीन यदि एक संरक्षित राज्य का शासक बिना असली उत्तराधिकारी के मर जाये तो उसका राज्य एक दत्तक उत्तराधिकारी के नीचे नहीं जायेगा बल्कि अंग्रेजी प्रभुत्व के साथ जोड़ दिया जायेगा जब तक अंग्रेज अधिकारियों द्वारा पहले से ही स्पष्टतया अनुमोदित नहीं कर दिया गया हो। इसके द्वारा कंपनी को भारतीय राज्यों के अधिकतर भाग को हड़पने की राह मिल गई जैसे सतारा 1848 में, नागपुर और झांसी 1854 में, अवध का राज्य हथिया लिया गया 1856 में इस आधार पर कि वहाँ कुप्रशासन है।

हमें यह नहीं भूलना चाहिए कि जब यह सब कुछ हो रहा था तो भारत अठारहवीं सदी के मध्य में अपने सांस्कृतिक और ऐतिहासिक एकता के सर्वनाश के मुहाने पर खड़ा था। क्योंकि उस समय भारत में जो देशप्रेम की भावना स्थापित थी वह स्थानीय थी। अठारहवीं सदी के प्रारम्भ में भारत के लिये कोई राष्ट्रीय एकता की भावना नहीं थी। वास्तव में उस समय के भारतीय शासक प्रायः अंग्रेजों के साथ मिलते दूसरे भारतीय राजाओं के विरुद्ध ना कि आपस में मिलते अपने सांझे शत्रु को खदेड़ने के लिये। अवध का नवाब अंग्रेजों के अधीनस्थ संधी करके मराठों के विरुद्ध खड़ा हुआ। राजपूत शासक मराठों के

प्रति सुरक्षा चाहते। राघोवा ने स्वयं को अंग्रेजों के आगे बेच दिया ताकि पूना में पेशवा से युद्ध कर सके। निजाम की सेना अंग्रेजों की सेना के साथ मिल कर टीपू सुल्तान के विरुद्ध लड़ी।

अंग्रेजों ने भारत में विभाजनों का पूरा फायदा उठाया। प्रारम्भ से ही उन्होंने विभाजन और शासन की नीति को अपनाया। कूटनीति और धोखाधड़ी को अपनाकर बंगाल प्रांत में भूमि-कर इकट्ठा करने का अधिकार उन्होंने प्राप्त किया। इसके द्वारा उन्हें प्रशासन पर अधिकार करने का असरदायी मौका मिला। मराठा, सिक्ख तथा मैसूर के शासक कभी भी एक ना हो सके विदेशी शत्रु का सामना करने के लिये और एक-एक करके पराजित हो गये। उन्नीसवीं सदी के प्रारम्भ तक उनके आक्रमण का सामना करने के लिये कोई भी स्थानीय शक्ति नहीं थी।

एक बार जब अंग्रेजों ने अपनी शक्ति को स्थापित कर लिया तो स्वदेशी मजदूरी और प्राकृतिक साधनों का शोषण बहुत भयंकर हो गया। यह सत्य है कि कुछ उदारवादी गवर्नर जनरल भी थे जिन्होंने सामाजिक सुधारों को शुरू किया और प्रशासन को अधिक सक्षम और उत्तरदायी बनाने के लिये प्रयत्न किये परंतु वे बिरले ही थे। उन्नीसवीं सदी के मध्य तक अंग्रेजों के बेरूखे शोषण ने भारतीयों को सब्र की सीमा तक ला खड़ा किया।

इसके साथ ही साथ, अपने स्वार्थ के लिये, अंग्रेजों ने शिक्षा संस्थान खोले जो अंग्रेजी के माध्यम से पढ़ाते तथा एक विस्तृत रेलों का जाल तथा संचार व्यवस्था को स्थापित कर लिया था। इसके द्वारा देश में एक प्रकार की प्रशासनिक एकता आ गई। परंतु उन्होंने एक क्रमवार शोषण भारतीय लोगों का करना आरंभ कर दिया।

26

आर्थिक शोषण

अंग्रेजी शासन से पूर्व किसी भी जमीन पर व्यक्तिगत अधिकार नहीं थे। (किसी भी ज़मीन में निजी संपत्ति नहीं थी) स्व-प्रशासित गाँव की जन-समुदाय हर वर्ष शासक को या उसके प्रतिनिधि को वार्षिक उपज का एक भाग दे देती। ईस्ट इंडिया कंपनी ने इसको समाप्त कर दिया तथा एक नये प्रकार के भूमि-कर के व्यवस्था को जो गाँव की पंचायत के भूमि के ऊपर अधिकार को विस्थापित करते हुए स्थापित किया तथा धरती पर संपत्ति के दो नये प्रकारों की रचना की-ज़मींदारी तथा व्यक्तिगत किसान का स्वामित्व का प्रकार। यह धारणा स्थापित की गई कि राजसरकार ही भूमि का सर्वोपरि अधिकारी है। निश्चित कर अदायगी की प्रणाली को प्रारम्भ किया गया जो भूमि पर आधारित थी जिसके द्वारा फसल सफल हुई या नहीं सरकार को कर देना ही पड़ता था। जैसा कि एक अंग्रेज भाष्यकार ने लिखा कि अंग्रेजों ने भूमि कर को लेने ओर मानने की ऐसी नई विधिगों को प्रारम्भ किया है जिन्होंने एक समृद्ध जन-समुदाय को भिखारियों की एक बड़ी-सी भीड़ में बदल दिया है। इसका वास्तविक पहला प्रभाव यह हुआ कि खेती बाड़ी की आय में 50 प्रतिशत की कमी हो गई और इस प्रकार गाँव की स्व-प्रशासित कृषि संबंधी आर्थिक व्यवस्था की जड़ को खोखला कर दिया। 1769 में कंपनी ने भारतीयों को गेहूं, नमक, कत्था और तम्बाकू के व्यापार करने पर रोक लगा दी तथा हस्तकला को हतोत्साहित कर दिया। कंपनी ने रेशम के कारीगरों को घर में काम करने पर रोक लगा दी और उन्हें कारखानों में काम करने के लिये मजबूर कर दिया। बुनकर जिन्होंने इसका विरोध किया उन्हें बंदी बनाया, जुर्माना लगाया या उन पर कोड़े बरसाये गये। इस प्रकार कंपनी के नौकरों ने अपनी जेबें गर्म की।

जब अंग्रेज प्रथम बार भारत आये तो उन्होंने इसे पिछड़ा हुआ देश नहीं पाया। 1919 में भारतीय उद्योग कमीशन की एक रिपोर्ट ने कहा कि भारत का औद्योगिक विकास किसी भी प्रकार से अत्यंत प्रगतिशील यूरोपीय देशों से कम नहीं था। भारत केवल एक कृषि प्रधान देश ही नहीं था बल्कि एक महान निर्माणकर्ता देश भी था इसका एक फलता-फूलता बुनकर उद्योग था जिसके

रेशमी, सूती तथा ऊनी माल यूरोप और एशिया में विक्रय होते थे। इसकी लोहे के कामों में एक अद्‌भुत प्राचीन दक्षता थी। इसका अपना ही समुद्री जहाज बनाने का उद्योग कलकत्ता, दमन, सूरत और बम्बई में था। 1802 में भारतीय दक्ष कारीगरों के बम्बई के सागवान की लकड़ी के समुद्री जहाज पुराने इंग्लैंड के ओक्र की लकड़ी से बने जहाजों से कहीं अधिक उत्तम थे। बनारस सारे देश में अपने कांसे, पीतल और बेल धातु के बर्तनों के लिये प्रसिद्ध था। दूसरे महत्वपूर्ण उद्योग-राजपूताना शहरों के सोने के पानी से चढ़े हुए आभूषण, पत्थर-तराशी व सोने चांदी के बर्क बनाने, हाथी-दाँत, शीशा, चर्म, सुगन्धित इत्र तथा कागज बनाने के उद्योग भी सम्मिलित थे।

अंग्रेजों के अधीन यह सब बदल गया भारत के उद्योगहीनता की ओर–इसको बलपूर्वक एक कृषि तथा उद्योग-प्रधान संयुक्त देश से अंग्रेजी पूँजीवाद को कृषि उपनिवेश में बदल डाला। अंग्रेजों ने भारतीय वस्त्र उद्योग को मिटा डाला क्योंकि ये एक प्रतियोगी को सहन नहीं कर सके और उसे नष्ट करना ही था। समुद्री जहाजरानी उद्योग ने अंग्रेजी कंपनियों को ईर्ष्या का पात्र बना दिया तथा इसकी प्रगति और विकास को कानून के द्वारा सीमित कर दिया। भारत के बर्तनों का कार्य, कांच और कागज के उद्योग पर इसी भांति कई अवरोध लगाये गये जैसे भारत में अंग्रेजी सरकार को केवल अंग्रेजों द्वारा बने कागज का प्रयोग करने पर मजबूर किया गया।

भारतीय हस्तकला उद्योग के नाश की युक्ति द्वारा जो खालीपन का स्थान पैदा हुआ वह 1880 तक लगभग पूरा हो गया व उसे अंग्रेजों द्वारा निर्मित वस्तुओं के साथ भर दिया गया। इंग्लैंड के औद्योगिक आंदोलन द्वारा अपने बढ़े हुए अत्यधिक उत्पादन ने अंग्रेजी पूजीवादीयों के लिए यह आवश्यक बना दिया कि वे नई मंडियाँ ढूंढें। भारत वस्त्र निर्यातक देश से वस्त्र आयातक देश बन गया। इंग्लैंड के सामान का भारत में लगभग मुफ्त प्रवेश था जबकि भारतीय सामान के इंग्लैंड में प्रवेश पर असामान्य तौर पर अधिक आयात-कर लगते थे। यह भी फैसला किया गया कि भारत और बाकी संसार के बीच सीधे व्यापार को कम कर दिया जाये। 1845 में *ब्रिटिश इंडिया का 1805 से 1835 तक इतिहास* नामक पुस्तक में उसके लेखक होरेस हेमैन विलसन ने लिखा, "विदेशी निर्माताओं ने अपने प्रतियोगी को नीचे दबाने के लिये और अन्तत उसका गला घोंटने के लिए राजनैतिक अन्याय के हाथ का प्रयोग किया, क्योंकि वे उसका मुकाबला बराबरी के स्तर पर नहीं कर पा रहे थे। जबकि अंग्रेजी सूती उद्योग के लिये यह समृद्धी का समय था वही पर लाखों भारतीय बुनकरों तथा शिल्पकारों के लिये बरबादी का समय था। भारत के निर्माणकारी शहरों को पाला लग गया

था जैसे कि ढाका जो मलमल के लिए कभी भारत का मैनचैस्टर के नाम से जाना जाता था। मुर्शीदाबाद जो कभी बंगाल की पुरानी राजधानी होता था उसे 1757 में लंदन की भांति ही समृद्ध जनता से भरपूर तथा विस्तृत दिखाया गया था। लाखों ही बुनकरों जुलाहों को मजबूर कर दिया गया कि वे गाँवों में गरीबी का ज़ीवन व्यतीत करें और उसी प्रकार कई चर्मकारों, लोहारों तथा ढलाई करने वालों के साथ हुआ।

भारत को साम्राज्य के अधीनस्थ सेवक बना दिया गया तथा उपमहाद्वीप से बहुत अधिक मात्रा में धन को चूस कर निकाल लिया गया। भारतीय लोगों की गरीबी तथा भूख का मुख्य व मूल कारण आर्थिक शोषण था। अंग्रेजी साम्राज्यवाद शासन के अधीन भारत के सामान्य लोग धीरे-धीरे गरीब होते चले गये। जैसा कि आर्थिक इतिहासकार रमेश दत्त ने कहा कि भारत के कुल वार्षिक आय का आधा यानि कि 44 करोड़ पौंड भारत से बाहर भेज दिया जाता। अकालों की संख्या उन्नीसवीं सदी के पहले आधे में 7 से बढ़कर दूसरे आधे में 24 हो गई। अधिकारिक तौर पर 2,88,25,000 भारतीय 1854 से 1901 तक भूख के कारण मरे थे। 1899-1900 का भयंकर अकाल जिसका प्रभाव 4,74,000 वर्ग मील क्षेत्र पर पड़ा और जिसके अंदर छः करोड़ लोग प्रभावित हुए वह किसानों का खून चूसने की प्रक्रिया के कारण हुआ था एवं जिनको सूदखोरों के चंगुल में फांस दिया गया था वे सूदखोर अंग्रेजों द्वारा उनको भूमि-कर दिये जाने का मुख्य स्रोत माने जाते थे।

यद्यपि यहाँ की भूमि उपजाऊ थी तो भी भारत के लोग भूखे तथा अत्यंत गरीब थे। यह पीसने वाली गरीबी भारत में आने वाले सभी अभ्यागतों के चेहरे पर एक चांटे समान लगती थी जैसा कि 1932 में इंडिया लीग के सदस्यों द्वारा बताया गया था। अपनी रिपोर्ट *भारत की दशा 1934* में वे भारतीय गाँव की गरीबी को देख कर दंग रह गये थे। रिपोर्ट कहती है कि यह अति दरिद्रता का घर है–अर्थहीन कृषि, किसानों के ऋण के अधीन होना, अत्यधिक कर व्यवस्था, सर्वाधिक किराये, सामाजिक सेवाओं की विहीनता तथा सर्व-साधारण असंतुष्टी के परिणामस्वरूप इस दरिद्रता ने हमें सब ओर प्रभावित किया। गाँवों में कहीं भी स्वास्थ्य या स्वच्छता की सेवाऐं नहीं मिलीं, कहीं भी सड़कें नहीं थीं, कोई नालियां या रोशनी का प्रबंध नहीं था, तथा गाँव के कूएँ के अलावा कोई जल की व्यवस्था नहीं थी। नर, नारियाँ तथा बच्चे खेतों, खलिहानों व गोशालाओं में कार्यरत थे–सभी एक समान तरीके से अल्प भोजन और विश्राम पर ही कार्य करते हैं तथा अपर्याप्त लाभ पर अत्यधिक समय तक मेहनत करते थे।

भारत को कभी अंग्रेजी साम्राज्य की कामधेनु के नाम से पुकारा जाता था तथा वास्तव में लंदन में राजनीतिज्ञों तथा सरकारी तंत्र द्वारा ऐसा ही समझा जाता

था। पठित भारतीयों को बहुत क्रोध आया था जब वाइटहाल में इंडिया आफिस इमारत के निर्माण का संपूर्ण खर्चा भारत को देना पड़ा था। उन्हें और भी क्रोध तब आया जब 1867 में तुर्की के सुल्तान की शोभा में 2500 मेहमानों के एक शाही भोज का पूरा खर्चा इन्हें भुगतना पड़ा।

भारत में उपनिवेषी काल और स्वतंत्रता के तुरंत बाद तक की अधिकतर जनसंख्या द्वारा भूख और गरीबी का दो सदियों तक का अनुभव ब्रिटिश आधिपत्य के कारण स्वरूप ही था, जिसके दौरान भारतीय सूत उद्योग को नष्ट किया गया था, अधिकतर किसानें को दास बनाया गया (जब अंग्रेजों ने कृषि व्यवस्था के ढांचे को बदला तथा जमींदारी को कर-लाभ दिया–जो सामंति जमींदार थे) तथा लाभकारी फसलों (नील, चाय, पटसन) को धीरे-धीरे पारंपरिक भोजन की फसलों के साथ स्थानांतरित किया गया। इंग्लैंड का सारे उन्नीसवीं सदी के दौरान हुए लाभ को तब तक जाना नहीं जा सकता जब तक 1814 से 1901 के बीच भूख के द्वारा मृत दो करोड़ अस्सी लाख भारतीयों का हिसाब नहीं किया जाये। ज्यों-ज्यों अंग्रेजों की शक्ति बढ़ती गई वे बंगाल, मद्रास व बम्बई से उत्तर भारत की ओर बढ़ते हुए देश का शोषण करते गये, उनके पीछे-पीछे अकाल आते चले गये और लाखों ही भारतीय किसानों की परिणामस्वरूप भूख से मृत्यु होती चली गई। रमेश दिवान तथा रेणू कालीनपुर ने इन अकालों की क्रमवार सारिणी *उत्पादन तथा फसलों में तकनीकी बदलाव* में प्रस्तुत की है। अकेले बंगाल में 1771 के अकाल में एक करोड़ लोग मारे गये। ऐसा शोषण और अकालों द्वारा मृत्यु का क्रम पूरे सौ वर्षों तक चलता रहा। 1877-78 के मद्रास में अकाल के द्वारा तथा 1897-1900 के अकालों में सारे भारतवर्ष में एक करोड़ पचास लाख लोगों की मृत्यु हुई। यह अनुमान संयमित हैं। सौ वर्ष में अंग्रेजों के शोषण के परिणामस्वरूप कम से कम दस करोड़ लोग अकालों के कारण मारे गये थे। इस शोषण की भयानकता और सत्य को समझना व पहचानना आवश्यक है। इस प्रकार अंग्रेजों के शोषण के फलस्वरूप कम से कम 2740 भारतीय प्रति दिन लगातार 100 वर्षों तक मरते रहे। और यह एक संयमित अनुमान है। इसमें विदेशी अधिकारियों द्वारा किराये पर लिये गये बंदूकधारियों के हाथों मारे गये लोग सम्मिलित नहीं है। अकाल के कारण ना केवल मृत्यु ही होती है बल्कि युवक भी दुर्बल हो जाते हैं तथा बलवान बलहीन हो जाते हैं। यदि हर मरने वाले का साथ 30 लोग दरिद्र हो जाते हों, तो दरिद्रता का स्तर 30 करोड़ बन जाता है। यह है जिसे भारत में उपनिवेषक शासन का स्वरूप कहा जा सकता है।

अंग्रेजों की शिक्षा व्यवस्था

जैसा कि पहले ही बताया जा चुका है, अंग्रेजों ने भारत में शिक्षा संस्थानों में अंग्रेजी भाषा को प्रारम्भ किया। यह भारतीयों को भारत के प्रशासन के लिये प्रशिक्षण देने की एक साधारण चाल नहीं थी। इसके पीछे एक कपटपूर्ण प्रेरणा थी जिसके द्वारा भारतीय भाषाओं व भारतीय संस्कृति तथा आत्मविश्वास की जड़ों को खोखला किया जा सकता था। यह मैकाले था जिसने भारत में अंग्रेजी शिक्षा प्रणाली को प्रारम्भ किया था। मैकाले के कार्यवृत के कुछ भागों का हम उल्लेख करते हैं।

"सभी पक्ष एक बिन्दु पर सहमत हो गये लगते हैं कि भारत के इन भागों के बीच सामान्य तौर पर बोले जाने वाली भाषाओं में ना तो साहित्यक और ना ही वैज्ञानिक ज्ञान है तथा इसके अतिरिक्त इतनी तुच्छ और अशिष्ट हैं कि जब तक इन्हें किसी दूसरे स्रोत द्वारा समृद्ध ना किया जाये यह सरल ना होगा कि इनमें कोई मूल्यवान अनुवाद किया जा सके। यह सम्भवतया सभी पक्षों द्वारा मान लिया गया है कि उन लोगों के समुदायों के बौद्धिक प्रगति के लिये जिनके पास उच्चतर विद्या प्राप्त करने के साधन हैं उनको प्रादेशिक भाषा में नहीं बल्कि किसी और भाषा के माध्यम से वर्तमान में प्रभावी किया जा सके।

वह भाषा तब क्या हो सकती है। समिति के आधे सदस्यों की राय में वह भाषा अंग्रेजी होनी चाहिये। दूसरे आधे बलपूर्वक अरबी और संस्कृत का अनुमोदन करते हैं। मुझे यह प्रश्न लगता है कि कौन-सी भाषा जानने योग्य सर्वश्रेष्ठ है। मुझे अरबी और संस्कृत का कोई ज्ञान नहीं है। परन्तु मैं जो कर सका उसके अनुसार इनका सही मूल्यांकन मैंने किया है। मैंने दोनों यहाँ और अपने देश में प्रतिष्ठित लोगों के साथ बातचीत की है जो पूर्वी भाषाओं में अपने प्रवीणता के कारण प्रसिद्ध हैं। मैं, पूर्वी भाषाविज्ञों के मूल्यांकन पर आधारित पूर्वी भाषाओं की विद्वता को मानने के लिये तैयार हूँ। मैंने उनमें से एक को भी इस बात से मुकरते नहीं पाया है कि यूरोपीय लाईब्रेरी की अच्छी पुस्तकों की अलमारी का मात्र एक भाग पूरे भारत और अरब के समस्त साहित्य के बराबर मूल्यवान है। पश्चिमी साहित्य की मूलभूत श्रेष्ठता उन सदस्यों द्वारा भी स्वीकृत है जो उस समिति के सदस्य हैं जो पूर्वी शिक्षा पद्धति पर बल दे रहे हैं। मैं समझता हूँ कि इस बात पर कोई दो राय नहीं कि साहित्य का वह भाग जिसमें पूर्वी भाषाओं के लेखक सर्वोत्तम हैं वह काव्य है। तथा मैं वस्तुत: ऐसे किसी भी पूर्वी-भाषाई विद्वान से नहीं मिला हूँ जो यह मानने का साहस कर सके कि अरबी और संस्कृत काव्य की महान यूरोपीय देशों के काव्यों से तुलना की जा सकती है।

परंतु जब हम कल्पना के कार्यों से उन कार्यों की ओर रूख करते हैं जिनमें तथ्यों का अभिलेख किया जाता है तथा सामान्य सिद्धांतों की पड़ताल की जाती है तो यूरोपियों की श्रेष्ठता सर्वदा तुलनीय हो जाती हैं यह कहने में कोई अतिश्योक्ति नहीं कि वह सभी ऐतिहासिक ज्ञान जिसे संस्कृत की सभी पुस्तकों से संकलित किया गया है वह इंग्लैंड के प्राथमिक स्तर पर प्रयोग में लाई जाने वाली मात्र संकलित किताबों से भी कम उपयोगी है। भौतिक या नैतिक दर्शन के सभी शाखाओं में दोनों देशों की पारस्परिक स्थिति लगभग एक समान है।

तथापि मामला किस जगह खड़ा है? हमें ऐसे लोगों को शिक्षित करना है जिनको अपनी मातृ-भाषा के माध्यम से शिक्षित नहीं किया जा सकता। हमें उन्हें कोई विदेशी भाषा अवश्य सिखानी चाहिए। हमारी अपनी भाषा की दावेदारी के बारे में पुनरावृत्ति करने की शायद ही कोई आवश्कता है। यह पश्चिम की भाषाओं में से भी सर्वश्रेष्ठ स्थिति पर खड़ी है। यह कल्पना के कार्यों से भरी पड़ी है जो सर्वोत्तम से किसी प्रकार कम नहीं है जिसे ग्रीस ने हमें प्रदान किया है। इस भाषा में व्याख्यान-कला के प्रत्येक वर्ग के आदर्श विद्यमान हैं। अंग्रेजी भाषा के ऐतिहासिक रचनाओं के साथ, जिन्हें मात्र व्याख्यान माना जाता है, उन्हें शायद ही कभी कोई श्रेष्ठता में लांघ पाया है तथा जिन्हें राजनैतिक व नैतिक ज्ञान के माध्यम के तौर पर माना गया है उनकी कभी भी कोई समानता नहीं कर पाया; मनुष्य जीवन ओर मानुषी प्रकृति के न्यायोचित तथा सजीव चित्रणों के साथ; तत्वज्ञान, नैतिकता, सरकार, न्याय और व्यापार के सर्वोच्च गहन चिंतन के साथ; मनुष्य के बौद्धिक विस्तार, या स्वस्थ की प्रतिरक्षा, उसके सुविधा को बढ़ाने वाली प्रयोगिक विज्ञान के प्रत्येक अंग के साथ पूर्ण तथा यथार्थ ज्ञान। जिसे भी इस भाषा का ज्ञान है उसे उस सभी विस्तृत बौद्धिक संपत्ति को प्राप्त करने की कुंजी है जिसे धरती के सबसे बुद्धिमान देशों ने अपने नब्बे वंशों के दौरान रचा है तथा इकट्ठा करके रखा है। यह बहुत आराम से कहा जा सकता है कि इस भाषा में जो अब विद्यमान साहित्य है वह संसार भर की सभी भाषाओं के पिछले 300 वर्षों को मिलाते हुए जितना भी साहित्य विद्यमान है उससे कहीं अधिक मूल्यवान है। केवल यही नहीं। भारत में अंग्रेजी भाषा शासन करने वाले वर्ग द्वारा बोली जाने वाली भाषा है। सरकार में बैठे हुए स्थानीय उच्च वर्ग के लोगों द्वारा यह भाषा बोली जाती है। निकट भविष्य में पूर्वी समुद्रों में सभी ओर यह वाणिज्य की भाषा बनने वाली है। यह दो महान यूरोपीय समुदायों की भाषा है जो उदय हो रहे हैं, एक दक्षिण अफ्रीका में और दूसरा आस्ट्रेलिया में, ऐसे समुदाय जो हर वर्ष अधिक महत्वपूर्ण बनते जा रहे हैं तथा

हमारे भारतीय साम्राज्य के साथ अधिक निकटतापूर्वक संबंधित हैं। चाहे हम अपने साहित्य के मूलभूत उपयोगिता को देखें, या इस देश की विशेष परिस्थिति को देखें, हमें यह सोचने का सबसे बलपूर्वक कारण देखने को मिलेगा कि सभी विदेशी भाषाओं में से, अंग्रेजी जुबान ही वह है जो हमारे स्थानीय अधिनस्थ जनता के लिये सबसे अधिक उपयोगी होगी।"

यह सारा मुद्दा इस प्रकार देश को सांस्कृतिक तौर पर दास बनाने तथा भारतीयों को अपनी संस्कृति से अलग करने का था।

अंग्रेजी शासन ने सामाजिक और धार्मिक मामलों में हस्तक्षेप नहीं करने के अपने व्यापक सिद्धांत के द्वारा किसी विचारशील एवं निश्चित उद्देश्य वाले सामाजिक दबाव डालने के किसी स्पष्ट तथा हिंसात्मक स्पर्श से स्वयं को रोका। परंतु इसने भारतीय सामाजिक जीवन के सभी पूर्वस्थापित केन्द्रों तथा यंत्रों को जीवन्त शक्ति से वंचित किया व इसकी जड़ें खोद डाली तथा एक प्रकार के अनजाने कुतरने वाले क्रम द्वारा इसे एक सड़ता हुआ घोंघा बना कर रख दिया जिसमें विस्तार की शक्ति विहीनता थी या तमस की शक्ति से अधिक कोई और उत्तम प्रतिरक्षात्मक शक्ति नहीं थी।

श्री अरविन्द

27
टीपू सुल्तान

टीपू सुल्तान हैदर अली के ज्येष्ठ पुत्र थे। 10 दिसम्बर 1750 को देवनहाली में जन्में ये वास्तव में एक महान पिता के पुत्र थे। हैदर अली भारतीय इतिहास में महानतम व्यक्तित्वों में से एक थे। पूर्णतया स्व-स्थापित पुरुष होते हुए उनके पास एक संकल्पशक्ति, शौर्य तथा एक तीव्र बुद्धि थी जो उनके पढ़ने लिखने की अक्षमता को पूर्णतया प्रतिसंतुलित करती थी। युद्ध-भूमि में वे शांत, मेधावी तथा निडर थे। युद्ध-भूमि के परे वे प्रशासन के मामलों में व्यवहार कुशल तथा सख्त थे।

युवक टीपू बहुत छोटी आयु से ही अपने पिता के संग युद्ध में जाया करते थे। वास्तव में वे 15 वर्ष की ही अल्पायु में अपने पिता के साथ युद्ध करने गये थे। साथ ही साथ उन्होंने भाषाएँ, गणित तथा विज्ञान सीखा। 1768 में पहले एंग्लो-मैसूर युद्ध के दौरान अपने पिता के निवेदन पर उन्होंने निज़ाम के साथ सफलतापूर्वक एक कूटनीतिक शिष्टमंडल का निर्वहन किया था। जब वे बीस वर्ष से कुछ ही बड़ी आयु के हुए तो उन्हें मराठों द्वारा अधिकार किए हुए कुछ क्षेत्रों को पुनः प्राप्त करने का कार्य सौंपा गया। 1774-78 के बीच उन्होंने मैसूर राज्य को सुदृढ़ करने तथा उसके क्षेत्रीय अधिकार के विस्तार के लिये भी अपने पिता की सहायता की। दूसरे एंग्लो-मैसूर युद्ध में उन्होंने एक मुख्य भूमिका निभाई तथा पोलूर की विजय में उनका प्रमुख योगदान था। इस विजय ने उन्हें बहुत अधिक आत्मविश्वास से भर दिया। 1782 में अगले एंग्लो-मैसूर के युद्ध में दुर्भाग्यपूर्वक उनके पिता की मृत्यु हो गई तथा टीपू ने राज्य संभाला। उसके पश्चात अंग्रेजों के साथ क्रमवार कई मुठभेड़ें हुई जिनमें से अधिकतर में उन्हें विजय प्राप्त हुई तथा अंत में 1784 में उन्होंने अंग्रेजों को अपने सैनिक ठिकानों को समर्पित करने पर मजबूर कर दिया। मैंगलोर की संधी इस युवक सुल्तान के लिये एक महान विजय थी।

टीपू के जीवन का मुख्य भाग युद्धों में ही लगा रहा। 1784 की संधी के बाद उन्होंने उन तमाम अफसरों की छँटनी कर दी जो उनके विरुद्ध पहले से ही कार्यरत थे। कूर्ग में उन्हें विद्रोहों को दबाना पड़ा। ऐसे ही समय में उन्होंने कूटनीतिक शिष्टमंडलों को मराठों के पास भेजा ताकि मराठा-निज़ाम-अंग्रेजों के बीच स्थापित होने वाले गठबंधन को रोका जा सके। परंतु वे इस कार्य में

असफल रहे। इसके फलस्वरूप मराठों और निज़ाम द्वारा क्रमवार कई हमले हुए जिनको इन्होंने सफलतापूर्वक पराजित किया परंतु इसके साथ ही उन्होंने इन विजयों के अस्थाईपन का अनुभव भी किया। अप्रैल 1787 में उन्होंने कार्नवालीस के आगे शांति रखने का प्रस्ताव रखा। वे अपने अलग-थलग हो जाने के प्रति सचेत थे तथा इस कारण उन्होंने मोरीरायस में फ्रेंच तथा टर्की के सुल्तान के साथ संधी स्थापित करने के प्रति प्रयत्न किया। वे इन दोनों शक्तियों के साथ संधी स्थापित करने में बेशक सफल नहीं हुए परंतु उनका शिष्टमंडल फारस की खाड़ी के राज्यों के साथ व्यापार संबंधों को विकसित करने में सफल हो गया।

मालाबार और कूर्ग के सरदार टीपू सुल्तान को लगातार तंग करते रहे। ट्रावनकोर का राजा जो अंग्रेजों का पिट्ठू था वह उन्हें उकसाता। टीपू ने उस पर आक्रमण कर उसे पराजित किया। परंतु अंग्रेजों ने अपने छल व कपट का खेल खेलते हुए मराठा और निज़ाम का सहारा लेकर इन पर एक बार फिर आक्रमण कर दिया और इस कारण एंग्लो-मैसूर का तीसरा युद्ध छिड़ गया। यह युद्ध लगभग दो वर्ष तक तीन मुठभेड़ों के रूप में चला। पहले दो मुठभेड़ों में टीपू ने अपनी सैन्य सूझबूझ और दक्षता दिखाई और इस कारण अंग्रेजों के हमलों को पराजित कर विफल कर दिया व उन्हें दूर रखा। तीसरे मुठभेड़ में टीपू ने जबरदस्त विद्रोह दिखाया परंतु अंत में उनकी पराजय हुई। यहाँ भी उन्होंने अपनी सैन्य तथा कूटनीति की दक्षता के कारण पूर्ण सर्वनाश से स्वयं को बचा लिया। वे एक शांति संधी पर हस्ताक्षर करने को मान गये जिसे 1792 में सरिंगपटनम की संधी कहा जाता है।

तथापि टीपू इतनी आसानी से चैन से बैठने वाले नहीं थे। उन्होंने जल्द ही स्वयं को पुनः स्थापित कर लिया तथा अपने ऋण को चुकाने के बाद, युद्धों द्वारा हुई हानि की मरम्मत कर ली और एक शानदार शांति व्यवस्था के प्रशासन की स्थापना की। उनके संबंध मराठा पेशवा महदजी सिंधिया के साथ सुधर गये तथापि निज़ाम के साथ उनके संबंध कड़वे ही रहे। अंग्रेजों के साथ भी उनके संबंध सर जोन शोर के हस्तक्षेप ना करने की नीति के कारण सौहार्दपूर्ण हो गये। परंतु वेलेजली के आ जाने पर स्थिति में बदलाव आ गया। वह आक्रमणकारी तथा विस्तारवादी नीति के प्रति कटिबद्ध था। यह पूरा भरोसा कर लेने के बाद कि टीपू को मराठा और निज़ाम के राज्यों से कोई सहायता प्राप्त नहीं होगी उसने टीपू पर ईस्ट इंडिया कंपनी के शत्रुओं तथा फ्रेंच के साथ सांठ-गांठ रखने का दोष लगाया। टीपू पूर्णतया तटस्थ हो चुके थे तथा जल्द ही जनरल जॉर्ज हैरिस की कमान के नीचे अंग्रेजों की सेना ने दो मुखी आक्रमण म्रदास तथा बम्बई से मैसूर पर कर दिया। यह चौथा एंग्लो-मैसूर युद्ध था तथा यह अंतिम युद्ध सिद्ध हुआ। युद्ध छोटा परंतु निर्णायक था। सरिंगपटनम पर धावा बोला गया और 4 मई 1799 को इस पर अधिकार कर लिया गया। दुर्ग की सुरक्षा करते हुए अंत में टीपू को वीरगति प्राप्त हुई।

इस प्रकार अंग्रेजों के शत्रुओं में से सबसे सुदृढ़ व हठी शत्रु जो एक प्रमुख शक्ति थी वह समाप्त हो गया। भारतीय इतिहास में टीपू एक अद्भुत व्यक्तित्व थे। वे एक उत्तम नैतिक चरित्र वाले तथा भगवान में अटल विश्वास रखने वाले व्यक्ति थे। वे विद्रान थे तथा फारसी, कन्नड़ तथा उर्दू भली प्रकार बोल सकते थे। वे एक वीर योद्धा तथा उच्च श्रेणी के कूटनीतिज्ञ थे।

टीपू एक सभ्य तथा उन्नत शासक थे। उन्होंने बहुत जोश से सुधारों का कार्य किया। वे प्रशासन में बहुत बड़े परिवर्तन लाये तथा आधुनिक स्तर पर एक प्रकार के नागरिक सेवाओं की भी रचना की। यद्यपि सेना में मुसलमान अधिक संख्या में थे परंतु आर्थिक और कर संबंधी विभागों में हिन्दु बहुसंख्यक थे। टीपू ने वाणिज्य तथा उद्योग में बहुत रूची दिखाई। उन्होंने विदेशी राज्यों से भी संबंध स्थापित किये तथा ईरान, मसकट व अन्य देशों में अपने व्यापारिक शिष्टमंडल भी भेजे। उन्होंने अपनी सेना की व्यवस्था एक भली प्रकार प्रशिक्षण तथा सैन्य सामग्री से भरपूर इकाई के रूप में की। परंतु उनकी सबसे महत्वपूर्ण योग्यता थी उनकी राजनैतिक दूर-दृष्टि। वे उन कुछ में से एक थे जिन्होंने भविष्य में दूर-दृष्टि रखते हुए अंग्रेजों के इरादों को ठीक से समझा। उन्होंने अंग्रेजों को एक सम्भावी खतरे के रूप में पहचाना तथा अपने राज्य की स्वतंत्रता की कीमत पर कोई भी समझौता या संधी करने को कभी नहीं माना। अंग्रेजों के साथ उनके पिता की लम्बी लड़ाई लड़ते हुए टीपू बचपन से जवानी में आये तथा उस समय के समकालीन सभी भारतीय शासकों में से वे अकेले ही थे जिन्होंने अंग्रेजों के साथ अंत तक लगातार युद्ध किया।

टीपू के पास नव-निर्माण तथा जिज्ञासापूर्ण चेतना थी जो बरबस अकबर की याद दिलाती। उन्होंने एक नये केलण्डर नये सिक्कों तथा नये माप-दण्डों के पैमानों को स्थापित किया। वे अपने धार्मिक विश्वासों में बहुत विस्तृत थे तथा सभी धर्मों को सम्मान देते। यद्यपि वे स्वयं एक सुन्नी मुसलमान थे तो भी राज्य की नीतियों में उनकी धार्मिक धारणाएँ प्रभाव नहीं डालती थी।

अंग्रेजों के विरुद्ध लड़ाई में टीपू एक अकेले तथा एक ही ऐसे चरित्र थे जो उनके साथ युद्ध में शेर की जैसी भयंकरता तथा शिकारी कुत्ते जैसा हठ का उदाहरण दिखाते हैं। सुल्तान ने कभी भी झुक कर कोई समझौता नहीं किया, कभी भी अपने उद्देश्य से नहीं भटके, तथा अपनी पूरी शक्ति लगाने से कभी नहीं कतराये और ना ही रूके। एक प्रकार से वे ही भारत के उम्मीदों की आखिरी किरण थे, वे ही अकेले ऐसे शासक थे जिन्होंने अंग्रेजों के विस्तार के रूख को प्रारम्भ से आखिर तक पूर्णतया समझा। वे अपनी धारणा में दत्त-चित्त थे। इसीलिये अंग्रेज उनसे इतना भय खाते थे। वे एक वीर पुरुष थे। वे दूर-दृष्टि और विवेक में चाहे दुर्बल पड़ गये हों परंतु शौर्य में कभी नहीं, प्रेरणा में कभी नहीं, कभी भी एक संगठित व स्वतंत्र तथा एक समृद्ध मैसूर के अपने स्वप्न में दुर्बल नहीं पड़े जो अंत में एक बलशाली तथा संगठित भारत की ओर ले जाता।

28

रंजीत सिंह

रंजीत सिंह 13 नवम्बर सन् 1780 को पैदा हुए थे। शिवाजी के विपरीत, उन्होंने अपना प्रारम्भिक जीवन प्रेरणा-विहिन वातावरण के बीच बिताया। वे केवल 10 वर्ष के ही बालक थे जब उनके पिताजी की मृत्यु 1790 में हो गई। वे उस समय एक छोटी-सी मिसल के सरदार थे जिनके पास बहुत कम क्षेत्र तथा सीमित सैन्य सुविधाएँ थी।

1793-1798 ई. के दौरान काबुल के ज़मन शाह द्वारा भारत पर आक्रमण ने उनके जीवन शैली पर एक निर्णायक प्रभाव छोड़ा। 1798 में उन्हें लाहौर का प्रशासक नियुक्त किया गया तथा उससे उनके सैनिक जीवन का एक अद्भुत सफलता का काल प्रारम्भ हुआ। रंजीत सिंह ने जल्द ही अफगान दासता का भार फेंक दिया और सतलुज के क्षेत्र में सरदारों के आपसी मतभेद का लाभ उठाते हुए उन्होंने धीरे-धीरे उन सबको अपने साम्राज्य में सम्मिलित कर लिया। रंजीत सिंह की लगातार सफलताओं ने पंजाब के राज्यों में उनके हस्तक्षेप को अनिवार्य बना दिया। स्थानीय सिक्ख सरदारों के आपसी झगड़े तथा कुछ के द्वारा उनकी सहायता की माँग ने उनको बहाना दे दिया कि वे धावा बोलें और लुधियाना को इस प्रकार अपने अधिकार में कर ले। 1813 में उन्होंने अफगानों को पराजित कर अटक पर अधिकार कर लिया तथा कुछ वर्षों के बाद उन्होंने मुल्तान, कश्मीर तथा पेशावर पर अधिकार कर लिया। 1824 तक सिंधु घाटी का अधिकतम भाग उनके साम्राज्य के भीतर सम्मिलित था। 1834 में पेशावर शहर रंजीत सिंह के अधिकार तले पक्के तौर पर आ गया। परंतु अंग्रेजों ने अफगानों के प्रति रंजीत सिंह की अगली इच्छा पर अंकुश लगा दिया। सिंध का राज्य भी रंजीत सिंह के प्रभाव को महसूस करने लगा। परंतु अंग्रेजों ने यहाँ भी उन पर अंकुश लगा दिया। तथापि रंजीत सिंह एक विस्तृत तथा समृद्धी में प्रसिद्ध एक साम्राज्य को अपनी 27 जून 1839 में पचपन वर्ष, की आयु में मृत्यु होने से पूर्व स्थापित करने में सफल रहे।

रंजीत सिंह का उद्देश्य सभी सिक्खों की राजनैतिक एकता को स्थापित करना था। उन्होंने सभी बिखरे हुए अणुओं तथा विभिन्न प्रकार के हिस्सों को

एक एकता तथा संगती प्रदान करने, बढ़ते हुए सिक्ख राष्ट्र को एक सुनियोजित राष्ट्र में ढालने, या जनतंत्र में ढालने का बुद्धिमत्तापूर्वक प्रयत्न किया, जिस प्रकार श्री गुरु गोविन्द सिंह जी ने एक पंथ को एक लोकराष्ट्र में विकसित किया था तथा श्री गुरु नानकदेव जी के सर्वसाधारण संस्थाओं को एक प्रयोजन तथा एक उद्देश्य दिया था।

आधुनिक भारत के इतिहास में रंजीत सिंह सबसे महत्वपूर्ण व्यक्तित्वों में से एक हैं। यद्यपि उनके शरीर की बनावट विशेष तौर पर सुंदर नहीं थी तथा उनकी बाईं आँख से चेचक के कारण ज्योति छिन गई थी तथापि उनका शिष्टाचार प्रसन्नचित था तथा उनकी बातचीत प्रसन्न करने वाली तथा विश्वास पैदा करने वाले उनके नयन-नक्ष थे। वे अपने जीवन की हर सफलता को भगवान की कृपा का फल ही मानते थे तथा स्वयं व अपनी जनता को संयुक्त रूप में *गोविन्द का जनतंत्र या खालसा* मानते थे। वे लोगों के जन्म से ही स्वभाविक शासक थे तथा उन्होंने आपस में लड़ रहे सिक्ख राज्यों को एक सुदृढ़ राष्ट्रीय राजतंत्र के रूप में अद्भुत तरीके से परिवर्तित कर दिया।

रंजीत सिंह अपने समक्ष रखे उद्देश्य की पूर्ति के लिये एक बलशाली सेना के महत्व को भली भांति समझते थे तथा इसीलिये उन्होंने सिक्ख सरदारों की सामन्ति सेनाओं को पूर्ण रूप से एक बलशाली तथा कार्यकुशल राष्ट्रीय सेना में बदल डाला। सेना के सुधार के लिये प्रेरणा स्वयं रंजीत सिंह द्वारा की गई तथा उनकी सेना का मुख्य भाग सिक्खों के द्वारा भरा हुआ था। उनके इस कार्य में सहायता के लिये उन्होंने कई राष्ट्रों के यूरोपीय अफसरों की सेवाएँ प्राप्त की जिनमें से कुछ को तो नेपोलियन के युद्धों का अनुभव भी था। उनकी सेना एक राष्ट्रीय सेना थी तथा उनके ऊपर वे स्वयं कठोर अनुशासन व नियंत्रण रखते थे। यह कहा गया है कि उनका तोपखाना बहुत कार्यकुशल था।

पंजाब के इतिहास में किसी ने भी लोगों के स्वप्नों को इतना जागृत नहीं किया था जितना कि रंजीत सिंह ने किया था। वे मध्यम कद तथा गहरे सांवले रंग के मनुष्य थे। उनके अनाकृष्ट स्वरूप के होते हुए भी उनका चेहरा प्रेरणा देने वाला तथा अभिव्यक्तिपूर्ण था। यद्यपि वे छोटे कद और इकहरे बदन वाले थे, वे उतने ही तेज तर्रार थे जैसे कि वे कोड़े के समान तीव्र हों। वे बहुत उत्तम घुड़सवार थे तथा चूंकि घोड़े उनके जीवन का प्रमुख शौक थे वे दस घंटे तक प्रतिदिन घुड़सवारी करते थे। वे धैर्यवान व्यक्ति थे तथा अपने जीवन की परवाह किये वगैर युद्ध में अपने सैनिकों का नेतृत्व करते तथा खतरों को झेलते। उनकी इस गुणविशेषता ने उनके लिये **पंजाब का शेर** की उपाधि अर्जित की।

रंजीत सिंह को कोई शिक्षा का ज्ञान नहीं मिला तथा वे अंत तक अनपढ़ रहे। परंतु वे विद्धानों को आदर देते तथा अनपढ़ अकबर की भांति अपनी कमी

को विद्वानों की संगति तथा उनसे प्रश्नों की लड़ी द्वारा ज्ञान प्राप्त करके दूर कर लेते। इस प्रकार रंजीत सिंह ने स्वयं को दुनिया के मामलों से स्वयं को परिचित रखा तथा फारसी बोलने का ज्ञान प्राप्त किया क्योंकि इसी भाषा में उनके दरबार के अभिलेख लिखे जाते। उनकी कार्य करने की उतनी ही क्षमता थी जितनी कि जीवन के सुख प्राप्ति की। जब भोज समाप्त हो जाते और नर्तकियाँ चली जाती तो वे अपने विश्राम-स्थल में जाकर कई घंटों तक क्रमवार कई तैनात लिपिकों को पत्र लिखवाते रहते।

इनमें पंजाबी चरित्र की कई योग्यताएँ थी। वे अपनी आदतों में सरल थे। बेहद घनिष्ठ तथा जिनको पसंद करते उनके प्रति खूब उदार थे। यद्यपि वे राजा बन गये थे तो भी उन भोले भाले किसानों को जिनके साथ वे बचपन में रहे उनके साँझे प्रेम को नहीं भूले। उनके पास किसान जैसी चतुरता तथा कुशलता भी थी तथा एक बार उनको यदि शक हो जाए तो अपने शत्रु को मात देने के लिये कोई भी कसर नहीं छोड़ते। परंतु वे अपनी शत्रुता अधिक समय तक नहीं रखते थे। वे लोग जो उनको हानि पहुँचाते उन्हें वे माफ कर देते तथा जो शत्रु जिन्हें वे पराजित कर देते उन्हें पुनः स्थापित कर देते। वे सज़ा देने से घृणा करते थे। अपने समस्त जीवन में उन्होंने कभी किसी को फांसी की सज़ा नहीं दी। यहाँ तक कि उस धर्मान्ध मनुष्य को भी नहीं जिसने उनको मारने का प्रयत्न किया था।

वह गुण जिसने रंजीत सिंह की सफलता में सबसे अधिक भाग निभाया वह था उनका दूसरे धर्मों के प्रति आदर का भाव। वह एक समर्पित सिक्ख थे तथा दोपहर बाद प्रतिदिन एक घंटा या उससे अधिक समय के लिये आदी ग्रंथ के पाठ को सुनने में बिताते। उनकी सिक्ख धर्म के प्रति भक्ति कभी भी उन्हें ब्राह्मणवाद के प्रति उदार होने से तथा हिन्दु मंदिरों में पूजा पाठ करने से नहीं रोकती थी। वे समान गति से इस्लाम धर्म का आदर करते थे तथा कुछ इकाइयों द्वारा मुस्लिम विरोधी भ्रांतियों का बलपूर्वक विरोध करते थे।

इस भावना ने उनके सभी नागरिकों का मन जीत लिया तथा भारतीय राष्ट्रीयता की पुनर्जागृत भावनाओं को एक सूत्र में पिरो कर एक पंजाबी गौरव तथा एकता के बलशाली शस्त्र में बदल डाला।

रंजीत सिंह ने अपनी सफलताओं को निम्नलिखित शब्दों में संयोजित कर लिखाः

''मेरा राज्य एक महान राज्य है। यह छोटा था परंतु अब बड़ा है। यह बिखरा हुआ, टूटा हुआ तथा विभाजित था। यह अब संग्रहित है। इसे समृद्धी में अवश्य बढ़ाना चाहिए तथा अविभाजित मेरे वंशजों को विरासत

में मिलना चाहिए–सतसंगत और किस्मत द्वारा जिसमें शौर्य मिला था, मैंने विजय श्री प्राप्त की है। तथा उदारता, अनुशासन और नीति द्वारा मैंने अपनी सरकार को नियमित तथा संग्रहित किया है। मैंने साहसी को ईनाम दिया है तथा जहाँ कहीं भी देखने में आई मैंने प्रतिभा को प्रोत्साहन दिया है। युद्ध के मैदान में मैंने शूरवीर की प्रशंसा की है। अपने सैनिकों के साथ मैंने सभी खतरों का मिल कर सामना किया है तथा मुसीबतों व थकावटों को बाँटा है। युद्ध-क्षेत्र तथा दरबार, दोनों में, मैंने अपनी आत्मा से पक्षपात को निकाला है तथा निजी सुविधा की ओर अपनी आँखें बंद की हैं। साम्राज्य के चोले के साथ मैंने दायित्व की ओढ़नी को ओढ़ा है। मैंने फकीरों और साधुओं को भोजन दिया है तथा उनकी प्रार्थनाओं से लाभ प्राप्त किया है। दोषी व निर्दोष को एक समान मैंने माफ किया है। तथा वे हाथ जो मेरे विरुद्ध जिनके उठे थे उनको राज्य-क्षमा से बख्शा है। श्री पुरुख जी अपने दास के प्रति इसलिये दयावान रहे हैं, तथा उनकी शक्ति को बढ़ाया है, इस प्रकार कि उनका क्षेत्र चीन की सीमा तथा अफगानों की सीमाओं जिसमें सारा मुल्तान तथा सतलुज के उस पार के सारे समृद्ध अधिकार क्षेत्र शामिल हैं तक फैला है।

सिक्ख खालसा एक अद्‌भुत प्रकार की मूलभूत तथा नवीन रचना थी तथा इसका चेहरा भूतकाल की ओर ना होकर भविष्य की ओर था। अछूता और विलक्षण, अपने धर्मतांत्रिक शीर्ष एवं आत्मा व रचना में लोकतांत्रिक, इसका उत्कृष्ट आध्यात्मिक प्रारम्भ, इस्लाम और वेदांत के गूह्यतम भागों का संयोग करने के लिये इसके प्रथम प्रयास की चेष्टा, यह सब एक मानवीय समाज को आध्यात्मिक प्रवेश के समय से पहले धकेले जाने का एक प्रयत्न था, परंतु यह आत्मा और बाह्य जीवन के बीच एक समृद्ध रचनात्मक विचार एवं संस्कृति के संचारयुक्त माध्यम की रचना नहीं कर सका। और इस प्रकार बाधित तथा अपूर्ण यह तंग स्थानीय सीमाओं के बीच प्रारम्भ हुआ तथा इसने प्रबलता तो पाई परंतु विस्तार की शक्ति नहीं पा सका एवं समाप्त हो गया। तब ऐसी परिस्थितियाँ विद्यमान नहीं थी जो ऐसे एक प्रयत्न को सफलतापूर्वक सम्भव बना पाती।

श्री अरविन्द

29

भारतीय पुनरुत्थान

उन्नीसवीं सदी के प्रारम्भिक दशकों तक, लगभग समस्त भारतीय उपमहाद्वीप अंग्रेजों के अधिकार के अधीन आ चुका था। जैसा कि पहले ही देखा जा चुका है, भारत का आर्थिक शोषण चरम सीमा तक पहुंच चुका था। भारत देश इस प्रकार एक गहरी मुसीबत का सामना कर रहा था। इतिहासकार श्री टी.बी. मैकाले ने सोचा कि भारत अब विलय होने के बिन्दु पर था। समाज अंधविश्वास में डूबा पुराने रीति रिवाजों की बेड़ियों में जकड़ा हुआ था, तथा ऐसा प्रतीत होता था कि सदभावपूर्ण समुदाय की भावना लगभग पूर्णतया लुप्त हो चुकी थी। देश अत्यंत गहरी मुसीबतों का सामना कर रहा था। यह परिस्थितियाँ वैसी ही थी जैसी भारत चौदहवीं सदी में झेल चुका था। उस समय, भारत के जीवन के निरंतरता का प्रश्न था–क्या वह अपनी संस्कृति, सामाजिक व्यवस्था, धर्म और विचारों की पृथक पहचान बनाकर रख पायेगा या क्या उसका इस्लाम के बढ़ते हुए राष्ट्रगंटल के बीच विलय हो जायेगा। तब, भारत को चौदहवीं तथा पंद्रहवीं सदियों के आध्यात्मिक पुनर्जागरण ने बचाया था। इस बार प्रश्न भिन्न था–यह हिन्दु संस्कृति की निरंतरता का प्रश्न नहीं था। बल्कि, भारत के सम्मुख जो समस्या अब थी वह थी एक उच्चतर विस्तार करती हुई तथा अत्यंत क्रियाशील सभ्यता का एक पुरानी, स्थिर एवं जैसा वह दीखती थी, एक पतन होती हुई सभ्यता के साथ सीधा मुकाबला। यह एक ऐसी सभ्यता थी जिसे पूर्ण विश्वास था कि वह ना केवल अतुलनीय महान आर्थिक शक्ति तथा वैज्ञानिकी और तकनीकी उत्कृष्ठता वाली ही है बल्कि, एक ऐसे सुदृढ़ विश्वास से भरी थी कि, जीवन के जिस प्रकार की वह प्रतिनिधित्व करती है वह अंतिम है व जिसके प्रति सभी को अनुकूलित अवश्य होना होगा। इसके साथ-साथ एक और भी समस्या थी जो भारतीय संस्कृति के सम्मुख खड़ी थी-वह थी हिन्दु धर्म का इस्लाम धर्म के साथ संबंध तथा नयी परिस्थितियों में दोनों के लिये जो पराये लोग थे, उन लोगों की प्रभुत्ता के अधीन उन के सह-अस्तित्व की समस्या। ऐसे ही निर्णायक क्षण में हिन्दु भारतीय पुर्नजागृति का समय शुरू हुआ तथा यह वास्तव में ऐसी रीति थी जिससे हिन्दु धर्म विदेशी आधीपत्य के विरुद्ध प्रतिक्रिया करता रहा था। यह प्रतिक्रिया, जो पहले बंगाल में प्रारम्भ हुई थी, देश

के सभी भागों में फैल गई तथा संस्कृति के सभी क्षेत्रों को सम्मिलित किये हुई थी। एक अकेली अपवाद राजनैतिक क्षेत्र में थी, क्योंकि उन्नीसवीं सदी के अंत तक अंग्रेजी का शासन एक लाभकारी विकास की भांति माना जाता था। राजा राम मोहन राय ने सार्वजनिक तौर पर भगवान का धन्यवाद किया था कि उसने भारत को अंग्रेजी शासन के अधीन रख दिया था। प्रसन्न कुमार टैगोर ने घोषणा की कि यदि हम से पूछा जाता कि कौन सी सरकार को हम प्राथमिकता देते, अंग्रेज या कोई और, तो हम हिन्दु सरकार से भी अधिक प्राथमिकता के स्तर पर, एक स्वर में अंग्रेजों की सरकार का ही उत्तर देते।

तथापि इस सब के होते हुए भी लगभग बाकी सभी क्षेत्रों में एक पुनर्जागरण हो रहा था। इस पुनरुत्थान का एक महत्वपूर्ण पहलु था भारतीय इतिहास की पुनर्प्राप्ति। इससे पहले, मुस्लिम आक्रमणों से पूर्व के भारतीय इतिहास का कुछ भी ज्ञान नहीं था। यह मोहनजोदाड़ों और हड़प्पा की खोज तथा अशोक के शिलालेखों की भाषा को खोज निकालने का कार्य था जिसने धीरे-धीरे एक अत्यंत प्राचीन तथा गौरवशाली सभ्यता के महान इतिहास को प्रकट किया। इसने हिन्दुओं को एक जाति के रूप में, जिनकी इतिहास में बहुत गहरी जड़ें थीं तथा जिन्होंने साम्राज्य स्थापित किये थे व सभ्यता के संदेश दूर-दूर तक फैलाये थे, स्थापित कर दिया। साथ ही साथ, सर विलियम जोन्स द्वारा कालीदास की शकुन्तला का अनुवाद तथा चार्ल्स विल्किन द्वारा भगवद्गीता के अनुवाद ने एक गहरा प्रभाव डाला। हिन्दु और अंग्रेजी सभ्यता के बीच आपसी लेन-देन शुरू हो गया था। हिन्दु मानस यूरोपीय सभ्यता के प्रभाव के प्रति बहुत ग्रहनशील था। इसके पश्चात जो पुनर्जागरण हुआ वह तुरंत दो अवस्थाओं में से निकला।

पहली अवस्था थी यूरोपीय संपर्क का ग्रहण किया जाना। इस ग्रहणशीलता का परिणाम पुरानी संस्कृति के कई पहलुओं के प्रमुख घटकों का अटल रूप से व पूर्णतया पुनर्विचार किया जाना था। कुछ मामलों में तो पुरानी संस्कृति के पूरे सिद्धांतों को ही क्रांतिकारी ढंग से नकारा गया था। यह मुख्य रूप से सामाजिक सुधारों के रूप में प्रकट हुए। इनमें पश्चिम के सामाजिक व्यवस्था और हिन्दु सामाजिक व्यवस्था के बीच की असंगतियों में समरूपता लाने का प्रयत्न था। इस क्षेत्र में दो सबसे प्रमुख नाम राजा राम मोहन राय और ईश्वर चन्द्र विद्यासागर के थे। एक अनथक आंदोलन सती प्रथा, जाती प्रथा, विधवा पुनर्विवाह इत्यादि जैसे सामाजिक रिवाजों के विरुद्ध छेड़ा गया। चूंकि हिन्दु मानस वस्तुतः धार्मिक व आध्यात्मिक था इस कारण सामाजिक सुधारों का आंदोलन अनिवार्य रूप से धार्मिक क्षेत्र में भी फैल गया। राजा राम मोहन राय ने भारत में तीन प्रमुख धर्मों हिन्दु, इस्लाम तथा क्रिश्चियन के बीच मन मुटाव दूर करने हेतु ब्रह्मो समाज की स्थापना की। दक्षिण में इसी प्रकार श्री नारायण गुरु ने एक नया आंदोलन

छेड़ा। उत्तर में श्री दयानंद सरस्वती ने आर्य समाज की स्थापना की। एक प्रमुख तथ्य जानने योग्य यह है कि इन सभी धार्मिक आंदोलनों ने प्राचीन पुस्तकों से सीधे लिये हुये सामाजिक संदेशों को ही कार्यान्वित करने पर बल दिया। आधुनिक विचारों के विरुद्ध जाने वाले जाति प्रथा की असमानताऐं तथा सामाजिक व्यवहारों की निन्दा की जाने लगी। इन धार्मिक आंदोलनों का मूलभूत लक्ष्य समाज में एक दृढ़ समानता का आधार लाना था।

राजा राम मोहन राय इस काल की परकाष्ठा का प्रतिनिधत्व करते हैं। स्वामी विवेकानन्द जी के शब्दों में राम मोहन के संदेश के तीन महत्वपूर्ण बिन्दु थे–वेदांत को अपनाना, देश प्रेम का प्रचार तथा ऐसा प्रेम जो मुस्लमान और हिन्दु को एक समान रूप से गले लगाता है। नलिनी कान्त गुप्त इस प्रकार निचोड़ देते हैं, "राम मोहन राय वह प्रथम पुरुष थे जिन्होंने देश के प्राचीन राहों से पूर्वकालीन भरपूर चेतना को आधुनिक दिनों के स्वतंत्र प्रकाश और हवा में ला खड़ा किया, वह प्रथम पुरुष थे जिन्होंने आधुनिक काल के नये धर्म में देश को प्रवेश करवाया। उनमें भविष्य की रचना की सभी प्रतिभाएँ बीज रूप में उभरी। उनके प्रकाशित मन की चिंगारियाँ जाति के सामुहिक जीवन के हरेक महत्वपूर्ण पहलु में प्रवेश कर गई–राजनीति, समाज, धर्म, शिक्षा, साहित्य, भाषा इत्यादि, तथा देश में एक नूतन जन्म, एक नया जीवन, एक नई रचना को लेकर आया।"

इस संर्दभ में दो और नामों के वर्णन की आवश्यकता है। वे हैं ईश्वर चन्द्र विद्यासागर जिन्होंने सामाजिक सुधारों में एक बड़ा भाग खेला तथा केशव चन्द्र सेन जो ब्रह्मो समाज के प्रमुख व्यक्तियों में से एक थे।

दूसरी अवस्था में यूरोपीय प्रभाव पर भारतीय आत्मा की प्रतिक्रिया थी। राष्ट्रीय भूतकाल के सारभूतों के महत्वों पर जोर था। इस अवस्था की पराकाष्ठा श्री रामकृष्ण थे। तथा जैसा कि भारत के इतिहास में सर्वदा हुआ, यह प्रथम धर्म ही था जिसमें भारत की आत्मा जागृत हुई और विजित रही। तब भारत नकारात्मा के काल में डूबा हुआ था। ऐसी अवस्था में श्री रामकृष्ण आये। अपने आध्यात्मिक अनुभव तथा भगवान के साक्षात दर्शनों द्वारा वे आंतरिक अनुशासनों को निभाने के बाद, जिसे योग कहते हैं, उन्होंने भारतीय इतिहास की दिशा को पूर्णतया बदल डाला। उनका जीवन तथा शिक्षाएँ आत्मा के काल के अवतरण की तैयारी में प्रथम तथा सबसे महत्वपूर्ण अवस्था का प्रतिनिधित्व करती है। श्री अरविन्द के शब्दों में, "इन सभी आत्माओं में से श्री रामकृष्ण सबसे अंतिम तथा महानतम थे, क्योंकि जबकि दूसरों ने भगवान को एक या सीमित रूप में अनुभव किया, वहीं इन्होंने भगवान को अपने अनन्त एकता जो अनन्त स्वरूपों के संयोग के रूप में थी, में प्राप्त किया। इनमें उन लाखों ही

संतों जो इनसे पहले आये थे उनके आध्यात्मिक अनुभवों का पुनर्जागरण तथा संयोग हुआ था। श्री रामकृष्ण ने हिन्दु धर्म का यह भारत का अंतिम संदेश सारे संसार को दिया।" वह संदेश क्या था? स्वामी विवेकानन्द जी के शब्दों में, "उपदेशों की चिन्ता मत करो, मतों की या मठों, चर्च या मंदिरों की परवाह मत करो। हर मनुष्य में आध्यात्मिक अस्तित्व के सार के मुकाबले इनका मूल्य बहुत कम है, तथा मनुष्य में जितना अधिक इस आध्यात्मिकता का विकास किया जाये वह सबके भले के लिये उतना ही शक्तिशाली है। अपने जीवन द्वारा दिखाओ कि धर्म का अर्थ शब्दों, नामों, या मतों में नहीं है बल्कि इसका अर्थ आध्यात्मिक अनुभव है।" परंतु उनका जीवन अपने आध्यात्मिक अनुभव तक ही सीमित ना था। इनका सारे समाज पर अत्यधिक प्रभाव पड़ा, जब कलकत्ता के शिक्षित यौवन रूपी फूल इनके पैरों के आगे झुक गया, –ऐसे पाँव जो एक अनपढ़ हिन्दु साधु के थे, एक स्वयं-प्रकाशित, प्रफुल्लित तथा ऐसा दृष्टा जिसके ऊपर विदेशी विचार या शिक्षा के एक भी चिन्ह ने छुआ तक नहीं था। इस प्रकार भारतीय आत्मा ने यूरोपीय प्रभाव के विरुद्ध लड़ाई को जीत लिया तथा एक प्रकार से भारतीय पुनर्जागरण में एक विशिष्ट मोड़ आया। कलकत्ता का शिक्षित ऊपरी वर्ग उनके पास आया। इनमें ऐसे व्यक्तित्व भी थे, जैसे: महर्षि देवेन्द्रनाथ टैगोर, केशव चन्द्र सेन, ईश्वर चन्द्र विद्यासागर, बंकिम चन्द्र चटर्जी तथा विजय कृष्ण गोस्वामी। यह कहा जाता है कि लाला लाजपत राय ने भी रामकृष्ण की शिक्षाओं से प्रेरणा प्राप्त की थी। इनमें से प्रत्येक व्यक्ति विशेष ने उन्नीसवीं सदी में हुए पुनरुत्थान में एक बहुत बड़े प्रकार से बड़ा योगदान किया था।

एक और महान व्यक्तित्व जिसने भारतीय पुनरुथान में एक प्रमुख योगदान किया था वे थे श्री दयानन्द सरस्वती। श्री अरविन्द उनके बारे में कहते हैं, "जब भगवान की कार्यशाला में इस महान शिल्पकार के रूप को मैं निहारता हूँ, तो बरबस मुझमें ऐसी कल्पना उमड़ पड़ती हैं जो युद्ध और कर्म और विजय और विजयोल्लासी परिश्रम के चित्रों की हैं। मैं स्वयं से कहता हूँ कि आत्मा के समक्ष भौतिकता द्वारा प्रस्तुत कठिनाइयों पर विजय प्राप्त करने वाला एक साहसी और निर्मम विजेता, भगवान के संसार में एक योद्धा, मनुष्यों और संस्थाओं का रचयिता, यह एक ज्योतिस्वरूप सैनिक था। तथा इस सबका सार मेरे समक्ष एक *आध्यात्मिक यथार्थता* के शक्तिशाली प्रभाव के रूप में आता है। इन दो शब्दों का जोड़, जो हमारी सोच में आमतौर पर विरोधाभासी हैं, वे मुझे लगता है दयानन्द की ही परिभाषा हैं।"

श्री दयानन्द सरस्वती की मुख्य देन थी कि उन्होंने भारत के पुरातन काल के आधार के रूप में वेदों को जाना तथा अपनी पैनी दूरदृष्टि द्वारा उसमें जो

पाया उस पर आधारित उन्होंने युवकों के लिये एक संपूर्ण शिक्षा व्यवस्था, एक पूर्ण मानव तथा एक संपूर्ण राष्ट्र की चुनौतीपूर्ण धारणाओं का निर्माण किया। राम मोहन राय जो इनसे पहले आये थे वे उपनिषदों पर ही आकर रूक गये, जबकि श्री दयानन्द ने उससे आगे झांका और पाया कि हमारे सच्चे मूलभूत बीज वेद थे।

बंकिम चन्द्र चटर्जी एक और उज्जवल व्यक्तित्व थे जिन्होंने भारत के पुनरुत्थान में बहुत अधिक योगदान किया। उनके योगदान का सार इस प्रकार किया जा सकता है।

- उन्होंने बंगाल के लोगों को एक महान तथा संतोषजनक भाषा प्रदान की।
- उन्होंने भारतीय राष्ट्रवाद के बीज बोये यह ललकार देते हुए कि भारत को दुम हिलाते राजनैतिक आंदोलन के स्थान पर सिंहनाद करते तरीकों को अपनाना चाहिए।
- बंकिम की तीसरी और सर्वोत्तम सेवा यह थी कि उन्होंने वंदे मातरम् के द्वारा हमें भारत माँ के दर्शन करवाये। मातृभूमि का मात्र बौद्धिक विचार अपने आप में एक अत्यधिक चालक शक्ति नहीं है, स्वतंत्रता की इच्छा की मात्र पहचान स्वयं में प्रेरणा का स्रोत नहीं है। यह तब तक नहीं है जब तक धरती के एक टुकड़े या मात्र जनसमूहों से अधिक, मन की दृष्टी के आगे मातृभूमि स्वयं को प्रकट नहीं करती। यह तब तक नहीं है जब तक यह एक महान और दिव्य मातृ-शक्ति का रूप लेकर व ऐसी सुंदरता के स्वरूप द्वारा मन को काबू करके हृदय को बांध नहीं लेती है। यह तब तक नहीं जब तक मातृ-शक्ति का यह रूप सभी प्रकार के तुच्छ भयों और इच्छाओं को माँ की सेवा में पूर्णतया आत्मसात करने की तथा ऐसे देश-प्रेम द्वारा जो चमत्कारी ढंग से एक डूबे हुए देश को बचाता है, ऐसी भावना को पैदा नहीं कर देती।

भारत के पुनर्जागरण में शायद सबसे शक्तिशाली योगदान स्वामी विवेकानन्द जी का था। श्री रामकृष्णजी की अद्भुत साधना और अनुभव ने भारत की चेतना पर एक अमिट चिन्ह छोड़ दिया था तथा इसी कारण भारत की मूल आध्यात्मिकता की चाल द्रूत गति हो गई। परंतु इस आंतरिक कार्य को राष्ट्रीय जीवन के पुनरुत्थान में एक प्रगतिशील कारक के रूप में विकसित व कर्मठ भी किया जाना था जिसके द्वारा भारत एक राष्ट्र के रूप में अपनी स्वतंत्रता तथा महानता को पुनः प्राप्त कर सकता था। यही कार्य था जिसके लिये रामकृष्ण

जी ने माँ महाकाली द्वारा प्राप्त अपनी सारी शक्ति तथा प्रकाश अपने शिष्य विवेकानन्द को दे दी। श्री विवेकानन्द जी का कार्य केवल माँ के लिये ही नहीं बल्कि भारत के पुनर्जागरण के लिये भी किया जाना था। एक मात्र राजनैतिक राष्ट्रवाद की भावना जो विदेशी शासन के आगे साँझे अधीनस्था पर आधारित होती वह भारत के टुकड़े होने से उसे नहीं बचा सकती थी जैसा कि रूस के प्रायद्वीप में हुआ। जिस वस्तु ने भारतीय राष्ट्रवाद को उसकी प्रगति की शक्ति दी तथा अंत में भारत के कम से कम मुख्य भाग को एक राष्ट्र के रूप में जुड़े रहने की क्षमता दी वह थी हिन्दुओं के बीच भाईचारे की भावना का उत्पन्न होना। तथा इसके लिये एक बहुत बड़ी सीमा तक श्रेय स्वामी विवेकानन्द जी को जाता है। इस नये शंकराचार्य को हिन्दु विचारधारा का सूत्रधार भी कहा जा सकता है। सारे भारत में यात्रा करते हुए उन्होंने ना केवल व्यापकता की भावना ही पैदा की बल्कि नये हिन्दु नव-निर्माण की पृष्ठभूमि के रूप में एक सर्वव्यापक वेदान्त का सिद्धांत भी सिखाया। उन्होंने सदा आध्यात्मिक पहलू पर ही बल दिया तथा एक बार उन्होंने कहा कि भारत अमर है यदि वह भगवान को खोजने में जूझता रहे, परंतु यदि वह राजनीति तथा सामाजिक संघर्ष की ओर गया तो वह मर जायेगा।

निवेदिता बहन उनके बारे में लिखती हैं, "इन सभी वर्षों के दौरान जिनमें मैं लगभग नित्य उन्हें देखती थी, भारत का विचार उन्हें इस प्रकार था जैसे सांस का लेना। यह सत्य है कि वे मूल आधार पर कार्य कर रहे थे। उन्होंने कभी भी राष्ट्रीयता शब्द का प्रयोग नहीं किया ना ही राष्ट्र-निर्माण के युग की घोषणा की। मनुष्य को बनाना, उन्होंने कहा, उनका अपना कार्य था। परंतु वे जन्मजात एक प्रेमी थे तथा उनके प्रेम के स्वप्नों की रानी उनकी मातृभूमि थी। वे उसके पापों के प्रति क्रूर थे, उसके संसारी अज्ञान की ओर निष्ठुर थे, परंतु इसीलिये क्योंकि वे अनुभव करते थे कि यह उनके अपने दोष हैं। तथा कोई भी, दूसरी ओर, इसके विपरीत उसकी महानता की कल्पना के प्रति इतना समर्पित नहीं था।"

श्री अरविन्द ने उनके बारे में कहा था, "शिव की आँख से निकली एक चमकती हुई दृष्टि, परंतु उनके पीछे एक दिव्य-दृष्टि है जिसमें से वे तथा स्वयं शिव, ब्रह्मा तथा विष्णु तथा सर्व-विद्यमान ओंम आये हैं।"

इस शक्तिशाली आध्यात्मिक जागृति का सांस्कृतिक कार्यों के दूसरे अन्य क्षेत्रों पर भी प्रभाव हुआ था। साहित्य के क्षेत्र में, रवीन्द्रनाथ टैगोर से प्रारम्भ करते हुए, ना केवल बंगाल में बल्कि भारत के सभी क्षेत्रीय भाषाओं में एक अद्भूत यौवन आ गया। जबकि बंकिम ने बंगाली पद्य को उसकी पहली संपूर्ण साहित्यिक आकार दी, रवीन्द्रनाथ ने भाषा को अधिक आसान, अधिक लचीला,

सुंदर तथा हृष्ट-पुष्ट बनाया तथा उसे कभी ना समाप्त होने वाली प्रगति की राह पर ला दिया।

श्री अरविन्द टैगोर के बारे में लिखते हैं:

वह सब जिस सूक्ष्तम उत्थान के क्षेत्र में अब तक पहुंचे हैं या यूं कहें कि जहां तैरते या पंख फैलाये मध्यवर्ती क्षेत्र में हैं, एक सम्पूर्ण आध्यात्मिक प्रकाश में नहीं, परंतु एक ऐसी वायु-क्षेत्र के बीच जो उसकी तलाश और झलक से अंकुरित है, एक ऐसी दृष्टि व लय जो सूक्ष्म एवं कोमल आत्म अनुभव के गूह्य-आध्यात्मिक जगत में पाई जाती है व अपने कांति के स्पर्श द्वारा धरती के स्वरों को रूपांतरित करती है, उस स्थान पर टैगोर का काव्य स्थित है। वास्तव में इस युग व मन के सबसे महत्पूर्ण रूझानों के प्रतीकों में से एक उनके काव्य का विस्तृत आकर्षण तथा उसकी सफलता है।

इसी भांति, कला के क्षेत्र में भी रचनात्मक क्रियाशीलता का एक विस्फोट-सा हुआ। यह कलाकृति और शिल्पकला बंगाल कला विद्यालय से प्रारम्भ हुआ तथा उसका प्रभाव समस्त भारत पर पड़ा। इस क्षेत्र के प्रमुख नाम हैं नन्दलाल बोस, अवानिन्द्र नाथ टैगोर, ओ.सी. गांगुली तथा अन्य अनेक। हॉवेल ने इस कला के आंदोलन के बारे में लिखा कि *इस आंदोलन का आंतरिक महत्व इसके वास्तविक सफलता पर इतना नहीं है जितना कि इसके आध्यात्मिक पुनरुत्थान के प्रति स्पष्ट प्रमाण के रूप में तथा भारत की कलात्मक जागरण में है।* दूसरा समकालीन विचार कहता है कि *इस नये कला क्षेत्र के कलाकार हमारे वंशजों के धरोहर की पुनः प्राप्ति एक आध्यात्मिक गहराई, शक्ति और मौलिकता के नवीन विकासक्रम के साथ कर रहे हैं जो भविष्य के प्रति भविष्यवाणी की उद्घोषणा करते हैं।*

विज्ञान के क्षेत्र में भी, श्री जगदीश चन्द्र बोस जैसे महान वैज्ञानिक से प्रारम्भ होकर विज्ञान में एक अद्भूत विकास हुआ था, तथा इसका एक अत्यंत मौलिक भारतीय चरित्र तथा पथ था। यह श्री जगदीश चन्द्र बोस थे जिन्होंने जीवन में वह देखा जिसे श्री रामकृष्ण जी ने अपने आध्यात्मिक अनुभवों द्वारा देखा था। यह *जीवन की समानता* का सत्य उसी प्रकार था जिस प्रकार उपनिषदों में वर्णित था। उन्होंने अपनी एकाग्रता की शक्ति व आंतरिक अंतर्प्रेरणा द्वारा खोज की कि *यह सारा ब्रह्मांड, वह सब जो प्रतिक्रिया करता है, एक जीवन-शक्ति के द्वारा जन्मा है तथा चेतना के स्पर्श द्वारा कम्पायमान है।* तब इसके पश्चात इस दृष्टा-वैज्ञानिक ने अपने वैज्ञानिक यंत्रों की सहायता द्वारा, जो अत्यंत संवेदनशील तथा सुनिश्चितकारी थे, इस जीवन की व्यापक चेतना को सिद्ध कर दिखाया जो सभी जीव रचनाओं में व्याप्त है। वे पहले भारतीय वैज्ञानिक थे जिन्होंने प्राचीन

अंतर्ज्ञान तथा आधुनिक विकसित प्रायोगिक विधियों के संयोग के प्रयोग द्वारा भौतिक पदार्थों में जीवन की सर्वव्यापकता को प्रदर्शित किया। उनके बाद सारे देश में वैज्ञानिकों को एक समूह आया। कुछ नाम हैं–प्रफुल्ल चन्द्र रे, मेघनाद साघ, सी.वी. रमन तथा बीसवीं सदी के सभी बाद के नाम।

इस प्रकार हम देख सकते हैं कि भारतीय संस्कृति का यह बहुत फलदायी काल था जब वह अपनी निद्रा से जागी तथा अपने भविष्य के विकास क्रम के लिये एक निर्णायक दिशा प्रदान की। इसने अपनी तीसरी अवस्था के लिये भूमि तैयार की जो अब धीरे-धीरे अभिव्यक्त होने की तैयारी कर रही है।

तीसरी अवस्था अभी प्रारम्भ ही हुई है तथा अभी तक उसने कोई निश्चित दिशा और आकार नहीं प्राप्त किया है। यह वास्तव में एक नयी रचना की प्रक्रिया है जिसमें भारतीय मानस की आध्यात्मिक शक्ति सर्वोच्च रहेगी। वह अपने सत्यों को पुनः प्राप्त करेगी। जो भी उसे आधुनिक आकार और विचार में प्रयोग करने योग्य या अति आवश्यक, सत्य या निश्चित लगता है उसे स्वीकार करेगी, परंतु इस प्रकार उसको रूपांतरित व भारतीयकरण करेगी, इस प्रकार आत्मसात तथा परिवर्तित उसके अस्तित्व को पूर्ण करेगी कि उसका विदेशी चरित्र गायब हो जायेगा तथा वह वस्तु प्राचीन देवी के विशिष्ट कार्यों में एक और सादृश्य भाग बन जायेगी। भारत की शक्ति आधुनिक प्रभाव को अपने अधिकार में लेकर तथा उस पर स्वामित्व करते हुए उसके द्वारा या पराजित नहीं हो पायेगी। यह अवस्था अभी-अभी प्रारम्भ हुई है तथा इसको श्री अरविन्द के जीवन और दृष्टि द्वारा साकार रूप दिया गया है। इस दृष्टि से भारतीय संस्कृति ने दो अवस्थाओं को पूर्णतया लांघ लिया है तथा तीसरी अवस्था में अपने प्रारम्भिक कदम रख दिये हैं जो उसके भविष्य के भाग्य हैं। इस बारे श्री अरविन्द बताते हैं–

आरम्भिक वैदिक काल प्रथम अवस्था थी। इस अवस्था में मनुष्य के भौतिक मन का जगत में भगवान के प्रति प्राकृतिक दृष्टिकोण के अनुसार धर्म ने अपना बाह्य औपचारिक स्थान लिया, परंतु जिज्ञासुओं ने उस ढांचे के पीछे एक बृहद आध्यात्मिक सत्य की यज्ञाग्नी को छिपा कर रखा। पुराण-तंत्र की दूसरी अवस्था थी। तब मनुष्य के आंतरिक मन और प्राथमिक गहराई वाले जीवन का जगत में भगवान के प्रति दृष्टिकोण के अनुसार धर्म ने अपना बाह्य औपचारिक स्थान लिया, परंतु अधिक गहरी जिज्ञासा ने कहीं अधिक गहरे सत्य की राह खोल दी तथा आध्यात्मिक जीवन के आंतरिक यथा-बोध के सभी विद्यक-गंभीरताओं व उसके सभी अनन्त सम्भावनाओं की ओर धर्म को धकेल दिया जो उसके सर्वोत्तम उत्कृष्ट अनुभव थे। तीसरी अवस्था की तैयारी बहुत लम्बे समय तक रही जो कि भविष्य से संबंधित है। इसका प्रेरणात्मक विचार प्रायः सीमित या

विशाल, पर्दे के पीछे तथा शांत या गतिशील तथा चमत्कारी आध्यात्मिक आंदोलनों व शक्तिशाली नये अनुशासनों व धर्मों में बाहर निकल कर आ चुका है, परंतु यह अभी तक अपनी राह ढूंढने या मानवीय जीवन को नई राहों पर धकेलने के लिये सफल नहीं हुआ है। वह घड़ी अभी आई नहीं, परिस्थितियाँ विरोध कर रही हैं। भारतीय आध्यात्मिक मन के इस महानतम आंदोलन का दोहरा उभार है। इसकी इच्छाशक्ति यह है कि यह समस्त मानव जाति को तथा सभी मानवों को उनके जीवन को जीने की शक्ति अनुसार उस महानतम प्रकाश में जीवन जीने के लिये बुलाये तथा उनके समस्त जीवन का आधार किसी पूर्णतया अभिव्यक्त शक्ति तथा आत्मा के ऊपर उठाने वाले महान सत्य पर आधारित हो। परंतु इसकी भी किसी समय एक सर्वोच्च दृष्टि जो ना केवल अनन्त की ओर उत्थान करने की संभावना अपितु दिव्य चेतना के अवतरण तथा इसके द्वारा मनुष्य को दिव्य चेतना में बदलने की ओर भी रही है। मनुष्य के अंदर एक दिव्यता का छिपे होने का बोध इसकी सर्वोच्च विजयशाली शक्ति रही है। यह एक ऐसी गुत्थी या मोड़ है जिसे यूरोपीय धार्मिक सुधारकों या उसकी नकल करने वालों की भाषा या विचारों द्वारा भली भांति नहीं समझा जा सकता। यह वह नहीं है जो तर्क के शुद्धतावादी द्वारा या चेतना के शुद्धतावादी द्वारा कल्पना किया जाता है व उस द्रुतगामी कल्पना द्वारा भी अपने प्रयत्न में इसे जानने में असफल रह जाता है। इसकी प्रमुख इंगित करने वाली दृष्टि एक ऐसे सत्य की ओर केन्द्रित है जो मानव के मन से परे है, तथा यदि उसके अंगों में उसकी अनुभूति कर भी ली जाये तो वह मानव जीवन को एक दिव्य महत्–जीवन में बदल देगी। तथा जब तक यह आध्यात्मिक विकास की तीसरी सबसे विस्तृत व्यापकता स्थापित नहीं हो जाती, तब तक भारतीय संस्कृति को अपने उद्देश्य की पूर्ति का किया जाना, अपना अंतिम उद्‌घोष किया जाना तथा अधिकारिक तौर पर आत्मा और मानव के जीवन के बीच मध्यस्तथा को पूरा किया जाने के अपने कर्त्तव्य के कार्य के शिखर पर पहुँचा जाना नहीं कहा जा सकता।

भाग–2

30
सिपाही क्रांति

आने वाले अध्यायों में हम भारत के स्वतंत्रता आंदोलन को पढ़ेंगे जो 1947 में अपनी स्वतंत्रता के साथ शिखर पर पहुँचा। हम 1857 के सिपाही क्रांति के साथ आरम्भ करने की प्रस्तावना करते हैं जिसे कभी-कभी स्वतंत्रता के प्रथम युद्ध के रूप में भी जाना जाता है। कुछ ऐसी भी धारणाएँ हैं कि 1857 का विद्रोह वास्तव में एक राष्ट्रीय आंदोलन नहीं था बल्कि मात्र कुछ असंतुष्ट लोगों के समूहों का विद्रोह था। हम इसके बीच के तर्क-वितर्क में नहीं जाएंगे क्योंकि हम विश्वास करते हैं कि दोनों ही मामलों में, निष्कर्ष यह था कि एक राष्ट्रीय जागरण की रचना हुई जो बाद में राष्ट्रीय चेतना में परिवर्तित हुई। राष्ट्रीय चेतना का यह निर्माण ही था जो सर्वप्रथम भारतीय राष्ट्रीय कांग्रेस की स्थापना की ओर ले गया तथा अंत में स्वतंत्रता की ओर ले गया।

यहां हम इस आंदोलन के मनोवैज्ञानिक पहलुओं की ओर देखने का प्रयत्न करेंगे। क्योंकि हम यह मानते हैं कि इतिहास के पढ़ने में घटनाओं से अधिक उन शक्तियों और मनोविज्ञान का अधिक महत्व है जो कार्यरत हैं। घटनाएँ लोगों के मनोवैज्ञानिक अवस्था की कारक या अभिव्यक्ति मात्र ही होती हैं। इस कारण स्वतंत्रता आंदोलन के पठन में हम मनोवैज्ञानिक पहलू पर अधिक बल देंगे। इस प्रक्रिया में हम लोगों की मनोवैज्ञानिक अवस्था तथा नेताओं के मनोविज्ञान का अध्ययन करेंगे। सभी राष्ट्रीय और राजनैतिक आंदोलनों के लिये इन दो (लोग और नेता) मनोवैज्ञानिक पहलुओं को सामने रखा जाता है। क्योंकि अंत में लोगों के समूहों की मनोवैज्ञानिक अवस्था ही है जो समाज के सभी क्षेत्रों–राजनैतिक, आर्थिक एवं वास्तव में मानव क्रियाशीलता के हरेक क्षेत्र में विकास का निर्णय करती है। यह नेता की प्रतिभा है–उसकी धारणा तथा क्षमता जो मानवों के समूहों की सोच को बदलने व ढालने के योग्य बनाती है। और तब भीड़ एक विशेष प्रकार की सोच पर पहुँचती है, घटनाएँ अनिवार्य रूप से एक विशेष दिशा में बहना प्रारम्भ कर देती हैं। कुछ मामलों में नेता घटनाओं को पैदा करते हैं तथा एक आंदोलन स्थापित करते हैं ताकि लोगों के मनोवैज्ञानिक अवस्था को ढाला जा सके। अन्य अवस्थाओं में, नेता भीड़ की मनोवैज्ञानिक अवस्था में एक बदलाव को स्थापित करने के लिये घटनाओं का लाभ उठाते हैं। आओ हम सिपाही क्रांति के फूटने से पहले के हालात पर एक दृष्टि डालते हैं।

परिप्रेक्ष्य-पृष्ठभूमि

150 वर्षों से अधिक समय से ईस्ट इंडिया कंपनी (जोन कंपनी) ने अपनी ही सैन्य शक्ति की स्थापना हुई थी। भारत के तीन प्रशासनिक केन्द्र बम्बई, मद्रास और बंगाल के सभापतित्व प्रदेश, हरेक अपने सेनापति के अधीन अपनी ही सेना को संभालते। बंगाल का सेनापति उन तीनों में से वरिष्ठ अफसर समझा जाता था। इन सेनाओं का वेतन कंपनी के भारतीय आय में से दिया जाता तथा इन तीनों को मिलाकर जो वेतन बनता था वह इंग्लैंड की अपनी अंग्रेजी सेना से अधिक था। स्थानीय सेनाओं के सभी अफसर अंग्रेज होते थे तथा उनका प्रशिक्षण इंग्लैड में कंपनी की सैन्य अकेदमी में ही होता था। यूरोपीय पैदल सेना की कुछ टुकड़ियाँ थी परंतु कंपनी के अधिकतर सिपाही भारतीय सैनिक ही थे। यह सिपाही, जैसा कि इन्हें पुकारा जाता, मुख्यतः अवध से थे जिसे अब उत्तर प्रदेश कहा जाता है। इन्हें क्रमवार टुकड़ियों में व्यवस्थित किया गया था तथा अंग्रेजी ढंग से इनका प्रशिक्षण होता। इन टुकड़ियों के अफसर यूरोपीय होते थे जिनमें यूरोपीय अधीनस्थ अफसर अधिकतर थे।

इस विशाल सेना के साथ रानी की टुकड़ियाँ जुड़ी होती थीं, जो वास्तव में अंग्रेजी सेना की असली टुकड़ियाँ थीं जिन्हें अंग्रेजी राजा ने ईस्ट इंडिया कंपनी को किराये पर दे रखा था। 1857 में भारत में सभी पदों के यूरोपीयों की संख्या 34,000 थी तथा 2,57,000 स्थानीय सिपाही थे।

कारण

1857 की क्रांति से पूर्व भारत में अंग्रेजों की उपस्थिति को 200 वर्ष पूर्ण हो चुके थे। इन्होंने व्यापारियों की भांति प्रारम्भ किया था तथा इस महाद्रीप पर उनकी प्रारम्भिक पकड़ नाम मात्र की थी। वर्ष बीतने के साथ वे बढ़ते चले गये तथा बड़े-बड़े व्यावसायिक केन्द्र व अपनी सुरक्षा के लिये दुर्गों का निर्माण करते गये। अंत में व्यापार के निर्विध्न बहाव की स्थिरता को पक्का करने की आवश्यकता हेतु उन्होंने अपनी ही एक सेना को खड़ा कर लिया एवं इस प्रकार अठारहवीं सदी के भारत की राजनीति में एक सक्रिय शक्ति बन गये थे। क्लाइव ने प्लासी की लड़ाई पर विजय के साथ फ्रांसिसियों के अपने साम्राज्य स्थापना की इच्छा को समाप्त कर अंग्रेजों को भारत के भाग्य का एक न्यायाधीश के रूप में पूर्णतया स्थापित कर दिया था। एक पीढ़ी के पश्चात, आर्थर वैलसले (बाद में डयूक आफ वैलिंगटन) तथा उसकी छलांग लगाती तोपों ने पेशवा की शक्ति को रौंद डाला था तथा इंग्लैंड के समक्ष उसके भारतीय प्रभुसत्ता को पाने के लिये अब कोई भी गंभीर प्रतिद्वंदी नहीं रहा। सन 1857 तक कभी-कभी सोचे समझे तथा कभी-कभी अकारण ही अंग्रेजों का

शासन पश्चिम में अफगानिस्तान से लेकर पूर्व में बर्मा के जंगलों तक पूर्णतया बढ़ गया। इसी प्रकार हिमालय में नेपाल से लेकर सिलोन के समुद्री किनारों तक, यदि प्रत्यक्ष रूप में कंपनी के शासन तले नहीं तो कम से कम अप्रत्यक्ष रूप में अवश्य ही उसके प्रभाव तले था। जिस समय अंग्रेज भारत में अपनी स्थिति को दृढ़ कर रहे थे उसी समय भारतीय लोगों के बीच एक राष्ट्रीय चेतना की भावना के साथ-साथ क्रांति की भावना भी विकसित हो रही थी। कुछ कारणों से इसने गति पकड़ ली। प्रथम कारण था क्रिश्चियन प्रचारकों का आगमन जिसने भारतीय लोगों के बीच एक बेचैनी फैला दी। इसाई धर्मोपदेशकों के लिये भारत के प्राचीन धर्मों के प्रति ना तो कोई आदर का भाव था तथा अठारहवीं सदी में प्रचलित किसी के धर्म में हस्तक्षेप ना करने का दृष्टिकोण भी समाप्त हो चुका था। दूसरा, राजनैतिक स्तर पर लार्ड डलहौजी द्वारा अवध के राज्य को हड़पने व लैप्स की नीति जिसकी आज्ञानुसार किसी भी भारतीय शासक का राज्य जो वगैर किसी नर उत्तराधिकारी के मर जायेगा उसका क्षेत्र कंपनी के अधिकार में हो जायेगा, इसने भारत के पारंपरिक जीवन की राहों की परम्परा के हृदय में सीधा वार किया व इसकी दूर-दूर तक निंदा की गई तथा सारे उपमहाद्वीप में इसके प्रति घृणा पैदा हो गई। तीसरा, अंग्रेजों द्वारा भारतीय लोगों के आर्थिक शोषण के बारे में धीरे-धीरे एक मध्यवर्गीय भारतीय भी सचेत हो रहा था।

भारतीय घबराहट के इस परिपेक्ष में, पुराने काल की भविष्यवाणियों की कथाएँ फैलने लगीं। कलकत्ता से पेशावर तक जाने वाले मुख्य राजमार्ग पर स्थित विभिन्न छावनियों में एक फौजी टुकड़ी से दूसरी फ़ौजी टुकड़ी तक चुपचाप चपातियों के बाँटे जाने की बात कही जाने लगी। लोग उस पुरानी भविष्यवाणी की बात फुसफुसाने लगे जिसके अनुसार प्लासी की लड़ाई के 100 वर्ष बाद जोन कंपनी का शासन समाप्त हो जायेगा। प्लासी का युद्ध 1757 में हुआ था तथा युद्ध के सौवें वर्ष में ऐसा लग रहा था कि हर कोई एक चिंगारी के फूटने की प्रतीक्षा कर रहा था। वह जब आई तो एक कारतूस के रूप में आई।

एनफील्ड बंदूक के लिये प्रक्षेपास्त्र एक स्वयं स्थापित कागज के कारतूस का भाग था जिसमें गोली और बारूद दोनों ही थे। इसमें एक किनारे को ही केवल काटने की आवश्यकता होती और वह कारतूस उसके बाद शस्त्र की नाली में स्वयं ही घुस जाता। इस प्रक्रिया को सुगम करने के लिये कारतूस को पशु की चर्बी से पूरे तरीके पोता जाता था। भारतीय सैनिकों ने यह सुना और जल्द ही यह खबर चारों ओर फैल गई कि गाय और सूअर के मांस के मिश्रण की चर्बी से इस कारतूस का खोल बना था। ऐसे कारतूस को दांतों से काटने

पर हिन्दुओं और मुसलमानों की भावनाओं को ठेस पहुँची। एक बहुत बड़े दुखांत के होने की घड़ी आ गई थी।

चिंगारी

यह चिंगारी 1857 के मार्च के अंत में बैरकपुर स्थान पर लगी। चौतीसवीं स्वदेशी पैदल सेना के एक युवक सिपाही मंगल पांडे ने परेड ग्राउंड में अपने सूबेदार-मेजर पर गोली चलाई। जब अंग्रेज एडदुडेंट घोड़ पर उधर आया तो पांडे ने उसके नीचे घोड़े पर गोली चला दी ओर जब अफसर स्वयं को उस घोड़े से बाहर निकालने का प्रयत्न कर रहा था तो पांडे ने एक तलवार से उसे गंभीर रूप से घायल कर दिया। इस शोरो-गुल की ओर ध्यान देने पर छावनी का कमांडिंग अफसर, जनरल हियरशे अपने दो बेटों के साथ घटना स्थल पर घोड़े को दौड़ाता आया। सिपाही घबरा गया तथा जनरल को गोली मारने के स्थान पर उसने बंदूक को अपनी ओर घुमा कर उसका घोड़ा दबा दिया। वह इस आत्महत्या के प्रयत्न से बच गया तथा बाद में उस पर फौजी मुकदमा चला और उसे फांसी दे दी गई। सामुहिक सजा के तौर पर चौतीसवीं स्वदेशी टुकड़ी को भंग कर दिया गया। इसके शर्मनाक भाग्य को ब्रिटिश इंडिया के हरेक फौजी छावनी में सार्वजनिक तरीके से घोषणा की गई। पांडे को एक प्रकार की अमरत्व की स्थिति मिली और चौतीसवीं स्वेदेशी पैदल सेना को शहीद माना गया।

यह घटना चारों ओर अधिक विस्तृत आंदोलन फैलने का सूचक बन गई। जल्द ही कानपुर, ग्वालियर, मेरठ तथा दिल्ली इस क्रांति में सम्मिलित हो गये। इस आंदोलन में कुछ प्रमुख व्यक्ति नाना साहेब, व तात्या टोपे थे। कुछ सप्ताह पश्चात मेरठ में तीसरी हल्के तोपखाने के 85 फौजियों ने नये कारतूसों को व्यवहार में लाने की आज्ञा को मानने से इंकार कर दिया। इन को बंदी बना लिया गया, फौजी अदालत में मुकदमा चला और इन्हें दस वर्ष की सख्त मेहनत की कैद की सज़ा सुनाइ गई। सारे मेरठ छावनी के समक्ष एक भयभीत करने वाली सभा में उनकी सार्वजनिक रूप से निंदा की गई, उनकी वर्दी को उनके तन से उतार कर नंगा किया गया, उन्हें बाहों और टांगों में बेड़ियों से बाँधा गया तथा जेल की ओर धकेलते हुए ले जाया गया। अगले दिन इतवार था तथा जब अंग्रेजों ने चर्च की परेड में जाने की तैयारी की तो मेरठ फट पड़ा। गुस्से में भरे सिपाहियों ने शहर की जेल को तोड़ डाला और अपने साथियों को छुड़ा लिया। सारे कैंट में आग लगा दी गई तथा उन्होंने दिल्ली का मुख्य मार्ग लिया जो मुगलों के अंतिम बादशाह बहादुर शाह जफ़र के महल की ओर जाता था। यद्यपि शुरू-शुरू में यह क्रांति स्वैच्छिक थी, यह शीघ्र ही अधिक व्यवस्थित हो गई तथा सिपाहियों ने दिल्ली और कानपुर को भी अपने अधीन कर लिया।

तथापि 1857 की शर्द ऋतु तक तथा 1858 के प्रथम छः महीनों तक, अंग्रेजों ने धीरे-धीरे जो भी गँवाया था वह सब पुनः प्राप्त कर लिया। जल्द ही अंग्रेज समुदायों के बड़े जमघटों की सुरक्षा करने के लिये कोई आवश्यकता नहीं रह गयी थी तथा अंग्रेजों की पराजय की कोई गंभीर संभावना नहीं रह गई थी। इंग्लैंड से भारी मात्रा में शक्ति के आ जाने से, अंग्रेजी सेना उत्तरी भारत में फैल गई तथा बदले की भावना से भरी व निर्दयी, लूटने का विशेष रसस्वादन करने लगी। वे स्वयं को भगवान के न्यायकर्ता के रूप में मानते थे तथा क्रांति के आरंभ में हुई हत्याओं के पागलपन को अपनी क्रूरताओं द्वारा उसी प्रकार के अदायगी के रूप में उत्तर देने लगे। अंग्रेजी फौज के हृदय में दया का कोई स्थान नहीं था। दैनिक पत्रिका टाइम्स ने भारत में हरेक क्रांतिकारी के मृत्युदंड की माँग की तथा ऑक्सफोर्ड यूनियन की एक सभा में एक वक्ता ने अपने सभासदों को यह कहते हुए उकसाया कि जब हरेक फाँसी का तख्ता खून से लाल हो जाय, जब हर तोप के सामने की भूमि मांस, और बिखरी हड्डियों और चीथड़ों से भर जाये तब दया की बात की जाये। तब भारतीयों को सुनने वाला शायद कोई मिल जाय।

अंग्रेजों द्वारा छावनियों की पुनः प्राप्ति के आरम्भिक महीनों में सिपाहियों की मोर्चाबंदी को काबू में करने के बाद केवल कुछ सिपाही ही जीवित रहने दिये। अंग्रेज फौजियों ने यह सामुहिक निर्णय ले लिया था कि किसी को बंदी ना बनाया जाये और इसी कारण अधिकतर लड़ाइयों की समापि संगीनों के प्रयोग के पागलपन के साथ हुई। फौज के आगे बढ़ने के रास्ते में कभी-कभी पूरे के पूरे गाँव को ही यह बहाना लगाते हुए फाँसी दे दी जाती कि उन्होंने क्रांतिकारियों के प्रति सहानुभूति दिखाई थी। लूटमार सर्वदा होती थी तथा ना तो पवित्र स्थानों की पवित्रता और ना ही भारतीय अमीरों की स्थिति की परवाह की जाती और उनसे सब कुछ छीन लिया जाता। कई अंग्रेज परिवारों ने उत्तरी भारत को शांत करने के इस समय को अपना खज़ाना बनाने का मौका बनाया। बाद में जब बंदी बनाने आरंभ किये गये और उन पर मुकदमे चलाये गये और उन्हें क्रांति में भाग लेने का दोषी पाया गया तो उन्हें तोप के आगे बाँधा गया और उनके शरीर के बीच से छेद करते हुए गोला दागा गया। यह एक विशेष प्रकार की क्रूर सज़ा थी जिसके साथ धार्मिक प्रथा जुड़ी थी कि यदि दोषी के शरीर के टुकड़े करते हुए उड़ाया जाये तो उसके स्वर्ग प्राप्ति के सभी द्वार बंद हो जायेंगे। अंत में अंग्रेजों द्वारा क्रांति को बुरी तरह से कुचल दिया गया। 20 सितम्बर 1858 को अंग्रेजों ने दिल्ली को पुनः विजित किया तथा आने वाले महीनों में कानपुर को पुनः प्राप्त किया और लखनऊ पर स्वदेशी सिपाहियों के घेराव का विरोध सफलतापूर्वक किया। अंग्रेजों की विजयों के साथ-साथ

प्रतिदोषारोपण भी दूर-दूर तक फैला तथा कई मामलों में निहत्थे सिपाहियों को संगीनों से मार दिया गया, सूअरों या गायों के अस्थिपिंजर में ही उन्हें सिल दिया गया या तोपों द्वारा उड़ा दिया गया। एक वर्ष से अधिक समय तक उत्तरी भारत के लोग अंग्रेजों की बदले की भावना के तले भय से कांपते रहे। इसे शैतान की आंधी कहा गया था।

तथा अंत में, एक ऐसे ही व्यंग्यात्मक मोड़ पर, जिनको करने का आनन्द इतिहास की शक्तियों को शायद आता है, वह भविष्यवाणी जिसने कहा था कि प्लासी के युद्ध के सौ बरस बाद जोन कंपनी का शासन समाप्त हो जायेगा, वह वास्तव में सत्य निकली। जब अंग्रेजों की बदले की और सज़ा देने की इच्छा की पूर्ति हो गयी तब वे सोचने लगे कि किस प्रकार भविष्य की क्रांतियों को रोका जा सकता है। उन्होंने यह पाया कि भारत जैसे विस्तृत क्षेत्र वाले देश को एक प्राइवेट कंपनी के द्वारा शासित किया जाना असंभव है तथा इसके बदले उन्होंने इंग्लैंड के विदेश विभाग के अधीन इंडिया ऑफिस के द्वारा सीधा शासन करना आरम्भ कर दिया। प्लासी के पूरे सौ वर्ष बाद ईस्ट इंडिया कंपनी का शासन वास्तव में समाप्त हो गया।

नाना साहेब, तांत्या टोपे, तथा झांसी की रानी, ये कुछ महत्वपूर्ण नाम हैं जो क्रांति से उभर कर आये। नाना साहेब ने कानपुर में 10 दिन और रात लगातार युद्ध किया। वीरता के कई करनामे दिखाने के बाद भी अंत में वह असफल रहे।

तांत्या टोपे (1814-1859) क्रांति के एक और महान चरित्र थे। जब नाना साहेब की पराजय अंग्रेजों के हाथ कानपुर में हो गई, तो तांत्या टोपे ने कानपुर को दुबारा प्राप्त करने का प्रयत्न किया परंतु असफल रहे। उन्होंने ग्वालियर का दुर्ग जीता, झांसी की रानी लक्ष्मीबाई को प्रोत्साहित किया और सारे दक्कन से मराठों को अंग्रेजों के विरुद्ध मोर्चाबंदी करने को बुलाया। उन्होंने तथा उनकी छोटी-सी सेना ने अंग्रेजो की अधिक उन्नत सेना के विरुद्ध छापामार युक्तियों को अपनाया व सीधे युद्ध से बचते हुए पीछा किये जाने पर बच कर निकल जाते। अंत में वे पकड़े गये, मुकदमा हुआ तथा अप्रैल 1859 में उन्हें फांसी दे दी गई।

झांसी की रानी

1857 की क्रांति भारत में अंग्रेजों के शासन को प्रथम गंभीर चुनौती थी। इसने विदेशी राज को जड़ों तक हिला डाला। जबसे भारत में अंग्रेजों का साम्राज्य स्थापित हुआ था कोई भी राजा, छोटा या बड़ा, अपनी गद्दी पर सुरक्षित नहीं था। गवर्नर-जनरल ब्रिटिश राज के स्वदेशी राजाओं और सामंती राज्यों के साथ संबंधों को निर्णायक तरीके से उन्हें व्यवस्थित करने में भाग लेता था।

झांसी के राजा गंगाधर राव यानि बाबा साहेब नावेलकर 1854 में बिना नर उत्तराधिकारी के मर गये। 1817 की संधि के अनुसार अंग्रेजों ने राजा के परिवार के उत्तराधिकारी की जिम्मेवारी ली थी। तथापि बाबा साहेब के निधन पर अंग्रेजों ने जबरदस्ती अपनी शक्ति द्वारा उसे अपने में मिला लिया था। बाबा साहेब की विधवा रानी लक्ष्मीबाई ने इस अन्याय के प्रति विरोध किया जो उसके तथा उसके परिवार के प्रति हुआ था। इसके अतिरिक्त झांसी में अंग्रेजों के तीन वर्ष के शासन ने उसे विश्वास दिला दिया था कि कोई भी देश विदेशी शासन के अधीन प्रसन्न या समृद्ध नहीं रह सकता चाहे बेड़ियाँ सोने की ही क्यों ना बनाई गई हों। उसने इसे उतार फेंकने का संकल्प किया और अपने अनुकूल समय की प्रतीक्षा करने लगी।

उत्तरी भारत में हुई क्रांति इसलिए उनके लिये वरदान सिद्ध हुई। उन्होंने एक युवक देशप्रेमी के जोश के साथ स्वयं को इस आंदोलन में पूर्णतया झोंक दिया। वह, एक गर्वित स्त्री, जो अपनी मातृभूमि की ओर पूर्णतया समर्पित थीं किस प्रकार हाथ पर हाथ रखे बैठी रहती जबकि अंग्रेजी राज को उसकी जड़ों समेत हिलाया जा रहा था।

बारहवीं स्वदेशी पैदल सेना झांसी के किले की सुरक्षा कर रही थी तथा उसका प्रशासन कैप्टन ऐलीग्ज़ेंडर सकीन के हाथों में था। भरपूर दक्षता से रानी ने भारतीय सेना की टुकड़ी की स्वामिभक्ति को अपनी ओर करने में सफलता प्राप्त कर ली। उसने इस तथ्य को अंग्रेजी अफसरों से सावधानीपूर्वक छिपाये रखा जिनको इसके बारे में कुछ भी पता नहीं था। जून 1857 में दुर्ग पर इन सैनिकों द्वारा अधिकार जमा लिया गया तथा स्वराज का झंडा इस ऐतिहासिक दुर्ग की मिनारों पर गर्वपूर्वक फहराने लगा। अत्यंत प्रसन्नता और धन्यवाद भरे आशीर्वादों तले झांसी के लोगों ने रानी का राजतिलक किया। क्योंकि रानी वास्तव में पवित्र, उदार, बुद्धिमान तथा साहसी थीं, यानि की एक अनोखी स्त्री।

तथापि रानी को यह अहसास था कि उसकी विजय अस्थाई ही है तथा इस विजय के लाभ की सुरक्षा उसको संकलित करने में ही है। उसने एक मुद्रा ढ़लाई घर, तोपें बनाने का कारखाना, तथा नये सैनिकों की टुकड़ियों को स्थापित करने तथा खोलने में अपनी शक्ति लगाई तथा अपनी शौर्यपूर्ण व धैर्यवान चरित्र के साथ सरकार चलाने में लग गई। वह लोगों के साथ मिलने-जुलने लगीं तथा उनके हृदयों पर अत्यधिक प्रभाव स्थापित करने लगीं।

मार्च 1858 में सर ह्यूग रोज़ के कमान तले अंग्रेजी सेना ने झांसी के किले पर धावा बोल दिया जिसके अंदर 11000 मनुष्य उसकी सुरक्षा कर रहे थे। जिस साहस से नर नारियों तथा बच्चों ने किले की सुरक्षा की वह भारतीय शौर्य

के इतिहास में एक मील का पत्थर स्थापित करती है। अनथक साहस द्वारा रानी प्रत्येक वस्तु का निरीक्षण करती तथा स्वयं के अतुलनीय साहस व संकल्प से सुरक्षा करने वालों में जोश भरती व हिम्मत देती। किले की छावनी ने मोर्चा संभाले रखा तथा उनकी आशाएँ ऊँची उठ गईं जब तांत्या टोपे अपनी बड़ी सेना के साथ उनकी सहायता के लिये आ पहुँचा। तभी तांत्या की पराजय हो गई तथा रानी को विदित हो गया कि किला शत्रुओं के हाथ लग जायेगा। उनकी अपनी जान संकट में पड़ गई तथा यद्यपि वह अपने बहादुर साथियों के साथ लड़ती हुई मृत्यु को प्राप्त करने की इच्छुक थी तो भी उनके साथियों ने उन पर दवाब डाला कि वह किला छोड़ दें और स्वतंत्रता की लड़ाई बाहर से जारी रखें।

4 अप्रैल 1858 की रात्री को रानी एक सैनिक की वेशभूषा में किले से बाहर पूरे साहस से निकल गई। कुछ चुने हुए सैनिकों के साथ वह काल्पी गई जहाँ तांत्या टोपे व उसके विश्वसनीय सैनिकों के साथ जा मिली। सर ह्यूम रोज़ रानी को बंदी बनाने के लिये कुछ भी देता परंतु रानी के बच निकलने का पता उसे बहुत देर के बाद मिला और सफलतापूर्वक पीछा नहीं किया जा सका। क्रांतिकारियों ने शत्रु का सामना काल्पी में ही करने की ठानी। इस युद्ध में रानी ने अपने महान शौर्य का परिचय दिया परंतु हालात क्रांतिकारियों के विरुद्ध थे।

यह पराजय स्वतंत्रता आंदोलन के लिये एक गहरी चोट थी, परंतु निर्भय रानी ने नेताओं की आशाएँ बढ़ा दी जब उन्होंने युद्ध के लिए एक नई योजना का प्रस्ताव रखा। उन्होंने सभी साथियों को प्रोत्साहित किया कि वे ग्वालियर के दुर्ग पर कब्ज़ा कर लें जहाँ पर क्रांतिकारियों के प्रति सहानुभूति रखने वाले सैनिकों के द्वारा सुरक्षा की जा रही थी। जल्द ही क्रांतिकारियों के हाथ यह किला लग गया। ग्वालियर तुरंत ही इस देश में क्रांतिकारियों के कार्य का केंद्र बिन्दु बन गया तथा जहाँ से अंग्रेजों के हाथ से सत्ता छीनने का अंतिम प्रयास किया जा सकता। भारत का भाग्य अब इस युद्ध के निर्णय पर आश्रित था जो कि कोटा की सराय और ग्वालियर के बीच पहाड़ियों वाले मैदान में लड़ा गया। रानी ने निश्चय किया कि वह युद्ध भूमि से विजित होकर ही लौटगी वर्ना नहीं। उन्होंने घोषणा की कि वह अपने संपूर्ण मन और आत्मा से अपने कर्त्तव्य को करने के लिये तैयार है। जब युद्ध आरम्भ हुआ तो रानी युद्ध भूमि में सर ह्यूम रोज़ की फैली सेना के सम्मुख डट कर खड़ी हो गई। उन्होंने अपने सैनिकों का नेतृत्व करते हुए कई भयानक आक्रमण किये तथा बेशक उनकी सेना में घात लगते गये तथा धीरे-धीरे कम होती गई परंतु रानी सबसे आगे रहते हुए अपने शौर्य के कारनामे दिखाती रहीं तथा अपने सैनिकों को इकट्ठा कर प्रोत्साहित करती रहीं। परंतु यह सब निष्फल रहा। सर ह्यूम रोज़ द्वारा स्वयं ऊंटों की

टुकड़ी के धावे ने रानी के आखिरी अवरोध को भी तोड़ डाला। तो भी निर्भय तथा साहसी रानी अपने मोर्चे पर डटी रहीं।

युद्ध समाप्त हो चुका था परंतु लक्ष्मीबाई तब भी घमासान युद्ध कर रही थीं। उनके घोड़े ने अपनी स्वामिन के जीवन को संकट में पाकर उसे भांपते हुए रानी के लाख रोकने पर भी युद्ध-भूमि से दूर ले गया। वह एक बाज़ की भांति उड़ चला परंतु एक सुरक्षित स्थान पर पहुँचने से पहले ही एक नदी के किनारे मोड़ पर मोच खा गया। घोड़े के साथ रानी भी नीचे धरती पर गिर पड़ीं तथा जब तक वे संभलती हुसर सैनिकों के एक अंग्रेजों की टुकड़ी ने उन्हें चारों ओर से घेर लिया था। रानी ने उठ कर फिर लड़ना आरम्भ कर दिया तथा सब ओर तबाही मचा दी। इसी बीच शत्रु के एक अनजाने वार से रानी के गर्दन पर वार हुआ जो जानलेवा साबित हो गया तथा इस प्रकार रानी ने अपना जीवन युद्ध-भूमि में ही त्याग दिया। इस प्रकार 18 जून 1858 को भारत की महान नायिका, झांसी की रानी लक्ष्मीबाई का देहांत हो गया तथा जिनके किस्से इतिहास, लोक-गाथाओं तथा गीतों में ढल कर अमर हो गये ताकि देशवासियों की आने वाली पीढ़ियां उनके साहसी कारनामों तथा उनके बलिदान से प्रेरित होती रहें।

क्रांति विफल हो गई तथा अंग्रेजों ने अपना शासन और भी सुदृढ़ किया। परंतु उन्हें ज्ञान हो गया कि समुद्र-समान गहरा और विस्तृत एक बदलाव आ चुका था तथा भारत के लोगों को अब लम्बे समय तक अपने अधीन रख पाना कठिन होगा। अंग्रेजों ने भौतिक स्तर पर तो युद्ध जीत लिया था परंतु नैतिक विजय क्रांतिकारियों की रही। उन्होंने एक धारणा का बीज बोया था जिसने देश को आने वाले भविष्य में अग्नि-पथ पर ले आना था।

धारणा की शक्ति अपने ही शहीद उत्पन्न करती है। तथा बलिदान में एक अतुलनीय आध्यात्मिक चुम्बकीय शक्ति होती है जो चमत्कार करती है। एक समस्त राष्ट्र, पूरा संसार वह अग्नि पकड़ लेता है जो कुछ के हृदय में प्रज्वलित हुई होती है। वह मिट्टी जिसने शहीद का लहु पिया हो वह एक प्रकार के दिव्य दिवानेपन से भर जाती है जिसे वह अपने सभी बालकों के हृदय में सींच देती है, तब तक जब केवल एक ही सर्वोच्च धारणा, एक अविनाशी दृढ़संकल्पता सबके मन में रह जाती है जिसके अतिरिक्त बाकी सब आशाएँ व स्वार्थ महत्वहीन हो जाते हैं तथा जब तक उसकी पूर्ति नहीं होती कोई भी शांति या विश्राम उस धरती या उसके शासकों के लिये नहीं रह सकती।

श्री अरविन्द

31

भारतीय राष्ट्रीय कांग्रेस

हमने पिछले अध्याय में देखा है कि सिपाही क्रांति का प्रमुख परिणाम देश में एक नई चेतना की स्थापना करना था। क्रांति के बाद की मनोवैज्ञानिक शक्तियाँ जो छूटीं वह बहुत शक्तिशाली थीं तथा यह विदित था कि इस चेतना को समय रहते एक चेहरा व एक ठोस रूप देना ही होगा। तथापि, आओ अब हम पहले कुछ उन हालात को देखें जो क्रांति के तुरंत बाद पैदा हुए।

क्रांति के तुरंत बाद अंग्रेजी सरकार ने भारत में प्रमुख बदलावों को प्रभावी किया। 1858 में ईस्ट इंडिया कंपनी को समाप्त कर दिया गया। यह निर्णय लिया गया कि भारत पर ताज द्वारा शासन किया जायेगा। दूसरे शब्दों में इंग्लैंड का राजा या रानी भारत पर अंग्रेजी सरकार की राय के अधीन शासन करेगा। गृह-सचिव को पंद्रह सदस्यों की समिति की सहायता द्वारा भारतीय नीति का संरक्षक बनाया गया। तथापि वाइसराय और उसके परिषद की स्पष्ट उत्तरदायित्व था। रानी विक्टोरिया को सन 1858 में भारत की प्रथम सम्राज्ञी घोषित किया गया। जहाँ तक स्वदेशी राजप्रमुखों का सम्बन्ध था रानी ने स्वदेशी राजाओं के अधिकारों, प्रतिष्ठा और सम्मान का आदर करने की प्रतिज्ञा की। वे शासक जो क्रांति के दौरान स्वामिभक्त रहे थे उनको राजनैतिक शक्ति के वगैर, बल्कि एक राजकीय संस्था के रूप में अपने सिंहासन पर बने रहने की अनुमति दे दी गई।

आर्थिक शोषण

भारत का आर्थिक शोषण बहुत उग्र हो गया। यह पहले ही अभिलेख किया जा चुका है कि अगले कुछ दशकों में चौबीस से अधिक अकाल आये थे। जबकि लोगों के दुखः असीम थे, वहीं पर गृह सचिव दस हजार से भी अधिक किसानों की वार्षिक आय के बराबर वेतन पाता था। यहाँ पर हम दादा भाई नौरोजी द्वारा आर्थिक शोषण का वर्णन जो आधुनिक इतिहास स्त्रोत पुस्तक में किया गया है उसको अक्षरक्षः लिखते हैं–

इस समय तक भारत से इंग्लैंड की ओर राजनैतिक शोषण कम से कम गणना में भी पचास करोड़ मात्र मूलधन में ही हो चुका है तथा यदि इस

पर ब्याज भी जोड़ें तो कुछ हजार करोड़ तक हो जायेगा। इस शोषण को 12,000,000 प्रति वर्ष आगे बढ़ाया जा रहा है और इसका और अधिक बढ़ने की सम्भावना है। इसके फलस्वरूप देश की लगातार कंगाली और थकावट को सिवाय बहुत अपूर्ण तौर पर रेलमार्ग एवं सिंचाई के लिये उधारों द्वारा तथा 1850 के बाद से अमेरिकन युद्ध के परिणामों द्वारा टपके पैसे के कारण सहारा दिया व पूरा किया जा रहा है। इस सहायता के होते हुए भी भारत की भौतिक स्थिति ऐसी है कि गरीबों के अधिकतर समुहों के पास मुश्किल से एक दिन में दो पैसे तथा कुछ चीथड़े या नगण्य निर्वाह हेतु साधन होते हैं। यदि एक अच्छी और बुद्धिमान सरकार की भांति इन्होंने अपना कर्त्तव्य निभाया होता तो अकालों को रोक देना इनकी शक्ति में था। पिछले पंद्रह वर्षों में रेलमार्ग, सिंचाई साधनों का निर्माण इत्यादि की नीति को अपनाना आशातीत है।

भारतीय इतिहास का अध्ययन

दूसरी ओर यूरोपीय विद्वानों ने भारत के इतिहास का अध्ययन करना प्रारंभ कर दिया था। पुरातत्व, इतिहास एवं कला में नई खोजें की जा रही थी। इस पूर्वकालीन ज्ञान ने भारतीयों में गौरव की भावना पैदा की। भारत के पठित वर्ग में एक राष्ट्रीयता की भावना पैदा हुई जिसके साथ ही पूर्वकालीन गौरव को जानने की जिज्ञासा भी पैदा हुई। इसके साथ ही साथ छापेखाने का भी प्रवेश हो गया। इसके कारण संचार सुविधा काफी सुगम हो गई। ज्ञान के क्षेत्र में काफी वृद्धि हुई जबकि सार्वजनिक प्रशासन और राजनीति के क्षेत्रों में कहीं अधिक चेतना का विकास हुआ। अखबारों ने एक महत्वपूर्ण भाग निभाया। 1870 के दशक तक भारत में कुछ सौ अखबारों की छपाई होती थी।

इस प्रकार सिपाही क्रांति द्वारा लाये गये इस अद्भुत मनोवैज्ञानिक बदलाव ने साथ ही साथ एक राष्ट्रीयता की भावना की स्थापना भी की। एक स्पष्ट राष्ट्रीय पहचान का आकार उभरने लगा। इसलिये यह अनिवार्य था कि यह अपनी अभिव्यक्ति का प्रयत्न राष्ट्रीय संस्थाओं और सभाओं के स्थापना द्वारा करता।

यह जानना रुचीकर होगा कि सिपाही क्रांति से पूर्व भी यह रूझान दृष्यमान थे। ऐसे एक रुझान का दृष्टांत श्री हैनरी डिरोजियो के जीवन से देखा जा सकता है। स्काटलैंड के निवासी श्री हेनरी विवियन डिरोजियो को भारत व इसके लोगों के प्रति एक विशेष प्रेम था। वे हिन्दु कालेज में एक प्रध्यापक थे तथा उनका अपने शिष्यों पर अत्यधिक प्रभाव था। डिरोजियो और उनके अनुयायी को डिरोजियन के नाम से जाना जाता था। उन्होंने यंग बंगाल नामक संस्था की स्थापना की तथा इस संस्था के सदस्य बहुत प्रबल देश-प्रेमी थे। उन्होंने अपनी

कविताओं द्वारा भारत के प्रति प्रेम को उजागर किया तथा अपनी कक्षाओं में दिये व्याख्यानों द्वारा क्रांतिकारी विचारों को प्रोत्साहन दिया। उन्होंने साहित्य, इतिहास, दर्शन और विज्ञान पर विवेचन और तर्क वितर्क हेतु विद्यार्थियों की सभाओं का संचालन भी किया। एक और महत्वपूर्ण व्यक्तित्व थे राजनारायण बोस। एक प्रबल राष्ट्रवादी, जिन्हें ऋषि की पदवी दी गई, उन्होंने राष्ट्रीय स्कूल और राष्ट्रीय सोसाईटी की स्थापना में एक विशेष भाग लिया।

राष्ट्रीय भावना इस प्रकार धीरे-धीरे आकार ले रही थी तथा उसने एक ठोस आकार लेने में बहुत लम्बा समय नहीं लिया। इसने भारतीय राष्ट्रीय कांग्रेस का रूप लिया। संयोगवश, एक अंग्रेज ही था जिसका नाम ऐलन ओक्टेवियन ह्यूम था जो भारतीय राष्ट्रीय कांग्रेस की स्थापना के लिए उत्तरदायी था। एक भारतीय इतिहासकार के शब्दों में *कांग्रेस की स्थापना पहले से ही देश में कार्य कर रही स्वाभाविक तथा अटल शक्तियों के कार्य के फलस्वरूप एक निष्कर्ष था, इसे जल्द ही उभर कर आना था, ह्यूम होता या ना होता।*

ऐलन ओक्टेवियन ह्यूम जो एक मौलिक राजनीतिज्ञ का बेटा था वह 1849 में बंगाल में प्रशासनिक सेवा में प्रवेश हुआ। 1857 की सिपाही क्रांति के समय इटावा जिले में एक मजिस्ट्रेट की पदवी पर सेवा करने के बाद, उसे उत्तर-पश्चिमी प्रांतों के मालगुजारी बोर्ड में तैनात कर दिया गया। 1870-79 के दौरान उसे केन्द्रीय भारत सरकार में मालगुजारी व खेती बाड़ी के सचिव के रूप में लगाया गया। भारतीय मामलों में भारतीयों को अधिक भागीदारी के पक्ष में उसके विचारों ने कठिनाइयाँ पैदा कर दी इसलिये उसे वापिस राज्य के प्रशासन में भेज दिया गया। प्रशासनिक सेवाओं से 1882 में रिटायर होने पर उसने स्वयं को राजनैतिक गतिविधियों में सम्मिलित कर लिया जिसमें उसका उद्देश्य था कि भारतीयों को लोकतांत्रिक प्रतिनिधित्व वाली सरकार में अधिक भाग दिया जाये। 1885 में बम्बई में होने वाली भारतीय राष्ट्रीय कांग्रेस के प्रथम अधिवेशन में वह एक संयोजक था। कांग्रेस को स्थापित करने के प्रयोजनों के बारे में कई प्रश्न उठाये गये हैं।

सबसे अधिक माने जाना वाला दृष्टिकोण यह है कि ह्यूम ने लार्ड डफरिन के अधीन दो मुख्य उद्देश्यों को लेकर कांग्रेस की स्थापना की थी। भारतीय बुद्धिजीवियों के वास्तविक या पूर्वानुमानित असंतोष के लिये एक सेफ्टी वाल्व प्रदान करना तथा इंग्लैंड में जिस प्रकार राजा के विरोध के लिये गठित सभा थी उसकी भाँति एक अर्ध-संवैधानिक सभा का गठन किया जाना। लाला लाजपत राय मानते थे कि इसकी स्थापना देश में बढ़ रहे असंतोष की भावना के लिये एक सेफ्टी वाल्व के रूप में प्रयोग हेतु किया गया था तथा अंग्रेजी साम्राज्य को

सुदृढ़ करने के लिये गठन किया गया था। तथापि बहुत जल्द भारतीय राष्ट्रीय कांग्रेस पर भारतीयों द्वारा अधिपत्य कर लिया गया। हम कांग्रेस के इतिहास को तीन कालों में बांटते हैं–पहला काल 1885 से 1905 तक, दूसरा काल 1905 से 1915 तक तथा तीसरा काल 1915 से 1947 तक। इनमें से प्रत्येक काल के स्पष्ट गुणविशेष रहे हैं तथा हम घटनाओं, नेताओं का मनोविज्ञान व भीड़ के मनोविज्ञान का विश्लेषण करेंगे।

पहले काल पर निम्नलिखित चार नेता हावी रहे थे, नामार्थ सर्व श्री दादा भाई नौरोजी, फिरोजशाह मेहता, गोपाल कृष्ण गोखले तथा सुरेन्द्रनाथ बनर्जी। अगले दो दशकों तक यानि लगभग 1905 तक वे छाये रहे तथा उन्होंने कांग्रेस पार्टी को अपने वश में रखा। इन चार व्यक्तियों पर निम्नलिखित संक्षिप्त टिप्पणी है।

दादा भाई नौरोजी 1852 में 27 वर्ष की आयु में ही राजनीति के क्षेत्र में आ गये। उन्होंने अनुभव किया कि भारत का अंग्रेजी कुशासन भारतीय लोगों की आवश्यकताओं तथा जीवन पद्धति के प्रति अनभिज्ञता होने के कारण था। इसके इलाज के लिये उन्होंने महसूस किया कि भारतीय जनता को उनके अधिकारों के प्रति उन्हें अवश्य शिक्षित करना चाहिए। वे यह भी मानते थे कि भारत में अंग्रेज अधिकारी वर्ग को भारत की समस्याओं के प्रति अवश्य अवगत कराया जाना चाहिए। उन्होंने गवर्नरों तथा वाईसरायों को भारत की समस्याओं के प्रति कई प्रार्थना पत्र लिखे। अंत में उन्होंने पाया कि भारत की दयनीय स्थिति के बारे में अंग्रेजों तथा अंग्रेजी लोकसभा को अवश्य अवगत कराया जाना चाहिए। वे भारत का पक्ष रखने के लिये वहाँ इंग्लैंड में जाने की इच्छा करने लगे। दादा भाई नौरोजी भारत के लिये मित्रों तथा सहानुभूति करने वालों का दिल जीतना चाहते थे। वे कई पठित सभाओं के साथ जुड़े, अनेकों भाषण दिये तथा भारत की दयनीय स्थिति पर उन्होंने कई लेख लिखे। उन्होंने 1 सितम्बर 1866 को ईस्ट इंडियन एसोसिएशन नामक संस्था की नींव रखी। उस संस्था में भारत से उच्च अफसर तथा ऐसे मनुष्य जिनका ब्रिटिश संसद के सदस्यों के साथ मेलजोल था वे सब उसके सदस्य थे। दादा भाई भारत के गैर-सरकारी राजदूत बन गये थे।

दादा भाई नौरोजी 1892 में ब्रिटिश संसद के सदस्य निर्वाचित हुए। इसके कारण उन्हें भीतर से भारत के लिये कार्य करना संभव हो गया। उन्होंने एक प्रस्ताव पारित करवाया जिसके अधीन भारत और इंग्लैंड के लिये साथ-साथ I.C.S. के प्रारम्भिक परीक्षा होनी होगी तथा विल्ली कमीशन, भारत पर खर्चे का एक राजसी कमीशन जो भारत और इंग्लैंड के बीच प्रशासनिक और सैन्य खर्चे को बराबर-बराबर बांटने की आवश्यकता को मानता हो, ऐसा प्रस्ताव भी पारित करवाया।

1866 में दादा भाई के प्रयत्नों का फल मिला जब भारत के लिए गृह सचिव भारतीय प्रशासनिक सेवा (I.C.S.) के 60 में से 9 भारतीयों को मनोनीत करने के लिये मान गया।

ज्यों-ज्यों वर्ष बीतते गये दादा भाई का अंग्रेजों के न्यायोचित मन होने के प्रति भ्रम का टूटना आरंभ हो गया। कई वर्षों के आंकड़े इकट्ठे करने के बाद दादा भाई ने निष्कासन का सिद्धांत प्रस्तुत किया: *विदेशी प्रभुसत्ता का निश्चित परिणाम दासता वाले देश से शासकों के देश की ओर धन का निष्कासन है।* दादा भाई ने सिद्ध किया कि सामान्य भारतीय की औसत वार्षिक आय मात्र 20 रुपये थी। 37 वर्षों के आयात और निर्यात के आंकड़ों की परीक्षा करने के बाद उन्होंने सिद्ध किया कि भारत के निर्यात आयात से 50 करोड़ रुपये वार्षिक से अधिक है (लगभग 13 करोड़ 50 लाख पौंड)।

भारत का गौरवशाली वृद्ध पुरुष जैसा कि दादा भाई को प्रेमपूर्वक कहा जाता था, न्याय प्राप्ति के लिये भारत में सदा अहिंसात्मक व संवैधानिक प्रयत्नों का प्रयोग करने में ही विश्वास करते थे।

श्री फिरोजशाह मेहता का जन्म 4 अगस्त 1845 को हुआ। बम्बई में अपनी शिक्षा पूरी करने के पश्चात वे कानून पढ़ने के लिये इंग्लैंड गये। 1868 में उन्हें बार का सदस्य बनाया गया। वे बम्बई में नगरपालिका सरकार में सुधार लाने के लिये जाने जाते हैं तथा बम्बई में नगरपालिका सरकार के पिता के नाम से जाने जाते हैं। उन्होंने अपने वकालत के एक सफल भविष्य को त्यागा तथा एक राष्ट्रवादी के तौर पर सार्वजनिक जीवन में पदार्पण किया तथा 1890 में वे भारतीय राष्ट्रीय कांग्रेस के अध्यक्ष के लिये निर्वाचित हुए। 1893 में वे बम्बई विधान सभा के सदस्य बने। 1910 में उन्होंने बॉम्बे क्रॉनिकल नामक अखबार की स्थापना की।

श्री गोपाल कृष्ण गोखले 20 वर्ष की अल्पायु में ही सन् 1886 में सार्वजनिक जीवन में उतरे। अंग्रेजी सप्ताहिक पत्रिका *मराठा* को अपने लेख भेजते हुए वे इस विचार की ओर आकर्षित हुए कि भारत के लोगों में देशप्रेम की भावना जागृत करने के लिए शिक्षा एक माध्यम हो सकती है। उन्हें *दक्कन एजुकेशन सोसाइटी* के सचिव के पद पर पदोन्नति मिली। बाद में सन् 1893 में उन्हें बांबे प्रादेशिक कांफ्रेंस का कार्यभार दिया गया तथा बम्बई विश्वविद्यालय की सीनेट में निर्वाचित हुए। समय के साथ-साथ गोखले अपना खाली समय आम आदमी की समस्याओं के लिये लगाने लगे जैसे अकाल, प्लेग से छुटकारा पाने के साधन, स्थानीय स्व-शासन, भूमि सुधार तथा साम्प्रदायिक सदभाव इत्यादि। वे एक दैनिक अखबर *ज्ञान प्रकाश* का प्रकाशन भी करते जिसमें वे राजनीति और

समाज पर अपनी सुधारवादी विचारों की अभिव्यक्ति करते। गोखले इंग्लैंड भी गये और वहाँ भारतीयों के प्रति अंग्रेजी सरकार के अन्यायपूर्ण व्यवहार की ओर चिन्ता भी जताने लगे। वे भारत में उन सुधारों की वकालत भी करने लगे जो अंत में स्व-शासन या स्वराज प्राप्ति की ओर ले जाते। 1909 में मिन्टो-मार्ले सुधारों के बनाने में वे मुख्य यंत्र बने जो अंत में एक कानून बना। यह अति दुर्भाग्यपूर्ण था कि गोखले जी के प्रयासों के होते हुए भी लोगों को एक सही लोकतांत्रिक व्यवस्था नहीं दी गई। उनका साम्प्रदायिक सदभाव का इच्छित स्वप्न तब चूर चूर हो गया जब उन्होंने पाया कि मुस्लिम समुदाय स्वयं को एक पृथक इकाई मानने के लिये दृढ़ संकल्प है।

श्री सुरेन्द्रनाथ बनर्जी भारतीय राष्ट्रीय कांग्रेस के 1895 व 1902 में दो बार अध्यक्ष बने। वे विधवा पुनर्विवाह तथा लड़कियों की विवाह की आयु बढ़ाने के समेत अन्य कई सामाजिक सुधारों के प्रबल समर्थक थे। 19 नवम्बर 1848 को जन्मे सुरेन्द्रनाथ बनर्जी की प्रारम्भिक शिक्षा कलकत्ता में हुई थी। वे लंदन में भारतीय प्रशासनिक सेवा में बैठे तथा अपनी जीवन यात्रा सहायक मजिस्ट्रेट के रूप में 1871 में आरम्भ की। उनको नौकरी से निकाल दिया गया जब उनके ऊपर एक मनगढंत दोषारोपण किया गया था। वे एक राष्ट्रीय नेता के रूप में नये भविष्य की खोज करते वापिस इंग्लैंड चले गये। वे एक स्वाभाविक वक्ता एवं लेखक थे।

1947 में स्वतंत्रता के उदय होने तक भारतीय राष्ट्रीय कांग्रेस राष्ट्रीय आंदोलन की तभी से अग्रदूत बन गई। आओ अब हम उन मूल मानकों का विश्लेषण करें जिन पर 1885 से 1905 तक की पहली अवस्था का आंदोलन आधारित था। इस अवस्था (1885-1905) में भारतीय राष्ट्रीय कांग्रेस का दृष्टि कोण कुछ-कुछ धुधंला, अस्पष्ट तथा उलझा हुआ था। आंदोलन कुछ शिक्षित मध्यवर्गीय बुद्धिजीवियों तक ही सीमित था जिन्होंने अपनी प्रेरणा पश्चिमी उदारवादी व मौलिक विचारधारा से ली थी।

आंदोलन की मूल धारणाओं को इस प्रकार संजोया जा सकता है:

- अंग्रेजों के न्याय और इमानदारी की भावना में एक मूलभूत विश्वास का होना।
- संविधान की सीमाओं के अंदर तथा अहिंसापूर्ण साधनों द्वारा कार्य करने का इरादा।
- राजनैतिक स्वतंत्रता के लिये कोई स्पष्ट लक्ष्य नहीं, केवल कुछ सुधार तथा सरकार में अधिक भागीदारी।

- इन मांगों को पूरा करने के लिये निम्न तरीकों को अपनाया-प्रार्थना, प्रार्थना-पत्र व विरोध, अपनी अति छोटी मांगों के लिये भी चापलूसी ताकि अंग्रेजों के सदभाव को जीता जा सके।
- भीड़ या आम आदमी व जनता के प्रति पूर्ण अरूचि तथा तिरस्कार। कांग्रेस श्रेष्ठ ऊपरी वर्गों का एक आंदोलन था।

यहाँ इस मनोवैज्ञानिक दृष्टिकोण के कुछ उदाहरण कांग्रेस पार्टी के नेताओं के कुछ प्रस्तावों तथा कथनों के द्वारा दिये जाते हैं।

कांग्रेस का पहला अधिवेशन 28 दिसम्बर, 1885 के दिन हुआ था। सभी प्रतिनिधियों ने अपनी स्वामिभक्ति व अंग्रेजी ताज के प्रति आस्था को पुष्ट किया तथा घोषणा की कि *वे सभी इच्छा करते थे कि सरकार के आधार को विस्तृत किया जाना चाहिए तथा लोगों की इसमें अपनी सही तथा न्यायपूर्ण भागीदारी होनी चाहिए।*

उस वर्ष के बाद कांग्रेस का हर वर्ष अधिवेशन हुआ तथा प्रस्तावों को अनुमोदित किया गया जिनको अखबारों में छपाया गया तथा विस्तृत तौर पर उनका विवेचन हुआ। इन प्रस्तावों का प्रमुख मुद्दा था कि जनता की राय को शिक्षित किया जाय तथा अंग्रेजों को मनाया जाये कि वे राजनैतिक सुधारों के लिये कुछ कदम उठाये। अंग्रेजों ने इसके बदले इन प्रस्तावों की पूर्णतया उपेक्षा कर दी। सत्य तो यह था कि अंग्रेजों को कांग्रेस के प्रति घृणा के अतिरिक्त कुछ ना था। जैसा कि लार्ड करज़न ने कहा कि *कांग्रेस पतन की ओर जाने के लिये कांप रही है, तथा भारत में रहते हुए मेरी सर्वोच्च इच्छाओं में से एक यह है कि इसकी शांतिपूर्ण अंत के लिये मैं कुछ मदद करूं।* यह इतिहास का ही एक और व्यंग था कि यह लार्ड करज़न ही था जो स्पष्ट रूप से स्वतंत्रता आंदोलन को एक नव जीवन दान देने के लिये उत्तरदायी था।

भारतीय राष्ट्रीय कांग्रेस के प्रस्ताव का एक और उदाहरण नीचे यूं है:

भारतीय राष्ट्रीय कांग्रेस अपनी स्वामिभक्तिपूर्ण श्रद्धांजलि अपने गौरवशाली महाबली महाराजधिराज के आगे प्रस्तुत करती है तथा अपने महाराज द्वारा भारत के लोगों और राजप्रमुखों के लिये भेजा हुआ संदेश जो कि 1858 में उनकी गौरवमयी स्वर्गीय माता विक्टोरिया के यादगार उद्घोष के पचासवें वर्षगांठ पर दिया गया है उसका आदरपूर्ण तरीके से स्वागत करती है। यह कांग्रेस उस 1858 के महान सूची में दिये वचनों के बारे में जो भाव दिये गये हैं वे सब महाराज द्वारा निभा दिये गये हैं उसके प्रति अपनी संतुष्टि के होने का निवेदन करती है।

कांग्रेस आभारपूर्वक महाराज के द्वारा उद्घोषणाओं का स्वागत करती है कि अब समय आ गया है जब प्रतिनिधि संस्थाओं का सिद्धांत जो आरम्भ से ही भारत में धीरे-धीरे प्रचलित किया जाना प्रारम्भ किया गया था, उसे विवेकपूर्ण तरीके से आगे बढ़ाया जाये तथा कि भारत में महत्वपूर्ण वर्गों द्वारा नागरिकता की बराबरी तथा विधान सभा व सरकार में भागीदारी की राजनैतिक संतुष्टि की मांग व ऐसे विचारों की प्रस्तावना जिनको अंग्रेजी शासन द्वारा प्रोत्साहित व पाला गया है वे वर्तमान आधिपत्य व शक्ति की स्थापना में शासन को सुदृढ़ करेंगे ना कि विघ्न डालेंगे। (भारतीय राष्ट्रीय कांग्रेस के तेईसवें अधिवेशन का प्रस्ताव न., 1 जो कि मद्रास में 28, 29 व 30 दिसम्बर 1908 की बैठक में लिया गया।)

यहां तक कि गोखले जैसे नेता ने भी अपने एक व्यक्तत्व में यह कहा कि *केवल वे ही मनुष्य जो पागलखानों के अंदर हैं वे स्वतंत्रता की बात कर या सोच सकते हैं–अंग्रेजी शासन के अतिरिक्त कोई और चारा नहीं है, ना केवल अब बल्कि आने वाले लम्बे समय के लिये भी।* जो और भी शर्मनाक था वह था कि अपनी अत्यंत तुच्छ मांगों के लिये भी वह अंग्रेजों का सदभाव पाने के लिये चापलूसी का सहारा लेती थी।

एक और बात जो इस समय ध्यान देने योग्य है वह है अंग्रेजों द्वारा विभाजन और शासन की नीति का अपनाया जाना। अंग्रेज अकसर राष्ट्रीयता के आंदोलन को निर्बल करने के लिये *विभाजन और शासन* की नीति पर आश्रित होने लगे। उन्होंने सर सईद अहमद खां, राजा शिव प्रसाद तथा अन्य अंग्रेजों के समर्थक भारतीयों को प्रोत्साहित किया कि वे कांग्रेस के विरुद्ध आंदोलन छेड़ें। उन्होंने हिन्दुओं और मुसलमानों के बीच दरार डालने का प्रयत्न किया। उन्होंने पढ़े लिखे भारतीयों के बीच सरकारी नौकरियों को लेकर साम्प्रदायिक विरोध को फैलाना आरम्भ कर दिया। वास्तव में वे अपने खेल में सफल हुए तथा उसके परिणाम आज भी दृष्टिगोचर हैं।

यदि हम भारतीय राष्ट्रीय कांग्रेस के कार्य का आलोचनात्मक विश्लेषण करें तो स्पष्ट है कि उन्हें अधिक सफलता नहीं मिली। उनके द्वारा समर्थित सुधारों में से बहुत कम को अमल में लाया गया। विदेशी शासक उन्हें घृणा की दृष्टि से देखते थे। आम आदमियों के बीच जड़ें जमाने में पार्टी असफल रही तथा ऊंची आशायें रखते हुए जिन्होंने कांग्रेस में प्रवेश किया वे अधिक मात्रा में निराश हो रहे थे। नर्म दल की राजनीति जैसा कि उन्हें कहा जाता था, वह *विघ्नात्मक व अनमनी तथा अधूरी थी*। उनके प्रयत्नों के तरीकों को अधिक से अधिक प्रार्थनाओं व प्रार्थना-पत्रों द्वारा भीख मांगने की ही कही जा सकती थी।

परंतु यह कहना गलत होगा कि उनका राजनैतिक कार्यकाल फलहीन था। उन्होंने भारतीय राजनीति में एक निर्णायक बदलाव को संभव बनाया। किसी हद तक भारतीयों में एक राजनैतिक जागरण तथा जोश भरने में सफल हुए व यह भावना जगाने में कि वे सभी एक सांझे देश से संबंधित हैं। उन्होंने भारत में अंग्रेजी साम्राज्यवाद की सही तस्वीर को उजागर किया। उन्होंने राजनैतिक व आर्थिक शोषण के लिये विदेशी शक्ति द्वारा शासित किये जाने के सबसे महत्वपूर्ण पहलु के सत्य को उजागर किया तथा इस प्रकार भारत में अंग्रेजी शासन के नैतिक आधार का अवमूल्यन किया।

यह भारतीय राष्ट्रवाद का बीजारोपण का समय था। अपने कई असफलताओं के होते हुए भी कांग्रेस ने राष्ट्रीय आंदोलन की आधारशीला रखी जिस पर वह आंदोलन आगे बढ़े तथा इन्हीं कारणों के होते कांग्रेस को आधुनिक भारत के निर्माताओं में से एक उच्च भागीदारी का स्थान प्राप्त करने का हक है।

परंतु यह भी स्पष्ट है इसके साथ-साथ कि सिपाही क्रांति द्वारा छोड़ी गई शक्तियों को अभिव्यक्त होने का मौका नहीं मिला क्योंकि नेतृत्व व दिशा की कमी थी। वह चिंगारी जो पैदा हुई थी उसे आग में परिवर्तित होने का मौका नहीं मिला। नेताओं का दृष्टिकोण इतना निर्बल तथा समर्पित था कि वह जनता को नहीं जगा पाया। राष्ट्रीयता की भावना को और अधिक उत्तम मौका पाने के लिये दबे ही रहना पड़ा।

यह अवश्य जानना चाहिए कि इस काल के दौरान भी, कुछ नेताओं तथा लेखकों ने ऊंची आवाज़ में कांग्रेस के प्रति मोह-भंग की घोषणा की। हम ऐसे दो नेताओं का वर्णन करेंगे—श्री अरविन्द जिनको तब अरविन्द घोष के नाम से जाना जाता था व श्री बाल गंगाधर तिलक।

1893 के वर्ष में ही इंग्लैंड से वापिस आने के पश्चात अपनी 21 वर्ष की अल्प आयु में श्री अरविन्द ने इंदु *प्रकाश* नामक पत्रिका में लेखों की एक लड़ी लिखी। इन लेखों में उन्होंने कांग्रेस की भिखारियों जैसी भावना के लिये बुरी तरह से आलोचना की। उन्हें यह प्रतीत हुआ कि एक स्पष्ट राष्ट्रीय स्वतंत्रता की प्राप्ति का उद्देश्य होने के बजाए, कांग्रेस अपना समय मूल्यहीन तुच्छताओं तथा अधूरे प्रशासनिक सुधारों पर बरबाद कर रही है। उन्होंने शेर के दहाड़ की नीति न कि भीख की नीति का, जो कि उस समय के कांग्रेस के नेताओं द्वारा अपनाई जा रही थी, का समर्थन किया। यहां पर इन्दु *प्रकाश* पत्रिका में छपे एक लेख का सारांश दिया जा रहा है जो श्री अरविन्द ने लिखा था:

मैं कांग्रेस के बारे में यह कहता हूं—कि इसके उद्देश्य गलत हैं, कि जिस भावना से वे इनकी पूर्ति के लिए अग्रसर हो रहे हैं वह सत्य तथा संपूर्ण

चित्त वाली भावना नहीं है, तथा इन्होंने जो तरीके अपनाए हैं वे सही तरीके नहीं हैं, तथा जिन नेताओं में उन्होंने अपना विश्वास कायम किया है वे सही प्रकार के नेता बनने वाले पुरुष नहीं हैं–सारांश में, कि हम अंधों का नेतृत्व यदि अंधों द्वारा नहीं तो किसी भी हालत में एक आंख वालों द्वारा किया जा रहा है।

श्री बाल गंगाधर तिलक कांग्रेस के तथा उसके तरीकों के दूसरे सख्त आलोचक थे। तिलक एक बुद्धीमान राजनीतिज्ञ तथा एक उत्कृष्ट विद्वान थे जो यह मानते थे कि किसी देश की समृद्धि के लिये स्वतंत्रता एक सर्वप्रथम आवश्यकता थी तथा चरम सीमा के रास्तों को छोड़ने की आवश्यकता नहीं है। वह उन चंद नेताओं में से एक थे जो जनता के समर्थन के महत्व को समझते थे तथा बाद में वे भारत के उन नेताओं में से एक थे जो जनता के प्रिय नेता बने। उन्होंने पाया कि अंग्रेजों के विरुद्ध स्वयं में संवैधानिक संघर्ष करना व्यर्थ है। तथापि उन्होंने महसूस किया कि भारत अभी एक सशस्त्र विद्रोह के लिये तैयार नहीं था।

उनकी व्यवस्था स्थापना के क्षेत्र में एक विशेष प्रतिभा थी तथा उन्होंने *केसरी* तथा 1881 में *मराठा* पत्रिकाओं को प्रारम्भ किया। बाद में 1890 के दशक के पहले वर्षों में उन्होंने *शिवाजी उत्सव* तथा *गणपति उत्सव* के वार्षिक महोत्सवों को प्रारम्भ किया जो अंग्रेजों के विरुद्ध राष्ट्रीय आंदोलन में जुड़ने के लिये लोगों का एक मंच बना।

यह स्पष्ट है कि कांग्रेस के नेताओं ने 1857 की क्रांति से उत्पन्न हुई भावनाओं का फायदा नहीं उठाया। इसके बदले अति तुच्छ सुधारों की मांग करके जिनका निरादर अंग्रेजों द्वारा भी किया जाता उन्होंने इस मौके को गंवा दिया। परंतु यह भावना सुप्त अवस्था में दबी रही तथा स्वयं को अभिव्यक्त करने के मौके की प्रतीक्षा में थी। एक चिंगारी की आवश्यकता थी तथा वह 1905 में बंगाल के विभाजन के साथ लगी।

32

बंगाल का विभाजन

वर्ष 1905 भारत के स्वतंत्रता आंदोलन के इतिहास के सबसे महत्वपूर्ण वर्षों में से एक है। यह वह वर्ष था जब अंग्रेजी सरकार ने बंगाल के विभाजन का निर्णय लिया। बंगाल को दो प्रदेशों में विभाजित किये जाने के फैसले ने सारे देश को अचम्भित कर दिया। यह इनके विभाजन और शासन की नीति के एक राजनैतिक मोहरे का एक भाग था। वास्तव में 1870 के बाद से अंग्रेज हिन्दुओं और मुसलमानों को उकसाने लग गये थे कि वे अपनी स्पष्ट धार्मिक पहचान के लिये अपनी पृथक राजनैतिक पार्टियों की स्थापना करें। वह राजनीति को साम्प्रदायिकता का रूप देने का प्रारम्भ था। अंग्रेजों ने ना केवल इन दो सम्प्रदायों को धार्मिक लीकों पर राजनैतिक पार्टियों की स्थापना के लिये प्रोत्साहित किया बल्कि उन्होंने ऐसी स्थितियां पैदा करने के ठोस कदम भी उठाये जिनके द्वारा हिन्दुओं और मुसलमानों को यह सोचने पर मजबूर कर दिया कि उनकी धार्मिक पहचान संकट में है। इस प्रयत्न का फल 1905 में बंगाल के विभाजन के रूप में उभरा। बंगाल की राजप्रमुखता को प्रशासनिक कारणों से प्रत्यक्ष रूप में दो भागों में बांट दिया गया। यह तर्क दिया गया कि बंगाल बिहार और उड़ीसा जो अंग्रेजों के अधीन 1765 से ही एक राज्य के रूप में रहे हैं, एक अकेले प्रान्तीय प्रशासन द्वारा संभाले जाने के लिये बहुत विस्तृत हो गये थे। परंतु यह स्पष्ट था कि जातियों को विभाजित करने के लिये यह विभाजन सम्प्रदायिक लीकों पर किया गया था। लार्ड करज़न ने अपने पूर्व बंगाल के दौरे पर यह माना था कि *उसका विभाजन करने का उद्देश्य ना केवल बंगाली प्रशासन पर से बोझ कम करना ही था बल्कि एक मुस्लिम राज्य की स्थापना करना भी था, जहां इस्लाम प्रमुख हो सके तथा इसके अनुयायी अधिक संख्या में उभर कर आएं।* इस प्रकार इसने धार्मिक विभाजन को प्रेरित किया तथा मुस्लिम लीग की स्थापना का होना इसका एक निष्कर्ष ही था। बंगाल के लोग गुस्से में आये तथा अपना अनादर मानने लगे। उनके लिए विभाजन न केवल अंग्रेजों के विभाजन और शासन की नीति का ताजा व्यवहार में लाया जाना ही था बल्कि लोगों की आत्मा को दो भागों में काटा जाना था। इस अकेली घटना ने राजनैतिक व अराजनैतिक सभी प्रकार के समुहों को संगठित विद्रोह के लिये

ला खड़ा किया। कवि श्री रविन्द्रनाथ टैगोर, सर गुरुदास बनर्जी जो एक न्यायधीश थे, तथा मैमनसिंह व कासिमबाज़ार के महाराज सभी इस विद्रोह में सम्मिलित हो गये। इसने एक अद्भुत जागृति को जन्म दिया तथा बंगाली जाती के प्रतिभा को एक अचानक हुए विस्फोट में प्रगट कर दिया जिसके फूल साहित्य और संगीत के रूप में खिल गये। इसका प्रभाव इतना अधिक था कि रामसे मक्डोनालड ने घोषणा की कि *बंगाल कविता और पूजा से भारत की रचना कर रहा है, वह इसे रानी जैसे वस्त्रों में ढ़क रहा है।*

इस प्रकार स्वतंत्रता आंदोलन का दूसरा भाग आरम्भ हुआ। यह काल 1905 तथा 1915 के बीच का था। यह अवश्य जान लेना चाहिए कि आंदोलन केवल बंगाल तक ही सीमित ना था। पूरे भारत को अखाड़े में ला खड़ा कर दिया गया था। महाराष्ट्र में तिलक ने सीधा भाग लिया, पंजाब में लाला लाजपत राय थे तथा दक्षिण भारत में सुब्रमन्यिम भारती थे। विभाजन के विरोध में संघर्ष के दौरान स्वराज, स्वदेशी, बायकाट, तथा राष्ट्रीय शिक्षा के नारे उभरे। बाल गंगाधर तिलक ने इस कार्यक्रम का सरगरमी से प्रचार किया तथा कलकत्ता में हुए 1906 के कांग्रेस के अधिवेशन में इसको अपनाए जाने की सिफारिश की। दादाभाई नौरोजी तथा नर्म दल के अन्य नेताओं ने इस प्रस्ताव का समर्थन किया तथा इसे पारित कर लिया गया। उस वर्ष से तिलक राष्ट्रीय स्तर के नेता के रूप में उभर कर आये।

परंतु बंगाल के विभाजन का सबसे महत्वपूर्ण फल यह था कि श्री अरविन्द सक्रिय राजनीति में आगे आए। श्री अरविन्द उस समय बड़ौदा में थे तथा उन्होंने विभाजन के बारे में यूं लिखाः *यह* ***कदम केवल प्रशासनिक प्रस्ताव ही नहीं है बल्कि देश के हृदय पर सीधा एक आघात है।*** उस समय बड़ौदा में वे उप-प्रिंसीपल के पद पर थे, उन्होंने अपने आरामदायी कार्य को तिलांजित किया और सक्रिय राजनीति में भाग लेने बंगाल चले आए। वह तब था जब बंगाल राष्ट्रीय कॉलेज की स्थापना हुई और वे उसके प्रथम प्रिंसीपल बने। वे विपिन चंद्र पाल द्वारा आरम्भ किये गये अंग्रेजी के दैनिक पत्र *वन्दे मातरम* के लिए सम्पादकीय लेख लिखने लग गये तथा वर्ष के अंत तक उसके प्रमुख संपादक बन गये। श्री अरविन्द ने लिखा कि उनका प्रथम कार्य था कि खुल कर पूर्ण तथा *सर्वोपरि स्वतंत्रता की घोषणा करें जो कि भारत में राजनैतिक कार्य का ध्येय था तथा इस पत्रिका के पृष्ठों में बारंबार इस पर बल दिया जाये।* वे भारत के प्रथम राजनीतिज्ञ थे जो सार्वजनिक तौर पर इसको घोषित करने का साहस कर सके तथा वे तत्काल सफल भी हुऐ। *वंदे मातरम* जल्दी ही सारे देश में बंटने लगा तथा भारत के राजनैतिक विचारधारा को सुधारने का एक शक्तिशाली यंत्र बन गया।

श्री अरविन्द के राजनैतिक विचारों और क्रियाकलापों के तीन पक्ष थे। पहला, वह कार्य था जिसके साथ उन्होंने आरम्भ किया था, एक गुप्त क्रांतिकारी प्रचार तथा व्यवस्था का कार्य जिसका केन्द्रीय उद्देश्य था एक सशस्त्र विद्रोह की तैयारी करना। दूसरा, एक सार्वजनिक प्रचार जिसका उद्देश्य था सारे देश को स्वतंत्रता के आर्दश से भर देना जिसे अधिकांश भारतीयों द्वारा एक अव्यवहारिक व असम्भव कार्य तथा लगभग पागलपन वाला असम्भव प्रेरणा का लगता था। तीसरा, लोगों की एक ऐसी संस्था की स्थापना थी जो सार्वजनिक तौर पर तथा संगठित रूप से विरोध का कार्य करती एवं विदेशी शासन को एक बढ़ते हुऐ असहयोग तथा निष्क्रीय विरोध द्वारा कुंठित करती। अब हम इन तीनों पक्षों को पृथकतापूर्वक एक-एक करके लेंगे।

एक सार्वजनिक प्रचार जिसका उद्देश्य सारे देश को स्वतंत्रता के आदर्श में बदल देना था के बारे में श्री अरविन्द ने एक दुतरफी व्यूह-रचना को अपनाया। पहला तो था कि वंदे मातरम पत्रिका के लेखों द्वारा पूर्ण स्वतंत्रता के आदर्श को फैला देना तथा दूसरा था कांग्रेस को काबू में करना। इस कार्य के लिये श्री अरविन्द, तिलक तथा दूसरे अन्य नेताओं ने एक नई पार्टी की स्थापना की जिसका नाम था राष्ट्रवादी कांग्रेस पार्टी।

विपिन चन्द्र पाल की पुस्तक *भारतीय राष्ट्रवाद–इसके व्यक्तित्व व सिद्धांत* से यहां एक उदाहरण दिया जाता है: *भारत में राष्ट्रीयता के प्रचार के अग्रपंक्ति में जो हैं उनमें से सबसे कम उम्र के, परंतु योग्यता, शिक्षा एवं चरित्र में शायद उन सब से उच्च-अरविन्द भाग्य के द्वारा लगता था, स्पष्ट तौर पर अंकित किये गये इस आंदोलन के भविष्य में एक ऐसा भाग खेले जो उनके किसी भी समकालीन विभूतियों और साथियों के भाग में नहीं था–राष्ट्रवाद विचारधारा के पास कोई अंग्रेजी का दैनिक मुखड़ा नहीं था। एक नयी पत्रिका प्रारम्भ की गई। अरविन्द को इसमें सम्मिलित होने का निवेदन किया गया। एक मिश्रित स्टाक कंपनी भी इसे चलाने के लिये खोली गई, तथा अरविन्द उसके एक निर्देशक बने। इस वंदे मातरम पत्रिका ने भारतीय पत्रकारिता के क्षेत्र में तुरंत अपनी पहचान की स्थापना कर ली। प्रारम्भ से ही गुरु का हाथ इसमें था। इसका साहसिक दृष्टिकोण, इसकी उत्साहपूर्ण सोच, इसके स्पष्ट विचार, इसकी शुद्ध तथा शक्तिशाली शैली, इसका ज्वलंत व्यंग तथा विशुद्ध बुद्धिमत्ता, देश के किसी भी, चाहे भारतीय या ऐंग्लो इंडियन पत्रिका से कहीं श्रेष्ठ व अतुलनीय थी। इसने तुरंत ही हरेक बंगाली पत्रिका की भाषा को ऊंचा उठा दिया तथा विरोधी ऐंग्लो इंडियन सम्पादकों की प्रशंसा को भी अपनी ओर आकृष्ट करने को मजबूर कर दिया। हर सुबह ना केवल कलकत्ता, बल्कि देश के हर भाग का पठित समुदाय व्याग्रतापूर्वक इसके उत्कृष्ट उदघोष की प्रतीक्षा करता उस*

दिन के चर्चित प्रश्नों की व्याख्या को जानने के लिये–यह देश की एक शक्ति थी जिसकी उपेक्षा कोई करने की हिम्मत न रखता, चाहे वे उससे कितना भी घृणा या भय खाते रहे हों, तथा अरविन्द इस नये पत्रिका के एक अग्रणीय आत्मा, एक केन्द्रीय शक्ति थे।

स्टेटसमैन नामक अखबार के सम्पादक ने शिकायत की कि वंदे मातरम *स्पष्ट रूप से दृष्टिगोचर, हर पंक्ति में देशद्रोह से भरा हुआ है परंतु यह इतनी* दक्षतापूर्वक *लिखा गया है कि कोई भी विधिपूर्वक कदम इसके विरुद्ध नहीं लिया जा सकता।* तथा कई वर्षों के बाद 1950 में यद्यपि उसी सम्पादक श्री रैडक्लिफ ने स्टेटसमैन में लिखा: *यह 1906 में कर्ज़न के रिटायर होने के जल्द बाद था कि श्री अरविन्द तथा उनके साथियों ने वंदेमातरम आरम्भ किया। इसका पूरे माप का पन्ना होता था, प्रत्येक कागज पर स्पष्ट छपा होता था, तथा अंग्रेजी में विशेष तथा प्रमुख लेखों से भरा होता था जो ऐसी प्रतिभा तथा तीव्र रूप से व्यंग्यात्मक होता था जो भारत के पत्रिकाओं में अभी तक प्राप्त नहीं हुआ है। वह सबसे प्रभावशाली आवाज़ होती थी उसकी जिसे तब हम राष्ट्रीय उग्रवाद के नाम से जानते थे।*

यहां हम श्री अरविन्द के लेखों में से एक उदाहरण देते हैं–

हमारे प्रयत्नों का ध्येय यह है कि हम अपने देश की एक पृथक अभिव्यक्ति की पुनर्स्थापना, अन्य राष्ट्रों के बीच, उसके लिये एक महान, वैभवशाली, शक्तिशाली व विशालता का उत्कर्ष उसके प्राचीन गौरवों के बराबर या उससे भी अधिक उत्तम राष्ट्र के रूप में करें। तथा हमने इस कठिन कार्य को करने का बीड़ा उठाया है जिसमें हम व्यक्तिगत तौर पर अपना सभी कुछ, आराम, धन, स्वाधीनता, शायद अपना जीवन भी दांव पर लगाते हैं, दूसरे राष्ट्रों के प्रति घृणा तथा हिंसा की भावना रखने द्वारा नहीं, बल्कि इस पूर्ण विश्वास के साथ कि हम समस्त मानव जाती के हितों के लिये उतना ही कार्य कर रहे है, जिसमें इंग्लैंड भी स्वयं सम्मिलित है, जितना कि हम अपने राष्ट्र और आने वाली पीढ़ियों के लिये कार्यरत है। अपने आदर्शों की प्राप्ति के लिये यह एक संघर्ष अनिवार्य रूप से होगा ही तथा राजनैतिक नर्मवादी कबुतरों का चोंच लड़ाना या स्वर लगाना नहीं होगा, तथा यह संघर्ष अवश्य ही अपने साथ अस्थाई कलह, गलतवहमी, विरोध, अस्थिरता लायेगा, हमने कभी भी इस बात से मुकरने का प्रयत्न नहीं किया है। हम यह विश्वास करते हैं कि विदेशी अफसरशाही, जो राष्ट्र के प्रति उत्तरदायी नहीं है, की ओर से तीस करोड़ भारतीयों पर शासन, एक अस्वभाविक, मूल रूप से बुरा तथा अनिवार्य रूप से अत्याचारी लक्षण वाला है तथा हम यह बहाना नहीं बनाते कि हम अपने लोगों को इसके अवांछनीयता का, एक तरफ अफसरशाही को क्रोधित किये बगैर

तथा दूसरी ओर इस वर्तमान व्यवस्था के प्रति एक पक्की नफरत को पैदा किये बगैर, विश्वास दिला सकेंगे। परंतु हमारा लक्ष्य रचनात्मक है तथा विनाशकारी नहीं, अपने ही राष्ट्र का निर्माण करने का ना कि दूसरे को तबाह करने का। यदि इंग्लैंड हमारे राष्ट्र निर्माण की प्रक्रिया के प्रति कष्टदायक होने की इच्छा रखता है, तथा इसमें अन्यायपूर्ण, हिंसक तथा निरंकुश साधनों द्वारा विघ्न डालता है, तो वह है जो आक्रमणकारी है तथा घृणा व दुर्भाव को फैलाने का दोषी है।

इसके साथ ही श्री अरविन्द ने एक समूचे राजनैतिक कार्यक्रम की व्यूह रचना का निर्माण किया जिसे निष्क्रिय विरोध या बायकाट के नाम से जाना गया जो बीसवीं सदी के आरंभ में समूचे भारत के लिये सबसे सक्षम तथा फलदायी योगदान के रूप में सिद्ध हुआ। यह है जो उन्होंने लिखा: *निष्क्रिय विरोध का पहला सिद्धांत जिसे नई विचार धारा ने अपने कार्यक्रम की अग्रिम पंक्ति में रखा है, वह है वर्तमान परिस्थितियों के रहते एक व्यवस्थित मनाही के द्वारा प्रशासन की प्रक्रिया को असम्भव बना देना, ऐसा कुछ भी करने से मना कर देना जो या तो देश के शोषण में अंग्रेजी व्यापार की या अंग्रेजी अफसरशाही को उसके प्रशासन करने में मदद करेगा—जब तक लोगों द्वारा आपेक्षित ढंग और तरीके की भांति परिस्थितियाँ बदल नहीं दी जाती। इस रूख को एक शब्द में संजोया जा सकता है और वह है बहिष्कार।* यह मूल रूप से एक आर्थिक हथियार के रूप में अंग्रेजी शासकों के सबसे मर्म वाले बिन्दु पर मार करने का एक साधन था। परंतु श्री अरविन्द ने इसको अति दूरगामी संभावनाओं से ओतप्रोत कर दिया। इसने जल्द ही स्वयं को चौमुखी अभिव्यक्ति में प्रदर्शित किया—आर्थिक बहिष्कार, शैक्षणिक बहिष्कार, न्यायिक बहिष्कार तथा प्रशासनिक तंत्र का बहिष्कार। तथा इस बहिष्कार को न्यायोचित प्रकार से विधि की सीमाओं के अंदर ही रखना था।

उन्होंने वंदे मातरम में *निष्क्रिय विरोध का सिद्धांत* शीर्षक तले क्रमवार कई उत्कृष्ट लेख लिखे। इन लेखों में, उन्होंने असहयोग कार्यक्रम पर एक विस्तारपूर्वक व्याख्या लिखी। इसके महत्व की हम इसमें एक सूक्ष्म विश्लेषण पाते हैं तथा इसके पद्धति के बारे में बहुत मूल्यवान संकेत भी पाते हैं। असहयोग का पक्ष लेते हुए श्री अरविन्द ने सावधानीपूर्वक इसकी सीमाओं को परिभाषित भी किया। यहां हम श्री अरविन्द के लेख का एक भाग लिखते हैं—*निष्क्रिय विद्रोह की यद्यपि एक सीमा है। जब तक प्रसाशन का कार्य शांतिपूर्ण तथा लड़ाई के नियमों के अंदर है, निष्क्रिय विद्रोही विवेकपूर्ण तरीके से अपने निष्क्रियता की स्थिति को बनाए रखता है, परंतु इसके लांघे जाने के एक क्षण बाद भी वह इस प्रकार करने को बाध्य नहीं है। अन्यायपूर्ण या हिंसक दवाब के तरीकों के*

आगे झुक जाना, अपमान को स्वीकार करना तथा देश के विधि-संहिता के एक भाग के रूप में गुण्डेपन को स्वीकार करना, कायरता का दोषी होना है, तथा राष्ट्रीय पुरुषत्व को बौना करते हुये, अपनी मातृभूमि की दिव्यता तथा हमारे भीतर की दिव्यता के प्रति पाप करना है—निष्क्रिय विरोध तब तक एक महान और बलशाली राष्ट्र का निर्माण नहीं कर सकता जब तक वह पुरुषोचित, साहसी तथा अपनी आत्मा में उत्साहपूर्ण व किसी भी क्षण तैयार तथा क्षणिक चेतावनी पर भी स्वयं को सक्रीय विरोध से परिपूर्ण नहीं कर देता है। हम स्त्रियों का राष्ट्र निर्माण नहीं करना चाहते जो केवल दुखः झेलना ही जानती हैं एवं वार करना नहीं।

इस प्रकार हम देखते हैं कि गांधी जी के अहिंसापूर्ण असहयोग आंदोलन को निष्क्रिय विरोध के आंदोलन में मुख्य रूप से सदी के प्रारम्भिक भाग में पूर्वानुमानित किया गया था तथा इसकी आधारशिला पक्के तौर पर उनके राजनीति के दृश्य में आने से कम से कम एक दशक पहले ही रख दी गई थी। ऊपर के दिये लेख के अंश से स्पष्ट हो जाना चाहिए कि श्री अरविन्द का निष्क्रिय विरोध केवल एक यंत्र था तथा एक सम्पद्राय नहीं था जिसका अनुसरण सभी हालातों व अवस्थाओं में किया जा सकता हो।

सशस्त्र क्रांति के स्वरूप के बारे में श्री अरविन्द का एक विचार यह था कि इसे गुप्त रीति से विभिन्न बहानों और पदों के नीचे, क्रांतिकारी प्रचार तथा सारे बंगाल में भर्ती किये जाने द्वारा स्थापित किया जाना चाहिए। इसे देश के जवानों द्वारा किया जाना था जबकि सहानुभूति एवं सहारा तथा आर्थिक व अन्य सहायता बूढ़े पुरुषों से प्राप्त की जाये जिनके पास अग्रिम विचार थे या जिनका मन युवकों के लिये जीता जा सकता हो। हरेक शहर में केन्द्रों को स्थापित किया जाना था जो अंत में हर गाँव में स्थापित हों। युवकों की सभाओं को स्थापित किया जाना था जिनमें विभिन्न ऊपरी दिखावे वाली सांस्कृतिक, बौद्धिक या नैतिक वस्तुओं में तथा जो पहले से ही स्थापित हैं उनको क्रांतिकारी प्रयोग के लिए अपनी ओर करना था। युवकों को ऐसे कार्यक्रमों में प्रशिक्षित करवाना होगा जो अंत में सैनिक कारवाई में सहायक सिद्ध हो सकें जैसा कि घुड़सवारी, शारीरिक प्रशिक्षण, विभिन्न प्रकार की दौड़ें, व्यायाम तथा व्यवस्थित गतिविधियाँ। 1901 में श्री अरविन्द ने अपना पहला पग जतिन बनर्जी को अपना सहायक बना कर बंगाल भेजने पर उठाया जिसमें एक ऐसी तैयारी का कार्यक्रम व कार्य था जिसे वे सोचते थे कि उसकी फल प्राप्ति 30 वर्ष के बाद होनी सम्भव थी। जतिन के हिस्से सभी शहरों व अंत में हरेक गांव में ऐसे केन्द्र खोलने का उत्तरदायित्व दिया गया। जैसे ही इस विचार को बीजा गया वह जल्द ही फैल गया। यह अवश्य समझ लेना चाहिए कि बंगाल में पहले से ही ऐसी अनेकों

गुप्त सभाएें फल-फूल रही थीं। राज नारायण बोस ने पहले से ही ऐसी एक सभा स्थापित की हुई थी जिसमें टैगोर बंधु उसके सदस्य थे तथा सरला घोषाल ने कई ऐसी संस्थाओं की स्थापना की जहाँ केवल लड़के ही नहीं बल्कि लड़कियों को भी लाठी चलाना व तलवार चलाना सिखाया जाता था। सरला घोषाल वास्तव में ऐसी प्रथम प्रबंधकर्ता थीं जिन्होंने बंगाल में शारीरिक शिक्षा का प्रचलन करवाया।

यह जानना रोचक होगा कि श्री अरविन्द 1901 में पहली बार श्री तिलक से बड़ौदा में मिले। बाद में 1902 के अहमदाबाद कांग्रेस अधिवेशन में वे दोनों दुबारा मिले। तिलक उन्हें पंडाल से बाहर ले गये तथा उनसे एक घंटे तक मैदान में बातें करते रहे। उस बातचीत के दौरान श्री तिलक ने भारतीय राष्ट्रीय कांग्रेस के सुधारवादी आंदोलन के कार्यक्रम के प्रति अपनी तिरस्कार की भावना को प्रकट किया तथा महाराष्ट्र में अपने कार्यक्रम की व्यूह-रचना को विस्तार से श्री अरविन्द को बताया। कांग्रेस का अधिवेशन श्री सुरेन्द्र नाथ बनर्जी की प्रधानता तले हुआ था जिन्होंने घोषणा की कि *हम भारत में पक्के अंग्रेजी शासन की प्रार्थना करते हैं।* इस समय के बाद से श्री अरविन्द और श्री तिलक के निकट संबंध रहे।

श्री अरविन्द तथा श्री तिलक यह जल्द समझ गये कि भारत के उस काल के इतिहास की अवस्था में सशस्त्र विद्रोह का विकल्प सम्भव नहीं है, तथा वे उस भूमिगत आतंकवादी आंदोलन को सहारा व नेतृत्व देते रहे इस आशा में कि यह अंग्रेजों को हतोत्साहित करेगा। उन्हें इस बात की कतई गलतवहमी नहीं थी कि मात्र आतंकवाद द्वारा देश के स्वतंत्रता की प्राप्ति की कोई संभावना हो सकती है। राष्ट्रीय कांग्रेस पार्टी की स्थापना की गई थी तथा यह निश्चय किया गया कि उन्हें कांग्रेस पार्टी को अपने अधिकार में करना चाहिए जो उस समय नरम दल के नेतृत्व के अधीन थी। यह अगले अध्याय का विषय बनेगा जो सूरत कांग्रेस के बारे में सम्बन्धित है।

33

सूरत में कांग्रेस का अधिवेशन

सूरत का कांग्रेस अधिवेशन स्वतंत्रता आंदोलन के इतिहास के साथ-साथ भारतीय राष्ट्रीय कांग्रेस के इतिहास में भी एक निर्णायक घटना के रूप में उभर कर आता है। यद्यपि इसे इतिहास के अभिलेखों में सरकारी तौर पर कोई विशेष महत्व नहीं दिया गया तो भी यह भारत के स्वतंत्रता संग्राम में एक मोड़ के रूप में अंकित है। इसके साथ स्वतंत्रता की भावना एवं भारतीय राष्ट्रवाद के स्वाभिमान की भावना का प्रथम परिचय हुआ। एक पूरे नये मनोवैज्ञानिक वातावरण की रचना हुई। परंतु कांग्रेस पार्टी को इसे सरकारी तौर पर मानने व खुले तौर पर 26 जनवरी 1930 को सम्पूर्ण स्वतंत्रता की संकल्पना की घोषणा करने का दो दशक से ऊपर का समय लगा जो कि 1907 में कांग्रेस में राष्ट्रवादियों का नारा था।

सूरत कांग्रेस के अधिवेशन पर आने से पहले आओ हम संक्षेप में बंगाल के विभाजन के तुरंत बाद की घटनाक्रमों का अनुसरण करें। कर्ज़न के बंगाल के विभाजन के प्रस्ताव की जानकारी जब दिसम्बर 1903 को मिली तो उसके बाद प्रतीकात्मक कांग्रेसी शैली में डेढ़ वर्ष से ऊपर के समय तक प्रार्थनाओं व आवेदनों पर आधारित विरोध सभाएँ आयोजित की गई जिनका अंग्रेजों पर कोई प्रभाव नहीं पड़ा। तो भी, उसी समय में बंगाल में अंग्रेजी सामान का स्वत: ही बहिष्कार किया गया। स्वदेशी आंदोलन अपने रास्ते चल निकला था। स्वदेशी आंदोलन के आकर्षण का कारण था उसका सीधा जनता के प्रति झुकाव तथा स्वदेशी द्वारा प्रार्थना-आवेदन की राजनीति का त्याग किया जाना। इसके बदले वे पूर्ण रूप से अंग्रेजी शासन को उखाड़ फेंकने की मांग कर रहे थे। इसका यह पहलू था जिसने कांग्रेस के नेताओं को भयभीत कर दिया। अगले कुछ वर्षों तक कांग्रेस में इन दो गुटों या धाराओं के बीच का युद्ध हम आप को दिखाते हैं।

19 जुलाई 1905 के दिन कर्ज़न ने अपने विभाजन प्रस्ताव को कार्यान्वित कर दिया। कुछ ही दिनों में, सारे बंगाल में स्वत: ही विरोध के प्रदर्शनों का संचालन हुआ तथा अंग्रेजी सामान का बहिष्कार आरम्भ हो गया।

अगस्त तक कांग्रेस के नेताओं जैसे सुरेन्द्र नाथ बनर्जी को भी बहिष्कार की मांग को मजबूरन उठाना पड़ा। 7 अगस्त 1905 को कलकत्ता के टाउन हाल

की सार्वजनिक सभा में बहिष्कार प्रस्ताव को पारित किया गया। स्वदेशी आंदोलन जो पहले आया था तथा अंग्रेजी शासन को उखाड़ फेंकने की मांग कर रहा था उसने बंगाल के लोगों के इस आंदोलन का भरपूर लाभ उठाया। परंतु इस बात को कांग्रेस के नेता सहन नहीं कर सके। यह विदित था कि कांग्रेस का नेतृत्व राष्ट्रीय स्वतंत्रता के लिये भी खड़ा नहीं हुआ। पूर्वानुमान के अनुसार उन्होंने स्वदेशी आंदोलन का विरोध किया। नवम्बर 1905 तक कांग्रेस नेताओं ने अनुभव किया कि बात बहुत आगे बढ़ गई थी। उन्होंने 16 नवम्बर 1905 को अंग्रेजी विद्यालयों के बहिष्कार को वापिस लेने का प्रबन्ध कर लिया। प्रसिद्ध उदारवादी मोरले की गृह-सचीव के रूप में तथा मिन्टो की वायसराय के रूप में नियुक्ति के मौके को अपना बहिष्कार समाप्त करने का कारण बनाया। श्री गोखले ने बनारस में हुए दिसम्बर 1905 के कांग्रेस अधिवेशन में घोषणा की: *महानुभावों, यह कितना सत्य है कि हर वस्तु का एक अंत होता है। इस प्रकार कर्ज़न की वायसरायपन का भी अंत हो गया।* वह आगे नये वायसराय लार्ड रिपन की प्रशंसा करने लग गये जिसने श्री गोखले के अनुसार, एक राष्ट्रीय चेतना और कांग्रेस की ज्वाला को जलाया था।

बनारस का कांग्रेस अधिवेशन

ऐसे समय में जब बंगाल में बहिष्कार का आंदोलन चरम सीमा पर था, बनारस के कांग्रेस अधिवेशन ने इसके समर्थन में कोई प्रस्ताव पारित नहीं किया। वेल्ज़ के राजकुमार और राजकुमारी की आने वाली यात्रा कांग्रेस के लिये स्वदेशी संघर्षकर्ताओं पर हो रहे अत्याचार के प्रति विरोध जताने के लिये कम से कम एक अच्छा अवसर हो सकता था। इसके उल्टे कांग्रेस के नेताओं ने अत्यंत विनम्र और आदरणीय तरीके से राजकुमार और राजकुमारी का स्वागत करते हुए एक प्रस्ताव पारित किया। तिलक तथा उनके साथी जो अल्प संख्या में थे उन्होंने विषय-वस्तु समिति में इसका विरोध किया, परंतु इस समझौते को मानते हुए कि वे वोट डालने की प्रक्रिया से अनुपस्थित नहीं होंगे वे इस *सर्वमान्य पारित* प्रस्ताव के लिये मान गये। तो भी, *उग्रवादी* जैसा कि राष्ट्रवादियों को तब पुकारा जाता था, इस प्रकार शांत किये जाने को तैयार नहीं थे। अंग्रेजों के विरुद्ध सारे भारत में सभाएँ की गई। इन सभाओं का संदेश अंग्रेजी साम्राज्यवाद के स्पष्ट तौर पर उसके विरुद्ध था तथा इस कारण *नरम गुट* को आगे खतरे की घंटी सुनाई दी।

कलकत्ता का कांग्रेस अधिवेशन

जैसा कि पहले जान चुके हैं, श्री अरविन्द और श्री तिलक ने 1906 में राष्ट्रवादी कांग्रेस पार्टी की स्थापना की थी। ऐसा लगता था कि 1906 के

कांग्रेस के अधिवेशन द्वारा कांग्रेस में राष्ट्रीयवादी अपनी संख्या व लोकप्रियता के बलबूते पर कांग्रेस को हथिया लेने की दशा में थे। यह इसलिये था कि कलकत्ता में अधिवेशन बुलाने का निर्णय लिया गया था। श्रोताओं की संख्या 20,000 थी (सदस्यों के अतिरिक्त), जो पहले के अन्य अधिवेशनों में उपस्थिति से लगभग चार गुनी थी। इसी समय के दौरान विभिन्न प्रांतों के राष्ट्रवादियों ने किसी प्रकार का एक संबंध स्थापित कर लिया था। तथा उनमें से एक को कांग्रेस का अध्यक्ष निर्वाचित करने के प्रयत्न किये जा रहे थे। इस चाल की भनक नरम दल को लग गई, व उन्होंने इसके बदले बूढ़े व आदरणीय श्री दादा भाई नौरोजी को निर्वाचित कर दिया। इस सब के होते हुए भी व कांग्रेस की नाराजगी के उलटे उनके नेतृत्व को मजबूरन चार प्रस्तावों को पारित करना ही पड़ा जो क्रमशः राष्ट्रवादियों से संबंधित थेः बंगाल का विभाजन, बहिष्कार आंदोलन, स्वदेशी तथा स्व-शासन। परंतु 1906 का कांग्रेस अधिवेशन किसी भी प्रकार से एक मौलिक मामला नहीं था। कांग्रेस के नेतृत्व ने हरेक प्रस्ताव को विनम्र बनाने का काफी हद तक प्रबंध कर लिया ताकि वे उसे अस्पष्ट बना सके। इस प्रकार स्वराज बन गया *स्व-शासित अंग्रेजी उपनिवेशों में सरकार प्राप्ति की व्यवस्था।* राष्ट्रवादियों का बंगाल बहिष्कार के समर्थन में आंदोलन को अन्य प्रांतों में बढ़ाये जाने के प्रयत्नों वाला प्रस्ताव पारित नहीं हो सका। तथा इसके पश्चात कांग्रेस के नेताओं ने अगले अधिवेशन में राष्ट्रवादियों के हरेक प्रस्ताव की समीक्षा करने की ठान ली।

1906 के प्रस्तावों में गुप्त तोड़-मरोड़

1906 और 1907 के बीच के काल के कांग्रेस अधिवेशनों में कांग्रेस नेताओं, विशेषतया श्री गोखले ने कई कथनों में 1906 के चार प्रस्तावों की पुनर्व्याख्या का बयान दिया। उदाहरणार्थ 4 फरवरी 1907 को श्री गोखले ने अपनी कई बार कथित टिप्पणी में कहा कि *मैं चाहता हूं भारत अपने सही स्थान को दुनिया के महान देशों के बीच राजनैतिक औद्योगिक धर्म साहित्य विज्ञान तथा कला के क्षेत्रों में स्वयं को पाए–मैं यह सब चाहता हूं तथा मैं इसके साथ ही यह भी अनुभव करता हूं कि यह सारी आशाऐं अपने मूल तथा वास्तविक रूप में इसी साम्राज्य के बीच ही पाई जा सकती हैं।* 9 फरवरी को उन्होंने बंगाल के मुख्य नारे बहिष्कार का पूरे जोर से खंडन कियाः *मुझे पूरा विश्वास है कि उनमें से अधिकतर जो इस बहिष्कार की बात करते हैं उनका मतलब यह है कि जहां तक हो सके विदेशी वस्तुओं के स्थान पर स्वदेशी वस्तुओं का प्रयोग किया जाये। अब ऐसे प्रयोग को वास्तव में स्वदेशी में सम्मिलित किया गया है, परंतु दुर्भाग्य से शब्द बहिष्कार के साथ एक दुर्भावपूर्ण अर्थ जुड़ा हुआ है, इसका भाव है दूसरे को चोट पहुंचाने की,*

बदले की भावना वाली इच्छा, चाहे इसके द्वारा स्वयं को आप कितनी भी हानी पहुंचा लें। तथा मैं समझता हूं कि हम सही करेंगे कि हम इस वर्तमान आंदोलन में केवल स्वदेशी शब्द का ही प्रयोग करें तथा बहिष्कार शब्द को त्याग दें जो हमारे प्रति अनावश्यक दुर्भाव को पैदा करता है। इसके अलावा, याद रखें कि हमारे वर्तमान औद्योगिक हालात में विदेशी सामान का सख्ती से बहिष्कार बिल्कुल भी यथार्थ नहीं है—इस प्रकार उन्होंने आंदोलन को एक मोड़ दिया तथा पुनर्परिभाषित कर दिया, जो आंदोलन के अंदर ही एक पृथक दिशा का बिन्दु बनने जा रहा था।

इसलिये यह अद्‌भुत न था कि 1907 के कांग्रेस अधिवेशन में क्रांतिकारी प्रतिनिधी इन अफवाहों में विश्वास करने लगे कि कलकत्ता के प्रस्तावों का खंडन किया जा रहा था (सत्य में, इन प्रस्तावों को बाद में हटा दिया गया या शुद्ध कर दिया गया था।)

कांग्रेस के इस अधिवेशन का प्रबंध पहले नागपुर में किया गया था परंतु नागपुर मुख्यत: एक मराठी शहर तथा विस्फोटक क्रांतिकारियों वाला था। गुजरात उस समय मुख्यत: नरमदली था वहाँ बहुत कम राष्ट्रवादी थे तथा सूरत नरमदलियों का गढ़ था। इसलिये मेहता-गोखले के जोड़े ने कांग्रेस के वास्तविक कार्यप्रणाली पर अपने अधिक वशीकरण के द्वारा सूरत के स्थान पर अधिवेशन स्थल बदली करवा लिया। चूंकि रीत के अनुसार स्थानीय स्वागत समिति अध्यक्ष भी चुनती थी इस कारण एक नरमदलीय अध्यक्ष का होना भी तय था।

अधिवेशन स्थल के बदलाव का निर्णय आखिरी क्षणों में किया गया था, ताकि राष्ट्रवादी अधिक संख्या में उपस्थित ना हो सकें। नरमदल की इस नीति को असफल करने के लिये श्री अरविन्द ने वंदेमातरम के स्तम्भों में राष्ट्रवादी पार्टी के प्रतिनिधियों से अपील की कि वे सूरत के अधिवेशन में अवश्य भाग लें। यहां पर वंदेमातरम अखबार से दो सारांश दिये जाते हैं—

हम राष्ट्रवादियों का आहवान करते हैं जो राष्ट्रवादी सिद्धांतों तथा राष्ट्रवादी परम्पराओं को समस्त भारत में फैलाने के तनिक भी इच्छुक हैं, उन्हें चाहे कितना भी कष्ट हो वे स्वयं को तैयार करें तथा यदि वे इसे तनिक भी सम्भव पायें, तो राष्ट्रवादी मुद्दों के समर्थन के लिये सूरत को जायें। हम अपने राह में अत्यधिक संकटों के प्रति सचेत हैं। सूरत बहुत दूर है, ऐसी यात्रा के लिये खर्चा भी लगभग अत्यधिक है, क्योंकि हममें से कुछेक के पास ही समृद्ध साधन हैं, तथा तैयारी के लिये समय ना के बराबर है, तो भी हम अवश्य जायेंगे। वह राष्ट्रवादी ही किस काम का, जो अपने हिम्मत और शक्ति के द्वारा दूसरी अन्य कमियों की पूर्ति नहीं कर सकता, यदि वह कठिनाइयों को शून्य नहीं कर सकता तथा असम्भव को सम्भव में नहीं बदल सकता। कठिनाइयों को नष्ट करने के लिये तथा भारत के शब्दकोष

में असम्भव शब्द को ही मिटा देने के लिये हमारी पार्टी का उत्थान हुआ है।

आगे इसी लेख में उन्होंने लिखा:

हमें अवश्य ही उन गरीब मनुष्यों की भांति जाना चाहिये जिनका धन है हमारी मातृभूमि के लिये हमारा प्रेम, उन तीर्थयात्रियों की भांति जो हमारी मां के मंदिर की ओर यात्रा कर रहे हैं। हमें एक महान कार्य करना है तथा असावधान व अनमने हम नहीं हो सकते। यह पक्का करें कि यह 1907 का वर्ष हमारी किस्मतों का रूख मोड़ने वाला वर्ष है। आओ हम अपनी अनुपस्थिति के द्वारा इस मौके को गँवाने से डरें जिसमें उस गृह की नींव का पत्थर डालने की सहायता के लिये हम अपनी मां के भविष्य का घर निर्माण कर रहे हैं, उसकी मुक्ति का घर, स्वराज का घर।

सूरत का अधिवेशन दिसम्बर 1907 के अंतिम सप्ताह में होना था। इस संदर्भ में हम हैनरी नेविनसन के लेखों में से कुछ भागों का उल्लेख करेंगे, जो तब अंग्रेजी संसद का एक सदस्य था तथा जिसने सूरत अधिवेशन के बारे में *मैनचेस्टर गार्ज़ीयन* नामक पत्रिका में अभिलिखित किया था:

जब मैं एक बड़े मैदान में एक घर पर पहुँचा—मैंने उसे अंधकार में लगभग खाली पाया। एक हिन्दु नौकर मुझे अंदर ले गया, तथा कुछ समय बाद श्री अरविन्द घोष अकेले ही सामने आये। उन्होंने मेरी आशा नहीं की थी, क्योंकि मेरे आने के पत्र को डाक तार के जासूसों द्वारा रोक लिया गया था जैसा कि उन्होंने कहा कि उनके सभी पत्र रोके जाते थे—वह एक तरूणीय मनुष्य थे, मैं समझता हूँ कि अभी भी तीस वर्ष की आयु से कम के होंगे। तीखी संकल्पशील काली आँखें उनके पतले साफ सुथरे चेहरे से एक ऐसी आकर्षण से देखती जो स्थिर लगती थीं, परंतु डील-डौल तथा पहरावा एक अंग्रेज स्नातक जैसा था। उनमें एक धार्मिक स्वर, एक आध्यात्मिक उत्थान था—वे उस एकाग्रतापूर्ण दूरदृष्टि से लिप्त थे—परंतु राह के अंत में उन्होंने कहीं अधिक प्रेरणात्मक व आध्यात्मिक एक ऐसा दृष्यमान स्वप्न देखा था जो किसी भी धर्मांध द्वारा स्वर्ग को देखने पर मृत्यु का आलिंगन करने को दौड़ पड़ता। राष्ट्रवाद उनके लिये राजनैतिक उद्देश्य या भौतिक सुधार के माध्यम से कहीं अधिक था।

गम्भीरतापूर्वक रोबीले, भाग्य या मतों से बेपरवाह, तथा जिनको मैं जानता हूं उनमें से सबसे शांत मनुष्यों में से एक, वे उस मिट्टी के बने थे जिससे स्वप्नदृष्टा बने होते हैं परंतु ऐसे स्वप्नदृष्टा जो अपने स्वप्नों को साधनों की परवाह किये बगैर यथार्थ कर देते हैं।

सूरत का अधिवेशन प्रारम्भ होने से पहले राष्ट्रवादियों ने एक सार्वजनिक सभा का आयोजन किया। नेविनसन आगे लिखते हैं—

गंभीर तथा शांत, मैं समझता हूँ बगैर एक भी शब्द बोले श्री अरविन्द घोष ने आसन ग्रहण किया तथा बिना हिले डुले बैठे रहे, दूरदृष्टि वाली आँखों के साथ, जैसे कि कोई भविष्य में झांक या देख रहा हो। स्पष्ट, छोटे वाक्यों में, बगैर जोश या वाक्-पटुता के, श्री तिलक सितारे चमकने तक बोलते रहे तथा किसी ने उनके एक तरफ लालटेन जला दी।

यह मालूम था कि नरम दल के नेताओं ने कांग्रेस के लिये एक नया संविधान तैयार किया हुआ था, जिसके द्वारा यथार्थ रूप से उग्रदल की पार्टी के लिये यह असम्भव हो जायेगा कि आने वाले कई वर्षों तक किसी भी अधिवेशन में वे अपना बहुमत बना सकें।

स्पष्टतः मुकाबले की घड़ी निकट ही थी। श्री तिलक, श्री अरविन्द व अन्य राष्ट्रवादी नेताओं ने अधिवेशन के आरम्भ होने से पहले ही यह स्पष्ट कर दिया था कि बेशक उनकी इच्छा कांग्रेस का दुफाड़ करने की नहीं है तथापि वे 1906 के प्रस्तावों से किसी भी प्रकार पीछे हटने वाले नहीं हैं। 26 दिसम्बर को प्रस्तावित प्रस्तावों की प्रतियाँ अधिवेशन आरम्भ होने से कुछ देर पहले ही प्रस्तुत कराई गई थीं, तथा उनके द्वारा मालूम पड़ा कि स्वदेशी, बहिष्कार तथा राष्ट्रीय शिक्षा के प्रस्तावों को विनम्र बनाये जाने की दृष्टि से उनमें कुछेक तबदीलियां तथा सुधार किये जा चुके थे। दोपहर बाद अधिवेशन की बैठक हुई तथा अध्यक्ष के मनोनीत होने की प्रक्रिया पर हंगामा हो गया। अधिवेशन को टालना पड़ा था तथा वह अगले दिन दुबारा आरम्भ हुआ। यह तब था जब अंतिम भगदड़ का तमाशा देखा गया।

पहला कार्यक्रम अध्यक्ष का चुनाव था। राष्ट्रवादियों ने तेईसवीं कांग्रेस अधिवेशन के अध्यक्ष पद के लिये लाला लाजपत राय के नाम का सुझाव दिया था, जो कि अभी-अभी जेल से छूट कर आये थे। नरम दल ने इसका विरोध किया तथा इसके बदले कलकत्ता के एक वकील डाक्टर रास बिहारी घोष को चुना। उनके नाम का सुझाव दिया गया तथा लाला लाजपत राय ने विधिपूर्वक अपना नाम वापिस ले लिया।

अब हम नेविनसन के लेख से दुबारा उल्लेख करते हैं–

परंतु जब प्रस्ताव का अनुमोदन करने सुरेन्द्रनाथ उठे, तथा इससे पहले कि वे अपना वाक्य पूरा कर पाते, एक उपद्रव फट पड़ा। अपनी बाहें, गुलबंद, अपनी लाठियाँ और छतरियों को हिलाते हुए, अध्यक्ष की कुर्सी के दाहिने ओर से प्रतिनिधियों और श्रोताओं का एक ठोस समूह अपने पैरों पर खड़ा हो गया तथा बिना एक क्षण रूके चिल्लाये। उनके सिरों पर पट्टी लगी थी–मध्य प्रांत–मध्य प्रांत जहाँ नागपुर है और जिधर अधिवेशन को होना था। नागपुर याद करो–वे चिल्लाये,–मिदनापुर याद करो। मद्रास से सफेद पगड़ियाँ उनमें जा मिली। पूरे दस हजार अपने पैरों पर खड़े थे, व्यवस्था के लिये चिल्लाते हुए और आंदोलन के लिये चिल्लाते हुए। सुरेन्द्रनाथ

बारम्बार बोलने का प्रयास करते, बारम्बार उन्हें चिल्लाते हुए चुप करा दिया जाता शर्मनाक, शर्मनाक, देशद्रोही के नारों और चीखों के साथ। अधिवेशन बिना किसी कार्य के हुये समाप्त हो गया। बेलगाम बचाव बेलगाम दोषारोपण से टकराया परंतु कोई मारपीट नहीं हुई। वे अभी भी शांत और स्थिर लोग थे, समझौते के द्वार खुले रखने को बेताब।

दोपहर तक पंडाल लबालब भर गया था। दोपहर एक बजे अध्यक्षीय जुलूस अंदर आया। कांग्रेस के नेताओं ने अपनी-अपनी कुर्सी ली जो एक हरे मेज के पीछे थी और वह मेज एक ऊँचे मंच की पूरी लम्बाई तक फैला था जिसके आगे कोई जंगला नहीं था परंतु बचाव के लिए एक कगार मात्र ही थी। श्री तिलक मंच पर उनके लिये निश्चित कुर्सी पर नहीं बैठे बल्कि पहली पंक्ति में बैठे थे। जब जुलूस अंदर आया तो श्री तिलक ने एक पर्ची चेयरमैन को भेजी यह लिखते हुए कि अध्यक्ष के चुनाव पर वे बोलना चाहते हैं। स्वागत समिति के चेयरमैन सूरत के श्री त्रिभुवन दास माल्वी थे।

पिछले दिन राष्ट्रवादियों ने मुकाबले को टालने का प्रयत्न किया था। श्री तिलक और श्री खापादरे ने श्री माल्वी से मिलने का असफल प्रयत्न भी किया था तथा बाद में उन्होंने श्री गोखले और श्री फिरोजशाह मेहता को मिलने का प्रयत्न भी किया परंतु वह भी व्यर्थ गया। इसी कारण अब श्री तिलक ने चेयरमैन श्री माल्वी को पर्ची भेजी थी। पर्ची में कहा गया: *जनाब, मैं प्रतिनिधियों को अध्यक्ष के चुनाव प्रस्ताव पर सम्बोधन करना चाहता हूँ जब यह मनोनीत हो चुका हो। मैं एक ओरा रचनातक प्रस्तात के साथ स्थगन प्रस्ताव पेश करना चाहता हूँ। कृपया मेरा नाम पुकारें।* श्री तिलक को कई निवेदनों के बाद भी कोई उत्तर न मिला। जब कई वक्ता बोल चुके जिन में श्री मोती लाल नेहरू तथा श्री सुरेन्द्रनाथ बनर्जी भी सम्मिलित थे, तो चेयरमैन माल्वी ने डाक्टर रासबिहारी घोष का अध्यक्ष पद को लेने का प्रस्ताव रखा। डॉक्टर घोष बोलने के लिये उठे। नेविनसन लिखते हैं-

साथी प्रतिनिधियों, देवीयो और सज्जनों, उन्होंने आरम्भ किया, मेरा पहला कर्त्तव्य है इस विशिष्ट सम्मान के दिये जाने के लिये अपना धन्यवाद आप को पेश करूं।

अपने पहले कर्त्तव्य के आगे वे कभी बढ़े ही नहीं। जिस प्रकार तूफान से भरे वायुमंडल में बिजली चमकती है उसी प्रकार श्री तिलक को अध्यक्ष की कुर्सी के सामने ऐतराज करते, आपत्ती करते खड़ा पाया गया, वह सब उसी शांत निर्णायक उनकी ध्वनी में, ऐसे मनुष्य की ध्वनी जो भाग्य के प्रति बेपरवाह हो। उन्होंने सुधार के लिये एक नोटिस दिया था, वह वहां उसको पेश करने के लिये खड़े थे तथा वे वहीं खड़े रहेंगे।

माल्वी के साथ नोंक-झोंक के बाद श्री तिलक ने प्रतिनिधियों से प्रार्थना की। शोरगुल में बाकी सब डूब गया। बाहें बांधे श्री तिलक श्रोताओं के

सम्मुख खड़े रहे। उनके दोनों ओर नरमदल के युवक सदस्य बदला लेने की भाव-मुद्रा में अपने पैरों पर खड़े हो गये। अपनी मुठ्ठियों को हवा में हिलाते व उन्हें मंच से नीचे खींच लाने के लिये चीखते हुए उमड़ पड़े। श्री तिलक के पीछे डॉक्टर घोष मेज पर चढ़े, तथा एक अनसुनी घंटी को बजाते सामने से आते तुफान को अपनी चीखती, उत्तेजित अनसमझे उग्र भाषण द्वारा ताड़ने लगे। नरम दल वालों के क्रोध को रोकते हुए, उत्तेजना में भी शांत, श्री गोखले अपने पुराने प्रतिद्वंद्वी को उस उभरते खतरे से बचाने के लिये अपनी दोनों बाहें फैलाये हुए श्री तिलक के समीप खड़े हो गये। परंतु श्री तिलक ने कोई सुरक्षा नहीं चाही। वे अपनी बाहें बाँधे वहीं खड़े रहे हिंसा रूपी बुराई का आहवान करते ताकि हिंसा द्वारा उन्हें वहाँ से हटाया जा सके, क्योंकि वे अब वहाँ से किसी भी प्रकार से हटने वाले नहीं थे। सामने सफेद कपड़ों में लिपटे श्रोतागण एक उपद्रवी सागर की भांति चिंघाड़े।

अचानक, हवा को चीरता कुछ उड़ा, एक जूता, एक मराठा जूता, लाल जैसा चमड़ा, नुकीला पंजा, सिक्के से जुड़े नुकीले तले। वह श्री सुरेन्द्रनाथ बनर्जी के गालों पर जा लगा, उससे छिटक कर श्री फिरोजशाह मेहता पर गिरा। वह उड़ा, वह गिरा, तथा एक दिये हुए इशारे पर, सफेद पगड़ीधारी मानवों की लहर उस कगार पर उठी। कूदते, चढ़ते, गुस्से से भरी सांसे फुंकारते, लम्बी छड़ियों को दर्शाते, वे आये व किसी भी ऐसे सर को जो नरमदली लगता था उसे पीटते हुए अगले ही क्षण में, अपनी सांवली टांगों के बीच जो उस हरे कपड़े की मेज पर फैली थी, मैंने उस हलचल में भारतीय राष्ट्रीय कांग्रेस के विसर्जन का नजारा देखा। श्री तिलक को उनके अनुयायी कंधों पर उठाकर ले गये तथा श्री अरविन्द चुपचाप वहां से चले गये।

वाल्मी के युद्ध में गोथ की भांति, मैं कह सकता था, आज एक नये युग का प्रारम्भ निश्चित है, तथा तुम कह सकते हो कि तुम वहां पर उपस्थित थे। बड़े पंडाल में एक सर्वत्र द्वंद चल रहा था। समुह समुह पर और प्रतिनिधी प्रतिनिधी पर उमड़ रहे थे। दस हजार मानव, सभी दस हजार कुर्सियों की भीड़ में कोई वर्दी, कोई अंतर नहीं, कुछ भी नरम दलियों को गरम दलियों (उग्रवादियों) से भिन्न नहीं करने वाला था सिवाय चेहरे पर हाव-भाव के—यह एक कठिन संघर्ष था रोकने के लिये। अंत में पुलिस आई। एक घंटे के अंदर ही वह विस्तृत पंडाल, टूटी कुर्सियों, लाठियों तथा चीथड़ों से भरा हुआ, एक परित्याग किये स्वागत हाल की भांति खाली खड़ा था।

एक जूते की दमक में कांग्रेस को बदल डाला गया था, तथा एक नई चेतना, एक भिन्न और कठोर आत्मा वास्तव में इस देश में उठ खड़ी

हुई थी।

जब नरम दली सूरत की यात्रा पर गये थे तो चारों ओर गुलाबों ही गुलाबों की राह थी। इतवार को, जब पार्टी गाड़ी के रास्ते वापिस गई तो हर स्टेशन पर रास बिहारी की हाय, गोखले की हाय, सुरेन्द्रनाथ की हाय-हाय के नारों के साथ गूंज उठा।

वंदे मातरम ने अपना प्रण निभाया था।

इस घटना ने कांग्रेस के राष्ट्रवादी तथा नरमवादी गुटों के बीच दोफाड़ कर दिया था। राष्ट्रवादी संस्था से लगभग अलग हो गये बेशक कई वर्ष तक नरम दल के नेता कांग्रेस को चलाते रहे तथा इसके अधिवेशन करवाते रहे परंतु यह स्पष्ट हो गया कि उन्हें जनता का समर्थन प्राप्त नहीं था। श्री आर.आर. दिवाकर के शब्दों में–

> *सूरत कांग्रेस का अधिवेशन असफलतापूर्वक समाप्त हो गया परंतु उसने इतिहास बना दिया। परिणाम यह था कि कांग्रेस का शरीर तो नरम दल के कब्ज़े में रहा जबकि उसकी आत्मा उग्रवादियों के संग चली गई। अगले दस वर्ष के लिये भारतीय राष्ट्रवाद राष्ट्रीय संस्था की सीमाओं के बाहर फलता-फूलता रहा। जब वह 1916 में कांग्रेस को संभालने वापिस आया तो उसने नरमवादियों को पूर्ण रूप से उखाड़ फेंका तथा नरमवादी अपना अस्तित्व कांग्रेस के बाहर एक छोटे तथा प्रभावहीन गुट के रूप में चलाते रहे। वे देश में एक राजनैतिक शक्ति के रूप में समाप्त हो गये।*

श्री अरविन्द जो सदा पर्दे के पीछे से कार्य करना पसंद करते थे उन्हें स्थितियों ने अब स्वतंत्रता आंदोलन की अग्र पंक्ति में धकेल दिया था। वे अब आंदोलन के जाने माने नेता बन गये थे। सारा देश अब वंदे मातरम् की चीखों से गूंजने लगा तथा देश में एक नई चेतना बह निकली। लोग स्वराज, पूर्ण स्वाधीनता की आवश्यकता के प्रति जागृत हो गये थे तथा उसे प्राप्त करने के लिये अपने जीवन का बलिदान करने को भी तैयार थे।

> *इतिहास बिरले ही ऐसी बातों को अभिलिखित करता है जो निर्णायक होती हैं परंतु पर्दे के पीछे घटित होती हैं, वह तो केवल पर्दे के सामने के खेल का अभिलेख करता है। बहुत कम लोग जानते हैं कि वह मैं था (तिलक से सलाह किये वगैर) जिसने आज्ञा दी जिसके फलस्वरूप कांग्रेस टूटने की ओर बढ़ी तथा उस नये फनों वाले कांग्रेस के नरम दल की सभा में भाग लेने के लिये मना करने के लिये भी मैं ही उत्तरदायी था व यही दो निर्णायक घटनाऐं सूरत में घटी।*
>
> *श्री अरविन्द*

34

प्रारम्भिक क्रांतिकारी

इस अध्याय में हम देश में कुछ प्रारम्भिक क्रांतिकारी केन्द्रों के बारे में पता लगायेंगे। बेशक देश में अनेकों ही विद्रोह के केन्द्र थे, हम यहां केवल तीन के बारे में ही विस्तार से लिखेंगे।

फड़के

1857 की क्रांति को क्रूर प्रतिहिंसा द्वारा दबा दिया गया था जिसके पश्चात कुछ समय तक एक खालीपन रहा परंतु विद्रोह की भावना पूरी तरह नष्ट नहीं हुई। अत्यंत आर्थिक कष्ट तथा बारंबार होने वाले अकालों ने इस अंगार रूपी अग्नि को जीवित रखा। लोग बेबाक हो गये तथा ऐसे साधनों को अपनाने की सोच करने लगे जो हिंसक कर्म की ओर जाता हो। मराठा देहाती क्षेत्र असंतोष की भावना से लिप्त था तथा यहाँ वहाँ गुटों द्वारा डाके डाले जाने व महाजनों पर आक्रमण किये जाने द्वारा समस्याएँ आरम्भ हुई तथा उनके विरुद्ध पूरी सैन्य शक्ति को उस क्षेत्र में डट कर सामना करना पड़ा।

इन्हीं गुटों में से एक गुट का नेतृत्व नवयुवक वासुदेव बलवंत फड़के के ऊपर आ पड़ा जिसने, उसी प्रकार जैसे शिवाजी ने मराठा शक्ति की नींव रखी थी, सारे गुटों को जोड़कर एक राष्ट्रीय विद्रोह की राह पर चलने के लिये अग्रसर किया। लोगों के कष्ट उसकी सहनशीलता की हद से लांघने लगे जो उससे नहीं देखे जाते एवं उसने सोचा कि यदि संभव हो तो पठित वर्ग को साथ ले कर और यदि आवश्यक हुआ तो उनके बिना भी, देश को एक सशस्त्र संघर्ष के लिये तैयार किया जाये। चूंकि वह पठित वर्ग को भाग लेने के लिये मना नहीं पाया उसने रामोशी आदिवासियों की ओर रूख किया, जो कभी मराठा सेना का अंग थे तथा 1826 में वे अंग्रेजी सेना के विरुद्ध संघर्ष में खड़े हुए थे। वह अपने प्रयत्नों में खूब सफल रहा तथा अपने चारों ओर एक साहसी युवकों के गुट को भर्ती करने में सफल हो गया।

समर्पित, बलिदानी तथा साहसी सैनिकों से आश्वस्थ उसने अपना ध्यान विभिन्न क्षेत्रों से एकत्रित युवकों की एक गुप्त सभा को स्थापित करने की ओर दिया तथा उन्हें स्वयं पर बीते हुए दुखों और बलिदान के उदाहरणों व भाषणों

द्वारा जोश भरने की सोची। उसने एक सभा स्थापित की तथा उन्हें फरगूसन और गुलटेकड़ी की पहाड़ियों में सैन्य शिक्षा देने का प्रबन्ध किया। उसका पूरा मन और बुद्धि इसी पर टिकी रही तथा उसने लिखा, *सुबह से शाम तक नहाते, खाते, सोते, मैं इसी विचार पर केन्द्रित रहता कि किस प्रकार अंग्रेजों को खदेड़ सकूँ तथा मुझे कोई ठीक से आराम भी नहीं मिलता।* वह अपने सभी भाषणों में इसी विचार को अभिव्यक्त करता तथा श्रोताओं में आग लगा देता।

धनी पुरुषों से कोई सहायता नहीं प्राप्त होने पर, जो इसे एक पागल मानव मानते थे, इसे मजबूरन सरकारी संपत्ति को लूटने के लिये मजबूर होना पड़ा। उसकी सेना शक्ति और संख्या में बढ़ती चली गई। भर्ती में इसकी सहायता इसके दो समर्पित मित्रों दौलतराव रामोशी तथा गोविन्दराय दावरे द्वारा मिली। दावरे शक्ति का एक बहुत बड़ा स्रोत था तथा उसे सेनापति के नाम से जाना जाता और फड़के को शिवाजी II के नाम से पुकारा जाता।

फड़के की योजना एक साथ कई स्थानों व बिन्दुओं पर आक्रमण करने की थी ताकि लोग धीरे-धीरे यह समझ सकें कि उसके अधीन एक बड़ी-सी सैन्य शक्ति थी और वह रूकने वाला नहीं था। वह संचार, डाक-तार व रेल की व्यवस्थाओं पर हमला करता। वह सरकारी खजानों को भी लूटता तथा जेलें तोड़ता जहाँ के बंदी खुशी-खुशी इसकी सेना में सम्मिलित हो जाते। यदि उसे पर्याप्त धन प्राप्त होता तो उसकी एक भारतीय सेना खड़ी करने की योजना थी।

उसने दूर-दराज के क्षेत्रों में अंग्रेजों पर आक्रमण करने आरम्भ कर दिये तथा यह लगभग असम्भव था कि उसको बंदी बनाया जा सके। 1879 में उसने धामारी गांव पर धावा बोल दिया और इसके साथ ही वालेह और पालास्पे जैसे स्थानों पर भी आक्रमण किये। पूना के आसपास के जिलों में रामेशी योद्धाओं का खेल का क्षेत्र बन गया। दौलतराव रामोशी के नेतृत्व के तले उन्होंने कोणकन के क्षेत्रों पर आक्रमण किया तथा बहुत-सा धन लूट लिया। दुर्भाग्य से ऐसे ही एक आक्रमण में दौलतराव की मृत्यु हो गई तथा रामोशियों के मनोबल को एक गहरा झटका लगा।

3 जुलाई 1879 को हैदराबाद में एक जिले में कालादगी मंदिर में फड़के को पकड़ लिया गया। उस पर देश-द्रोह का दोष लगाया गया और उसे देश निकाला की सज़ा सुनाई गई। उसे अफ्रीका में अदन नामक देश में भेजा गया क्योंकि ऐसे साधन सम्पन्न शत्रु को भारत में ही रखना सुरक्षित नहीं समझा गया था। तथापि वह बंदीगृह से निकल भागने में सफल हो गया परंतु जल्द ही उसे पुनः बंदी बना लिया गया। इस बार उसे और भी कड़े प्रबंध के नीचे रखा गया। अपनी मातृभूमि की स्वतंत्रता के लिये लड़ने वाला यह महान योद्धा अंत में 17 फरवरी 1883 को अदन में ही मृत्यु को प्राप्त हुआ।

खुदी राम बोस

जैसा कि पहले के अध्यायों में बताया गया है, श्री अरविन्द का एक विचार यह भी था कि विभिन्न मुद्दों और पर्दों के अधीन क्रांतिकारी प्रचार को गुप्त रूप से स्थापित किया जाये तथा सारे बंगाल में क्रांतिकारियों की भर्ती की जाए। नवयुवकों की सभाओं को विभिन्न समक्ष दीखने वाले उद्देश्यों सांस्कृतिक, बौद्धिक या नैतिक मुद्दों के अधीन स्थापित किया जाना था तथा वे जो पहले से ही स्थापित थीं उनको क्रांतिकारी प्रयोगों के लिये जीता जाना था। नवयुवकों को ऐसी गतिविधियों में प्रशिक्षण दिया जाना था जिनकी सहायता सैन्य युद्ध में की जा सके जैसे कि घुड़सवारी, शारीरिक प्रशिक्षण, विभिन्न प्रकार के खेल-कूद, व्यायाम तथा व्यवस्थित गतिविधियाँ। जैसे ही इस विचार का बीजारोपण हुआ वैसे ही वह शीघ्रता से फल-फूल गया।

बंगाल में क्रांतिकारी आंदोलन के प्रमुख नेताओं में से एक थे श्री अरविन्द के छोटे भाई श्री बारीन्द्रनाथ घोष। 1907 के मध्य में उन्होंने लगभग 20 युवकों के एक गुट से अपना ही एक क्रांतिकारी गुट स्थापित किया था। उनका प्रशिक्षण केन्द्र भानिकटोला में स्थित था जो कलकत्ता के बाहरी क्षेत्र में था। यह केन्द्र अपने चरित्र में आध्यात्मिक-राजनैतिक प्रकार का था, एक प्रकार का आश्रम जहाँ क्रांतिकारी संन्यासियों के गुट की रचना की जा सके। इसके विभिन्न विषय-वस्तु ध्यान और धर्म-ग्रंथों के अध्ययन से लेकर सैन्य कलाओं तथा बम्ब के बनाने तक फैली थी।

वर्ष 1905 से अंग्रेज सरकार स्वदेशी आंदोलन को क्रूरतापूर्वक दबाने में लगी हुई थी। 1907 में कलकत्ता के कई अखबारों के सम्पादकों को देश-द्रोह के लिये बंदी बना लिया गया था, विरोध सभाओं पर पाबंदी लगा दी गई थी या उन्हें तहस-नहस कर दिया गया था, स्त्रियों और बच्चों को वंदेमातरम् बोलने पर पीटा जाता था। सूरत में कांग्रेस के विभाजन होने के बाद अंग्रेजों ने दोहरी नीति के अधीन नरमदलियों को प्रोत्साहित किया तथा दूसरी ओर राष्ट्रवादियों को बुरी तरह दबाया। इस नीति की नरमदल वालों ने खुल कर प्रशंसा की व स्वागत किया। इस प्रकार अपने 1907 के भाषण को नहीं दिये जा सकने के कारण रास बिहारी घोष ने टिप्पणी की थी कि यदि सरकार नलमदलियों को अपनी ओर कर सकती—वे नई पार्टी को पूर्णतया समाप्त कर देंगे, तथा देश के भविष्य के भाग्य पर जो गहरी छाया पड़ गई है वह गायब हो जाएगी। इस वकतव्य के विरोध में एक बदले की भावना की चीख स्वभावतया गूंज उठी।

डोगलाज किंग्जफोर्ड उस समय कलकत्ता का मजिस्ट्रेट था तथा वह मुख्य रूप से राष्ट्रीय अखबारों के सम्पादकों को बन्दी बनाने तथा नवयुवकों को वंदेमातरम् गाने पर बेंत मारने के लिए उत्तरदायी था।

एक ऐसा ही मामला वंदेमातरम के मुकदमे का था। सम्पादक श्री विपिन चन्द्र पाल ने श्री अरविन्द के विरुद्ध गवाही देने से मना कर दिया तथा इस कारण लोगों के बीच अत्यन्त जोश पैदा हो गया। तभी कई नवयुवक अदालत में दनदनाते आये और किग्ज़फोर्ड के सम्मुख बन्देमातरम चिल्लाए। इसके बदले में बहुत बड़ी संख्या में लोहे की टोपियों में सिपाहियों को लड़कों के पीछे छोड़ा गया। इसके पश्चात बगैर किसी भेद-भाव के लाठियाँ बरसाई गई जिसके कारण भगदड़ मच गई तथा कई नवयुवकों को चोटें लगीं।

सरकार किग्ज़फोर्ड के विरुद्ध बदले के संकट के प्रति सचेत हो गई तथा सरकार ने उसे बिहार के एक दूरदराज़ जिले मुज्जफरपुर में मार्च 1908 को स्थानांतरित कर दिया। उस समय तक बारीन घोष ने उसकी हत्या करने का संकल्प कर लिया था।

इस कार्य के लिये दो नवयुवकों पर उत्तरदायित्व डाला गया, अठारह वर्ष का खुदीराम बोस तथा उन्नीस वर्षीय प्रफुल्ल चंद चाकी। तीन पिस्तौलों तथा एक छोटे डाईनामाइट के बम्ब से सशस्त्र हुए वे अप्रैल के अन्त तक मुज्जफरपुर पहुँचे और उन्होंने न्यायाधीश की गतिविधियो पर कुछ रोज़ नज़र रखी। तीस तारीख की शाम को किग्ज़फोर्ड के घर के सामने सड़क के उस पार एक पेड़ के पास खड़े हो गये तथा उसका क्लब से वापिस आने की प्रतीक्षा करने लगे। शाम साढ़े आठ बजे एक घोड़ा गाड़ी उधर से निकली और उन्होंने समझा कि वह उसी की है। उसके अन्दर वास्तव में दो अंग्रेज़ औरतें थीं, श्रीमति कैनेडी और उनकी बेटी ग्रेस। खुदीराम दौड़ कर गया और उनकी गाड़ी में उसने बम्ब फेंक दिया। एक ज़ोर का धमाका हुआ जिसने घोड़ा गाड़ी को हिला कर रख दिया तथा उसकी दोनों सवारियों को बुरी तरह से घायल कर दिया जिसके कारण उन दोनों की मृत्यु हो गई। किग्ज़फोर्ड जो उसी की भान्ति की घोड़ा-गाड़ी में पीछे-पीछे आ रहा था वह बच गया। इस दर्दनाक दुर्घटना से बेखबर दोनों युवक वहाँ से भाग गये तथा बाद में बंट जाने का निर्णय लिया। पुलिस ने चारों ओर किसी भी ऐसे शक वाले बंगाली युवकों को पकड़ने के लिये चेतावनी का जाल फैला दिया तथा ऐसी जानकारी देने वाले को 5000 रु. के ईनाम की घोषणा कर दी।

खुदीराम सारी रात भूखा प्यासा चलता रहा अगली प्रातः थका मांदा वैनी नामक एक छोटे से नगर में पहुंचा। वहां पर एक चौकन्ने पुलिसवाले द्वारा बन्दी बना लिया गया और उसे वापिस मुज्जफरनगर मुकदमे के लिये भेज दिया गया। खुदी राम ने मामले में कोई बचाव पक्ष नहीं लिया। उसने अपने वकीलों से कहा कि बेकसूर साबित करने का कोई प्रश्न ही नहीं है। उसने बम्ब फेंका था जिसके कारण दो निर्दोष स्त्रियों की मृत्यु हुई थी तथा वह उसके लिये उत्तरदायी

है। उसे दुखः हुआ कि दो स्त्रियां मर गईं थीं परन्तु साथ ही साथ उसे इस बात का भी दुखः था कि भारत का सबसे बड़ा अत्याचारी न्यायाधीश किंज़फोर्ड अभी भी जीवित है। वकील ने पूछा कि क्या वह मृत्यु से भयभीत है। नहीं, उसने उत्तर दिया, उसे मृत्यु से कोई भय नहीं है क्योंकि उसने गीता पढ़ रखी है। मुकदमे के दौरान वह बिना किसी भी प्रकार के भाव को दिखाये कारवाई को सुनता रहा और निष्क्रिय बैठा रहा। जब उसे मृत्युदंड की सज़ा सुनाई गई तो वह भाव विहीन हो इस प्रकार बैठा रहा कि न्यायाधीश ने उससे पूछा कि उसे क्या दंड समझ में आया है। नवयुवक का चेहरा खिल उठा और उसने हां में उत्तर दिया।

दो वर्ष पहले सोलह वर्ष की आयु में खुदीराम को उत्तेजित पर्चा बाँटने के लिए बन्दी बनाया गया था, परन्तु सरकार ने उसके विरुद्ध देश-द्रोह का मुकद्दमा वापिस ले लिया था क्योंकि वह बहुत छोटा था। इस बार कोई छूट नहीं थी। 11 अगस्त की सुबह 6 बजे वह खुशी-खुशी तथा अडिगता पूर्वक मुज्जफरपुर जेल में फांसी के तख्ते पर चढ़ा। उसके चेहरे पर कपड़ा चढ़ने से पहले वह मुस्कराया। अपने देश की भली भान्ति सेवा किये जाने पर वह युवक देश-प्रेमी मरने के लिये तैयार था।

वंदेमातरम के सम्पादकीय स्तम्भ ने 12 अगस्त को लिखा:

उसकी अन्तिम इच्छा स्थानीय इष्टदेव का आशीर्वाद के रुप में प्रसाद ग्रहण करने की थी। जेल में वह सारा दिन धर्म और देश-प्रेम के साहित्य के अध्ययन में डूबा रहता। वह मरने की तैयारी कर रहा था तथा फांसी के तख्ते पर उसका व्यवहार बताता है कि वह कितना भली भान्ति तैयार था। वह सारे समय यह जानता था कि किस हद तक वह अपराध के लिये उत्तरदायी था। परन्तु यह कि वह किस हद तक अपने उत्तरदायित्व को मानने को तैयार था यह किसी के मन में कतई भी शक नहीं किया जा सकता। उसकी इच्छा अपने देश के लिये मर मिटने की थी जिस प्रकार राजपूत स्त्रियां चिताओं पर हुईं थी।—यह हर किसी मनुष्य के भाग्य में नहीं है अपने चर्म की दुर्बलता को इस प्रकार लांघ जाना। लोग कभी भी भूल नहीं सकते कि किस प्रकार आत्मा चर्म पर हावी हुई इस नवयुवक में। हमें वास्तव में पूर्वकाल के आध्यात्मिक शक्ति का स्मरण हो आता है।

> जब भारत के एक नवयुवक कार्यकर्ता को जेल जाना होता है, जब उसे कष्ट झेलने को कहा जाता है, उसे उस कष्ट में कोई दर्द प्रतीत नहीं होता है, उसे कष्ट से कोई भय नहीं होता। वह खुशी के साथ आगे जाता है। वह कहता है कि उसके समर्पण की घड़ी आ गई है,

> और उसे भगवान का धन्यवाद करना है अब क्योंकि उसे उस की वेदी पर स्वयं को रखने का समय आ गया है तथा देशवासियों की भलाई के लिये कष्ट सहने के लिये उसे चुना गया है। यह उसके सर्वोत्तम प्रसन्नता और जीवन की भरपूरता की घड़ी है।
>
> *श्री अरविन्द*

जतिन मुखर्जी

जतिन्द्र नाथ मुखर्जी जिसे बाघा जतिन के नाम से भी जाना जाता है वह भारतीय स्वतंत्रता संग्राम के एक अत्यधिक उज्जवल व्यक्तियों में से एक प्रमुख व्यक्तित्व है। 6 दिसम्बर 1879 को बंगाल के एक गांव में जन्म लेने के बाद उनका पालन पोषण उनकी माता द्वारा किया गया जिनका नाम श्रीमति शरतशशि देवी था। वह एक बलवान चरित्र की स्त्री थीं तथा उन्होंने अपने बालक में शौर्य और साहस के गुण भरे। जतिन के पिता जी की मृत्यु जतिन के 5 वर्ष की अल्पायु में ही हो गई थी। जतिन को पालने पोसने की सारी जिम्मेवारी उनकी माता जी पर आ गई। उनकी माता जी ने उनके भीतर देश-प्रेम के बीज बोये। उन्होंने छोटी अवस्था में ही अपने एक चाचा द्वारा घुड़सवारी सीखी। वे एक बहुत अच्छे तैराक भी थे और छोटी अवस्था से ही वे भय और पराजय से अपरिचित थे। उन्होंने एक व्यायामशाला में कुश्ति सीखी। उन्होंने अपना प्रशिक्षण श्री फराज़ मियां के अधीन पूरा किया जिसने अंग्रेजों के विरुद्ध पठानों के अपने देश पर आधिपत्य के विरुद्ध विद्रोह की कथा सुनाई जिसके कारण जतिन को बहुत प्रेरणा मिली।

जतिन जो निर्भय तथा बलशाली थे उनके हृदय में बहुत करूणा भरी थी। जब उनके गांव में हैज़ा फैला तो उन्होंने एक सेवा संस्था गांव वालो की सेवा के लिये स्थापित की। इस प्रकार छोटी अवस्था से ही उन्होंने नेतृत्व के गुण दिखाये। जतिन पर सबसे शक्तिशाली प्रभाव बौउल के गीतों का पड़ा। बौउल एक धार्मिक-सांस्कृतिक लोगों का समूह था जो भगवान के गौरवशाली स्थिति के गान करते थे तथा जो धर्म की सांप्रदायिक संकीर्णता से ऊपर थे। वह उन गीतों से गहरे रूप में प्रभावित थे तथा उनके हृदय में गीता के प्रति गहरी प्रीति तथा आदर का भाव जागृत हुआ। वह गीता ही थी जिसने उनमें ध्यान करना सिखाया तथा भगवान और उसके जगत के बीच सम्बन्ध के निचोड़ को समझने में सहायता की। उन्हें पूर्ण विश्वास हो गया था कि इस जगत में हर मनुष्य भगवान के किसी कार्य सिद्धी को पूर्ण करने हेतु आया है तथा उन्हें भी किसी भागवत कार्य में भाग लेना है।

इस काल के दौरान एक घटना जतिन के चरित्र को दर्शाती है। एक दिन विलियम दुर्ग के बाहरी क्षेत्र के बाजार में जब वे थे तो उन्होंने एक अंग्रेज

सिपाही को घृणामयी प्रसन्नता के साथ दुकानदारों के सिरों पर लाठियाँ बरसाते और गिनते हुए देखा। जतिन उस अंग्रेज सिपाही पर टूट पड़े और मुक्कों के प्रभाव से उसे धरती पर चित्त कर दिया। लोग उनके इस कार्य से आश्चर्यचकित रह गये व बहुत प्रसन्न भी हुए।

जतिन बहुत बुद्धिमान तथा होनहार नवयुवक थे। उन्हें मुज्जफरपुर के एक वकील श्री कैनेडी के यहाँ लिपिक की नौकरी मिल गई। श्री कैनेडी उनके कार्य से प्रसन्न हो गये तथा उसने उन्हें राजनीति, अर्थशास्त्र तथा सरकारी तंत्र का ज्ञान दिया। चूंकि वह खेलों और बाहर के कार्यक्रमों में गहरी रूची रखते थे उन्होंने कई संस्थाएँ व क्लब खोले जहाँ आत्मसुरक्षा, दौड़ों और व्यायाम के दैनिक दीक्षा के साथ-साथ उन्होंने प्रतियोगिताओं और मुकाबलों का भी प्रबंध किया तथा उनमें स्वयं भी भाग लिया। वे स्वयं एक उत्तम धावक थे तथा इस क्षेत्र में बहुत लोकप्रिय हो गये। तथापि, अपनी माता की मृत्यु के बाद उन्होंने वह नौकरी छोड़ दी और कलकत्ता चले आये।

जतिन के जीवन में सबसे अधिक प्रभाव स्वामी विवेकानन्द तथा श्री अरविन्द का पड़ा। वह स्वामी जी के सान्निध्य में आये तथा उनमें भारत को अंग्रेजी शासन से मुक्त कराने के संकल्प की आग लग उठी। वह बहिन निवेदिता के साथ वाद-विवाद करते तथा उनके द्वारा उन्होंने ओकाकूरा को जाना। इस प्रकार उनके सम्बन्ध बढ़े तथा उनके मित्रों का एक बड़ा-सा समूह बन गया।

1903 में वे श्री अरविन्द से कलकत्ता में मिले। इस समय तक सारे बंगाल में बहुत बड़ी संख्या में शारीरिक व्यायाम की बहुत-सी संस्थाएँ खुल चूंकि थी। ये वास्तव में गुप्त क्रांतिकारी गुट थे तथा श्री अरविन्द, बहन निवेदिता तथा अन्यों के द्वारा संचालित थी। जतिन इन गुटों के कार्यक्रमों को समन्वयित करने लग गये और उन्होंने स्वयं को भारत के स्वाधीनता के संघर्ष में पूर्णतया लिप्त कर लिया।

वह घटना जिसने जतिन्द्रनाथ को चारों ओर प्रसिद्ध बाघा जतिन का नाम दिया वह 1906 में घटित हुई थी। वे काया नामक गाँव में थे जब गाँववासियों ने उन्हें सूचित किया कि एक शेर गाँव में आ गया था तथा वह मनुष्यों और पशुओं के लिये एक खतरा बन गया है। जतिन का चचेरा भाई फानिन्द्र अपनी बंदूक के साथ तथा जतिन एक छुरे को लिये हुए शिकार पर साथ-साथ चल दिए। शेर मिल गया और फानिन्द्र का निशाना चूक गया जिस कारण गुस्से से भरा शेर जतिन पर टूट पड़ा। निर्भय जतिन ने छुरे का वार किया परंतु शेर ने उनके शरीर पर गुस्से से कई वार कर दिये। जानलेवा यह द्वंद था जो शेर की मृत्यु के साथ समाप्त हुआ परंतु उससे पहले शेर ने जतिन के घुटनों में अपने

पंजे गाड़ दिये थे। उन्हें उठा कर घर ले जाया गया तथा बाद में कलकत्ता जहां उन्हें स्वस्थ होने में छः महीने लगे। जतिन के साहस की गाथा सारे बंगाल में फैल गई और उन्हें लोागें की खूब शाबाशी मिली। सरकार ने भी उन्हें एक तगमा दिया।

जतिन जल्द ही कार्य में जुट गये। वे क्रांतिकारी गतिशीलता में लगे विभिन्न केन्द्रों को समन्वयित करने लग गये। छात्र भंडार नामक एक वाणिज्य केन्द्र खोला गया जो विदेशी सामान के बहिष्कार के आंदोलन को आगे बढ़ाने वाला था। इसका एक दोहरा उद्देश्य था, एक तो क्रांतिकारी कार्यों के किये जाने के लिये पैसे का प्रबंध करना और दूसरा क्रांतिकारी कार्यकर्ताओं को रहने और भोजन की व्यवस्था क़रना। जल्द ही ऐसे कई और केन्द्र खुल गये।

राजनैतिक गतिविधियाँ भी फली-फूली। विलियम दुर्ग में स्थित दसवीं जाट रेजीमेंट के साथ भी संपर्क स्थापित किया गया विचार यह था कि भारतीय सेना में भी क्रांति स्थापित की जाये परंतु यह जल्दी सिरे नहीं चढ़ी। इसी समय के दौरान बंगाल के विभाजन ने एक हिंसात्मक विद्रोह की स्थापना कर दी थी तथा सारे बंगाल में विद्रोह सभाएँ आयोजित की गई। खुदी राम बोस और प्रफुल्ल चाकी भारत की स्वतंत्रता के प्राप्ति के लिये शहीद हो गये। कानेई दत्त और सत्येन बोस को अंग्रेजों द्वारा फांसी दी गई। नवयुवक भारतीयों के विरुद्ध मुकदमें बढ़ते जा रहे थे। तब यह निर्णय लिया गया कि शमसूल आलम को समाप्त कर दिया जाए जो कि एक पुलिस अफसर था तथा जो भारतीयों के विरुद्ध कई क्रूर कारवाइयां करने के लिये उत्तरदायी था। 24 जनवरी 1910 को बीरेन दत्त ने शमसूल आलम को हाईकोर्ट में गोली मार दी। तीन दिन बाद जतिन को बंदी बनाया गया और उनके विरुद्ध मुकदमा ठोक दिया गया। बिरेन दत्त को फांसी पर लटकाया गया परंतु जतिन को छोड़ दिया गया।

जतिन ने तब किसी विदेशी शक्ति की सहायता के साथ मिलकर विद्रोह क़रने की योजना पर विचार करना प्रारम्भ कर दिया। 1913 में तीन क्रांतिकारियों की बैठक हुई, जो जतिन मुखर्जी, रास बिहारी बोस तथा अमरेन्द्रनाथ चटर्जी थे। यह निर्णय लिया गया कि भारतीय सेना के सैनिकों में एक विद्रोह को रचा जाये तथा विलियम-दुर्ग को हथिया लिया जाये। यह भी निर्णय लिया गया कि हथियारों के आयात के लिये विदेश, खास तौर पर जर्मनी, की सहायता ली जाये।

प्रथम विश्व-युद्ध के प्रारम्भ ने भारतीय-जर्मन सहयोग की प्रक्रिया को तीव्र कर दिया। यह निर्णय लिया गया कि विदेश से सहायता ली जाये तथा साथ ही साथ वे संस्थाएँ जो अंग्रेज सेना के लिये शस्त्रों का आयात करती हैं उन्हें काबु

में किया जाये। एक समिति बनाई गई जो जर्मनी के साथ भावतोल करे तथा पूर्व निश्चित स्थानों पर भारत में शस्त्रों की समुद्री खेप को भारत में प्रवेश करवाये। पैसों और शस्त्रों को भारत में लाने के लिये जर्मनी के साथ सम्बन्ध स्थापित किये गये। आरम्भिक विचार था कि कराची में शस्त्रों को उतरवाया जाये और वहाँ से भारत के पूर्वी तट पर बालासोर व अन्य कुछ स्थानों पर उन्हें भेज दिया जाये। उसके बाद उन केन्द्रों से शस्त्रों को कलकत्ता व अन्य जिलों में बाँट दिया जायेगा। क्रांति के लिये भी विस्तृत योजना बनाई गई। गांवों को विद्रोह के लिये उठ खड़ा होना था और सैन्य ठिकानों पर हमला करके शस्त्रों को लूटना था। परंतु यह सारी योजना इस बात पर निर्भर करती थी कि कब समुद्री जहाज से वचनबद्ध शस्त्र बालासोर पहुँचते हैं।

इसी दौरान, जतिन अपने विश्वसनीय मित्रों के साथ जहाज के आने की प्रतीक्षा में बालासोर की ओर चल दिये। अंग्रेजों को इस समय तक इस योजना की कुछ भनक मिल चुकी थी। समुद्री जहाज के आने में भी देरी हो गई और सारा कार्यक्रम असफल हो गया। एक पुलिस का दस्ता बालासोर की ओर भेजा गया जिसको सुदृढ़ करने के लिये और भी पुलिस भेजी गई तथा उन्होंने उस इलाके को घेर लिया।

9 सितम्बर 1915 वह निर्णायक दिन था जब अंग्रेजों और जतिन तथा उनके गुप्त सैनिकों के बीच युद्ध आरंभ हुआ। गाँव में पुलिस द्वारा यह घोषणा की गई थी कि कुछ डाकू उस इलाके में घूम रहे हैं तथा जो भी उनकी सूचना देगा उसे पर्याप्त परितोष दिया जायेगा। गाँव वालों ने अनजाने में जतिन और उनके साथियों की राह रोकी तथा जतिन ने उनके निर्दोष तथा अनजान होने के कारण उन पर गोली चलाने के लिये मना कर दिया।

अंग्रेजों का नेतृत्व सार्जेंट रूद्रफोर्ड तथा मजिस्ट्रेट किल्बी कर रहे थे। कुछ गांव वालों की सहायता से उन्होंने क्रांतिकारियों के ठिकाने का पता लगा लिया। गोली बारी आरम्भ हो गई तथा जतिन की दाहिनी बांह में एक गोली लगी। उनका साथी, चित्ताप्रिया के माथे में गोली लगी और वह वही जतिन की गोद में ढेर हो गया। एक गोली जतिन के पेट में लगी, परंतु वह उस दशा में भी गोलियां चलाते रहे और सामना करते रहे। एक और गोली उनके बायें हाथ में फिर लगी और वे फिर भी अपने चोटग्रस्त दायें हाथ से गोलियाँ चलाते रहे। तब ऐसे समय में उनके दो साथियों निरेन और मनोरंजन ने अत्यधिक अंग्रेजी शक्ति के आगे आत्मसमर्पण कर दिया। जतिन और उनके साथी ज्योतिष को बंदी बना लिया गया। जतिन के घाव संगीन थे इसलिये उन्हें बालासोर हस्पताल में भेज दिया गया। उनका ऑपरेशन किया गया तथा कुछ समय के लिये उन्हें बचा लिया गया। जतिन का अंतिम बयान अंग्रेजों के आगे था कि उनके लड़कों को

अंग्रेजी राज की ओर से कोई हानि नहीं पहुँचाई जाये व जो कुछ भी हुआ उस सबके लिये वह उत्तरदायी है।

इसके जल्दी बाद ही, उनके घाव का एक टांका टूट गया और लहू की धारा बह निकली। कहा जाता है कि जतिन ने स्वयं ही टांके को काट डाला क्योंकि वह विदेशी शासकों के हाथ मुकदमा नहीं लड़ना चाहते थे। जतिन उसके जल्द बाद ही मर गये। एक अध्याय समाप्त हुआ परंतु जिस कारण बालासोर के रणबांकुरों ने अपना जीवन दांव पर लगाया था वह अवश्य ही विजित होने वाला था।

बालासोर का युद्ध एक गाथा बन गई तथा जतिन की मृत्यु ने क्रांतिकारियों के बीच एक शोक की लहर दौड़ा दी। श्री अरवन्दि ने उनके बारे में कहा:

> *जतिन एक अद्‌भुत व्यक्ति था जो कहीं भी मनुष्यता के अग्रपंक्ति में आता है। उसका व्यक्तित्व एक योद्धा का था तथा किसी पुरुष में ऐसी सुंदरता व बल का ऐसा सम्मिश्रण होना बिरले ही था।*

जब तक मातृभूमि मन की आंतरिक आँख के समक्ष एक धरती के टुकड़े या व्यक्तियों के समूह से कुछ और अधिक स्वयं को प्रकट नहीं करती, जब तक वह एक महान दिव्यता का आकार नहीं ले लेती तथा सुंदरता के रूप में मातृशक्ति नहीं बन जाती जो मन पर हावी हो सके तथा हृदय को अपने वश में करे तब तक यह तुच्छ भय और आशा माँ के लिये पूर्णतया लिप्त प्रेम तथा उसकी सेवा के भाव में लिप्त नहीं होते तथा, जो चमत्कार करे व एक डूबे हुये देश को बचाये, ऐसा देश-प्रेम पैदा नहीं होता–एक बार जब ऐसा सुदृष्य लोगों के समक्ष आ जाता है, तब कोई भी विश्राम या शांति नहीं होती ना ही कोई उसके पश्चात सोता है जब तक मंदिर तैयार होकर बना नहीं लिया जाता, मूर्ति की स्थापना नहीं हो जाती तथा बलिदान नहीं दिया जाता। एक महान राष्ट्र, जिसे ऐसा सुदृष्य मिल चुका हो, वह कभी भी फिर दुबारा किसी विजेता के जुए तले अपनी गर्दन दासता में नहीं झुकाता।

श्री अरविन्द

35

मिन्टो–मार्ले सुधार

सूरत के कांग्रेस अधिवेशन के तुरंत बाद, अंग्रेजी सरकार ने क्रांतिकारी आंदोलन को तहस नहस करने का निर्णय लिया जिसको आंतकवादी आंदोलन भी कहा जाता है। मई 1908 में श्री अरविन्द को अपने भाई बारिन्द्र के नेतृत्व तले क्रांतिकारी आंदोलन के कार्य कलापों में लिप्त होने के दोष में, अलीपुर बम्ब के मामले में बंदी बना लिया गया। परंतु कोई भी ठोस सबूत उनके विरुद्ध स्थापित नहीं हो सका। उसी काल में श्री लाला लाजपत राय को देश–निकाला दिया गया, श्री तिलक को 22 जुलाई को बंदी बना लिया गया तथा छः वर्ष की कैद की सजा दी गई तथा दक्षिण भारत से श्री चिदम्बरम पिल्लै तथा अन्य नेताओं को बंदी बनाया गया। कांग्रेस पार्टी के नरमदलीय सदस्य बदहवासी से ऐसे साधनों की तलाश में अपने को उन दमन की क्रियाओं से पृथक करने में लग गये। फिरोजशाह मेहता के एक निकट साथी श्री एन. ए. वैद्य ने घोषणा की कि *गरम दलीय लोग हमारे उद्देश्यों के सबसे बड़े शत्रु थे,* तथा कहा, इन *लोगों का कांग्रेस के साथ संयोग एक हृष्ट–पुष्ट शरीर में शल्य–चिकित्सा द्वारा उसको अलग कर देना मात्र है, यदि कांग्रेस को खून के जहर द्वारा मृत्यु से स्वयं को बचाना है।* तथा निश्चित तौर पर कांग्रेस का पहला प्रस्ताव जो 1908 में पारित किया गया वह था अपने *स्वामिभक्ति वाली श्रद्धा के साथ अपने गौरवमयी राजा–महाराजा के आगे माफी मांगना।* बेशक कांग्रेस ने विनयपूर्वक देश निकाले के हुक्म का दुखः मनाया तथा सरकार से आग्रह किया कि देश से निकाले जाने वालों को एक समुचित मुकदमे का मौका दिया जाये, तथापि इसने 1908 के काले कानूनों का वस्तुतः समर्थन किया। प्रस्ताव इस प्रकार लिखित था। *प्रस्ताव पास किया–कि यह कांग्रेस उन हालात की निंदा करती है जिनके कारण 1908 का ऐक्ट सात तथा 1908 के एक्ट चौदह को पारित करना पड़ा परंतु उनके कठोर चरित्र को देखते हुए तथा इस तथ्य को कि एक अकस्मात आपत्ति ही केवल अकेले ऐसे अनहोनी विधान के होने को उचित ठहरा सकती है, यह कांग्रेस अपनी संकल्पित इच्छा अभिव्यक्त करती है कि इन कानूनों का भारतीय विधि पुस्तक में अस्थाई अस्तित्व ही होगा।* ना ही कांग्रेस ने श्री तिलक के बंदी बनाये जाने का तथा छः वर्ष की सख्त कैद की सजा के बारे में कोई प्रस्ताव पास किया। परंतु जनता की प्रतिक्रिया श्री तिलक के बंदी बनाये जाने

के विरुद्ध कठोर तथा दूर-दूर तक फैली हुई थी। बम्बई में हड़तालें रखी गई, पुलिस की गोली चली तथा लूट-पाट भी हुई। तथापि इन बंदी बनाए जाने के कारण कांग्रेस का राष्ट्रवादी भाग कुचला गया। बेशक उनका एक उभरता हुआ जनाधार था, परंतु अभी तक राष्ट्रवादियों की एक बहुत निम्न कोटी की प्रबंध व्यवस्था थी। सूरत की विभाजन से उन्हें अपनी कड़ियों को मजबूत करने से पहले ही कांग्रेस से निकल जाना पड़ा। तथा उसके पश्चात कांग्रेस को मुकाबला देने के लिये वे कोई अपनी अलग पार्टी बना पाते उससे पहले ही सरकार के दमन ने उन्हें अलग-अलग बिखेर दिया।

बंगाल के विभाजन के परिणामस्वरूप एक लोकप्रिय जोरदार प्रतिक्रिया के बाद नवम्बर 1905 में लॉर्ड करज़न को लॉर्ड मिन्टों के द्वारा वाइसराय के तौर पर बदल डाला गया। उसकी सहायता के लिये लार्ड मोर्ले को गृह-सचिव बनाया गया। यह तब था जब अंग्रेज सरकार मिंटो-मोर्ले सुधारों को सामने लाई। इन सुधारों का प्रस्ताव पहले 1906 में किया गया था परंतु अंत में इनको अंग्रेजी संसद द्वारा 1909 में स्वीकृति मिली। 1906 में, जबकि बहिष्कार आंदोलन चरम सीमा पर था तथा सख्ती से उसका दमन किया जा रहा था गृह सचिव मोर्ले ने नरमवादी नेताओं को परिषदों के सुधार के लिये वार्तालाप के लिये बुलाया था। 1907 तक नरमवादी नेता होने वाले सुधारों की उम्मीद से उत्तेजित थे तथा 1908 तक वे मिन्टो-मोर्ले प्रस्तावों से खुशी से झूम उठे, उन्होंने *गहरी तथा सार्वजनिक संतुष्टी* को अभिव्यक्त *राजनीतिज्ञता की प्रसंशा की* तथा *सच्चा और आभारयुक्त धन्यवाद* मिन्टो और मोर्ले को प्रस्तुत किया। इन सुधारों को सरकारी तौर पर भारत सरकार का ऐक्ट 1909 के नाम से जाना गया। इसका उद्देश्य था खास तौर पर यह देखना कि किस प्रकार सरकार की व्यवस्था को बेहतर प्रकार से अपनाया जा सकता है जिससे विभिन्न प्रांतों की आवश्यकताओं तथा उनके सर्वहित को बगैर उनकी शक्ति और एकता को नुकसान पहुँचाये, बढ़ाया जा सके। इसका प्रयत्न विधान परिषदों को विस्तृत तथा अधिक प्रतिनिधित्व वाली बनाने की थी। तथापि यह कहना गलत नहीं होगा कि भारतीय परिषदों का एक्ट वास्तव में सामूहिक धोखा देने की एक स्वांगपूर्ण क्रिया थी। इसने *निर्वाचनों* के सिद्धांत का आडम्बरपूर्वक परिचय करवाया। इसका मात्र अर्थ था केवल अप्रत्यक्ष रूप से निर्वाचित बहुसंख्यक सदस्यों का प्रादेशिक विधानसभा में होना। परिषदों के पास सिवाय कुछ वाद-विवाद, प्रश्न पूछने और प्रस्तावों को रखने के अतिरिक्त कोई भी शक्ति प्राप्त नहीं थी। इन परिषदों का प्रशासन या वित्त पर कोई अधिकार नहीं था, सुरक्षा या विदेश नीति की क्या बात की जाये। बढ़ते हुए राष्ट्रीय आंदोलन को लोगों से पृथक करने के स्पष्ट उद्देश्य से इन सुधारों को बनाया गया था। लार्ड मोर्ले ने वास्तव में इसे बहुत प्रभावशाली तरीके से राज्य परिषद में समझाया था: *इस प्रकार की व्यवस्था से व्यवहार करते हुए हमें तीन प्रकार के वर्गों को समझना होगा। कुछ*

आंतकवादी हैं जो यह धर्मान्ध सपना पाले हुए हैं कि किसी दिन वे भारत से हमें बाहर फेंक देंगे–दूसरा समूह इस प्रकार की कोई उम्मीद नहीं रखता, परंतु स्व-प्रशासन या स्वराज का उपनिवेश के प्रकार की इच्छा रखता है। तथा तीसरा समूह इस वर्गीकरण में वह है जो हमारे प्रशासन में सहायक के रूप में दाखिल होने से अधिक कुछ नहीं मांगता। मैं विश्वास करता हूँ कि सुधारों का प्रभाव रहा है, हो रहा है, तथा होगा दूसरे वर्ग को जो उपनिवेशक स्वराज की इच्छा रखते हैं उन्हें तीसरे समूह में खींच लाने के लिये, जो एक उचित तथा पूर्ण-सहयोग के हो जाने पर संतुष्ट हो जायेंगे।

अत्यंत व्यंग्यात्मक तरीके से जो निर्वाचन की व्यवस्था को प्रारम्भ किया था उसमें मुसलमानों के लिये एक पृथक निर्वाचन मंडल को सम्मिलित किया गया था। परंतु सुधारों के सभी प्रदर्शनों के बावजूद कोई वास्तविक उत्तरदायित्व भारतीय लोगों को नहीं सौंपी गई थी। वास्तव में मोर्ले अपने उद्देश्य में काफी स्पष्ट था। उसने कहा: *यदि मैं भारत में संसदीय प्रणाली की स्थापना का प्रयत्न कर रहा हूँ, या यह कहा जाये कि इन सुधारों का अध्याय स्पष्ट रूप में या अप्रत्यक्ष रूप से भारत में संसदीय प्रणाली की स्थापना की ओर ले जा रहा है, तो मुझे इससे कुछ भी लेना देना नहीं है।*

परंतु इससे कहीं अधिक गंभीर था हिन्दु-मुसलमान के बीच की तिरस्कार की भावना। श्री एम.एन. दास के अनुसार: *वाइसराय का दार्शनिक सिद्धांत, उसके साम्प्रदायिक निर्वाचन मंडल के समर्थन के सम्बन्ध में था भारतीय राष्ट्रवाद को दुर्बल करना तथा इस उद्देश्य में वह स्पष्टतया सफल रहा क्योंकि जब साम्प्रदायिक रूढ़ीवादिता एक चरम सीमा पर पहुंचे भयभीत साम्राज्यवाद के साथ जुड़ा तो राष्ट्रीय एकता और क्रांतिकारी कार्यक्रमों के लिये असंख्य बाधाएँ खड़ी कर गया। यह भारतीय राष्ट्रीयता के दुखांत का आरम्भ था।*

जैसा कि पहले ही कहा जा चुका है श्री अरविन्द को मई 1908 में बंदी बना लिया गया। एक वर्ष के कारावास व मुकदमे के दौरान अलिपुर जेल में बंद, वे मई 1909 को मुक्त होकर जब बाहर आये तो उन्होंने राष्ट्रवादी संगठन को टूटे हुए पाया, इसके नेताओं को कारावास, देश निकाला या स्व-इच्छित निष्कासन के कारण बिखरे हुए पाया तथा पूरा समुह स्वयं यद्यपि अभी भी अस्तित्व में था तथापि वह खामोश तथा हतोत्साहित तथा किसी भी कठोर या ठोस कार्य को करने के योग्य नहीं था। लगभग एक वर्ष तक वे अकेले ही राष्ट्रवादियों के इकलौते बचे हुए नेता के रूप में आंदोलन को पुनर्जीवन देने के लिये प्रयत्न करते रहे। उन्होंने ऐसे समय में अपने प्रयत्नों की सहायता हेतु एक सप्ताहिक अंग्रेजी पत्रिका *कर्मयोगिन* तथा एक बंगाली सप्ताहिक पत्रिका *धर्म* का प्रकाशन किया। यह जानना समुचित होगा कि श्री अरविन्द का कांग्रेस के

नरमवादियों के मुकाबले मिन्टो-मोर्ले सुधारों के बारे में क्या प्रतिक्रिया थी। श्री अरविन्द ने 11 नवम्बर 1909 को *कर्मयोगिन* में लिखा:

मुसलमान समुदाय के लिये पृथक प्रतिनिधित्व का प्रश्न उन अतिमहत्वपूर्ण प्रश्नों में से एक है जो कि एक राजनीतिज्ञ, उन शक्तियों जिनके साथ वह व्यवहार करने जा रहा है उनको पहचानने में असमर्थ है, द्वारा जल्दबाजी में उठाया गया है, जिसके परिणाम के बारे कोई भी मनुष्य अनुमान नहीं लगा सकता तथा अनुचित परामर्श वाली विरोधी शक्ति जो इसकी उत्पत्ति के लिए उत्तरदायी है उसके द्वारा बिल्कुल भी नहीं–सुधार व्यवस्था पागलपन का दूसरा कृत्य है जो कि अफसरशाही की दोषपूर्ण नीति से पैदा हुआ है। यह सारे भारत को एक नये प्रकार के सांचे में झोंक देगा तथा विभाजन का कार्य पूर्ण कर देगा। हमारा अपना दृष्टिकोण स्पष्ट है। हम सुधारों के साथ भागीदार भी नहीं होंगे तथा न कोई इसका भाग बनेंगे, वे सुधार जो ना तो लोकप्रिय बहुमत देते हैं, कोई महत्वपूर्ण अधिकार नहीं देते, भारतीय राजनीतिज्ञता या क्षमताओं को कोई अवसर नहीं देते, तथा ना ही भारतीय लोकतंत्र के विस्तार का कोई बीज प्रदान करते हैं। हम एक क्षण के लिये भी पृथक निर्वाचन मंडलों या पृथक प्रतिनिधित्व को स्वीकार नहीं करते, इसलिये नहीं कि लोकप्रिय विधान-सभाओं में जब वे आयें तो उनमें एक बढ़े हुये मुस्लिम प्रभाव के विरोध में हम ऐसा कर रहे हैं, बल्कि इसलिये क्योंकि हम ऐसे किसी भी भेदभाव के पक्षधर नहीं जो हिन्दुओं और मुसलमानों को स्थाई रूप से पृथक राजनैतिक इकाईयों के रूप में पहचान देता है तथा इस प्रकार एक अविभाजनीय तथा संयुक्त भारतीय राष्ट्र के पैदा होने को कुंठित करता है। हम ऐसे किसी भी दुफाड़ के प्रयत्न का विरोध करते हैं चाहे वह एक परेशान सरकार द्वारा जो राजनैतिक आश्रय चाह रही है या एक दुखी: हिन्दु समुदाय द्वारा इन क्षणिक उत्तेजनाओं में भविष्य की दृष्टि धुंधली बनाये जाने के लिये अनुमति दे रहा है।

दुबारा फिर उन्होंने लिखा:

परंतु राष्ट्र, स्वदेश, जिसे हमारी राष्ट्रीयता का मूल आधार अवश्यमेव होना ही है, वह है भारत, ऐसा देश जहां मुसलमान और हिन्दु आपस में घुलमिल कर और साथ-साथ रहते हैं।–मुसलमान स्वयं को भारतीय नहीं मानने का आधार सर्वप्रथम अपनी पृथकता को मानते हैं तथा उसके बाद उन महान मुस्लिम देशों के अस्तित्व के प्रति स्वयं को हमारे बजाए उनके अधिक करीब मुसलमान मानते हैं, इसके बावजूद कि हमारा जन्म और खून सांझा है। हिन्दुओं के पास ऐसा और कोई विकल्प नहीं। अच्छा हो या बुरा, वे इसी धरती से बंधे हैं और केवल इसी मिट्टी से। वे अपनी माता के प्रति आंखे नहीं मूंद सकते हैं। और ना ही उसका अंग-भंग कर सकते है। हमारा आदर्श इसी कारण एक भारतीय राष्ट्रवाद है, अपनी आत्मा तथा प्रथाओं में

मुख्यता हिन्दु क्योंकि हिन्दु समुदाय ने यह धरती और लोग रचे हैं तथा इसके पूर्वकाल की महानता, उसकी सभ्यता व उसकी संस्कृति व अपने अजय पुरुषत्व द्वारा निरंतर उसको संभाले रखा है, तथा इतना विस्तृत भी अवश्य है कि जिसमें मुसलमान तथा उसकी संस्कृति व प्रथाओं को भी सम्मिलित कर सके तथा स्वयं में उसे आत्मसात कर सके।

हिन्दु मुस्लिम समस्या के बारे में उन्होंने लिखा:

एक वस्तु के बारे हम निश्चय कर सकते हैं कि हिन्दु–मुस्लिम एकता राजनैतिक समझौतों या कांग्रेसी चापलूसी द्वारा प्रभावी नहीं हो सकती। इसे हृदय व मन की गहराईयों में ही अवश्य ढूंढा जाना चाहिये, क्योंकि जहां पर विघटन के कारण है वहीं पर समाधान अवश्य खोजा जाना चाहिये। हमारे लिये समस्या का समाधान खोज निकालाना ही बेहतर होगा क्योंकि हमें यह याद रहना चाहिये कि हमारे मतभेदों का सबसे अधिक फलदायी कारण हमारी आपसी नासमझियां हैं, कि प्रेम को ही प्रेम आकर्षित करता है तथा बलशाली ही बलवान के साथ समझौता करता है। एक बेहतर आपसी ज्ञान और सद्‌भाव के द्वारा हम अपने मतभेदों के कारणों को दूर करने का प्रयत्न कर सकते हैं। देश प्रेग के अडिग प्रेम में हमें अपने मुसलमान भाई को भी विस्तारपूर्वक सम्मलित करना है। यह सदा याद रखते हुए कि उसके हृदय में भी नारायण का निवास है तथा अपने हृदय में हमारी मां ने उसे भी एक स्थाई स्थान दिया है। परंतु हमें उसकी ओर एक स्वार्थ भरे दुर्बलता तथा भय के वश चापलूसी गा झूठ के द्वारा नहीं बढ़ना चाहिये। हमें निश्चय है कि इस कठिनाई से जूझने का यही एक यथार्थ रास्ता है। एक राजनैतिक तौर पर हिन्दु–मुस्लिम की समस्या में हमें कोई रूचि नहीं परंतु एक राष्ट्रीय समस्या के रूप में हमारे लिये यह सर्वोच्च महत्व रखती है। हम मुहम्मद और इस्लाम को अपने पाठकों के समक्ष नई रोशनी में रखने को अपने कार्य का एक मुख्य भाग बनायेंगे, ताकि मुस्लिम इतिहास और सभ्यता के न्यायोचित दृष्टिकोण को फैलाया जा सके, आपसी भाईचारे तथा आपसी समझ की संभावनाओं के रास्ते में जो कठिनाइंया आती हैं उन्हें तिरस्कृत ना करते हुए अपने राष्ट्रीय विकास में मुसलमान के स्थान का सही मूल्यांकन कर सकें तथा उसके समुदायिक जीवन को अपने जीवन के साथ समन्वयित करने के साधन ढूंढ सकें। बौद्धिक सद्‌भाव केवल आपसी मेल ही करवा सकता है, परंतु हृदय का सद्‌भाव ही एकता ला सकता है। परन्तु बौद्धिक सद्‌भाव ही हृदय के सद्‌भाव के लिये एक उत्तम प्रयत्न है।

अलीपुर जेल के बारह महीनों के कारावास के अंदर श्री अरविन्द ने अपना सारा समय केवल योग की साधना में ही बिताया। आंतरिक आध्यात्मिक जीवन ही उनका अकेला पूर्वाधिकार बन गया था। पहली मई 1909 को उन्हें दोषमुक्त किया गया तथा

उन्हें जेल से रिहा किया गया। उनके राष्ट्रवादी साथियों में से एक प्रसिद्ध वकील श्री सी.आर. दास ने अपनी फैली हुई वकलात को एक तरफ करके श्री अरविन्द के बचाव पक्ष में अनेकों महीने समर्पित किये। यहां श्री सी.आर. दास के बचाव पक्ष के भाषण में से एक सारांश दिया जाता है:

मेरा आपके आगे यह निवेदन है, कि बहुत समय बाद जब यह झगड़ा शांत हो चुका होगा, इस उथल-पुथल के बहुत समय बाद, यह उत्तेजना जब समाप्त हो चुकी होगी, इनके मरने और चले जाने के बहुत समय बाद, इनको देशप्रेम के कवि के रूप में, राष्ट्रीयता के अवतार के रूप में तथा मानवता के प्रेमी के रूप में देखा जायेगा। बहुत काल के बाद जब ये मर चुके होंगे तथा जा चुके होंगे, इनके शब्दों को दुहराया जायेगा, पुनः दोहराया जायेगा ना केवल भारत में बल्कि सुदूर समुद्रों और धरतियों के पार भी। इसलिये, मैं कहता हूँ कि इस स्थिति में खड़ा यह पुरुष ना केवल इस अदालत के समक्ष कटघरे में खड़ा है, बल्कि इतिहास के उच्च न्यायालय के समक्ष कटघरे में खड़ा है।

फरवरी 1910 को एक भागवत आदेशानुसार श्री अरविन्द चन्द्रनगर के एक गुप्त स्थल में चले गये तथा अप्रैल के शुरू में फ्रेंच-भारत के पांडिचेरी की ओर समुद्री जहाज से चले गये। इस समय तक यह स्पष्ट था कि भारतीय राजनीति का पूरा चेहरा बदलने के लिये काफी कुछ कर दिया गया था तथा भारतीय लोगों की समूची आत्मा के लिये स्वतंत्रता को अपना उद्देश्य बनाया गया था। परंतु अब श्री अरविन्द का आंतरिक आध्यात्मिक जीवन व अनुभव जो अपने विशालता तथा विश्वव्यापकता में लगातार बढ़ते जा रहे थे तथा पर्याप्त स्थान ले रहे थे उन्होंने ही श्री अरविन्द का सारा समय ले लिया। एक ऐसा कार्य जिसका ध्येय मानवता के संपूर्ण भविष्य से सम्बन्धित पूरे संसार पर प्रभाव डालने वाला था, तथा जिसकी झलक मात्र अनुभूती ही पूर्वकालीन ऋषियों को हुई थी, व जो देश की स्वतंत्रता व सेवा से कहीं अधिक विस्तृत था उसी ने उनका सारा समय ले लिया। यहां पांडिचेरी में इन्होंने अपना योग एक महत् कार्य के लिये किया। श्री अरविन्द लिखते हैं–

मैंने राजनीति से संपर्क पूर्णतया तोड़ लिया है, परंतु ऐसा करने से पहले मैं आंतरिक रूप से जान गया था कि जो कार्य मैंने प्रारम्भ किया उसकी नियती अब आगे बढ़ना ही थी, दूसरों के द्वारा उन पथों पर जिनका मैंने पूर्वाभास किया था, तथा जिस आंदोलन को मैंने शुरू किया था उसकी अंतिम विजय मेरे व्यक्तिगत कर्म या उपस्थिति के बिना भी निश्चित थी।

1911 में अंग्रेज विभाजन के प्रश्न पर झुक गये तथा बंगाल को पुनः संगठित कर दिया गया। लोगों के छः वर्ष के संघर्ष की विजय मानने की बजाये कांग्रेस ने इसको अंग्रेजी राज के गुणगान करने का एक और मौका बना लिया। कांग्रेस के एक प्रवक्ता ने घोषणा की:

सभी हृदय इकट्ठे होकर तथा आभारयुक्त धड़क रहे है अंग्रेजी ताज के प्रति राजभक्ति के लिये, उमड़ रहे है पुनः जागृत विश्वास तथा कृतज्ञता के साथ अंग्रेजी राजनीतिज्ञता के प्रति।

आओ अब हम स्वदेशी आंदोलन के परिणामों का मूल्यांकन करें। स्वदेशी आंदोलन एक तरफ तो आदर्शवादी था, कोई भी महान आंदोलन एक आर्दश के बगैर नहीं चल सकता, परंतु साथ ही साथ दूसरी ओर वह अपने उद्देश्यों तथा कार्यशैली में पूर्णतया यथार्थवादी था। स्वदेशी आंदोलन के प्रभावों को सारांश में इस प्रकार लिखा जा सकता है:

- इसने नरमवादियों की सुधारवादी राजनीति को नष्ट किया तथा आंदोलनकारी मानसिकता तथा स्वतंत्रता के आदर्श को फैलाया।
- इसने एक औद्योगिक भारत की नींव रखी, बेशक पूर्णतया औद्योगिक नहीं, क्योंकि यह किसान वर्ग के महत्व को पहचानता था।
- यह व्यापारिक वर्ग तथा सारे पठित मध्य वर्ग को राजनीति के क्षेत्र में ले आया न कि नरमवादियों की भांति जो अब तक केवल मध्य वर्ग के एक नन्हें से वर्ग को ही राजनीति में ला पाया था।
- इसके पास कृषकों को खींच लाने का समय नहीं था, परंतु इसने यह कार्य आरंभ कर दिया था तथा गांधीजी इसे केवल आगे ले गये।
- इसने संघर्ष का एक तरीका बता दिया जिसे गांधीजी ने अपनाया तथा तीन या चार आश्चर्यजनक जोड़ के साथ चालु रखा, खद्दर, हिन्दीवाद, सत्याग्रह या सहर्ष मार खानी, खिलाफत, हरिजन इत्यादि।

श्री अरविन्द के पांडिचेरी को प्रस्थान किये जाने पर तथा श्री तिलक के बंदी बनाये जाने के साथ, स्वतंत्रता आंदोलन का दूसरा भाग समाप्त हो गया।

> बंगाल में 1905 के आंदोलन ने राष्ट्र में मात्र एक देश की भांति ही नहीं, बल्कि एक आत्मा, एक मनोवैज्ञानिक, लगभग एक आध्यात्मिक जीव की भांति एक अत्यंत नई धारणा का प्रचार किया, तथा यह आंदोलन जब केवल आर्थिक और राजनैतिक उद्देश्यों के लिये कार्यरत था तो इसने इनको गतिशीलता प्रदान करने की प्रेरणा इसी व्यक्तिगत धारणा द्वारा दी व इन्हें आत्म–अभिव्यक्ति का यंत्र बनाने के लिये किया न कि स्वयं में उद्देश्य बनाने के लिये। हमें यह तथापि भूलना नहीं चाहिये कि प्रारम्भिक अवस्थाओं में यह आंदोलन अपने बाहरी विचार के पीछे एक वस्तुनिष्ठ तथा मुख्यता राजनैतिक स्व–चेतना के पुराने भावनाओं या उद्देश्यों पर चलता रहा। *श्री अरविन्द*

36

गृह-शासन आंदोलन

1914 में प्रथम विश्व-युद्ध छिड़ गया। अंग्रेज इस युद्ध में बुरी तरह उलझे एक जीवन और मृत्यु का युद्ध जर्मनी से लड़ रहे थे। जैसा कि हमने पुर्व के अध्याय में देखा है, आंदोलनकारियों और जर्मन लोगों के बीच प्रथम विश्व-युद्ध के प्रारम्भ होने से तुरंत पहले किसी प्रकार की सांठगांठ हुई थी। परंतु जतिन मुखर्जी की मृत्यु के साथ असफलतापूर्वक समाप्त हो गई। इसके साथ ही हम स्वतंत्रता आंदोलन के दूसरे भाग के समाप्ति पर आते हैं। 1915 से 1920 तक का काल एक अंतरिम काल कहा जा सकता है। इस काल पर प्रमुख रूप में श्री तिलक और श्रीमती एनी बेसेंट छाई रहीं।

1914 में, छः वर्ष के मांडले जेल में कारावास के बाद श्री तिलक रिहा हुए। उनकी मांडले जेल की एकांत कारावास ने श्री तिलक के व्यक्तित्व पर एक गहरा प्रभाव छोड़ दिया। तिलक जो सदा एक यथार्थ राजनीतिज्ञ थे वे एक पहले से सचेत मनुष्य बन कर उभरे। जैसा कि पहले देखा जा चुका है, कांग्रेस का 1907 में सूरत में दुफाड़ हो गया था। परंतु इस दुफाड़ को लेकर तिलक प्रसन्न नहीं थे। जैसा कि श्री अरविन्द ने टिप्पणी की: *किसी के लिये भी यह दुर्घटना इतनी कष्टदायक नहीं थी जितनी कि श्री तिलक के लिये थी व उन्हें चोट पहुंचा गई। वे कांग्रेस के कुछ नहीं करने के भाव को पसंद नहीं करते थे परंतु वे इसे एक राष्ट्रीय सत्य और इसके अप्रर्याप्त सम्भावनाओं के लिये इसका मूल्य डालते थे।* उन्होंने उन समयों के भारत की स्थितियों में क्रांतिकारी हिंसा की व्यर्थता को जान लिया था। इसलिये वे अब भारत के तत्कालीन राजनैतिक उद्देश्य के तौर पर अंग्रेजी साम्राज्य के अधीन एक स्व-सरकार के लिये मानने को तैयार थे। उनके बदले हुए राजनैतिक दृष्टिकोण के होते हुए भी नरमवादी उन पर अविश्वास ही करते रहे। कांग्रेस की मुख्यधारा के बाहर होते हुए अपनी निर्थरकता को देखते हुए वे एक शक्तिशाली राजनैतिक आधार के निर्माण में लग गये। उनके कार्यक्रम का आधार चार वस्तुओं पर था: राष्ट्रीय शिक्षा, स्वदेशी, बहिष्कार तथा स्वराज। अपने गृह-शासन (होम रूल) के प्रस्ताव के विद्युतीकरण राजनीति के द्वारा 1915 में बम्बई प्रादेशिक सम्मेलन द्वारा उनका

गर्मजोशी से स्वागत किया गया। उन्होंने अपने विचार को फैलाने के उद्देश्य से एक गृह-शासन संघ की स्थापना कर दी।

इसी समय एनी बेसेंट ने भी गृह-शासन का प्रस्ताव रखा और उन्होंने अपने ही गृह-शासन संघ की स्थापना की। इस प्रकार यहां दो गृह-शासन संघ एक ही समय में विद्यमान थे। यह अप्रैल और सितम्बर 1916 को क्रमशः स्थापित हुए थे। इनका नारा *इंग्लैंड की कठिनाई भारत का अवसर* राष्ट्रीय शास्त्रागार में एक आकर्षक वाक्य-खंड बन गया। सारे देश में शिक्षित मध्य वर्ग उनके बलशाली भाषणों तथा समानता के आधार पर एक प्रभुत्व राज्य के पद के साहसिक मांग का दिवाना हो गया तथा संघ के साथ जुड़ गया।

एनी बेसेंट जो मुख्यता आइरिश वंशावली से थीं एक जानी मानी आध्यात्मवादी थी। 1889 में वे थियोसोफिकल सोसाइटी के सदस्यता पर नामाकिन्त हुईं। समर्पित और परिश्रमी, उन्हें कर्नल ओलकोट की मृत्यु के बाद सोसाइटी का अध्यक्ष चुन लिया गया। हिन्दु धर्म तथा आध्यात्मवाद में उनकी रूचि उनको 1893 में भारत खींच लाई। वे हिंदु धर्म पर भाषण देतीं और इसे सभ्यता का पालन तथा सभी धर्मों के मूल-स्रोत के रूप में प्रशंसा करती। एनी बेसेंट 1913 में राजनीति के क्षेत्र में आईं जब उन्होंने अंग्रेजी संसद को भारतीय मामलों के लिये एक उच्चस्तरीय समिति बनाने की सार्वजनिक सिफारिश की। उन्होंने भारत को एक राष्ट्र के रूप में लाये जाने का निवेदन किया तथा उसे स्व-शासन दिये जाने को कहा। उन्होंने दो पत्रिकायें आरम्भ कीं। सप्ताहिक *कामनवेल्थ* तथा दैनिक पत्रिका *नव भारत*। 1915 में उन्होंने बम्बई में एक गृह-शासन संघ की व्यवस्था की रूप रेखा प्रस्तुत की। यह 1916 में सितम्बर में स्थापित की गई जब वे तिलक को उनके द्वारा पहले से स्थापित गृह-शासन संघ में जुड़ जाने के लिये मनाने में असफल हो गईं।

श्री तिलक जो कांग्रेस में आना चाहते थे वे कांग्रेस के नेताओं के अविश्वास के कारण उसमें आने में कठिनाई पा रहे थे। यह एनी बेसेंट थी जिन्होंने अंत में उन्हें तिलक के साथ समझौता करने के लिये मना लिया। गोखले और फिरोजशाह मेहता की मृत्यु ने कार्य सुगम कर दिया।

श्री तिलक के साथ मिल कर उन्होंने 1916 के लखनऊ कांग्रेस अधिवेशन में किसी प्रकार की हिन्दु-मुस्लिम एकता करवाने में काफी अधिक भाग लिया। दिसम्बर 1916 में बना लखनऊ समझौता भारतीय राष्ट्रीय कांग्रेस तथा समस्त-भारत मुस्लिम संघ के बीच बना एक समझौता था जिसको 29 दिसम्बर 1916 को लखनऊ के कांग्रेस अधिवेशन में तथा 31 दिसम्बर को मुस्लिम संघ्र द्वारा पारित किया गया था। लखनऊ का सम्मेलन कांग्रेस के

नरमवादी तथा उग्रवादियों के पनुर्मेल का सम्मेलन था तथा इस पर तिलक छाये रहे। समझौते में हिन्दु और मुसलमान समुदायों के बीच सम्बन्ध तथा भारत सरकार की रचना के बारे में बात की गई थी। प्रादेशिक तथा केन्द्रीय परिषदों के पाँच में से चार भाग विस्तृत मताधिकारों द्वारा निर्वाचित किये जाने थे तथा कार्यकारी परिषदों के आधे सदस्य जिनमें केन्द्रीय परिषदों के सदस्य भी सम्मिलित थे, वे भारतीय होने थे तथा स्वयं परिषदों द्वारा निर्वाचित किये जाने थे। केन्द्रीय कार्यकारिणी के प्रावधानों के अतिरिक्त इन प्रस्तावों को मुख्य तौर पर 1919 के भारत सरकार के एक्ट में शामिल किया गया था।

कांग्रेस प्रादेशिक परिषद के निर्वाचन में मुसलमानों के पृथक निर्वाचन मंडल के लिये भी मान गई। वस्तुतः इस समझौते के कारण हिन्दु-मुसलमान सहयोग तथा एकता का रास्ता बना। तथापि कई ऐसे भी हैं जो यह महसूस करते हैं कि यह एक गलत कदम था तथा वास्तव में हिन्दुओं और मुसलमानों के बीच एक स्थाई विभाजन स्थापित करने के प्रति पहला कदम था। भारत का पश्चात काल का इतिहास इसे भली प्रकार सिद्ध करता है। श्री अरविन्द बारम्बार इस सामुदायिक प्रतिनिधत्व के खतरों के प्रति सचेत करते रहे थे। हम जो उन्होंने 1909 में लिखा था उसे दुबारा दोहराते हैं–

> *मुसलमान समुदाय के लिये पृथक प्रतिनिधित्व का प्रश्न उन अतिमहत्वपूर्ण प्रश्नों में से एक है जो कि एक राजनीतिज्ञ, उन शक्तियों जिनके साथ वह व्यवहार करने जा रहा है उनको पहचानने में असमर्थ है, द्वारा जल्दबाजी में उठाया गया है, जिसके परिणाम के बारे कोई भी मनुष्य अनुमान नहीं लगा सकता तथा अनुचित परामर्श वाली विरोधी शक्ति जो इसकी उत्पत्ति के लिये उत्तरदायी है उस द्वारा बिल्कुल भी नहीं–सुधार व्यवस्था पागलपन का दूसरा कृत्य है जो कि अफसरशाही की दोषपूर्ण नीति से पैदा हुआ है। यह सारे भारत को एक नये प्रकार के सांचे में झोंक देगा तथा विभाजन का कार्य पूर्ण कर देगा। हमारा अपना दृष्टिकोण स्पष्ट है। वे सुधार जो न तो लोकप्रिय बहुमत देते हैं, कोई महत्वपूर्ण अधिकार नहीं देते, भारतीय राजनीतिज्ञता या क्षमताओं को कोई अवसर नहीं देते, तथा ना ही भारतीय लोकतंत्र के विस्तार का कोई बीज प्रदान करते हैं ऐसे सुधारों के साथ भागीदार भी नहीं होंगे तथा ना ही कोई इसका भाग बनेंगे। हम एक क्षण के लिये भी पृथक निर्वाचन मंडलों या पृथक प्रतिनिधित्व को स्वीकार नहीं करते, इसलिये नहीं कि लोकप्रिय विधान-सभाओं में जब वे आयें तो उनमें एक बढ़े हुये मुस्लिम प्रभाव के विरोध में हम ऐसा कर रहे हैं, बल्कि इसलिये क्योंकि हम ऐसे किसी भी भेदभाव के पक्षधर नहीं जो हिन्दुओं और मुसलमानों को स्थाई रूप से पृथक राजनैतिक इकाईयों के रूप में पहचान देता है तथा इस*

प्रकार एक अविभाजनीय तथा संयुक्त भारतीय राष्ट्र के पैदा होने को कुंठित करता है। हम ऐसे किसी भी दुफाड़ के प्रयत्न का विरोध करते हैं चाहे वह एक परेशान सरकार द्वारा जो राजनैतिक आश्रय चाह रही है या एक दुखी: हिन्दु समुदाय द्वारा इन क्षणिक उत्तेजनाओं में भविष्य की दृष्टि धुंधली बनाये जाने के लिये अनुमति दे रहा है।

काफी समय बाद श्री अरविन्द ने लिखा: *जिस वस्तु ने हिन्दु-मुसलमान के बीच दुफाड़ किया वह स्वदेशी नहीं था बल्कि सम्प्रदायिक सिद्धांत की कांग्रेस द्वारा स्वीकृति (यहां तिलक ने एक महान भूल की) तथा खिलाफत आंदोलन द्वारा उन्हें आपसी मेल करवाने का आगे का प्रयत्न तथा उन्हें गलत राहों द्वारा आपसी मेल करवाना। लखनऊ में उस सम्प्रदायिक सिद्धांत के माने जाने वाले ने उन्हें स्थाई रूप से भारत में एक राजनैतिक इकाई बना दिया जिसे कभी भी नहीं होना चाहिये था।*

लगभग इसी समय अत्यंत विडम्बनापूर्ण तरीके से, मुहम्मद अली जिन्हा ने भी मुसलमानों के लिये एक पृथक निर्वाचन खंड के विचार का विरोध किया। कृष्णा अय्ययर के शब्दों में, *उसने मुस्लिम लीग के मुसलमानों के लिये पृथक निर्वाचन-संघ की मांग के समर्थन का विरोध किया तथा इसके देश को स्वयं से विभाजन किये जाने का जहरीला घूंट बताया। उसने कांगेस के साथ मिल कर मुस्लिम सम्प्रदायिकता के विरुद्ध सक्रीय कार्य, उन्हें देश का दुश्मन कहते हुये किया। उनके ऊपर नौरोजी, मेहता ओर गोखले के भाषणों का पर्याप्त प्रभाव पड़ा जिन्हें वह बहुत सम्मान करता था। कांग्रेस अध्यक्ष के नाते नौरोजी ने सभी लोगों का एक समग्र एकता की आवश्यकता पर बल दिया तथा हिन्दुओं और मुसलमानों से निवेदन किया कि इकट्ठे तैरें या इकट्ठे डूबें।* उन्होंने आगे कहा, *इस एकता के बिना सभी प्रयत्न व्यर्थ हो जाएंगे।* जिन्हा इस दृष्टिकोण से पूर्णतया सहमत था। उसने लीग के द्वारा विरोधी पृथकतावाद की नीति के समर्थन की निंदा की।

दोनों गृह-शासन संघों (होम रूल लीग) के बीच एक प्रकार का ईर्ष्या का भाव था इसी कारण दोनों अपना अलग राग अलापते। परंतु कुछ समय के बाद वे दोनों लेन-देन के भावभंगिमा के होते आपस में जुड़ गये। कई और भी इसमें जुड़े जिनमें एक जवाहर लाल नेहरू भी थे। तिलक का कार्य क्षेत्र मुख्यता महाराष्ट्र तथा कर्नाटका में था जबकि एनी बेसेंट का सामान्य तौर पर दक्षिण भारत पर तथा बिहार, बंगाल, और गुजरात के कुछ भागों पर था। आंदोलन का उद्देश्य अंग्रेजों के साम्राज्य के भीतर एक स्व-शासन की व्यवस्था को प्राप्त करना था। इस आंदोलन ने 1916-17 में खूब प्रगति की तथा देश के कई भागों में सक्रिय होते हुए भी विशेषतया दक्षिण भारत में खास प्रगति की।

श्री तिलक और श्रीमति एनी बेसेंट दोनों ने स्वयं को विस्तृत यात्राओं में झोंक दिया तथा जनता को शिक्षा हेतु व सामाजिक कार्यों में लगाने के लिये तथा उन्हें स्वतंत्रता के संघर्ष में जोड़ने व उकसाने हेतु कार्यों में लग गये। उनका प्रयत्न था कांग्रेस को हथिया लिया जाना। गृह-शासन के समर्थकों का तर्क था कि भारत का विश्वयुद्ध में भाग लेने के कारण उसे राजनैतिक प्रगति के फलस्वरूप इनाम मिलना चाहिये। ऐसे ही समय में रूस की क्रांति तथा राष्ट्रपति विलसन के राष्ट्र संघ के स्थापना के प्रस्ताव ने गृह-शासन की मांग के लिये अधिकृत प्रोत्साहन दिया। अंग्रेज सरकार की प्रतिक्रिया उसी विशेष प्रकार से हुई–आंदोलन को देशद्रोह जताते हुए उसे सख्ती से निपटाया व दबाया गया। श्री तिलक के विरुद्ध एक मुकदमा दायर किया गया। उन्हें 40,000 रु. जुर्माना जमा करने का आदेश दिया गया। तथापि अपील करने पर आदेश को हाई-कोर्ट द्वारा रद्द कर दिया गया। मई 1916 में श्रीमती एनी बेसेंट को अपने पत्रिका नव-भारत पर अपनी जमानत को जब्त करवाना पड़ा। इसी दौरान उनके द्वारा गृह-शासन के आंदोलन को छोड़ कर इंग्लैंड वापिस जाने के सभी प्रयत्न असफल रहे। फलस्वरूप उन्हें तथा उनके सहायकों को बिना मुकदमा किये बंदी बना लिया गया। इस प्रकार वह देश की सर्वोपरि स्वतंत्रता सेनानी बन कर उभरी तथा उन्हें सितम्बर 1917 में रिहा कर दिया गया। वर्ष के अंत तक उनके प्रयत्नों को पहचाना गया तथा उन्हें कांग्रेस का अध्यक्ष बनाया गया।

अंग्रेजों ने यह देखते हुए कि गृह-शासन आंदोलन अत्यंत लोकप्रिग होता जा रहा है उन्होंने कांग्रेस के नरमवादियों को मनाने के लिये एक प्रस्ताव उनके आगे रखा। उन्होंने एक उत्तरदायी सरकार की स्थापना का प्रस्ताव रखा तथा अगस्त 1917 के घोषणा में सुधारों के एक ठोस प्रस्ताव को प्रसारित करने का प्रस्ताव रखा। इस सकारात्मक इशारे की रोशनी में गृह-शासन संघ ने अपना आंदोलन स्थगित करने का फैसला किया और इसके स्थान पर वायसराय से मिलने के लिय एक सर्व-भारती प्रतिनिधि मंडल की स्थापना की। श्रीमति बेसेंट की जेल से रिहाई उनके जीवन की एक महत्वपूर्ण उपलब्धि थी। अपनी रिहाई का लाभ उठाने के बजाए, एक वर्ष के भीतर ही उन्होंने स्वयं को कांग्रेस के विभिन्न गुटों से अलग-थलग करने में सफल कर लिया तथा इस प्रकार कांग्रेस तथा राष्ट्रीय आंदोलन के नेतृत्व से स्वयं को मुक्त करवा लिया। इसके लिये दो कारण कहे जो सकते हैं। एक तो था कि जिस संयुक्त मोर्चे का गठन किया गया था वह नरमवादी तथा उग्रवादियों के सम्मिश्रण वाला मूल रूप से अस्थिर था तथा दूसरा कारण था कि वे निष्क्रिय विरोध का विरोध करती थीं जो कि उस समय कांग्रेस का मुख्य शस्त्र बन चुका था। उनकी अस्थिरता तथा किसी निश्चित कार्यक्रम के अभाव द्वारा कांग्रेस ने अंत में उनके नेतृत्व का त्याग कर

दिया। तिलक ने भी अब तक अपने अधिकार का त्याग कर दिया था। इस प्रकार कांग्रेस वस्तुतः नेतृत्वहीन हो गई थी तथा गृह-शासन का आंदोलन बगैर किसी पुनरूत्थान की आशा लिये अत्यंत दुर्बल हो चुका था। इस खोखलेपन को श्री गांधी जी द्वारा भरा गया तथा उनके उदय से स्वतंत्रता आंदोलन का अगला पहलु आरम्भ हो गया। गृह-शासन का आंदोलन बहुत सफल नहीं रहा था। तथापि इसने कुछ पहलुओं में राष्ट्रीय आंदोलन की सहायता की। पहला यह कि इसी आंदोलन के कारण अंगेजों ने गृह-शासन को अग्रिम समय से ही लागु करने का वचन दिया। दूसरा यह पहली बार था कि बंगाल और पंजाब को छोड़ कर सर्व-भारत आंदोलन हुआ था। पंजाब में आर्य-समाज ने श्रीमति एनी बेसेंट के आध्यात्मवाद आंदोलन को त्याग दिया था तथा बंगाल में श्री सी.आर. दास के शक्तिशाली नेतृत्व के कारण इसका कोई प्रभाव ना पड़ सका। शायद इस आंदोलन की असफलता का कारण उनका निष्क्रिय विद्रोह को स्वीकार करने के लिये आनाकानी करना था जो कि उस समय ऐसा कार्यक्रम था जो सामने प्रस्तुत था। इसकी असफलता ने कांग्रेस का गांधी जी द्वारा अधिकृत किये जाने का रास्ता तैयार किया।

37

असहयोग-आंदोलन-भाग 1

वर्ष 1919 स्वतंत्रता आंदोलन का एक महत्वपूर्ण तथा निश्चित अवस्था वाला पड़ाव है। भारतीय राजनीति में गांधीजी का एक शक्ति की भांति उभरना महत्वपूर्ण था। उस समय के पश्चात से अगले पच्चीस वर्ष तक भारतीय राजनीति पर लगभग पूर्ण आधिपत्य व प्रभाव गांधीजी का रहा। भारतीय राजनीति में एक मूलभूत भिन्न दृष्टिकोण को सामने लाया गया तथा एक पूर्णतया भिन्न दिशा दी गई जिसके परिणाम आज भी महसूस किये जा रहे हैं। इसके साथ ही साथ कुछ महत्वपूर्ण घटनायें हुई जिनका स्वतंत्रता आंदोलन पर सीधा प्रभाव पड़ा था। वे हैं–

- रौलेट बिल तथा जलियांवाला बाग का नरसंहार
- मोनटैगू चेल्सफोर्ड रिपोर्ट पर आधारित भारत सरकार एक्ट का पारित होना
- खिलाफत आंदोलन में समस्त-मुस्लिम आंदोलन का उदय होना

गांधीजी

मोहन दास करमचन्द गांधी का जन्म 2 अक्टूबर 1869 को गुजरात के पोरबन्दर स्थान पर एक समृद्ध परिवार में हुआ था। 1888 में वह इंग्लैंड गये और वकील बनने में सफल हुए। 1893 में वे दक्षिण अफ्रीका गये, तथा वहां कुछ वर्ष के बाद उन्होंने दक्षिण अफ्रीकी सरकार का भारतीयों के प्रति दुर्व्यवहार के विरोध में सत्याग्रह आंदोलन प्रारम्भ किया। 1915 में वे भारत लौट आये तथा साबरमति नदी के तट पर उन्होंने सत्याग्रह आश्रम की स्थापना की। अगले दो वर्षों में (1916-18) उन्होंने गुजरात के कैरा तथा बिहार के चम्पारन जिलों के किसान आंदोलनों में भाग लिया। यह यहां पर था जहां उन्होंने सत्याग्रह का अभ्यास किया। 1919 में गांधीजी ने भारतीय राष्ट्रीय कांग्रेस को खिलाफत के समर्थन में अभियान करने के लिये मनाया जिसको वे संयुक्त भारत की राष्ट्रीय मांग मानते थे। यह भारत में मुसलमानों के समर्थन में किया गया था। इस संयुक्त अभियान ने खिलाफत असहयोग आंदोलन का रूप ले लिया तथा श्री तिलक के उत्तराधिकारी के तात्विक रूप में जो अगस्त 1920 को मृत्यु को

प्राप्त हुए गांधीजी को कांग्रेस के अग्रपंक्ति में ला खड़ा किया था। यह साधारणतया माना जाता था कि गांधीजी जब 1915 में दक्षिण अफ्रीका से आये तो भारतीय राजनीति में एक अजनबी थे। तथापि, उनकी दक्षिण अफ्रीका की गतिविधियों पर एक पैनी निगाह रखी गई थी तथा वे भारत में काफी परिचित व्यक्ति थे। 1915 से 1920 के बीच गांधीजी कांग्रेस के बाह्य सीमा से भारतीय राजनीति के मध्य बिन्दु में आ गये। 1921 में जब असहयोग आंदोलन आरम्भ हुआ तो गांधीजी को उसका सर्वोच्च नेता चुना गया। 1921 तक गांधीवाद की अतिरिक्त राह पूरी तरह उभर कर सामने आ चुकी थी। गांधीजी के इस अतिरिक्त राह का अध्ययन करने से पूर्व आओ हम उस समय की अन्य कुछ घटनाओं पर एक संक्षिप्त निगाह डालें।

रौलेट एक्ट

18 जनवरी 1919 को सरकार ने दो कानून बनाये तथा उनका प्रकाशन किया, इनमें से एक में दंड संहिता का संशोधन था जिसके अधीन प्रकाशन पर अधिक और सख्त शासन का प्रस्ताव था तथा दूसरे में सरकार को आतंकवादी कार्यक्रमों को काबू में रखने के लिये कानूनी प्रक्रिया को छोटा कर देने का प्रावधान था। इन कानूनों को रौलेट कानून से जाना गया। इस कानून ने लोगों के अंदर दबी हुई असंतोष की भावना को विधि निर्माताओं और उनके अधिकारों के प्रति खुल कर विद्रोह करने को भड़का दिया था। पंजाब के लोग विशेष तौर पर इस कानून द्वारा भड़क उठे थे क्योंकि उन्होंने प्रथम विश्व-युद्ध में खुले दिल भाग लिया था तथा इस नये कानून के रोकथाम के लिये खुलकर प्रतिक्रिया करने लगे। निजी और सरकारी संपत्ति पर हिंसक आक्रमण हुए। प्रशासनिक सरकार ने तब ब्रिगेडियर जनरल डायर के अधीन सैनिक अधिकारियों के हाथों प्रशासन की बागडोर थमा दी। 13 अप्रैल को जलियांवाला बाग में इस प्रतिबंध के विरोध में एक सभा बुलाई गई जो डायर ने राजनैतिक गतिविधियों पर थोपी थी। जब भीड़ इकट्ठी हुई तो डायर फौज के साथ वहां आया और बिना चेतावनी दिये उसने भीड़ पर गोलियां चलवा दीं। भीड़ बेकाबू होकर निकास के रास्ते की ओर भागने का प्रयत्न करने लगी। यह मानते हुए कि भीड़ उसकी ओर उमड़ रही है डायर ने उनकी ओर गोली चलाने की आज्ञा सैनिकों को दे दी। लगभग 20,000 लोग उन गोलियों के शिकार हुऐ। गोलियां दस मिनट तक लगातार चलती रही और तभी रूकी जब गोला बारूद समाप्त हो गया। यह हादसा अपने आप में अकेला नहीं था। असल में, पंजाब को एक नव-विजित क्षेत्र की भांति समझा जाता था तथा एक संदेश दिया गया था कि लोग अंग्रेज सरकार को धमकी देने का प्रयत्न न करें।

मोंटेग-चेम्सफोर्ड सुधार

1917 के अगस्त घोषणा में यह विश्वास दिलाया गया था कि भारतीयों के हाथों में धीरे-धीरे प्रशासन की बागडोर को स्थांतरित कर दिया जायेगा। फलस्वरूप 1919 में मोंटेग-चेम्सफोर्ड सुधारों की घोषणा की गई। इन प्रस्तावों के विस्तार में ना जाते हुऐ इतना कह देना पर्याप्त होगा कि अधिकतर कांग्रेस के लोग इसे निराशाजनक, अप्रयाप्त तथा संतुष्टी से बहुत कम मानते थे। प्रारम्भ में इन सुधारों को कार्यान्वित करने के झुकाव के बाद कांग्रेस ने गांधीजी के अधीन इन प्रस्तावों को ठुकरा दिया तथा असहयोग के प्रस्ताव को पारित किया। तथापि नरमवादियों ने इन प्रस्तावों को मान लिया तथा कांग्रेस को छोड़ कर उन्होंने भारतीय लिबरल फैडरेशन की स्थापना की।

खिलाफत आंदोलन (1919-1923)

प्रथम विश्व युद्ध के आरम्भ होने के जल्दी ही बाद, सहयोगी सेनायें छोटे और दुर्बल देशों के प्रति सहानुभूति की घोषणा जोर-जोर से करने लगी। इस बात से चिंतित कि तुर्की युद्ध में जर्मनी के साथ न जा मिले, उसका समर्थन प्राप्त करने के लिये अंग्रेज सरकार ने युद्ध के पश्चात सहानुभूति पूर्वक व्यवहार करने का उसे आश्वासन दिया। अंग्रेज प्रधान मंत्री लॉड जार्ज ने 5 जनवरी 1918 को घोषणा की कि मित्र देश तुर्की को समृद्ध और प्रसिद्ध थरेस और एशिया माइनर की धरतीयों से वंचित करने के लिये युद्ध नहीं कर रहे हैं, जो कि जाती में मुख्यता तुर्की हैं। तथा अमेरिकन कांग्रेस को अपने संदेश में राष्ट्रपति विल्सन ने भी इसी भाव का समर्थन दिया। मित्र देशों के प्रमुख राजनीतिज्ञों द्वारा इस विशेष आश्वासन ने भारतीय मुसलमानों को यह विश्वास करवा दिया कि युद्ध में जो भी घटित होता है, तुर्की की स्वतंत्रता तथा उसका प्रादेशिक प्रभुसत्ता जहां तक कम से कम एशियाई प्रदेशों का सम्बन्ध है वह सुरक्षित रखी जायेगी। परंतु यह सारी आशायें युद्ध के पश्चात अगस्त 1920 की सीवरस तथा आर्मीटाइस की संधियों द्वारा निराशा में परिवर्तित हो गईं। थरेस ग्रीस को दे दिया गया तथा टर्की के साम्राज्य की ऐशियाटिक हिस्सों को मैनडेट के वेश तले इंग्लैंड और फ्रांस के संयुक्त अधिकार तले कर दिया गया। जबकि टर्की को उसके गृह-प्रदेशों से वंचित कर दिया गया, उसके सुल्तान को बाकी के भू-भाग से, अपने वास्तविक अधिकार से भी वंचित कर दिया गया क्योंकि उसे मित्र शक्तियों के द्वारा नियुक्त हाई कमीश्नर के अधिकार तले कर दिया गया, तथा सुल्तान नाम मात्र का ही शासक रह गया। भारत के मुसलमानों ने अंग्रेजों द्वारा इसे एक बहुत बड़ा धोखा दिया जाना माना। एक क्रोध का तुफान उठ खड़ा हुआ तथा गुस्से से बौखलाये हुऐ वे एक स्पष्ट कार्यक्रम के लिये उत्सुक हो उठे। यह सर्व-इस्लामिक आंदोलन का प्रारम्भ था तथा 1919 में

इसने शक्ति प्राप्त की। सर्व भारतीय मुस्लिम संघ का नेतृत्व मुहम्मद अली व शौकत अली भाईयों द्वारा किये जाने पर खिलाफत आंदोलन के लिये एक विद्रोह का आयोजन किया गया तथा उन्हें गांधी द्वारा पूर्ण समर्थन मिला। खिलाफत आंदोलन के समर्थन में गांधी ने हिन्दुओं और मुसलमानों को संगठित करने का ऐसा मौका देखा जो अगले सौ वर्षों में मिलने वाला नहीं था।

असहयोग आंदोलन

20 मार्च को गांधीजी ने कांग्रेस से असहयोग को पारित करने की सिफारिश की ताकि खिलाफत करने वालों की मांगों की पूर्ति के लिये इसे एक साधन बनाया जाये। उन्होंने एक वर्ष के भीतर ही स्वराज प्राप्ति का वचन भी दिया। दिसम्बर 1920 को नागपुर के कांग्रेस अधिवेशन ने सर्वसम्मति से इस सिफारिश को पारित कर दिया। यह तथापि जान लेना चाहिये कि शुरू से ही गांधीजी ने साफ कर दिया था कि उनकी दृष्टी में खिलाफत का प्रश्न स्वराज से अधिक आवश्यक तथा तुरन्त था। उन्होंने लिखा, *मुसलमानों के लिये, स्वराज का अर्थ जैसा कि अवश्य होना चाहिये, भारत की खिलाफत के प्रश्न के प्रति असरदार लेन-देन करने की योग्यता है–इस दृष्टिकोण के साथ सहानुभूति रख पाना असंभव है–मैं खुशी से स्वराज के कार्यक्रम को आगे ले जाने के लिये कहूंगा यदि इसके टाले जाने से हम खिलाफत के स्वार्थ को अग्रिम पंक्ति में ला सकें।*

इस प्रकार असहयोग आंदोलन को आरम्भ किया गया तथा गांधीजी ने इस आंदोलन का वृत्तांत एक *शांतिपूर्ण विद्रोह की दशा* बताया तथा *हरेक स्वदेशी कानून* का विरोध करने का आवाहन किया। इसका उद्देश्य दोतरफा था: पहला तो था देश के असहयोग आंदोलन को आर्थिक सहायता देने के लिये एक करोड़ रुपये का चंदा इक्कट्ठा करना तथा दूसरा था कि विभिन्न बहिष्कारों–सामाजिक, शैक्षिक, कानूनी तथा आर्थिक को प्रोत्साहन देने के लिये एक करोड़ स्वयं सेवकों को सदस्यों के रूप में अनुसूचित करना। अदालतों और वकीलों का बहिष्कार, सरकारी स्कूलों और कॉलेजों का बहिष्कार, प्रादेशिक तथा केन्द्रीय परिषदों के निर्वाचन का बहिष्कार, तगमों प्रतिष्ठाओं और सरकारी कार्यक्रमों का बहिष्कार करना इसमें सम्मिलित था। इसके साथ ही साथ स्वदेशी को भी प्रोत्साहित करना था। खद्दर के प्रयोग को प्रोत्साहन तथा शराब बंदी को लागू करना था।

आंदोलन को जनता का अत्यधिक समर्थन मिला। सर्वश्री सी.आर. दास, मोतीलाल नेहरू, राजेन्द्र प्रसाद, राजगोपालाचार्य तथा जवाहरलाल नेहरू सभी ने अपनी समृद्ध वकालत का त्याग कर दिया। सुभाष चन्द्र बोस ने भारतीय प्रशासनिक सेवा की नौकरी का त्याग कर दिया। अधिकतर विद्यार्थियों ने स्कूल कॉलेज

छोड़ दिये तथा राजनैतिक नेताओं ने चुनाव लड़ने से मना कर दिया। विदेशी कपड़ों के बहिष्कार का अंग्रेजी सामान के आयात पर प्रतिकूल प्रभाव पड़ा तथा कर वसूली में भी घाटा पड़ा। जुलाई के मध्य तक लोगों का जोश चरम सीमा तक पहुंच गया था तथा सारे देश में एक अद्भुत प्रोत्साहन और आशायें बंध गई थी। गांधीजी के एक वर्ष के भीतर स्वदेश दिलाने के नारे से इसको तूल मिला। जब वेल्स का राजकुमार नवम्बर 1921 में भारत आया तो बहुत बड़े लोकप्रिय प्रदर्शन उसके विरुद्ध किये गये तथा 30,000 से अधिक लोग बंदी बनाये गये। विदेशी कपड़े के प्रयोग के विरुद्ध आंदोलन ने गांधीजी को चरखे के प्रयोग का मौका दिया। चरखा गांधीजी के सिद्धांतों का एक जुनून के हद तक अत्यंत महत्वपूर्ण पहलू बन गया। यह एक साथ शारीरिक क्रिया, एक आध्यात्मिक कर्म तथा भारत को आर्थिक दोहन से बचाने का साधन भी बन गया। तथापि गांधीजी ने अपने आंदोलन को बरदोली, जो 87,000 लोगों का एक छोटा जिला था वही तक सीमित रखने का निश्चय लिया। परंतु उत्तर प्रदेश के गोरखपुर जिले के एक छोटे से गांव चौरी-चौरा के सामुहिक हिंसा की घटना के कारण इसे भी टाल दिया गया। इस घटना में एक पुलिस के थाने को जला दिया गया जिसमें 22 पुलिस कर्मी मारे गये थे। आंदोलन के टाले जाने के निर्णय ने सारे देश को एक अचम्भे में डाल दिया व निराशा में डुबा दिया। कांग्रेस के वरिष्ठ नेता हतोत्साहित हो उठे परंतु तो भी कांग्रेस की कार्यकारिणी रागीति ने इस का अनुमोदन 12 फरवरी 1922 को कर दिया। परिणामस्वरूप सारा आंदोलन ठप्प हो गया तथा कई वर्षों के बाद ही इस को पुर्नजागृत किया गया था।

आओ अब हम देखें कि गांधीजी के लोकप्रियता का क्या रहस्य था। 1915 में भारतीय राजनीति एक प्रकार से निष्प्राण सी हो गई थी। ना ही नरमवादी और ना ही उग्रवादी लोगों पर कोई प्रभाव डाल पा रहे थे। परंतु इसके साथ ही 1905 के स्वदेशी आंदोलन के परिणामस्वरूप तथा बाद में गृह-शासन संघ की गतिविधियों के कारण, राजनीति सदा बाहर की ओर फैलते हुए घेरों में विस्तृत होती जा रही थी। पत्रिकायें तथा समाचार पत्र राष्ट्रीय संदेशों को महानगरी क्षेत्रों से आगे ले जा रहे थे तथा जिलों में सक्रीय समुहों की स्थापना की जा रही थी। गांधीजी ने इन्हीं गृह-शासन संघ द्वारा स्थापित विस्तृत जाल का प्रयोग किया। तो भी, भद्रलोग के राजनीति के घेरे से बाहर अर्ध-शिक्षित तथा अनपढ़ों का एक विशाल जनसमूह था जिसका नेतृत्व करने वाला कोई नहीं था। पिछड़े क्षेत्रों में विभिन्न समुह पश्चिम के प्रभाव से होने वाले बदलाव को लेकर घबराये हुये थे। गांधीजी इन अंग्रेजी-शिक्षित राजनीतिज्ञों तथा कम पठित आम लोगों के जनसमुदाय के बीच की खाई को पाटने के लिये उतरे। बाहरी वृत के

लोग, यानि, कम पठित साधारण स्त्री-पुरुषों का जनसमुह गांधीजी की ओर आकर्षित हुआ क्योंकि वे अंग्रेजी पठित नेताओं से अत्यधिक भिन्न थे। उनकी साधारण भेष-भूषा, स्वदेशी सामान के प्रति उनका झुकाव तथा उनकी बाह्य धार्मिकता ने उनको साधारण लोगों के प्रति अधिक स्वीकार्य बनाया। परंतु नेताओं ने उन्हें स्वीकार करने में कठिनाई पाई। ऐसे में यह प्रश्न उठता है कि तब क्यों उन स्थापित नेताओं ने उनके प्रति अपनी पूर्व निश्चित अविश्वास के होते हुए भी 1921 में उन्हें स्वीकार किया।

जैसा कि पहले ही देखा जा चुका है, गांधीजी ने अपने प्रयोग पहले स्थानीय क्षेत्रों जैसे चम्पारण, खेदा तथा अहमदाबाद में आरम्भ किये। उन गतिविधियों ने उन्हें देश भर में एक शक्तिशाली नेता के रूप में प्रसिद्धी दिलाई। यह रौलेट सत्याग्रह के द्वारा था कि उनका प्रवेश राष्ट्रीय राजनीति में हुआ। गांधीजी ने अपने राजनैतिक प्रभाव के उत्थान को बढ़ाने के लिये प्रभावशाली तरीके से खिलाफत के प्रश्न तथा पंजाब पर हुये अत्याचार का प्रयोग किया।

गांधीजी का राजनीति की मुख्यधारा में स्वीकार्य पूर्ण तथा प्रश्नविहीन नहीं था। राष्ट्रीय नेता इस तथ्य को भली भांति जानते थे कि असहयोग आंदोलन परिषद में प्रवेश पाने को अत्यधिक कठिनाई में डाल देगा। तब भी वे गांधीजी के आगे झुके तथा उनके कार्यक्रम को स्वीकार किया क्योंकि हालात ने उनको बांध दिया था। गांधीजी का रौलेट सत्याग्रह के बाद से भारतीय राजनीति में हस्तक्षेप सबसे महत्वपूर्ण पहलु बन कर उभरा। तब से ही लगता था कि मुख्यधारा राजनीति की धारा का फैसला हो गया है। 1919-1922 की घटनाओं का वर्णन कोई किस प्रकार करेगा क्योंकि ये शायद आशाओं पर आधारित थी। हवा में एक उम्मीद की किरण जाग उठी थी। जनता उसी के द्वारा एक चमत्कार की आशा रखती थी। 1920-21 में सभी की निगाहें गांधीजी पर टिकीं थीं। एक वर्ष के भीतर स्वराज के वचन ने सब को मंत्र-मुग्ध कर दिया था। क्रांतिकारियों ने भी एक वर्ष के लिये अपनी गतिविधियों को टालने का मन बना लिया था। गांधीजी की अतुलनीय लोकप्रियता ने उसे आकर्षण का केन्द्र बना दिया था। सरकार समझ नहीं पा रही थी कि गांधीजी के साथ क्या किया जाये। इसके साथ ही वे कुछ भारतीय नेताओं के लिये भी परेशानी बन गये थे। गांधीजी कांग्रेस पर आधिपत्य करने तथा कांग्रेस को अपनी इच्छाओं पर चलाने के लिये कोई भी योजना नहीं बना रहे थे, परंतु उनकी प्रतिक्रिया बहुत जल्द बदल गई जब पंजाब की घटनाओं पर हंटर कमीशन की रिपोर्ट मई 1920 में विस्तृत की गई। यह कुछ ऐसा था जिसको गांधीजी बर्दाश्त नहीं कर सके। वे परिषद में प्रवेश के विरुद्ध खुल कर आये। मोहरें बिछ चुकी थीं। गांधीजी ने सत्याग्रह प्रारम्भ करने का मन बना लिया। वह जानते थे कि कांग्रेस को अपने

साथ लेना होगा। कांग्रेस एक सही प्रस्ताव पारित करे, यह एक यथार्थ समस्या थी जिसका समाधान उन्होंने खिलाफत के प्रश्न और पंजाब पर अत्याचारों का प्रयोग कर के किया। इस प्रकार वे सर्वोच्च नेता बन गये।

परंतु इसके साथ ही साथ हमें यह अवश्य स्वीकार करना चाहिये कि गांधीजी का हिसाब-किताब गलत निकला। सत्याग्रह ने स्वराज की स्थापना एक वर्ष में नहीं की। लोग अहिंसक नहीं रहे। हिन्दु-मुस्लिम संगठित नहीं हो पाये। जब हिंसा फूटी तो गांधीजी ने आंदोलन टाल दिया तथा अंत में बंद कर दिया जिसके कारण उनके पीछे चलने वालों को बहुत क्षोभ हुआ। गांधीजी के कार्य पर सभी ओर से आक्रमण हुआ। ऐसा लगता था कि गांधीजी के राजनीति की कार्यशैली को बदनामी मिली चाहे उसे पुर्णतया च्युत नहीं किया गया। असहयोग आंदोलन के ढह जाने के बाद मुख्यधारा राजनीति की एकता टूट गई। असहयोग असफल रहा, परंतु इसने आम लोगों में अंग्रेजों के अधिकार के भय को तोड़ डाला। भारत में अंग्रेजों ने इतिहास के आदेश को खो दिया था।

38

असहयोग आंदोलन-भाग 2

जैसा कि हमने पिछले अध्याय में देखा है, गांधीजी ने एक पूर्णतया नये प्रकार की राजनीति को आरम्भ किया। इसकी समीक्षा कुछ विस्तार से करनी आवश्यक है क्योंकि इसने स्वतंत्रता आंदोलन के आगे के इतिहास तथा स्वतंत्र भारत के इतिहास को अत्यधिक प्रभावित किया है। गांधीजी द्वारा नेतृत्व किया गया असहयोग आंदोलन तीन पहलुओं पर आधारित था।:

- सत्याग्रह के रास्ते अंग्रेजों का पूर्ण बहिष्कार।
- आंदोलन पूर्णतया अहिंसापूर्ण होना था।
- हिन्दु-मुस्लिम एकता का पहलु।

हिन्दु-मुस्लिम एकता को लाने के लिये गांधीजी ने खिलाफत आंदोलन का समर्थन किया, एक ऐसा आंदोलन जिसे भारतीय राष्ट्रीयता से कुछ लेना-देना नहीं था। इस आंदोलन ने सर्व-इस्लामिक भावना को प्रोत्साहित किया तथा भारतीय राष्ट्रवाद के मूल से ही उल्टे राह चला गया। खिलाफत आंदोलन के पीछे सर्व-इस्लामिक भाव तब स्पष्ट हो गया जब भारत से मुसलमानों के जनसमुह अफगानिस्तान को पलायन कर गये। यह योजना-बद्ध आंदोलन जिसे हिजरत से जाना गया वह सिंध में आरम्भ हुआ तथा धीरे-धीरे उत्तर पश्चिम सीमांत प्रदेश में फैल गया। यह अनुमान लगाया गया कि 1920 के अगस्त महीने में लगभग 18000 लोग अफगानिस्तान को जाने के रास्ते पर थे। परंतु खिलाफत आंदोलन का दुर्भाग्य था कि अफगानिस्तान की सरकार, जो राष्ट्रीय भावना से अधिक प्रेरित थी ना कि सर्व-इस्लामिक भाव से, ने भारतीय मुहाजिरों का अफगान में प्रवेश निषेध कर दिया। यह खिलाफत आंदोलन के लिये एक करारा झटका था। जल्द ही अंग्रेज सरकार ने अली भाईयों को गिरफ्तार कर लिया। हिन्दु-मुस्लिम संगठन जो अंग्रेजों के प्रति क्षणिक विरोध पर आधारित था वह लम्बे समय तक टिक नहीं सका। जैसा कि पहले ही देखा जा चुका है, अली भाईयों के बंदी बनाये जाने के पश्चात गांधीजी ने चौरी-चौरा की घटना के मौके का लाभ उठाया और आंदोलन को वापिस ले लिया। तब तक तुर्की ने स्वयं मार्च 1924

में खिलाफत संस्था को समाप्त कर देने का महत्वपूर्ण निर्णय लिया। मुस्तफा कमाल, जिसकी राष्ट्रीय सेनाओं ने नवम्बर 1922 में सुल्तान को सिंहासन से उतार दिया, ने एक वर्ष पश्चात तुर्की को एक लोकतंत्र घोषित कर दिया तथा मार्च 1924 के आरम्भ में उसने अंत में खलीफा की गद्दी को ही समाप्त कर दिया। खिलाफत आंदोलन इस प्रकार भारत में एक स्वभाविक मृत्यु को प्राप्त हुआ। परंतु यह भारतीय मुसलमानों में एक पृथकता की भावना को प्रोत्साहित तथा सुदृढ़ कर देने में सफल हो गया था। तुर्की के इस निर्णय ने आंदोलन के मूल कारण को ही नष्ट कर दिया तथा खिलाफत आंदोलन समाप्त हो गया जिससे मुसलमान अत्यंत निराश व असहाय हो गये। परंतु आंदोलन ने मुसलमानों को पहली बार जड़ तक राजनैतिक तौर पर संगठित कर दिया तथा यह अनुभव बाद में पाकिस्तान आंदोलन के समय काम आया। चूंकि खिलाफत आंदोलन के इस्लामिक कारणों को विकसित करने के उद्देश्य से आंदोलन आरम्भ किया गया था इसलिये इसने उनके इस्लामिक भावनाओं तथा पुनरूत्थान को सुदृढ़ करने में सहायता दी तथा उनके सम्प्रदायिक चेतना को उग्र रूप दिया। यह पृथकता की भावना ही अंत में पाकिस्तान को बनने की ओर ले गई। अली भाईयों को खिलाफत आंदोलन में भाग लिये जाने को जानना रूचीकर होगा। अली भाईयों ने अपने भाषणों में भारतीय मुसलमानों के, हिन्दुओं की बजाये, दुनिया भर के मुसलमानों चाहे अल्जीरीया या त्रिपोली में हो, उनके साथ स्वार्थों के समीपता पर अधिक बल दिया। जब यह अफवाहें थी कि अफगानिस्तान का अमीर, भारत पर शायद आक्रमण करेगा, तो मुहम्मद अलि ने कहा कि *यदि अफगान भारत पर धर्म-युद्ध के लिये आक्रमण करते हैं तो भारतीय मुसलमान केवल उनका साथ देने के लिये बंधे हुए हैं बल्कि हिन्दुओं से भी युद्ध करने को बाधित हैं यदि हिन्दु उनके साथ सहयोग देने को मना करते हैं।* गांधीजी ने भी कहा, *मैं मानता हूं कि हम दोनों के लिये खिलाफत एक केन्द्रीय सत्य है। मुहम्मद अली मौलाना के साथ इसलिये क्योंकि यह उसका धर्म है, मेरे लिये इसलिये क्योंकि खिलाफत के लिये अपना जीवन बलिदान करने से मैं मुसलमान की छुरी से अपनी गाय, जो मेरा धर्म है उसकी सुरक्षा निश्चित करता हूं।* इस प्रकार यह स्पष्ट है कि हिन्दु-मुसलमान के बीच दुफाड़ को कांग्रेस की नीतियों द्वारा प्रोत्साहित तथा पाला पोसा गया था। कांग्रेस द्वारा मुसलमानों को प्रसन्न रखने की नीति का प्रारम्भ भी इस द्वारा इंगित होता है।

आओ हम देखें कि श्री अरविन्द इसके बारे में क्या कहते हैं, *जिस वस्तु ने हिन्दु-मुसलमान के बीच दुफाड़ किया वह स्वदेशी नहीं था बल्कि कांग्रेस द्वारा*

सम्प्रदायिक सिद्धांत की स्वीकृति (यहां तिलक ने एक बहुत बड़ी भूल की) तथा खिलाफत आंदोलन द्वारा उन्हें आपसी भाई-चारा करवाने का अग्रिम प्रयत्न तथा उन्हें गलत तरीकों द्वारा आपसी मेल करवाना था। लखनऊ में उस सम्प्रदायिक सिद्धांत के माने जाने ने उन्हें स्थाई रूप में भारत में एक पृथक राजनैतिक इकाई को एक संयोजित पृथक राजनैतिक शक्ति बना दिया। यह स्वदेशी, बहिष्कार, राष्ट्रीय शिक्षा, स्वराज (हमारा पहलू) नहीं था जिसने यह भयंकर विभाजन किया, यह कैसे कर सकता था।–तिलक इसके लिये उस द्वारा नहीं, बल्कि उसके लखनऊ के मामले को सहमति देने द्वारा उत्तरदायी था–बाकी के लिये, गांधी ने अपने अली भाईयों की सहायता से कर दिखाया।

खिलाफत आंदोलन की चरम सीमा के दौरान, जिसका अपना उद्देश्य हिन्दु-मुस्लिम का आपसी मेल करवाना था, केरल के कुछ अत्यंत भयंकर सांप्रदायिक दंगों ने देश को हिला कर रख दिया। यह सम्प्रदायिक हिंसायें जिनको मोपलाह दंगों से जाना गया वह अगस्त 1921 में घटित हुई तथा सारे भारत में आघात की लहरे फैल गईं। हिन्दुओं को बेरहमी से काट डाला गया तथा हिन्दु और मुसलमान के बीच आशानुसार आपेक्षित सामंजस्य स्थापित नहीं हो पाया। परंतु ना तो गांधीजी ने और ना ही कांग्रेस पार्टी ने इस बारे में हिन्दुओं के काटे जाने की कोई निर्णायक टिप्पणी ही कभी दी। हिन्दु-मुस्लिम एकता का मुखौटा तो ओढ़ कर रखना ही था तथा ऐसा कुछ भी जो मुसलमानों को अप्रसन्न करता उससे परहेज तो करना ही था। यह मुसलमानों की चापलूसी करने का एक और दृष्टांत है।

हिन्दु-मुस्लिम समस्या के बारे में यह मूल्यवान होगा उसे दुहराने और स्वयं को याद करवाने के लिये जो श्री अरविन्द ने 1909 में ही लिख दिया था।

एक वस्तु के बारे हम निश्चय कर सकते है कि हिन्दु-मुस्लिम एकता राजनैतिक समझौतों या कांग्रेसी चापलूसी द्वारा प्रभावी नहीं हो सकती। इसे हृदय व मन की गहराईयों में ही अवश्य ढूंढा जाना चाहिये, क्योंकि जहां पर विघटन के कारण है वहीं पर समाधान अवश्यक खोजा जाना चाहिये। हमारे लिये समस्या का समाधान खोज निकालना ही बेहतर होगा क्योंकि हमें यह याद रहना चाहिये कि हमारे मतभेदों का सबसे अधिक फलदायी कारण हमारी आपसी नासमझियां हैं, कि प्रेम को ही प्रेम आकर्षित करता है तथा बलशाली ही बलवान के साथ समझौता करता है। एक बेहतर आपसी ज्ञान और सदभाव के द्वारा हमें गलत धारणाओं के कारणों को दूर करने का प्रयत्न करना चाहिये।

देश-प्रेम के अडिग प्रेम में हमें अपने मुसलमान भाई को भी विस्तारपूर्वक सम्मलित करना है यह सदा याद रखते हुऐ कि उसके हृदय में भी नारायण का निवास है तथा अपने हृदय में हमारी मां ने उसे भी एक स्थाई स्थान दिया है। परंतु हमें उसकी ओर एक स्वार्थ भरे दुर्बलता तथा भय के वश चापलूसी या झूठ के द्वारा नहीं बढ़ाना चाहिये। हमें निश्चय है कि इस कठिनाई से जूझने का यही एक यथार्थ रास्ता है। एक राजनैतिक तौर पर हिन्दु-मुस्लिम की समस्या में हमें कोई रूची नहीं परन्तु एक राष्ट्रीय समस्या के रूप में हमारे लिये यह सर्वोच्च महत्व रखती है। हम मुहम्मद और इस्लाम को अपने पाठकों के समक्ष नई रोशनी में रखने को अपने कार्य का एक मुख्य भाग बनायेंगे, ताकि मुस्लिम इतिहास और सभ्यता के न्यायोचित दृष्टिकोण को फैलाया जा सके, आपसी भाईचारे तथा आपसी समझ की सम्भावनाओं के रास्ते में जो कठिनाइयाँ आती है उन्हें तिरस्कृत ना करते हुऐ अपने राष्ट्रीय विकास में मुसलमान के स्थान का सही मूल्यांकन कर सकें तथा उसके सामुदायिक जीवन को अपने जीवन के साथ समन्वयित करने के साधन ढूंढ सकें। बौद्धिक सद्भाव केवल आपसी मेल ही करवा सकता है, परंतु केवल हृदय का सदभाव ही एकता ला सकता है। परन्तु बौद्धिक सदभाव ही हृदय के सदभाव के लिये एक उत्तम प्रयत्न है।

गांधीजी की राजनीति का दूसरा विशेष पहलू था-अहिंसा को एक धार्मिक मत के रूप में खड़ा कर देना। 1906 में जब बंगाल में निष्क्रिय विरोध को प्रारम्भ किया गया था, अहिंसा को तब के प्रचलित हालात में युक्ति के रूप में धारण किया गया था। हालात किसी प्रकार की हिंसा के लिये तब तैयार नहीं थे परंतु इसे सभी हालातों में एक मत और रूढ़ीवादीता के रूप में अपनाये जाने के लिये कभी भी अपनाया नहीं गया। गांधीजी का यही दृष्टिकोण था जिसके द्वारा असहयोग आंदोलन को समाप्त किया गया। कांग्रेस के नेताओं को इससे क्षोभ हुआ। गांधीजी द्वारा आंदोलन को टाले जाने पर जवाहर लाल नेहरू जी के द्वारा की गई टिप्पणी नीचे प्रस्तुत है:

> *जब हमें हमारे इस संघर्ष की समाप्ति का पता चला, ऐसे समय में जब हमें लगता था कि हम अपनी स्थिति को सुदृढ़ कर रहे थे तथा सभी दिशाओं में आगे बढ़ रहे थे, तो हमें क्रोध आया-चौरी-चौरा की घटना के बाद हमारे आंदोलन का तुरंत टाले जाने का मैं समझता हूं कि गांधीजी के अतिरिक्त कांग्रेस के बाकी लगभग सारे नेताओं द्वारा रोष जताया गया। मेरे पिताजी (जो उस समय जेल में थे) इसके द्वारा काफी खिन्न हुए। युवक लोग और भी अधिक क्रोध में थे। हमारी उठती हुई आशाओं पर पानी फिर गया तथा ऐसे मानसिक प्रतिक्रिया का होना सम्भावी था। हमें जिस बात से*

अधिक परेशानी हुई वह थी इसे टालने का तथा उनके द्वारा उठते निष्कर्षों को लेकर दिये कारणों का दिया जाना। चौरी चौरा एक निंदनीय घटना व अहिंसक आंदोलन की आत्मा के पूर्णतया विरुद्ध हो सकती थी तथा वास्तव में थी, परंतु क्या दूर-दराज व मुख्य धारा से परे एक छोटे से गांव व उसके उत्तेजित किसानों की भीड़ हमारे स्वतंत्रता के लिये राष्ट्रीय आंदोलन को, बेशक कुछ समय के लिये ही सही, समाप्त करने जा रही थी। यदि हिंसा के किसी छुटपुट कार्य का अवश्यंभावी यही निष्कर्ष था, तो अहिंसापूर्ण-आंदोलन के दर्शनशास्त्र तथा कार्यविधि में अवश्य किसी बात की कमी थी। क्योंकि ऐसे किसी अनहोनी घटना के घटित होने के विरुद्ध किसी प्रकार का वादा हमें असम्भव सा लगता था। इससे पहले कि हम आगे बढ़ें, क्या हमें पैंतीस करोड़ से अधिक भारत के लोगों को अहिंसा के कार्यक्रम के सिद्धांत में अवश्य ही अभ्यास करवाना होगा। तथा ऐसे होने पर भी हममें से कितने कह सकेंगे कि पुलिस के अत्यधिक भड़काए जाने पर भी व अत्याचार के नीचे भी हम पूर्णतया शांत रह पाऐंगे। परंतु यदि हम इसमें सफल हो जाते हैं तो उन अनेकों उत्तेजकों, शरारती तत्वों तथा उनकी भांति और दलालों का क्या जो हमारे आंदोलन में घुस आये और स्वयं हिंसा में ग्रस्त हो जायें या दूसरों को हिंसा करने के लिये भड़कायें। यदि इसके कार्यविधि की यही एक मात्र शर्त थी तो विद्रोह का अहिंसापूर्वक तरीका सदा ही असफल रहेगा।

तथा इसके होते हुए भी, अत्यंत दुर्भाग्यपूर्ण तरीके से कांग्रेस ने गांधीजी के निर्णय को स्वीकार किया। यह नहीं मानने की रीत और फिर भी उसके अनुसरण में चलना सारे स्वतंत्रता आंदोलन के दौरान होता रहा।

गांधीजी द्वारा अपनाये गये सत्याग्रह के तरीके से संबंधित कुछ टिप्पणियों को जानना काफी प्रासंगिक होगा। सत्याग्रह के तरीके के बारे में जो श्री अरविन्द जी कहते हैं वह हम नीचे देते हैं—

मैं विश्वास करता हूं कि गांधी को नहीं मालूम कि जब मनुष्य सत्याग्रह या अहिंसा को अपनाता है तो उसके स्वभाव में वास्तव में क्या घटता है। वह समझता है कि इसके द्वारा मनुष्य शुद्ध हो जाते हैं। परंतु जब मनुष्य कष्ट सहते हैं, या स्वेच्छा से कष्टों के अधीन स्वयं को धकेलते हैं, तो होता यह है कि उनके प्राण शक्तिशाली हो जाते हैं। यह गतिविधियां केवल प्राणों को ही प्रभावित करती हैं, किसी अन्य भाग को नहीं। अब, जब तुम उस शक्ति का विरोध नहीं कर सकते जो अत्याचार करती है, तुम कहते

हो कि तुम कष्ट सहन करोगे। यह कष्ट सहना प्राणिक है तथा यह शक्ति देता है। जब वह आदमी जिसने इस प्रकार कष्ट सहन किये हैं उसे जब शक्ति मिलती है तो वह और भी बुरा अत्याचारी बन जाता है–

मनुष्य जो कर सकता है वह है हिंसा की प्रवृत्ति का रूपांतर करना। परंतु सत्याग्रह की इस पद्धति में इसका रूपांतर नहीं होता है। जब आप ऐसे इक-तरफा सिद्धांत पर बल देते हो तो होता यह है कि इसमें बहानेबाजी, पाखन्ड तथा बेईमानी प्रवेश कर जाती है तथा कुछ भी स्वच्छता नहीं होती। जैसा मैंने कहा है, स्वच्छता हिंसा की भावना को रूपांतरित करने से हो सकती है। इस प्रकार से भारत में पुरानी व्यवस्था कहीं उत्तम थी: वह मनुष्य जिसमें लड़ाई की भावना होती थी वह क्षत्रीय बन जाता तथा तब लड़ाई की भावना को सामान्य प्राणों के प्रभाव से ऊपर उठा दिया जाता था। इसको आध्यात्मिक किये जाने का प्रयत्न होता था। वह उन सबको करने में सफल हो जाता जिसको निष्क्रिय विरोध न तो प्राप्त करता और न ही कर सकता है। क्षत्रीय एक ऐसा मनुष्य होता था जो किसी भी अत्याचार को होने नहीं देता था, जो उसके विरुद्ध युद्ध करता था तथा वह ऐसा मनुष्य था जो किसी को भी तंग नहीं करता था। वही एक आदर्श हुआ करता था।

गांधीजी के नेतृत्व के बारे में एक और पहलू जानने योग्य यह था कि उनके साथ स्वीकृति नहीं होने पर भी कांग्रेस पार्टी फिर भी बिना कोई गंभीर विवेचन किये उसी का अनुसरण करती थी। लोकतांत्रिक रीति की बली होती थी। दुर्भाग्य से कांग्रेस की कई कमजोरियों में से यह एक कमजोरी वर्तमान समय तक भी दीखती है।

इन गंभीर कमियों के होते हुए भी, असहयोग आंदोलन के निम्नलिखित साकारात्मक प्रभाव रहे थे:

- अपने राजनैतिक अधिकारों व विशेषाधिकारों के प्रति जनता में एक आम जागृति पैदा हो गई।
- सरकार की वर्तमान व्यवस्था से पूर्णतया विश्वास उठ गया।
- केवल अपने ही प्रयत्नों से भारत स्वतंत्र हो सकता है, यह विश्वास पैदा हो गया।
- स्वतंत्रता प्राप्ति के राष्ट्रीय प्रयत्न को दिशा देने वाली कांग्रेस ही एक मात्र संस्था है, यह विश्वास उसमें पैदा हो गया।

- लोगों को झुकाने के लिये अत्याचारी विधियों का पूर्णतया असफल हो जाना।

इस आंदोलन का सबसे प्रमुख पहलु था लोगों का स्वेच्छा से सरकार द्वारा कठिनाइयों और दंडों को दिये जाने पर भी उसे अत्यंत अद्भुत प्रकार से सहन करने की शक्ति का आ जाना। इसके अतिरिक्त दो अन्य पहलुओं जिनसे मुख मोड़ा नहीं जा सकता वे उभर कर आये: पहला यह कि कांग्रेस वास्तव में एक जनसमुदाय का आंदोलन बन गई थी तथा दूसरा यह कि कांग्रेस एकाएक ऐसी संस्था बन गई जो स्वतंत्रता की लड़ाई लड़ने को तैयार हो गई। यह अब मात्र एक विवेचनात्मक संस्था नहीं रह गई थी। यह एक कर्म के प्रति कटिबद्ध एक व्यवस्थित लड़ाई करने वाली संस्था बन गई थी–बेशक एक प्रकार के अहिंसात्मक कार्यक्रम द्वारा ही सही। दुर्भाग्य से यह आंदोलन न तो एक तर्कसंगत राजनैतिक लीक पर और ना ही भारतीय संस्कृति की गहरी समझ पर निर्देशित था।

39

नागरिक अवज्ञा आंदोलन-भाग 1

जैसा कि पिछले अध्याय में देखा गया, गांधीजी ने चौरी-चौरा की घटना के बाद एकाएक असहयोग आंदोलन को समाप्त कर दिया। सारे देश ने इसे बहुत दुखीः भाव से अपनाया परंतु कांग्रेस की कार्यकारिणी समिति ने इसे 12 फरवरी 1922 को पारित कर दिया। परिणामस्वरूप इस राष्ट्रीय आंदोलन को कई वर्षों तक टाला गया। तथापि कांग्रेस पार्टी के एक भाग ने सी.आर. दास और मोतीलाल नेहरू के नेतृत्व तले एक नई नीति को अपनाया। उन्होंने स्वराज्य पार्टी का गठन किया और परिषद के अगले चुनावों में इस दृष्टि से भाग लिया कि सुधारों को एक लगातार समय तथा बारम्बार रूकावटों के द्वारा आंतरिक तौर पर ही तबाह किया जाये। कुछ सफलता प्राप्त करने के बावज़ूद पार्टी अपने मुख्य उद्देश्य में असफल रही।

जहाँ तक हिन्दु-मुस्लिम सम्बन्धों का प्रश्न था, खिलाफत आंदोलन के दौरान अस्थाई आपसी मेल जो पैदा हुआ था वह पूर्णतया गायब हो चुका था। 1923 में एक क्रमवार सम्प्रदायिक दंगे भड़क उठे जो भारतीय राजनैतिक जीवन के लगभग एक लगातार क्रमवार पहलु बन गये जो समय-समय पर होते रहे। तदानुसार मुस्लिम लीग शक्तिशाली होती चली गई और सर सईद मुहम्मद के पुराने विचारों को पुर्नजागृत कर दिया। गांधीजी के नेतृत्व तले कांग्रेस अभी भी अपने बंद विचारों में रहती रही। उसने मुस्लिम लीग की स्थिति और शक्ति का सही मूल्यांकन नहीं किया तथा सम्प्रदायिक समस्या के चरित्र तथा विशालता को रोकने के पर्याप्त उपाय नहीं किये। वह मुस्लिम लीग की अवहेलना करती रही तथा लीग का मुकाबला करने के लिये उसने कुछ राष्ट्रीय मुसलमानों को अपने संग करने का प्रयत्न किया। परिणाम स्वरूप एक पूर्ण असफलता हाथ लगी तथा अंत में यह प्रयत्न मुस्लिम लीग को पूर्णतया अपने से अलग करने की ओर ले गये, जिससे पाकिस्तान की स्थापना का रास्ता बन गया।

राजनैतिक गतिविधियों में स्थूलता तथा लगभग मृतप्राय तमस जिसने राष्ट्र पर अधिकार जमा लिया था वह संयोगवश अंग्रेजी सरकार के एक कार्य द्वारा हटा दिया गया और वह कार्य था 1928 में साईमन कमीशन की नियुक्ति।

साईमन कमीशन

भारत सरकार के 1919 के एक्ट में एक प्रावधान था कि दस वर्ष के पश्चात एक कमीशन बैठाया जाये जो सुधारों पर पुर्नदृष्टि डाले जिसके द्वारा भारतीयों द्वारा एक उत्तरदायी सरकार की अधिक हिस्सेदारी की ओर ले जाया जा सके। भारतीय नेताओं ने इस प्रक्रिया को तेज करने के लिये कई प्रयत्न किये थे परंतु उन्हें किसी भी प्रकार की कोई सफलता नहीं मिली। परंतु एकाएक 8 नवम्बर 1927 को इंग्लैंड के प्रधान मंत्री ने एक कमीशन के गठित किये जाने के निर्णय की घोषणा करके सभी को अचम्भित कर दिया। इस कमीशन के गठित सदस्य सभी इंग्लैंड के सदस्यों द्वारा निर्मित होने थे तथा जैसा कि पूर्वानुमानित था भारत भर के सभी नेताओं ने इस घोषणा को निराशा और निरादर के भाव से लिया। सर्वसमीति से कमीशन के बहिष्कार का निर्णय लिया गया। कांग्रेस पार्टी ने बहिष्कार को प्रभावी बनाने के लिये कई क्रमवार क्रियाओं की घोषणा की। इनमें सम्मिलित थे।

- जिस दिन कमीशन इस धरती पर कदम रखे, सारे भारत भर में सामुहिक प्रर्दशनियां।
- कमीशन के साथ सहयोग करने हेतु समितियों के निर्वाचन के लिये विधान परिषदों के सदस्यों द्वारा मना कर दिया जाना।
- कमीशन के सदस्यों का सामाजिक बहिष्कार।

कांग्रेस पार्टी का बहिष्कार अत्यंत सफल रहा। 3 फरवरी 1928 को जिस दिन कमीशन बम्बई में पहुंचा पूर्ण हड़ताल की गई तथा काले झंडों को लिये हुये एक विशाल प्रदर्शनी निकाली जिस पर *साईमन वापिस जाओ* लिखा हुआ था। 16 फरवरी 1928 को कांग्रेस की कार्यकारिणी समिति ने एक प्रस्ताव पारित किया जिसमें कहा गया कि उनका कमीशन के साथ कुछ भी लेना देना नहीं था। बाद में जब कमीशन लाहौर के रेलवे स्टेशन पर पहुंचा तो वहां पर हजारों की संख्या में साईमन कमीशन के विरोध में एकत्रित भीड़ पर पुलिस ने लाठियां चलाई तथा श्री लाला लाजपत राय पर लाठियों का प्रहार किया। कुछ दिनों के पश्चात 17 नवम्बर 1928 को लाला लाजपत राय जी की मृत्यु हो गई। यह सामान्य तौर पर विश्वास किया जाता है कि उन लाठियों की चोटों के कारण ही उनकी मृत्यु हुई।

नेहरू का संविधान

साईमन कमीशन का एक परिणाम यह निकला कि भारतीय नेताओं ने सभी राजनैतिक पार्टियों द्वारा मानने योग्य एक भारतीय संविधान की रचना करने का

निर्णय लिया। मद्रास में 1927 के कांग्रेस अधिवेशन में इस विचार को लिया गया था। इसके परिणामस्वरूप पंडित मोती लाल नेहरू के नेतृत्व में एक समिति का गठन किया गया। अगस्त 1928 में एक सर्वदलीय सम्मेलन लखनऊ में आयोजित किया गया जहां एक संविधान की रूप रेखा बनी तथा उसे कांग्रेस पार्टी ने स्वीकार कर लिया। तथापि जब बाद में दिसम्बर माह में सर्वदलीय सम्मेलन बैठा, तो मुस्लिम लीग द्वारा इसे स्वीकृत नहीं किया गया, जिसका नेतृत्व मुहम्मद अली जिन्ना कर रहा था। जिन्ना ने तब विरोध प्रदर्शित करते हुए सम्मेलन का त्याग किया तथा मुस्लिम नेताओं से जा मिला जो कांग्रेस का विरोध करते थे। 1 जनवरी 1929 को एक सर्व भारतीय मुस्लिम सम्मेलन हुआ जहां उसने मुसलमानों के दावों का घोषणा-पत्र जारी किया। यह उसकी चौदह मांगों का बाद में आधार बना।

जिन्ना ने अपना राजनैतिक जीवन श्री गोखले के विचारों से प्रारम्भ किया तथा 1920-21 तक वह कांग्रेस का समर्थक था। वह एक योग्य वक्ता तथा उच्च श्रेणी का राजनैतिक नेता था। तथापि, वह गांधीजी के रहस्यवाद को नहीं समझ पाया, जो उसके लिये एक रहस्य था। परंतु साथ ही साथ वह विघटनकारी मुस्लिम पार्टियों का विरोधी था। अपने आप को भारतीय राजनीति में सुखी ना पाये जाने के कारण वह इंग्लैंड में बस जाने के इरादे से इंग्लैंड चला गया। जिन्ना भारतीय राजनीति में पुनः 1928 में लौटा, पूर्ण तथा बदले हुए मनुष्य के रूप में तथा उसने भारतीय राजनीति को एक सम्पूर्ण नया मोड़ दे दिया। किस कारण वह वापिस लौटा और उसमें बदलने के क्या कारण थे वह स्पष्ट नहीं है। कुछ का यह मानना है कि वह अपने प्रति कांग्रेस के व्यवहार से चिढ़ गया था। एक विवेचक और संचालक के रूप में उसकी योग्यताओं ने जल्द ही उसे अग्रपंक्ति में ला खड़ा किया तथा वह मुस्लिम लीग का नेता बन गया।

स्वतंत्रता की घोषणा

तथापि, स्वतंत्रता की भावना बढ़ती ही चली गई केवल इसी तथ्य पर कि एक नये संविधान का निर्माण किया गया था। भारत के लोग संपूर्ण स्वतंत्रता की माँग कर रहे थे तथा इसका उदघोष कलकत्ता के 1928 के भारतीय राष्ट्रीय कांग्रेस के वार्षिक अधिवेशन में हुआ। उस समय भी गांधीजी इस हद तक जाने को तैयार नहीं थे तथा उन्होंने एक समझौते के तौर पर सुझाव दिया कि प्रभुसत्ता पद को स्वीकार कर लिया जाये जिसमें प्रावधान हो कि अंग्रेजों द्वारा 1929 के अंत तक नेहरू के संविधान को स्वीकार कर लेना चाहिये। श्री सुभाष चन्द्र बोस और श्री जवाहर लाल नेहरू गांधीजी द्वारा सुझाये इस समझौते

से प्रसन्न नहीं थे परंतु अंत में उन्हें झुकना ही पड़ा। कांग्रेस की माँगों के अपने जवाब में लार्ड इरविन के नेतृत्व वाली अंग्रेजों की सरकार ने घोषणा की कि सरकार अधिक से अधिक प्रभुसत्ता पद की मांग तक ही स्वीकृति दे सकती है। इस प्रकार नेहरूजी के संविधान को एक सम्मानपूर्वक अन्तेष्ठी मिल गई। कांग्रेस ने तब दिसम्बर 1929 को लाहौर के अधिवेशन में संपूर्ण स्वतंत्रता की घोषणा करने का निर्णय लिया। 31 दिसम्बर 1929 को कांग्रेस के तब अध्यक्ष पद पर विराजमान श्री जवाहर लाल नेहरू अपनी गद्दी से उठे और एक शांत जुलूस का नेतृत्व करते हुए रावी नदी के किनारे तक गये। वहाँ उन्होंने भारत का राष्ट्रीय ध्वज इन्कलाब ज़िन्दाबाद के कर्णभेदी नारों के बीच ऊपर उठाया। दो दिन के बाद कांग्रेस की कार्यकारिणी समिति ने बैठक की और निर्णय लिया कि 26 जनवरी 1930 को संपूर्ण स्वराज्य के दिन के रूप में मनाया जाना चाहिये। उस दिन गांधीजी द्वारा लिखित एक घोषणा को पूरे भारत में पढ़ा गया। यह अभिलेख इन शब्दों से प्रारम्भ होता है:

> *हम मानते हैं कि भारत के लोगों का यह अटल अधिकार है, जैसा कि किसी और देश के लोगों का है, कि स्वतंत्रता प्राप्त की जाये तथा उनके मेहनत का फल भोगा जाये तथा जीवन की आवश्यकताओं को प्राप्त किया जाये ताकि उन्हें विकास के पूर्ण अवसर प्राप्त हों। हम यह भी मानते हैं कि यदि कोई सरकार लोगों को इन अधिकारों से वंचित रखती है तथा उन्हें उत्पीड़ित करती है, तो लोगों को उसे बदलने या समाप्त करने का अग्रिम अधिकार है। भारत में अंग्रेज सरकार ने न केवल भारत के लोगों को उनकी स्वतंत्रता से वंचित ही किया है बल्कि स्वयं को जनसमुदाय के शोषण पर आधारित किया है तथा भारत को आर्थिक, राजनैतिक, सांस्कृतिक तथा आध्यात्मिक रूप से नष्ट भी किया है। इसलिये हम मानते हैं कि भारत को अंग्रेजी बंधन अवश्य काट देना चाहिये तथा पूर्ण स्वराज या पूरी स्वतंत्रता प्राप्त करनी चाहिये।* इसके साथ ही साथ कांग्रेस ने सांप्रदायिक समस्या पर नेहरू समिति की सिफारिशों को जड़ से नकार दिया। नेहरू समिति ने सुझाव दिया था कि सीटों का आरक्षण आबादी के आधार पर होना चाहिए। एक प्रस्ताव में कांग्रेस पार्टी ने कहा: *जहां तक सांप्रदायिकता का सवाल है, कांग्रेस का सदा यह मानना रहा है कि स्वतंत्रत भारत में, सांप्रदायिकता का प्रश्न केवल राष्ट्रीय मुद्दों पर ही सर्वदा सुलझाया जा सकता है। परंतु जैसा कि सिक्खों ने विशेषतया व मुस्लिम व अन्य अल्पसंख्यकों ने साधारणतया सांप्रदायिक प्रश्नों के समाधान पर अपनी असंतुष्टि नेहरू रिपोर्ट के प्रस्तावों पर जताई है, यह कांग्रेस सिक्खों, मुसलमानों तथा अन्य*

अल्पसंख्यकों को आश्वासन देती है कि भविष्य के किसी भी संविधान में उस समाधान को स्वीकार नहीं करेगी जो निर्दिष्ट समुदायों को पूरी संतुष्टी नहीं देती।

इस प्रस्ताव ने अल्पसंख्यकों को सांप्रदायिक समस्या के प्रश्न पर किसी भी समाधान को नकार देने की शक्ति दे दी। यह स्पष्ट हो जाना चाहिये था कि ऐसा समाधान जो सभी संबंधित संघों को पूर्णतया संतुष्ट कर दे वह लगभग असंभव था। इस सिद्धांत ने भविष्य के सभी समझौतों को बहुत कठिन बना दिया क्योंकि इसने अल्पसंख्यकों की समझौता नहीं करने की शक्ति पर एक पारितोषित रख दिया।

नागरिक अवज्ञा आंदोलन

कुछ समय बाद कांग्रेस कार्यकारिणी समिति ने घोषणा की: "हम यह भगवान और मनुष्य के प्रति एक अपराध मानते हैं कि एक ऐसे शासन के आगे नतमस्तक हों जिसने हमारे देश को यह चौगुनी तबाही दी है–हम इसलिये स्वयं को तैयार करेंगे जहाँ तक हो सके अपने को अंग्रेजी सरकार से स्वेच्छा से सम्बन्ध विच्छेद करने को तथा नागरिक अवज्ञा के लिये तैयार करेंगे, जिसमें कर नहीं देना भी सम्मिलित होगा। हम इसलिये कांग्रेस के समय-समय पर जारी किये निर्देशों की पालना करने की प्रतिज्ञा करते हैं ताकि पूर्ण स्वराज स्थापित हो सके।" इस प्रकार नागरिक अवज्ञा आंदोलन को प्रारम्भ किया गया। गांधीजी को आंदोलन का संयोजक बनाया गया। उन्होंने अहमदाबाद के निकट अपने आश्रम में समुद्र के किनारे एक गाँव दांडी तक यात्रा आरम्भ करने का निर्णय लिया। परंतु तब कुछ अद्‌भुत घटित हो गया। इससे पहले कि उस घोषणा पत्र की स्याही जिससे वह लिखा गया था, उसको सूखने का समय मिलता, गांधीजी ने अपने पत्रिका यंग इंडिया में कुछ ऐसा लिखा जिसने सारी चीज को वस्तुत तोड़-फोड़ डाला। संपूर्ण स्वतंत्रता की माँग करने की बजाय उन्होंने ग्यारह प्रशासनिक सुधारों की सूची बनाई और वाइसराय को निम्न शब्दों में अपील की: *यह किसी भी प्रकार से अतिआवश्यक आवश्यकताओं की सम्पूर्ण सूची नहीं है, परंतु वाइसराय को भारत की इन बहुत साधारण परंतु अतिआवश्यक जरूरतों के प्रति हमें संतुष्ट करना होगा। वह तब नागरिक अवज्ञा की कोई भी बात नहीं सुनेंगे। तथा कांग्रेस सहर्ष किसी भी ऐसे सम्मेलन में भाग लेगी जहाँ मांगों और अभिव्यक्ति की पूर्ण स्वतंत्रता होगी।* 2 मार्च को गांधीजी ने एक पत्र वाइसराय को लिखा जिसमें दांडी की यात्रा के अपने निर्णय का संचारण किया। इस पत्र में उन्होंने फिर उन ग्यारह माँगों को दुहराया तथा इन बुराइयों को तुरंत दूर कर देने की

माँग की। श्री जवाहर लाल नेहरू हतप्रभ रह गये। उन्होंने टिप्पणी की: हमारे राजनैतिक और सामाजिक सुधारों की सूची बनाने का क्या तुक रह गया था जब हम स्वतंत्रता के विषय में बात कर रहे थे।

यह जैसा भी रहा हो, नागरिक अवज्ञा आंदोलन के मामले को लेकर सारा देश उत्सुकता से भर गया था। गांधीजी के उस क्षण, स्थान तथा उस विशेष मामले को लेकर सभी आँखें साबरमति आश्रम की ओर मुड़ गई थी जिस पर इस आंदोलन को आधारित कर आरम्भ करना था। घड़ी निश्चित कर दी गई तथा 12 मार्च 1930 को नागरिक अवज्ञा आंदोलन को प्रारम्भ किया गया। उस दिन गांधीजी अपने 79 स्त्री, पुरुष सत्याग्रहियों के साथ पैदल साबरमति से चले और 5 अप्रैल को दंडी पहुँचे। यह हर हाल में एक विजयी प्रगति थी। गांव वाले भी सभी ओर से उमड़ पड़े। सड़कों को पानी से छिड़का गया, उस पर पत्तियाँ बिछाई गईं, तथा जैसे ही वहाँ से यात्री गुजरते गाँव वाले घुटने के बल बैठ उनका अभिवादन करते। 6 अप्रैल की सुबह को, गांधीजी तथा उनकी टोली समुद्र जल में उतरी, तट पर वापिस आये तथा लहरों द्वारा छोड़ गये नमक को उठा लिया। यह कानून एक तकनीकी उल्लंघन था परंतु जिस प्रकार इस सारे कार्य का संचालन हुआ वह बहुत महत्वपूर्ण था। 241 मीलों की 24 दिनों में धीमी यात्रा जिस पर पूरी दुनिया में प्रचार कि यह एक जानबूझ कर किया गया महान अंग्रेजी सरकार के विरुद्ध अवज्ञा का कार्य था, उसने पूरी दुनिया की जनता तथा नेताओं पर एक अभूतपूर्व प्रभाव छोड़ दिया। यह राष्ट्र के लिये एक इशारा था तथा फलस्वरूप सारे देश भर में नमक के कानून का उल्लंघन किया गया। यह स्पष्ट है कि एक धीमी यात्रा की यह योजना एक उत्कृष्ट सोच थी तथा एक भरपूर चपलता से इसे अति बढ़िया ढंग से कार्यान्वित किया गया था। प्रारम्भ में तो सरकार ने इस सारे मामले को निंदा और तुच्छता की दृष्टि से देखा। स्टेट्समैन समाचार-पत्र ने टिप्पणी की: *महात्मा सारे समुद्री जल को प्रभुसत्ता पद प्राप्त करने तक उबाल सकते हैं।* परंतु जल्द ही यह प्रतिक्रिया बौद्धिक उत्सुकता में बदल गई। आंदोलन भड़क उठा था तथा जल्द ही सारा देश एक अत्यंत तीव्र और शांतिपूर्ण सत्याग्रह की ओर चल पड़ा। सरकार ने अमानवीय दमन से इसका प्रत्युत्तर दिया।

धरसाना का संघर्ष

गांधीजी ने तब अगला कदम उठाया। उन्होंने सूरत जिले में धरसाना के नमक के भंडार पर धावा बोलने का निर्णय लिया। परम्परानुसार इससे पहले वाइसराय को एक पत्र लिखा गया जिसमें नमक पर कर को हटाये जाने का तथा निजी तौर पर नमक बनाने की मनाही को हटाने का निवेदन किया गया।

परंतु इससे पहले कि गांधीजी घरसाने की ओर चूक करते, उन्हें बंदी बना लिया गया। अब्बास तैय्यब ने उनका स्थान लिया परंतु उन्हें भी बंदी बना लिया गया। तब सरोजनी नायडू धरसाने की ओर जल्दी से गई और नमक के भंडार पर धावा बोलने का निर्देश करने लगी।

इस आंदोलन का एक महत्वपूर्ण पहलू यह था कि गांधीजी ने एक विशेष अपील भारत की नारियों को की कि वे सूत कातने और हड़ताल करने का कार्यभार संभाल लें। इसका प्रभाव अद्‌भुत हुआ। हजारों ही नारियों ने इसमें भाग लिया तथा ऊंचे घरानों व रूढ़ीवादी परिवारों की स्त्रियों ने स्वयं को हिरासत में लिये जाने एवं बंदीगृह जाने के लिये अपने आपको प्रस्तुत किया। कई विदेशी पर्यटक लगभग रातों-रात भारत की स्त्रियों में इस महान बदलाव को पाकर अत्यधिक प्रभावित हुए। भारत में स्त्रियों की यह मुक्ति इस आंदोलन की एक महान उपलब्धि थी। सरोजिनी नायडू के नेतृत्व में पहला धावा 21 मई को बोला गया था परंतु सबसे दर्शनीय धावा 1 जून को हुआ।

अमेरिका के युनाईटेड प्रेस के एक विदेशी पत्रकार श्री वेब मिलर द्वारा अभिलिखित उस दिन को हुई घटनाओं का यहाँ एक सारांश प्रस्तुत है:

श्रीमति नायडु ने यात्रा आरम्भ करने से पूर्व एक प्रार्थना सभा बुलाई और सभी एकत्रित लोग घुटनों के बल बैठ गये। उन्होंने प्रेरित किया: गांधीजी का शरीर तो जेल में है परंतु उनकी आत्मा आप लोगों के साथ है। भारत की प्रतिष्ठा आपके हाथों में है, आप किसी भी प्रकार की हिंसा का प्रयोग किसी भी हालात में नहीं करेंगे। तुम्हें पीटा जायेगा परंतु आप विरोध नहीं करेंगे। आप लाठी के वार से बचने के लिये अपने हाथ तक भी नहीं उठायेंगे।

धीरे-धीरे भीड़ नमक भंडारों की ओर आधे मील की यात्रा पर चल दी। गद्ढे पानी से भरे हुए तथा चार सौ स्थानीय पुलिस जिनका कमान आधे दर्जन अंग्रेज अफसरों द्वारा किया गया वे नमक के भंडारों की सुरक्षा करते व उन्हें घेरे हुए तैनात थे। पूर्ण शांति से सत्याग्रही आगे बढ़े और नमक भंडारों से सौ गज़ की दूरी पर आकर रूक गये। पुलिस अफसरों ने यात्रियों को तितर-बितर हो जाने की आज्ञा दी। लोगों की कतार ने उस चेतावनी की अवहेलना की और धीरे-धीरे आगे बढ़े।

अचानक आज्ञा के एक शब्द पर दर्जनों पुलिसकर्मियों ने बढ़ते हुये यात्रियों को घेरा तथा उनके सिरों पर लोहे के मुठ्ठों वाली लाठियों से चोटों की बरसात कर दी। वे निर्जीव होकर नीचे गिर गये। उन सदस्यों में से एक ने

भी लाठियों के वार से बचने के लिये बाहें नहीं उठाईं। जिन पर वार हुआ था वे टूटी खोपड़ी या टूटे कंधों से बेहोश या दर्द से तिलमिलाये नीचे लेटे हुए थे। दो या तीन मिनट में धरती शरीरों से ढक गई थी। खून के बड़े-बड़े धब्बे उनके सफेद कपड़ों को चमकीला किये हुए थे। बचे हुए लोग बिना लीक तोड़े चुपचाप और बलपूर्वक आगे बढ़े चले गये जब तक उन्हें चोटों द्वारा गिरा नहीं दिया गया हो। जब पहली कतार के सभी लोग चोट खाकर नीचे गिर चुके थे, तो पुलिस द्वारा बिना परेशान किये स्वयं सेवक दौड़े आये और घायलों को उठा कर एक घास की झोंपड़ी में ले गये जिसे एक अस्थाई हस्पताल के रूप में बदल दिया गया था।

यह केवल एक छोटा-सा वृत्तांत है परंतु इस प्रकार के नज़ारे देश में दूसरे स्थानों पर भी प्रदर्शित हुए। कुल मिलाकर, दमन बलशाली तथा भयानक था। कांग्रेस को गैरकानूनी घोषित कर दिया गया। गांधीजी तथा अन्य नेताओं को गिरफ्तार कर लिया गया। एक लाख से अधिक लोगों को जेल में झोंक दिया गया। खबरों का गला घोंटा गया तथा अखबरों को अनेकों गोली के चलाये जाने की खबरों की रिपोर्ट देने से मना कर दिया गया।

40

नागरिक अवज्ञा आंदोलन-भाग–2

गोल मेज़ सम्मेलन

जबकि यह सब हो रहा था साईमन कमीशन की रिपोर्ट को प्रकाशित कर दिया गया तथा आश्वासित गोल मेज़ सम्मेलन की सिफारिशों पर बातचीत करने के लिये बुलाया गया। कांग्रेस ने इसमें भाग लेने से इंकार कर दिया परंतु मुस्लिम लीग समेत दूसरी पार्टियों के प्रतिनिधियों ने इसमें भाग लिया। कांग्रेस की अनुपस्थिती ने सम्मेलन के कार्य को व्यर्थ बना दिया। प्रतिनिधियों के लंदन से लौट आने पर उन्होंने गांधीजी से निवेदन किया कि वह वाइसराय से मुलाकात का समय मांगें। गांधीजी मान गये तथा 17 फरवरी 1931 को उनके तथा लार्ड इरविन के बीच क्रमानुसार कई मुलाकातों की लड़ी की पहली मुलाकात हुई। यह बैठकें कई रोज़ तक चलती रहीं तथा अंत में गांधीजी ने कुछ सुझाव रखे, जिनपर उन्होंने श्री जवाहर लाल नेहरू तथा श्री वल्लभ भाई पटेल के साथ विचार-विमर्श किया था। नेहरू जी ने इस प्रकार इसका वृत्तांत लिखा:

> *वे लगभग दो बजे रात को वापिस आये और हमें जगाया गया व बताया कि एक समझौता हो गया था। हमने समझौते का मसौदा देखा। मैं अधिकतर धाराओं को जानता था क्योंकि हमने उन पर काफी विचार विमर्श किया था, परंतु सबसे ऊपर धारा 2 व उसके बचाव पक्ष के संदर्भ आदी पहलुओं को देख कर मुझे एक भारी झटका लगा। मैं उसके लिये बिल्कुल भी तैयार नहीं था–मैंने धारा 2 में देखा कि इस (स्वतंत्रता) को भी खतरे में डाल दिया लगता था–क्या यह था कि जिसके लिये पूरे एक वर्ष तक हमारे लोग इतना शौर्यपूर्ण व्यवहार करते रहे थे? क्या हमारे सभी साहसी शब्द और कर्म इस प्रकार समाप्त हो जाने थे? कांग्रेस का 26 जनवरी का स्वतंत्रता प्रस्ताव जिसे इतनी बार दोहराया गया है? इस प्रकार, मैं लेटा रहा तथा उस मार्च माह की रात्रि के बारे में सोचता रहा, तथा मेरे हृदय में एक गहरा खालीपन था जैसे कि कोई बहुमूल्य वस्तु लगभग यादाश्त से भी परे चली गई हो।* परंतु फिर नेहरू और अन्य कांग्रेस के नेताओं ने हथियार

डाल दिये तथा नेहरूजी के ही शब्दों में–*वगैर किसी अत्यधिक मानसिक और शारीरिक कष्ट को झेले, उस समझौते को स्वीकार करने का तथा उसके लिये पूरी निष्ठा से कार्य करने का मैंने निश्चय किया।*

यह बैठकें गांधी–इरविन समझौते के रूप में फलीभूत हुई। इस समझौते के फलस्वरूप सभी राजनैतिक बंदियों को छोड़ दिया गया, संपत्ति को वापिस कर दिया गया तथा इसके बदले में गांधीजी ने नागरिक अवज्ञा आंदोलन को वापिस ले लिया। पूर्ण साम्राज्य के लिये प्रयत्नों की सौगन्ध को कुछ प्रशासनिक उपायों के बदले में फेंक दिया गया।

इसने दूसरे गोल मेज़ सम्मेलन के लिये तथा कांग्रेस के भाग लेने के लिये रास्ता साफ कर दिया। यह लंदन में सितम्बर और दिसम्बर 1931 को हुआ था। गांधीजी कांग्रेस के एकमात्र प्रतिनिधि थे। गांधीजी की ओर विशेष ध्यान नहीं दिया गया न ही इन्हें सही ढंग से सुना गया जबकि अम्बेडकर के नेतृत्व में निम्न जातियों को तथा जिन्ना के नेतृत्व में मुस्लिम लीग को इंग्लैंड की सरकार का अधिक ध्यान प्राप्त हुआ। उन्होंने अपने–अपने दावों पर खूब दबाव डाला तथा ऐसी कार्यवाही से दुखी होकर गांधीजी ने दिसम्बर 1931 को इंग्लैंड छोड़ दिया।

तीसरा गोल मेज़ सम्मेलन 1932 में आयोजित किया गया तथा इस बार कांग्रेस ने इसका बहिष्कार किया। इस अधिवेशन से कुछ विशेष ना निकला परंतु यह बाद के संवैधानिक परिवर्तनों का आधार बना। अगस्त 1932 में इंग्लैंड के प्रधानमंत्री रामसे मैक्डोनॉल्ड ने सांप्रदायिक परितोष क्री घोषणा की। इस व्यक्तव्य ने निम्न श्रेणियों को एक पृथक निर्वाचन खंड प्रदान किया। बाद में, सितम्बर 1932 में गांधीजी ने सांप्रदायिक परितोष के विरोध में मरण व्रत रखा। कांग्रेस ने तब नागरिक अवज्ञा आंदोलन के पुनर्जागरण का आहवान किया तथा जैसा कि होना ही था सरकार ने अत्यधिक दमनकारी साधनों की सहायता से इसके प्रति प्रतिक्रिया दी। कांग्रेस को गैरकानूनी करार दे दिया गया तथा गांधीजी और हजारों कार्यकर्ताओं को बंदी बना लिया गया। परंतु भारत के लोगों ने घुटने टेकने से इंकार कर दिया। कपड़े और शराबखानों की हड़तालें, नमक सत्याग्रह तथा किराया देने से इंकार किया जाना जारी रहा। वर्जित कांग्रेस ने एक गैरकानूनी अधिवेशन दिल्ली में किया। तथापि, जबकि कांग्रेस की साहसिक लड़ाई जनता की स्मृति में अभी ताज़ा ही थी कि गांधीजी ने एक धमाका कर दिया। उन्होंने 8 मई 1933 को एक घोषणा की कि वे आंदोलन को टाल देंगे। इसके बदले एक व्यक्तिगत नागरिक अवज्ञा आंदोलन होगा। कारण यह दिया गया कि वे

हरिजनों की समस्याओं से सम्बन्धित अधिक सतर्कता तथा ध्यान देने के लिये अपने ओर अपने साथियों की शुद्धता हेतु 21 दिन की भूख हड़ताल आरम्भ करेंगे। उन्होंने कहा: *मेरे व्रत का पूरा मनोरथ ही व्यर्थ हो जायेगा यदि मैं अपनी बुद्धि को किसी अन्य मामले में उलझने की अनुमती देता हूं यानि कि हरिजन समस्या से अतिरिक्त कोई अन्य मामला।*

उन्होंने तब वाइसराय के आगे अपील की कि सभी दमनकारी साधनों को वापिस लिया जाये तथा नागरिक अवज्ञा आंदोलन के बंदियों को रिहा किया जाये। वाइसराय ने क्रोध में उनके निवेदन को मना करके ठुकरा दिया तथा गांधीजी के साथ मुलाकात के निवेदन को भी मना कर दिया। आंदोलन एक सूखे लट्ठे की तरह मृत प्राय: हो गया। यह एक शर्मनाक पीछे हटना था जिसके लिये कितनों ने ही कितना कुछ बलिदान किया था। स्वतंत्रता की लड़ाई का मृत्युघोष बज उठा था जिसके लिये हजारों ने ही अनकही कठिनाइयों और दुखों को झेला। इसी दौरान गांधीजी ने अम्बेडकर के साथ एक समझौते पर हस्ताक्षर कर दिये थे। यह समझौता जिसे पूना समझौता के नाम से जाना गया उसमें एक समझौता तैयार किया गया जिसके अधीन निम्न श्रेणियों के लिये आरक्षित विधान सभा की सीटों की संख्या में वृद्धि की गई थी।

1934 के अंत तक देश ने एक चुप्पी-सी साध ली लगती थी। गांधीजी सक्रिय राजनीति से पीछे हट चुके थे तथा हरिजनों के उत्थान के कार्यों में लिप्त हो गये थे। जब ऐसा लगने लगा कि सारी राजनैतिक गतिविधियाँ समाप्त-सी हो गई थीं, अंग्रेज एक कुविचारित कानूनी कारवाई को आगे लेकर आये जिसने भारत को एक बार फिर एक राजनैतिक गतिविधि के मुकाबले के लिये प्रेरित कर दिया।

आओ अब हम नागरिक अवज्ञा आंदोलन के परिणामों की ओर एक दृष्टि डालें-

- प्राथमिक तौर पर संपूर्ण स्वतंत्रता या पूर्ण स्वराज का आदर्श सारे देश का एक स्वीकृत आदर्श बन गया। इसमें समाज के सभी वर्गों के लोग सम्मिलित हो गये-गरीब से गरीब लोगों से लेकर उच्च श्रेणियों के लोगों तक सभी सम्मिलित थे।
- दूसरा यह कि लोग अंग्रेजी सरकार को ललकारने लगे थे तथा अपने उद्देश्यों की प्राप्ति के लिये कोई भी कष्ट झेलने को तैयार हो गये। एक अदभुत जागृति आ गई थी तथा एक नव चेतना ने जन्म ले लिया

था। यह स्पष्ट था कि अब जल्द ना कि देर से स्वतंत्रता प्राप्ति होकर ही रहेगी।

तथापि इसके कुछ नकारात्मक परिणाम भी निकले जिनका प्रभाव बाद में अनुभव किया गया। इनमें से एक परिणाम यह था कि राष्ट्र गहरे रूप से विभाजित हो गया। भारत के राष्ट्रीय मुख्यधारा में समाज के विभिन्न वर्गों की एकता होने के स्थान पर सभी वर्ग-मुसलमान, सिक्ख तथा निम्न वर्ग-अपनी संकीर्ण साम्प्रदायिक मांगों की आवाजें राष्ट्रीय आंदोलन की कीमत पर भी उठाने लग गये। राष्ट्रीय स्वतंत्रता के केन्द्रीय समस्या पर एकाग्रता देने की बजाय कांग्रेस पार्टी ने अपना ध्यान दूसरी अन्य समस्याओं को व्यर्थ का महत्व देते हुए उन पर लगा दिया। परिणाम यह निकला कि केन्द्रीय उद्देश्य से हट कर ध्यान गौण समस्याओं पर लग गया। यह सत्य है कि यह सभी समस्याएँ महत्वपूर्ण थीं परंतु उन्हें पूर्ण स्वराज या संपूर्ण स्वतंत्रता की मांग से अधिक आवश्यक बनाकर कांग्रेस ने अपनी प्राथमिकताओं को गलत कर दिया। गांधीजी की अस्थिरता एक और ऐसा कारण था जिसके फलस्वरूप वह एक कार्य को बीच धारा में छोड़कर दूसरे कार्य की ओर मुड़ जाते। जब ऐसा लगता कि आंदोलन से बहुत बड़ा लाभ प्राप्त होने वाला है तो उसी समय आंदोलन को समाप्त कर दिया जाता। यह प्रवृति इतनी उग्र हो गई थी कि इसने उनके कई प्रशंसकों और अनुयायियों को गहरे दुख में डाल दिया था। पंडित जवाहर लाल नेहरू गांधीजी के राहों को जानने में स्वयं को असमर्थ पाते थे। नेहरू जी के शब्दों में–

मैंने उन्हें बताया (गांधीजी को मार्च 1931 में) कि उनका हमें अपने तरीकों से चकित कर देना हमें घबराहट में डाल देता है, उनके बारे कुछ ऐसा अज्ञात है जो चौदह वर्ष के निकटतम मेलजोल के होते हुए भी मैं कुछ भी नहीं समझ पाया तथा जो मुझे एक भय से भर देता है। उन्होंने किसी ऐसे अज्ञात की उपस्थिति को उनमें होने को स्वीकार किया तथा कहा कि वे स्वयं उसके प्रति कोई उत्तर नहीं दे सकते या भविष्यवाणी कर सकें कि वह उन्हें किस ओर ले जाये। इसी संदर्भ में यह श्रेयकर होगा जानना कि श्री अरविन्द गांधीजी के बारे में क्या कहते थे: *मैं इसे आस्था कहना बिल्कुल नहीं मानता, बल्कि एक हठीला मानसिक विश्वास मानता हूं तथा जिसे वह आत्मशक्ति कहते हैं वह केवल एक बलशाली प्राणशक्ति है जिसने एक धार्मिक मोड़ ले लिया है। वह अवश्य ही कर्म के लिये एक अद्भुत शक्ति बन सकती है, परंतु दुर्भाग्यवश गांधी इसे एक तर्क पूर्ण मनुष्य होने की अपनी लालसा द्वारा नष्ट कर देते हैं जबकि वास्तव में*

उनमें कोई विवेचन की शक्ति है ही नहीं, अपने जीवन के किसी भी क्षण में वे कभी विवेकशील थे ही नहीं तथा मैं मानता हूं कि कभी होगी भी नहीं। इसके स्थान पर उनके पास जो है वह एक अद्‌भुत प्रकार का असंकल्पित मिथ्या तर्क भाव है। जो भी यह विवेक, यह अद्‌भुत प्रकार का अति अविश्वस्नीय तर्क करता है उसके बारे में कोई भी कभी विश्वस्त नहीं हो पाता, तथा, मैं नहीं समझता, कि वे स्वयं कभी वाकई भरोसा कर पाते हैं कि वह आगे क्या करेंगे। उनके केवल दो ही मन नहीं हैं बल्कि तीन या चार मन हैं तथ सब इस पर निर्भर करता है कि किसी विशेष क्षण पर कौन सा मन सर्वोपरी हो कर उभरेगा तथा वह दूसरों के साथ कैसे मिश्रण करेगा। इसमें कोई हानि नहीं है बल्कि इसके उल्टे इनका लाभ हो सकता है यदि कहीं एक केन्द्रीय ज्योति इनके लिये चुनती तथा कर्म की आवश्यकता के निर्णय को एक रूप देती। वह समझते हैं कि वह है तथा उसे भगवान कहते हैं–परंतु मुझे सदा यह लगा है कि यह उनका अपना मन है जो निर्णय लेता है वह आम तौर पर गलत निर्णय लेता है। कुछ भी हो, मैं सोच भी नहीं सकता कि लेनिन और मुस्तफा कमाल अपने अपने मन को नहीं पहचानते हैं या इस प्रकार कार्य करते हैं–उनके युद्ध कौशल सम्बन्धी पीछे हटना भी ऐसे थे जो स्पष्टतया सोचे समझे तथा अंत को सामने रख कर उठाये गये तथा व्यवहार में लाये गये कदम थे। परंतु यह चाहे कुछ हो गांधी में यह सब मानसिक कार्य तथा प्राणों की शक्ति है तो उसे भगवान की असफलता या आध्यात्मिक शक्ति की असफलता के उदाहरण के रूप में क्यों लिया जाये। मैं अवश्य यह मानने की अनुमति देता हूं कि गांधी के पीछे कुछ ऐसा है जो उससे महान है और तुम उसे भगवान या एक जगतीय शक्ति पुकार सकते हो जिसने उसका प्रयोग किया है, परंतु फिर, वह तो हरेक के पीछे है जिसे सांसारिक उद्देश्यों के लिये यंत्र के रूप में प्रयोग किया जाता है–कमाल और लेनिन के पीछे भी। इसलिये वह मामले का बीजान्श नहीं है।

यह रूचीकर होगा जानना कि 1936 में हीं श्री अरविन्द ने गांधीजी द्वारा नेतृत्व किये हुये आंदोलन के परिणामों के बारे निम्न शब्दों में टिप्पणी की थी:

इसने (स्वदेशी आंदोलन) एक ऐसे मार्ग को विरोध के विधि के लिये बनाया है जिसे गांधी ने अपनाया तथा इसे तीन या चार प्रारम्भिक अतिरिक्त वस्तुओं के साथ जारी रखा, खद्दर, हिन्दु धर्म, सत्याग्रह–सहर्ष मार खानी, खिलाफत, हरिजन इत्यादि। इन सब का एक प्रचारक मूल्य था, वस्तुओं को

उछालने की शक्ति, जो निश्चित तौर पर किसी और वस्तु से अधिक सजीव थी जिसे हमने व्यवहार में लिया। इन वस्तुओं का प्रभाव उत्तम रहा कि नहीं यह एक अधिक शंकामयी प्रश्न है।

सत्य तो यह है कि गांधी के आंदोलन के कुल प्रभाव निम्नलिखित रहे हैं–

- हिन्दुओं और मुसलमानों के मध्य एक भयंकर स्थाई दुफाड़ जिसे सम्प्रदायिक प्रतिनिधित्व द्वारा स्थाई ही रखा जायेगा।
- हरिजनों और उच्च जाती हिन्दुओं के बीच एक बढ़ती हुई खाई जिसे इसी प्रकार स्थाई बना दिया जायेगा।
- भारतीय राजनीति में एक गहरी अव्यवस्था जो पीछे छोड़ेगी विभाजन का बृहद भार, आपसी कलहों को रूझान, किसी भी स्पष्ट दिशा या पथ-प्रदर्शन का कहीं भी ना होना।
- एक नया संविधान जिस द्वारा रूढ़ीवादीयों के हाथ राजनैतिक शक्ति कायम रहेगी ताकि वे अंग्रेजी आधिपत्य को बनाये रखे या भारत की प्रगति में असहनीय अवरोध पैदा करें। साथ ही भारत को पांच या छः भारतों में विभाजित करता है, हिन्दु, मुसलमान, पारसी, क्रिश्चियन, सिख इत्यादि।
- असहयोग आंदोलन की एक बड़ी असफलता यह है कि इसने राजनीति को एक तरफ पीछे हटाते हुए सुधारवाद को आगे किया और दूसरी ओर एक कोलाहली तथा असत्य समाजवाद को सामने लाया।

वह मैं समझता हूं इस मामले का कुल सार है। मैं अपने उस भविष्यवाणी की ओर इशारा कर रहा हूं जो मैंने असहयोग आंदोलन के आरम्भ में की थी: यह एक बड़ी अव्यवस्था में या एक बड़ी असफलता में समाप्त होगा। जैसा मैंने पहले ही इशारा किया है, मैं एक सही भविष्यवक्ता नहीं था। इसे इस प्रकार होना चाहिये था: यह एक महान अव्यवस्था तथा एक महान असफलता में समाप्त होगा।

एक और पहलु जो जानने योग्य है वह है संपूर्ण अहिंसा का रास्ता जिसे सत्याग्रह आंदोलन के दौरान अपनाया गया। जैसा पहले ही देखा गया है, यह स्वतंत्रता सेनानियों के खोपड़ी के तोड़े जाने और अत्यंत कष्टों की राह की ओर ले गया। दो प्रश्न उठते हैं–क्या यह राष्ट्र के लिये ठीक और स्वस्थ था कि इस प्रकार के अहिंसा के दौर से लांघता। तथा दूसरी ओर, क्या भारतीय संस्कृति

और आध्यात्मिकता इस प्रकार के अहिंसा की आज्ञा देती है। इस मानोवृति को उचित ठहराने के लिये एक जानी मानी कहावत का हवाला दिया जाता है: अहिंसा परमो धर्मः जबकि उसकी अगली पंक्ति को पूर्णतया अनदेखा किया जाता है: धर्म हिंसा तथैवः काः। इसका अंग्रेजी में अनुवाद इस प्रकार है: अहिंसा परम धर्म है तथा वैसे ही सत्य की सुरक्षा के हेतु हिंसा धर्म है।

यहां श्री अरविन्द का पुनः यह कहना है:

राजनीति मानवता के समुहों से सम्बन्धित है न कि व्यक्तियों से। मानवों के समुहों से कहा जाये कि वे संतों की भांति कार्य करें, भागवत प्रेम की ऊंचाइयों तक स्वयं को उभारें तथा अपने विरोधियों या अत्याचारियों के प्रति उसका अभ्यास करें, यह मनुष्य की प्रकृति को नकारता है। यह तो मुक्तिकर्ता जिसने चोट पहुंचाने के लिये हाथ उठाया है उसके हाथ को लकवा मारने के समान है तथा अन्याय व हिंसा को इनाम दिये जाने के बराबर है। वे जो युद्ध को पाप समझ कर उससे परहेज करते हैं तथा हिंसा को नैतिकता का नीचे लाया जाना मानते हैं उनके लिये गीता सर्वोच्च उत्तर है।

तथा पुनः श्री अरब्दि का यह कहना है:

हिन्दु धर्म मानव की प्रकृति को पहचानती है तथा ऐसी कोई भी असम्भव मांग नहीं रखती। यह संत के लिये एक आदर्श रखती है, दूसरा आदर्श कर्मशील मनुष्य के लिये, एक तीसरा व्यापारी के लिये, व चौथा आदर्श दास के लिये रखती है। सभी के लिये एक ही आदर्श की स्थापना वर्णसंकर को बुलावा है, कर्त्तव्यों की उलझन तथा जाती व समाज का नष्ट करना है–राजनीति क्षत्रियों का आदर्श है तथा क्षत्रीय की नैतिकता को हमारे राजनैतिक कर्मों का पथ-प्रदर्शन करना चाहिये। राजनीति में ब्राह्मणों का संतों की भांति दुखों को सहन करने के कर्त्तव्यों को थोपा जाना वर्णसंकर का पाठ पढ़ाया जाना है।

योद्धा की तलवार न्याय तथा सतकर्म की पुर्ति के लिये उतनी ही आवश्यक है जितनी कि साधु की पवित्रता। रामदास शिवाजी के बगैर अपूर्ण हैं। न्याय की स्थापना के लिए तथा बलवान को लूटने से रोकने के लिए, तथा दुर्बल को अत्याचार से बचाने के लिए क्षत्रीय की उत्पत्ति का कारणरूप था। इसीलिये श्री कृष्ण महाभारत में कहते हैं–भगवान ने युद्ध तथा कवच, तलवार, धनुष व छुरे की रचना की।

41

दो क्रांतिकारी

भगत सिंह

पंजाब ने भारत के स्वतंत्रता आंदोलन के इतिहास में एक बहुत बड़ा भाग खेला है। इस आंदोलन में एक महान नाम श्री लाला लाजपत राय का था। इस सदी के प्रारम्भिक काल में 1906 से 1909 तक वे श्री अरविन्द, श्री तिलक, व श्री विपिन चन्द्र पाल के साथ गहरे जुड़े हुए थे। जब 1909 में लाला लाजपत राय जी को भारत से देश निकाला दिया गया, श्री अरविन्द ने 'वन्दे मातरम' पत्रिका के एक सम्पादकीय में लिखा:

लाला लाजपत राय को अंग्रेजों के अधीन भारत से देश निकाला दे दिया गया है। यह सत्य स्वयं अपनी ही टिप्पणी है। तार-पत्र में आगे लिखा गया है कि तिरस्कार की सभाओं को चार दिनों के लिये निषेधाज्ञा मिली है। तिरस्कार सभाऐं? भाषण और सुंदर लेखों का काल समाप्त हो गया है। प्रशासन ने चुनौती दे दी है। हम उसे स्वीकार करते हैं। पंजाब के पुरुषों। शेरों की संतान। ये लोग जो एक लाजपत को ले जाकर आपको धूल चटाना चाहते हैं, इन्हें दिखा दें कि उसके स्थान पर सैंकड़ों लाजपत जागृत हो जायेंगे। जय हिन्दुस्तान के ललकार भरे सौ गुणा ऊंचे युद्ध घोष से उन्हें अपना उत्तर सुनाऐं।

13 अप्रैल 1919 को जलियांवाला बाग में नरसंहार का तांडव हुआ। हजारों ही निशस्त्र पुरुषों, स्त्रियों और बच्चों पर एक शांति पूर्ण सभा में गोलियाँ बरसाईं गईं। इस अत्याचार ने देश को सकते में डाल दिया तथा लोगों को क्रोध से भर दिया। पंजाब एक खुले विद्रोह की दशा में पहुंच गया। अंग्रेजों के इस एक कार्य ने स्वतंत्रता आंदोलन में एक नई जान फूंक दी। स्वतंत्रता आंदोलन को एक राष्ट्रीय चरित्र मिल गया।

कुछ वर्ष पश्चात 1928 में इंग्लैंड की सरकार ने साइमन कमीशन को भारत भेजा। इसे सरकार की व्यवस्था के चलाने में पड़ताल करनी थी। तथापि इसे भारत के लोगों द्वारा बहिष्कार का सामना करना पड़ा। जब साइमन कमीशन लाहौर पहुंचा तो इसके विरुद्ध प्रदर्शन करने के लिये एक जलूस 30 अक्टूबर

को निकाला गया। इसकी अग्रिम पंक्ति में लाला लाजपत राय थे। जलूस पूर्णतया शांतिपूर्ण तथा अहिंसक था। परंतु इस पर कुछ ऊंचे अफसरों की आज्ञा पर आक्रमण किया गया। लालाजी की सरपर लाठी का प्रहार किया गया। तदानुसार लाला लाजपत राय जी 17 नवम्बर 1928 को चल बसे।

लाला जी की मृत्यु की प्रतिहिंसा के लिये लम्बा समय नहीं लगा। कुछ नवयुवकों के एक समूह ने अपने ऊपर यह दायित्व लिया कि वे क्रांति के कार्य द्वारा अंग्रेजी सरकार का तख्ता पलट करेंगे। भगत सिंह तथा उनके लगभग 50 साथियों ने एक संस्था बनाई जिस का नाम था *'हिन्दुस्तान सोशलिस्ट रिपब्लिकन पार्टी'* भगत सिंह तथा उनके साथी सुखदेव को पंजाब का जिम्मा दिया गया। पहले कदम के तौर पर यह निर्णय लिया गया कि लाला जी पर लाठियां बरसाए जाने के लिये उत्तरदायी पुलिस अधिकारी स्कॉट की हत्या की जाए। 11 दिसम्बर को पार्टी के एक कार्यकर्त्ता को पुलिस अफसर की गतिविधियों पर नजर रखने के लिये लगाया गया। पहले यह फैसला लिया गया कि उस पर आक्रमण चौदह तारीख को किया जाये परंतु बाद में उसे सत्रह तारीख तक टाला गया। उस दिन राजगुरु, भगत सिंह तथा चन्द्रशेखर आज़ाद जिला अदालत तथा डी.ए.वी. कालेज की सड़क पर स्थित उच्च पुलिस अधीक्षक के दफ्तर के पास इकट्ठे हुए। राजगुरु उस स्थान पर आगे बढ़े जहाँ से वह अपने शिकार पर हमला कर सकते थे। तथापि, स्काट के स्थान पर सौंडरज़ दफ्तर से बाहर आया। राजगुरु ने उसके सिर पर गोली चलाई। वह नीचे गिर गया तथा भगत सिंह जो पास ही प्रतीक्षा कर रहे थे उन्होंने सौडरज़ के शरीर में छः गोलियां दाग दीं। उसके बाद वे तीनों चुपचाप चल दिए। जल्द ही एक यूरोपीय अफसर उनके पीछे आया परंतु उस पर गोलियां दागी गईं। गोलियों से बचने के लिए वह फिसला और गिर गया। हमलावर भाग गए और उन साइकिलों पर चले गए जो उन्होंने पहले ही छिपा कर रखी थी, व बच भागे।

पुलिस ने तलाशी अभियान चलाया। बंदूकें या और वस्तुओं को ढूंढ निकालने की आशा में उन्होंने रावी नदी के किनारे के जंगलों को छान मारा। कुछ शक होने वाले लोगों को गिरफ्तार किया गया परंतु उन्हें क्रांतिकारियों का कोई सुराग न मिल पाया।

इसी दौरान विधान परिषद का अधिवेशन शुरू हुआ था। सरकार ने एक कानून को लगाने का निर्णय लिया जिसका उद्देश्य कांग्रेस तथा भारतीय देश-भक्ति पर रोक लगाने का प्रस्ताव था। 8 अप्रैल 1929 को जैसे ही परिषद का अध्यक्ष कानून के प्रस्ताव पर अपना फैसला देने के लिये उठा, सभा हाल में दो बम

फट गए। उनके पीछे-पीछे पिस्तौल की दो गोलियां चलीं। बम के धमाके इतने जबरदस्त थे कि फर्श नष्ट हो गया तथा दो बैंच चिथेड़े बन गये। ये बम दो युवकों द्वारा फेंके गये थे, भगत सिंह तथा बकुटेश्वर दत्त, जिन्होंने तब पर्चियाँ फेंकनी आरम्भ कर दीं तथा उनमें से एक चिल्लाया–*मैंने अपने देश के प्रति अपना कर्त्तव्य निभा दिया है।* तब उन्होंने अपनी पिस्तौलों को फेंक दिया और अपने आप को बंदी बनाये जाने की अनुमति दे दी। भगत सिंह ने पुलिस अफसरों को बताया कि तथाकथित भारतीय लोकसभा के द्वारा भारत-राष्ट्र पर अपमानों का ढेर लगा दिया गया है तथा यह अशोभनीय था कि ऐसी वस्तुओं को बिना किसी गंभीर विरोध को जताये हुए होने दिया जाये। इसलिये इन्होंने निर्णय लिया था कि इस झूठ को रोकने तथा प्रशासन के असली रूप को प्रगट करने के लिये अपने जीवन का बलिदान कर देंगे।

मुकदमा 7 मई 1929 को दिल्ली में आरम्भ हुआ। दोषियों को जब अदालत में लाया गया तो उन्होंने चिल्ला कर कहा–क्रांति सदा जीवित रहे। साम्राज्यवाद का नाश हो। जिस पर उन्हें हथकड़ी लगाई गई। 12 जून को सज़ा सुनाई गई: उम्र भर का काला पानी।

सज़ा सुनाये जाने के पश्चात भगत सिंह तथा बटुकेश्वर दत्त को भयंकर शारीरिक यातनाओं तथा जेल में निंदक व्यवहार के तले रहना पड़ा। बेशक वे राजनैतिक बंदी थे परंतु उनके साथ अत्यंत भयानक दोषियों की भांति व्यवहार किया गया। उनकी सभी विनतियों को ठुकरा दिया गया। अंतिम आश्रय के तौर पर उन्होंने खाने पीने का त्याग कर भूख हड़ताल करने का निश्चय किया। दस दिन के पश्चात जेल के अधिकारियों ने उन पर अपना भोजन खाने के लिये बल का प्रयोग किया। बंदियों को जमीन पर पटक दिया गया तथा उनके हाथ पांव तथा सिर कस कर जकड़ लिये गये ताकि वे हिलडुल ना सकें। तब उनकी नाक के द्वारा एक नली से दूध डाला गया ताकि वे पीयें। बंदियों को अत्यधिक कष्ट हुआ परंतु उन्होंने वह सब दूध जो अंदर गया था उसे उल्टी के द्वारा निकाल दिया।

इसी दौरान एक और बंदी जतिन दास जिन्होंने इनके साथ ही भूख हड़ताल की थी उनकी मृत्यु 12 सितम्बर को हो गई। दास की मृत्यु ने सारे देश में एक शोक की लहर छोड़ दी। दैनिक पत्रिका ट्रिब्यून ने लिखा:

"यदि कभी कोई आदमी किसी गौरवशाली उद्देश्य के लिये नायक और देश-प्रेमी के रूप में मरा है तो वह आदमी जतिन्द्र नाथ दास है तथा देश-प्रेमी का खून सदा सभी कालों में तथा सभी देशों में एक उच्चतर

तथा गौरवमयी जीवन, अधिक उत्तम सामाजिक व राजनैति व्यवस्था के लिये बीज रूप बना है।''

भगत सिंह और बटुकेश्वर दत्त ने अपनी भूख हड़ताल का त्याग 24 अक्टूबर 1929 को सर्व भारतीय कांग्रेस समीति के निवेदन की इच्छाओं का सम्मान करते हुए किया। इसी समय एक और केस भगत सिंह तथा दूसरों जिस में सुखदेव भी सम्मिलित थें, के विरुद्ध स्थापित किया गया। दूसरा मुकदमा 8 महीने चला तथा इसी काल के दौरान बंदियों के साथ अत्याचार भी किया गया व निर्दयतापूर्वक व्यवहार किया गया। 7 अक्टूबर 1930 को मुकदमे की समाप्ती हुई। भगत सिंह, राजगुरु तथा सुखदेव को दोषी ठहराया गया व उन्हें मौत की सज़ा सुनाई गई। 23 मार्च 1931 को उन्हें लाहौर केन्द्रीय जेल में फांसी दी गई। वह भाव जिसमें इन नवयुवकों ने अपने जीवन का बलिदान दिया वह निम्नलिखित शब्दों में सारांश में लिखा जा सकता है:

''हमारे उद्देश्य और आदर्श महान और गौरवशाली हैं। हमारे देश की राष्ट्रों के बीच एक राष्ट्र के रूप में अपनी पृथक पहचान व अस्तीत्व की पुर्नस्थापना, उसके महानता, वैभव, शक्ति, विशालता की चरम सीमा जो उसके पूर्वकाल के प्राचीन महानता के बराबर या अधिक हो, यह है हमारे प्रयत्नों का ध्येय। तथा हमने यह कठिन कार्य करने का बीड़ा उठाया है जिसमें हमने व्यक्तिगत तौर पर अपना सभी आराम, संपत्ति, स्वतंत्रता तथा शायद स्वयं जीवन भी दांव पर लगाया है, दूसरे देशों के प्रति हिंसा या घृणा के वशीभूत नहीं बल्कि इस दृढ़ विश्वास के साथ कि हम समस्त मानवता, जिसमें इंग्लैंड भी सम्मिलित है, के हितों के लिये व अपने देश तथा आने वाली पीढ़ियों के लिये कार्य कर रहे हैं।''

सूर्य सेन

सूर्य सेन, जिन्हें प्रेमपूर्वक 'मास्टरदा' के नाम से भी जाना जाता था, भारत की स्वतंत्रता संग्राम में राष्ट्र की स्वतंत्रता के लिये प्रोत्साहन तथा मातृभूमि के लिये सर्वोच्च बलिदान देने के प्रण के प्रतीक के रूप में समक्ष आते हैं। जीवन में उन्होंने सदा साधारण व आम लोग होने का प्रभाव दिया परंतु वास्तव में वह एक विशाल-मूर्ति थे तथा भारत के स्वतंत्रता आंदोलन के इतिहास में एक अद्‌भुत स्थान रखते है। चिटागांव का विद्रोह भारत की राष्ट्रीय स्वतंत्रता आंदोलन के इतिहास में एक नींव का पत्थर है। वह 18 अप्रैल 1930 का दिन था जिसे क्रांतिकारी संघर्ष में एक स्वर्णिम दिन के रूप में मानते हैं, जब अत्यधिक गुप्त और विस्तृत विस्तार से एक योजना की रूप रेखा तैयार की गई।

यह एक ऐसे कार्यक्रम की रूपरेखा थी जिसमें चिटगांव को विदेशी दासता के बंधन से मुक्त करना तथा अंग्रेजी प्रशासनिक तंत्र को नष्ट करते हुये एक अस्थाई सरकार का मास्टर दा सूर्य सेन के अधीन स्थापित किया जाना था। मुख्य उद्देश्य बंगाल को या संपूर्ण भारत को स्वतंत्र करने का प्रयत्न करना नहीं था बल्कि देशवासियों के समक्ष, विशेषकर विद्यार्थियों और नवयुवकों के सामने अंग्रेजी साम्राज्यवाद को निरूत्साहित करने का एक उदाहरण था। मुख्य योजना इस प्रकार थी:

1. एक अचानक हमले में चिटागांव के शास्त्रागारों को अधिकार में करना।
2. चिटागांव को बंगाल तथा देश के साथ जोड़ने वाली रेल-व्यवस्था को नष्ट करना।
3. चिटागांव को बाकी के देश से जोड़ने वाली संचार व्यवस्था का नाश।
4. जितने हो सकें उतने ही अंग्रेज अफसरों को हिरासत में रखना ताकि उन्हें फिरौती के रूप में लाया जा सके।

प्रशिक्षित कार्यकर्ताओं को योजना के विभिन्न पहलुओं को कार्यान्वित करने के लिये बहुत सावधानीपूर्वक चुना गया। चार लोगों के दो समूहों को संचार की तारें और रेल की लाइनों को उखाड़ने का कार्य सौपा गया। तीस क्रांतिकारियों को छः समुहों में बांटा गया तथा वे रात को एक छोटी पहाड़ी पर स्थित नगर के उत्तर-पश्चिम किनारे पर पुलिस शास्त्रागार से 200 गज़ की दूरी पर इकट्ठे हुए। प्रशासन द्वारा 500 से अधिक पुलिसकर्मी को जिले के अंदर किसी भी अनहोनी घटना के लिये सदा तैयार रखा जाता था।

रात को ठीक दस बजे एक आत्मघाती दास्ता एक कार में सीढ़ियों के नीचे उतरा जो सीधी पहाड़ी पर जाती थी। खाकी वर्दी में पूर्णतया लैस उन्होंने खड़े हुए संतरी को धोखे में डाल दिया यह समझ कर कि वे फौज के बड़े अफसर हैं। तब उन्होंने कार्यरत संतरियों को मार गिराया तथा हवा में कुछ गोलियां चला कर वे शास्त्रागार में घुस गये। 500 पुलिसकर्मी घबड़ा गये तथा अपने जीवन को लेकर वहां से भाग खड़े हुऐ। जल्द ही पास में छिपे हुये क्रांतिकारी वहां आ मिले तथा उन्होंने शास्त्रागार पर अधिकार कर लिया। हथौड़ों के साथ उन्होंने दरवाजें तोड़ डाले और 500 से ऊपर बंदूके कई दर्जन पिस्तौल तथा एक बड़ा गोला बारूद का भंडार अपने कब्जे में किया।

इसी प्रकार एक और कार क्रांतिकारियों के समुह के साथ पहाड़ की तली के पास स्थित अनुपूरक शास्त्रागार के स्थान पर पहुंची। यहां भी संतरी को धोखे में डाला गया तथा दूसरे संतरियों के साथ मार डाला गया। सार्जेन्ट मेजर

फारेल जो उस शास्त्रागार का इंचार्ज था वह उस इमारत से कुछ गज़ की दूरी पर अपने घर में था। उस समय वह रात्री भोज कर रहा था तथा अनहोने समय गोलियों की आवाज़ सुन कर वह बाहर भागा। जैसे ही वह बाहर आया उसे गोली मार दी गई। क्रांतिकारियों ने उसके परिवार के सदस्यों को भी मार दिया होता परंतु मास्टर दा ने उन्हें बेकसूर लोगों को मारने से मना कर दिया। इस प्रकार अनुपूरक शास्त्रागार भी क्रांतिकारियों के हाथ लग गया। यहां उन्हें 300 फौजी बंदूकें, लियूइस तोपें तथा कुछ पिस्तौलें मिलीं।

बेशक उन्हें बड़ी मात्रा मे तोपें हाथ लगीं तथा फौजी वाहन हाथ लगे, परंतु उन्हें एक भी गोली या गोला बारूद नहीं मिला। यह योजना को एक जबरदस्त धक्का लगाने वाली बात थी तथा क्रांतिकारियों की योजनाबद्ध युद्ध-कला की असफलता की मुख्य कड़ी थी। यदि उन्हें लियूइस तोपों और बंदूकों को गोला बारूद मिल गया होता तो चिटागांव विद्रोह का इतिहास एक अलग प्रकार का होता।

इसी दौरान दूसरे समूहों ने संचार व्यवस्था तथा रेल व्यवस्था को बिगाड़ दिया था। देर रात को सभी क्रांतिकारी समूह पुलिस शास्त्रागार में इकट्ठे हुए। मास्टर दा वहां आये तथा उन्होंने क्रांतिकारी बल की सलामी ली जिसे *भारतीय रिपब्लिकन आर्मी* की *चिटागांव बिग्रेड* का नाम दिया गया। उन्होंने तब स्वतंत्रता का राष्ट्रीय ध्वज फहराया तथा चिटागांव की स्वतंत्र प्रदेशिक क्रांतिकारी सरकार के स्थापना की घोषणा की। नई सरकार को सहायता देने तथा अवश्यमेव होने वाले अंग्रेजी हमले का सामना करने के लिये निवेदन करने वाली पर्चीयाँ बाँटी गईं।

जिला मजिस्ट्रेट को तब तक शास्त्रागारों पर लूट होने की सूचना मिल चुकी थी। उसने टेलीफोन व्यवस्था को नष्ट हुए पाया इसलिये वह चिटागांव बंदरगाह में खड़े एक समुद्री जहाज के सम्पर्क में आया। उसने तब समुद्री जहाज के बेतार व्यवस्था द्वारा कलकत्ता को एक संदेश भेजा।

मास्टर दा होने वाले युद्ध के प्रति पूरी तरह सजग थे। उनके निर्देश के नीचे उनके सभी सेनानी सूर्योदय से पहले ही सुरक्षित स्थानों पर पहुंच गये। हर मनुष्य उतने तोप, बंदूकें तथा पिस्तौल जितने वह उठा सकता था, अपने साथ ले गया तथा बाकी के सभी हथियार नष्ट कर दिये गये। वे शहर के समीप एक पहाड़ी इलाके में चले गये और जलालाबाद पहाड़ी के नाम वाली पहाड़ी की चोटी पर चढ़ कर प्रतिक्षा करने लगे। 22 अप्रैल को कुछ हजार सैनिक आये और उन्होंने जलालाबाद पहाड़ी को चारों ओर से घेर लिया। वे पहाड़ी की

चोटी पर चढ़ने की कोशिश करने लगे परंतु क्रांतिकारियों के ज़बरदस्त गोली बारी के कारण वे असफल रहे। शाम तक सरकारी सेनाओं के 83 सैनिकों की जान जा चुकी थी तथा अंधेरा होने से पहले वे शहर की शरण में चले आये। क्रांतिकारियों के 12 सदस्यों की इस युद्ध में मृत्यु हुई थी।

अंधेरा होने के बाद मास्टर दा ने घटिया हथियार होने के कारण निर्णय लिया कि सीधी लड़ाई करनी पागलपन होगा क्योंकि शत्रुओं के हथियार कहीं अधिक बढ़िया थे। इसलिये उन्होंने छापा मार युद्ध कला को अपनाने का निश्चय किया। तदानुसार क्रांतिकारी बिखर गये तथा हमदर्द परिवारों के पास आस पास के गांवों में फैल गए। वे वहाँ छिप कर रहे तथा अगले तीन वर्ष तक वे अंग्रेजी सेना के साथ लड़े। वे दुश्मनों की चौकियों पर अचानक हमला करते तथा घृणायुक्त प्रशासनिक अफसरों को जान से मार देते। परंतु जीना कठिन था तथा अंग्रेजी युद्धक सेना ने धीरे-धीरे उन्हें छोटे-छोटे समुहों में पकड़ लिया। पहला शास्त्रागार लूट का मुकदमा आरम्भ हुआ और 1 मार्च 1932 को फैसला सुनाया गया। 32 दोषी लोगों में से 12 जो जीवन भर काला पानी की सज़ा 2 अन्य को तीन वर्ष की कैद तथा बाकी को छोड़ दिया गया।

16 फरवरी 1933 को गांव के एक छोटे ज़मींदार द्वारा गद्दारी से अंग्रेजों को छिपने का ठिकाना बताये जाने के कारण मास्टर दा को अचानक हमला करके बंदी बना लिया गया। उन्हें जेल में डाला गया जहां उन्हें अत्यंत निर्दयता से पीटा गया तथा अंत में उन्हें जेल में ही 12 जनवरी 1934 को मार दिया गया। उनके मृत शरीर को उनके संबंधियों को नहीं सौंपा गया। वह एक अंग्रेजी समुद्री जहाज रिनोन के हवाले किया गया जिसने उस मृत शरीर को बंगाल की खाड़ी में धरती से कुछ सौ मिल की दूरी पर फेंक दिया।

मास्टर दा मनुष्यों के एक जन्मजात नायक थे। उन्होंने एक सादा जीवन बिताया तथा शायद ही कोई उन्हें जानता था, क्योंकि वे सदा पर्दे के पीछे रहे। उनके नेतृत्व का रहस्य था उनका पारदर्शी सत्य, जो स्वतः ही उनके अनुयायियों को उनकी ओर प्रेम भाव से खींचते। वे सभी प्रकार के कृत्रिम अवस्थाओं से घृणा करते थे तथा कभी भी स्वयं को उच्च भाव से नहीं देखते थे। उनमें ऐसी विनम्रता थी जो सदा भगवान में व स्वयं में आत्मविश्वास व आत्मबल के कारण आती हैं। अपने एक साक्षात्कार में उन्होंने बताया:

> *हमारा जीवन आसान नहीं। हमारी मूलभूत प्राथमिकता गुणों पर है। सर्वोच्च बलिदान और समर्पण की भागीदारी को कभी भी कम नहीं आंकना चाहिये। स्वतंत्रता की लड़ाई एक लम्बी और बहुत कठिन बलिदान की होने वाली*

है। इसमें केवल एक ही राह है। एक समर्पित नवयुवकों के समुह को व्यक्तिगत आंतकवाद के स्थान पर एक व्यवस्थित सैन्य संघर्ष की राह अवश्य दिखानी चाहिये। इस प्रक्रिया में हममे से बहुतों को अपना जीवन देना होगा परंतु हमारा बलिदान व्यर्थ नहीं जायेगा। जो भी हमारे देश को एक दिन में ही सामुहिक कार्यक्रम द्वारा क्षण भर में क्रांति करके इसे बदल देगा, हमारे जैसे विस्तृत देश में जिसमें विभिन्न संस्कृतियां व भाषायें हैं, वह एक व्यर्थ का स्वप्नदृष्टा है।

42

भारत सरकार अधिनियम तथा दूसरा विश्व-युद्ध

जब नागरिक अवज्ञा आंदोलन चल रहा था तो उसी दौरान अंग्रेज सरकार ने एक महत्वपूर्ण घोषणा की। श्री रामसे मैक्डोनेल्ड ने 17 अगस्त 1932 को सम्प्रदायी निर्णय की घोषणा की। इस निर्णय के अनुसार मुसलमानों, एंग्लो-इंडियन, यूरोपियों तथा सिख मतदाता अपने उम्मीदवारों का निर्वाचन पृथक सम्प्रदायिक निर्वाचन-मंडलों में मतदान के द्वारा करेंगे। निम्न वर्गों को आम निर्वाचन क्षेत्र में ही मतदान देने की अनुमति दी गई। तथापि यह प्रतीत हुआ कि निम्न वर्गों को उपयुक्त प्रतिनिधित्व प्राप्त करने में कठिनाई हो सकती है। इसलिये विशेष निर्वाचन क्षेत्र निम्न वर्गों के लिये निश्चित किये गये थे।

कांग्रेस पार्टी में सांप्रदायिक निर्णय पर बहुत विचार विमर्श हुआ तथा पार्टी में इस पर बहुत मतभेद थे। इस निर्णय में हिन्दुओं के अतिरिक्त अन्य सम्प्रदायों को प्रदान की गई सीटों की संख्या उनके क्रमानुसार वास्तविक संख्या से कहीं अधिक थी। उदाहरण के तौर पर बंगाल में हिन्दुओं की स्थिति बहुत दयनीय थी। विधान सभा में 250 सीटों में से हिन्दुओं को मात्र 80 सीटें थीं जबकि मुस्लिम समुदाय को 119 सीटें दी गई थीं। यह स्वभाविक था कि कांग्रेस में मुस्लिम सदस्य निर्णय का समर्थन कर रहे थे। परंतु गांधीजी के नेतृत्व के कारण हिन्दु सदस्य मुसलमानों को प्रसन्न करने के लिये इसका विरोध करने में कतरा रहे थे। यहां यह बता देना आवश्यक है कि गांधीजी द्वारा भारतीय राष्ट्रवाद के लिये सर्वोच्च अहित जो किया गया वह था उनका स्पष्ट स्वीकार किया जाना कि किसी भी स्थिति में सम्प्रदायिक समस्या का कोई भी समाधान जिसमें मुसलमानों का समर्थन प्राप्त ना हुआ हो वह उन्हें स्वीकार नहीं होगा। इसने मुसलमान प्रतिक्रियावादियों के हाथों में भारत में सभी संवैधानिक प्रगति पर ना करने की शक्ति प्रदान कर दी तथा इस शक्ति का मुसलमानों द्वारा भरपूर प्रयोग किया गया दोनों गोल मेज सम्मेलनों में तथा बाद में जिन्ना के द्वारा इसका प्रयोग अपने स्वार्थों के लिये किया गया।

नागरिक अवज्ञा आंदोलन के टाले जाने के तुरंत बाद तथा कांग्रेस पर निषेधाज्ञा के वापिस लिये जाने के बाद गांधीजी ने कांग्रेस पार्टी से पूर्णतया नाता तोड़ने की घोषणा की तथा उन्होंने अपना नाम *चार आना सदस्यता* से भी हटा लिया। उन्होंने इसके लिये कारणों का एक लम्बा व्यक्तत्व दिया जिसमें उन मूलभूत सिद्धांतों का पुर्नावलोकन किया गया जिनमें वे विश्वास रखते थे तथा जिनके लिये अधिकतर कांग्रेसियों के मन में कोई आदर या परवाह नहीं थी। कुछ बिन्दु नीचे दिये जाते हैं–

1. *मैं चरखे और खादी को सर्वप्रथम रखता हूं। कांग्रेस के बुद्धिजीवियों द्वारा चरखा कातना लगभग समाप्त हो गया है।*
2. *जहां तक विधान सभा में प्रवेश पर निषेध का प्रश्न है, कइयों ने मेरी खातिर अपनी धारणायों के विरुद्ध इसका समर्थन किया–कइयों ने मेरा विरोध करने में भय किया है। यह किसी जन्मजात लोकतांत्रिक पुरुष के लिये एक निंदनीय प्रगटीकरण है।*
3. *कांग्रेस में समाजवादी गुट के साथ मेरा मूलभूत मतभेद है। यदि वे कांग्रेस में उभर कर आते हैं, जैसा कि वे कर जायें, मैं कांग्रेस में नहीं रह सकता। क्योंकि सक्रीय विरोध में रहना असोचनीय होगा।*
4. *अहिंसा मेरा मूलभूत धर्म है परंतु 14 वर्ष के परीक्षण के बाद भी यह अधिकतर कांग्रेसियों के लिये एक नीति ही है। यह अभी तक कांग्रेसियों के जीवन का समग्र भाग नहीं बन पाया।*

जबकि नागरिक अवज्ञा आंदोलन अभी तक चल ही रहा था, लंदन में भारत के लिये एक नये संविधान को तैयार करने का कार्य चल रहा था। इस संविधान की मंशा अधिक से अधिक अधिकार अंग्रेजों के हाथ में रखने की थी। चार वर्ष के अध्ययन तथा तीन गोल मेज़ सम्मेलनों के बाद संसद में सरकार के अनुमोदन के लिये एक अधिनियम पेश किया गया। अगस्त 1935 में यह अधिनियम एक कानून बन गया तथा इसे भारत सरकार अधिनियम (1935) के नाम से जाना गया। अधिनियम के कुछ मुख्य पहलु निम्न थे:

- बर्मा भारत से पृथक किया गया तथा दो नये प्रदेश उड़ीसा और सिन्ध बनाये गये।
- अधिनियम में एक संघ का प्रावधान किया गया जिसमें ना केवल ब्रिटिश इंडिया के प्रदेश बल्कि राजाओं के प्रदेश भी सम्मिलित किये थे।

- केन्द्र में एक संघीय प्रकार की सरकार का प्रावधान किया गया। प्रदेशों को प्रथम बार एक कानूनी व्यक्तित्व दिया गया तथा सभी प्रादेशिक विषय लोकप्रिय प्रादेशिक अधिकार के हवाले स्थानांतरित किये गये। सीटों का बंटवारा सम्प्रदायी निर्णय पर आधारित था।
- एक बहुत पेचीदा शक्ति का विभाजन केन्द्र में स्थापित किया गया-गवर्नर जनरल मुख्य अभियन्ता था जिसको मंत्रियों की परिषद की सहायता प्राप्त थी। तथापि वह कुछ विशेषाधिकार रखे हुए था। देश को अभी इस काबिल नहीं समझा गया कि सारी जिम्मेवारी केन्द्र को स्थानांतरित की जाती, जिसका यह अर्थ था कि कोई भी उत्तरदायी सरकार नहीं होगी।

1936 में दोनों कांग्रेस और मुस्लिम लीग अधिनियम पर चर्चा करने के लिये अलग-अलग इकट्ठा हुये तथा प्रादेशिक चुनाव लड़ने के लिये उन्होंने निर्णय लिया। यह चुनाव जनवरी 1937 में होने निश्चित हुये। आरम्भ में श्री जवाहर लाल नेहरू चुनावों का बहिष्कार करना चाहते थे, बाद में तथापि वे मान गये क्योंकि *लाखों ही मतदाताओं को तथा लाखों निष्कासित मतदाताओं के बीच अपनी नीतियों और योजनाओं से परिचित करवाने का तथा संदेश फैलाने* का यही एक रास्ता था। जब मार्च 1937 में नतीजे आये तो कांग्रेस ने चुनावों को पूर्णतया जीत लिया था। उन्होंने संयुक्त प्रदेश, मध्य प्रदेश, बिहार, उड़ीसा, मद्रास और बम्बई में सरकारें स्थापित की। बाद में आसाम और उत्तर-पश्चिम प्रदेशों में भी उनका अधिकार हो गया। कांग्रेस के अधिकार से बाहर केवल पंजाब, सिंध तथा बंगाल प्रदेश ही थे। बेशक इन प्रदेशों में मुस्लिम बहुमत था लोगों ने मुस्लिम लीग को सरकार बनाने का मत नहीं दिया था। सांझी सरकारें बनाई गई। कांग्रेस के मंत्रीमंडलों ने कई उपयोगी तथा लाभकारी प्रावधान पारित किये उन प्रदेशों में जहाँ उनका शासन था, जैसे कि प्राथमिक शिक्षा, हरिजन उत्थान तथा शराब बंदी के कार्यक्रम। कांग्रेस विहीन मंत्रीमंडलों ने भी अभूतपूर्व कार्य किया उन प्रदेशों में जहां उनका राज था।

मुस्लिम राजनीति

हमने पहले ही देखा है कि किस प्रकार गांधीजी द्वारा स्थापित कृत्रिम हिन्दु-मुस्लिम संगठन जो खिलाफत आंदोलन के दौरान हुआ था वह ढह गया था इसके पीछे-पीछे भयंकर आपसी झगड़े हुए जो बाद में सम्प्रदायिक हिंसा की ओर मुड़ गये। मुहम्मद अली जो खिलाफत आंदोलन के दौरान गांधीजी का

प्रमुख साथी था वह 1930 तक गांधीजी के विरुद्ध हो गया था। उसने गांधीजी के साथ कार्य करने को मना कर दिया तथा अपने सर्व-*इस्लामिकरण* के बारे में खुल कर सामने आया। उसने कहा: *"मैं दो समान क्षेत्रों वाले दो वृत्तों से सम्बन्ध रखता हूं परंतु जो सकेन्द्रीय नहीं है। एक भारत है तो दूसरा मुस्लिम संसार है।" हम राष्ट्रवादी नहीं हैं परन्तु बृहदराष्ट्रवादी हैं।* तथपि अली भाइयों का प्रभाव उतर रहा था तथा यह मुहम्मद अली जिन्ना था जिसने मुस्लिम समुदाय को नेतृत्व दिया। 1928 तक उसका सारा ध्यान मुसलमानों के भारत में राजनीतिक प्रभुत्व के सुधार पर केन्द्रित था। इसमें दो पहलुओं ने उसकी सहायता की:

- अंग्रेजों द्वारा वह चालाक़ चाल जिसने घोषणा की कि कोई भी राजनैतिक प्रभुत्व भारतीय लोगों को नहीं दिया जायेगा यदि हिन्दुओं और मुसलमानों में प्रयाप्त समझौता और आपसी मेल नहीं हो जाता।
- दूसरा गांधीजी का तथा कांग्रेस का बारम्बार घोषणा करना कि भारत में संविधानिक समस्या का कोई भी समाधान नहीं हो सकता जब तक दोनों समुदायों में पूर्ण आपसी मेल नहीं हो जाता।

जिन्ना ने इस स्थिति का पूर्णतया तथा भरपूर लाभ उठाया। 1929 में मुस्लिम लीग का नेता होने के नाते उसने नेहरू संविधान को नकारा तथा अपनी चौदह मांगों का प्रस्ताव रखा। यह सत्य है कि सर्व-पार्टी सम्मेलन में जिन्ना के संशोधनों को स्वीकृति नहीं मिली परंतु वह दो स्थानों में लाभ में रहा। प्रथम, नेहरू रिपोर्ट निरस्त हो गई तथा दूसरे स्थान पर उसने अंसारी द्वारा स्थापित राष्ट्रीय मुस्लिम पार्टी को समाप्त कर दिया। असांरी सदा यह कहते आ रहे थे कि उनकी पार्टी ही वास्तव में मुसलमानों का प्रतिनिधित्व करती है। जिन्ना और अंसारी अलग-अलग हो गये तथा थोड़े ही समय में मुस्लिम लीग मुसलमानों की एक मात्र प्रतिनिधि बन गई। कांग्रेस का यह दावा कि वह सम्पूर्ण भारत का प्रतिनिधित्व करती है जिसमें मुसलमान भी सम्मिलित हैं उसे एक गंभीर धक्का लगा। इस समय के पश्चात से जिन्ना ने मुसलमानों के एक पृथक सामाजिक और राजनैतिक एकजुटता को संयुक्त व एकता को बनाये रखने की आवश्यकता पर बल दिया। जिन्ना ने कांग्रेस को चेतावनी दी कि वह मुसलमानों के मामले में हस्तक्षेप ना करें और इस प्रकार यह स्थापित किया कि जो मुसलमान मुस्लिम लीग का सदस्य नहीं है वह मुसलमानों का सच्चा प्रतिनिधि नहीं समझा जाना चाहिये। वह मुस्लिम समुदाय को एक पृथक व अलग-थलग समुदाय के रूप में मानता था। यह भावना और भी बढ़ गई जब मुहम्मद

इकबाल ने अपने प्रस्ताव रखे। 1930 के इलाहाबाद के कांग्रेस अधिवेशन में उसने कहा: *''मैं पंजाब, उत्तर-पश्चिम सीमांत प्रदेश, सिन्ध तथा बलूचीस्तान को एक अलग देश के रूप में देखना चाहुंगा। ब्रिटिश साम्राज्य के भीतर या बगैर ब्रिटिश साम्राज्य के एक स्व-शासित सरकार, उत्तर-पश्चिम भारतीय मुसलमानों के देश की संगठित स्थापना मुझे मुसलमानों की अंतिम किस्मत लगती है, कम से कम उत्तर पश्चिम भारत की।''* इस विचार को एक केम्ब्रिज पठित नवयुवक रहमत अली द्वारा अपनया गया। उसकी धारणा थी कि 712 ई. से लेकर ऊपर दिये गये चार प्रदेश मुसलमानों के स्वाभाविक घर हैं क्योंकि वे इन इलाकों में बहुमत में हैं। उसके लिये हिन्दु-मुसलमान का झगड़ा धर्मों या आर्थिक पहलुओं का टकराव नहीं था। वह दो राष्ट्रीय इकाइयों के बीच एक अंतराष्ट्रीय झगड़ा था। उसने कहा:

> *''हमारा धर्म, संस्कृति, इतिहास, रीति रिवाज, साहित्य, आर्थिक व्यवस्था, हमारे उत्तराधिकार के कानून, संपत्ति के तथा विवाह की विधि मूल रूप से हिन्दुओं से भिन्न हैं। यह अंतर विस्तृत मूलभूत सिद्धांतों तक सीमित नहीं हैं, वे हमारे जीवन के सूक्ष्तम विस्तार तक फैले हैं। इसलिये हमारे लिये अपने राष्ट्रीयता की किस्मत के फैसले को तबाह कर देना एक भारतीय राष्ट्रवाद के हित में अपने वंशजों के प्रति पीठ में छुरी घोंपने के समान होगी, हमारे इतिहास के प्रति बेवफाई तथा मनुष्यता के प्रति गुनाह जिसके लिये कोई भी मुक्ति नहीं होगी।* तथापि तीस के दशक में रहमत अली द्वारा सुझाई गई प्रस्तावित स्कीम को एक विद्यार्थी की यथार्थ अपूर्ण योजना समझी गई थी।

कांग्रेस में समाजवादी कार्यक्रम

बम्बई के 1934 में हुये कांग्रेस के अधिवेशन में एक नये प्रकार का रूझान उभर कर आया-यह था समाजवादी रूझान। यूरोप में सामजवाद व कम्युनिस्टवाद के उभार से प्रभावित, क्रांतिकारी या बायें तरफ की शक्तियों ने कांग्रेस पार्टी में एक महत्वपूर्ण भाग लेना आरम्भ कर दिया, जिसके कारण समाजवादी गुट की स्थापना हो गई। श्री सुभाष चन्द्र बोस तथा श्री जवाहर लाल नेहरू इस गुट के नेता बने। नेहरूजी ने सभी सामाजिक और आर्थिक बराबरी की, सभी विशेषाधिकारों तथा निहित स्वार्थों के समाप्ती के लिये विनती की। वे मानते थे कि संसार के समक्ष चुनाव कम्युनिज़म और निरकुंशवाद के बीच था। जबकि वे निरंकुशवाद से बहुत घृणा करते थे, उन्होंने भारत के लिये कम्युनिस्ट प्रकार की सरकार को अपनाने की सिफारिश की। उन्होंने कहा: मैं, परंतु यह अवश्य समझता हूं कि कम्यूनिज़म मूल सिद्धांत तथा उसकी इतिहास का विज्ञानिकी तौर

पर व्याख्या का आधार मजबूत है। श्री सुभाष चन्द्र नेहरूजी से इस बात पर सहमत नहीं थे। वे विश्वास रखते थे कि भारत को अपनी ही व्यवस्था को विकसित करना होगा जो विरोधाभासों का समन्वय कर सके।

कुछ भी हो इन दृष्टिकोणों ने कांग्रेस पार्टी के आंतरिक राजनीति में एक बेचैनी की स्थिति पैदा कर दी। गांधीजी कम्युनिज़्म के भयंकर विरोधी थे तथा यद्यपि नेहरू के विचार समाजवादी गुट को सुदृढ़ करते थे, वे गांधीजी के प्रति अपनी व्यक्तिगत वफादारी में कभी भी नहीं भटके। यह इसलिये था कि जबकि बौद्धिक नेहरू गांधीजी के कार्यक्रमों और सिद्धांतों के विरुद्ध लड़ता था, भावुक नेहरू सदा ही उनके प्रभुत्व के आगे समर्पित रहा। नेहरू जी ने स्वयं इसका स्पष्टीकरण किया है। वे कहते हैं–

यह कैसे हो गया कि हमने गांधीजी के साथ स्वयं को राजनैतिक तौर पर जोड़ लिया तथा कई स्थानों पर उनके समर्पित अनुयायी बन गये। प्रश्न का उत्तर देना कठिन है। व्यक्तित्व की व्याख्या नहीं की जा सकती, एक अद्‌भुत शक्ति जिसे मनुष्यों की आत्मा पर अधिकार की शक्ति है तथा इनके पास वह प्रचुर मात्रा में विद्यमान है। वे मनुष्यों को आकर्षित करते थे। लोग उनके जीवन दर्शन को नहीं मानते थे। या उनके अनेकों आदर्शों के साथ भी सहमत नहीं थे, परंतु जिस कार्यक्रम की वे प्रस्तावना करते वह ठोस जैसा होता था। हमारी दृढ़ता विहीन राजनीति ने जो निष्क्रियता की एक लम्बी प्रथा को इतने समय तक पाला पोसा था उसके बाद किसी भी प्रकार का ठोस कार्यक्रम स्वागत योग्य हो सकता था। साहसी और प्रभावशाली कार्य जिसके चारों ओर नैतिकता की लौ हो उसका एक निर्विरोध आकर्षण था तथा हम उसके साथ ही चल पड़े चाहे हम उनके दर्शन-शास्त्र का स्वागत नहीं भी करते थे।

1937 में कांग्रेस का कोई अधिवेशन नहीं हुआ। प्रशासन के समक्ष आने वाली समस्याओं के साथ हाई कमान व्यस्त था। इनमें से कुछ समस्याएँ अंडमान की जेलों में बंद हजारों बंदीयों की, दमनकारी कानूनों का अभी भी असरदार होना, कृषकों के कष्ट इत्यादि की थीं। यह सभी अंग्रेजी साम्राज्यवाद के शासनकाल की याद दिलाती थी तथा एक निराशा की भावना बढ़ने लगी। इस निराशा से कम्युनिस्टों के संघ ने छुटकारा दिलाया जब उन्होंने किसानों को व्यवस्थित करना प्रारम्भ किया। इसका कांग्रेस के अंदर भी प्रभाव पड़ा। कांग्रेस का समाजवादी धड़ा एक बलवान शक्ति बन गया था तथा नवयुवकों वाला भाग गांधीजी के अहिंसा के कार्यक्रम में विश्वास खोने लग गया। यह जानना व्यर्थ ना होगा कि

गांधीजी बेशक कांग्रेस के सदस्य नहीं रह गये थे फिर भी वे कार्यकारिणी तथा सर्व-भारतीय कांग्रेस कमेटी की सभाओं में भाग लेते रहे। जैसा कि कांग्रेस पार्टी की अधिकारित इतिहास में कहा गया है:

> *गांधीजी बेशक कांग्रेस के सदस्य नहीं थे परंतु वे अभी भी ताज के पीछे की शक्ति थे।* नेहरूजी ने इस प्रकार वृत्तांत किया: *गांधीजी कांग्रेस के एक स्थाई बृहद-अध्यक्ष थे तथा इस समय कांग्रेस का अर्थ गांधी ही था।*

यह अगले दो वर्षों में स्पष्ट हो गया। फरवरी 1938 में गुजरात के कांग्रेस अधिवेशन में सुभाष चन्द्र बोस जी को सर्वसम्मति से अध्यक्ष चुना गया। यूरोप में ज्यों-ज्यों युद्ध के बादल मंडराने लगे, गांधीजी और सुभाष बोस जी के बीच अंतर बढ़ने लग गये थे। यह अंतर दो सतहों पर थे: सुभाष चंद्रजी का समाजवादी कार्यक्रम तथा उनका युद्ध में ब्रिटेन के प्रति रूख जो मूलरूप से गांधीजी के रूख का विरोधी था। अंतर तीखे तथा विस्तृत होते चले गये। कांग्रेस का अगला अधिवेशन त्रिपुरा में मार्च 1939 को हुआ। अध्यक्ष पद के लिये तीन लोगों के नाम का प्रस्ताव आया। मौलाना अब्दुल कमाल आज़ाद, सुभाष चन्द्र बोस तथा पाताभी सीता रमैय्या। आज़ाद ने अध्यक्ष पद स्वीकार करने से मना कर दिया जिस के कारण बाकी दो के बीच चुनाव करवाना आवश्यक हो गया। गांधीजी ने अपना पुरा जोर सीता रमैय्या के पीछे लगा दिया। परंतु बोस को जनता का भारी मात्रा में समर्थन प्राप्त था। परिणाम स्वरूप वे 95 मतों के बहुमत से चुनाव जीत गये। गांधीजी ने यह कहते हुए प्रतिक्रिया की, *सुभाष के विरोधी की हार मेरी हार थी।* इस द्वारा कांग्रेस में एक दहशत फैल गई तथा इसके पश्चात गांधीजी ने सुभाष चंद्र बोस के निर्वाचन के विरोध में एक व्रत रखा। जब बाद में कांग्रेस की बैठक हुई तो कार्यकारिणी के 13 सदस्यों ने अपना त्यागपत्र दे दिया अतः सुभाष बोस और उनके भाई सरत बोस ही केवल समिति में रह गये। इसके पश्चात गोविन्द वल्लभ पंत तथा सर्वभारतीय कांग्रेस कमेटी के 160 सदस्यों की एक औपचारिक सूचना अध्यक्ष के पास आई। उन्होंने एक प्रस्ताव पारित किया जिसका व्यवहारिक भाग इस प्रकार था:

> *आने वाले वर्ष में होने वाले संकटमयी स्थिति के पैदा होने के संदर्भ में तथा इस तथ्य के दृष्टिकोण में कि महात्मा गांधीजी ही क.ग्रेस और देश को इस संकट की घड़ी में विजय की ओर ले जा सकते हैं, यह समीति अतिआवश्यक समझती है कि कांग्रेस की कार्यकारिणी को उनमें संपूर्ण भरोसा हो इसी कारण अध्यक्ष से यह कमेटी यह निवेदन करती है कि गांधीजी की इच्छानुसार ही कार्यकारिणी समिति के सदस्यों को मनोनीत किया जाए।*

इसने कांग्रेस के लोकतांत्रिक मुखौटे को उखाड़ कर रख दिया तथा इसका गांधीजी के तानाशाही के अधीन सर्वसत्ता धारी समुह होने के सच्चे रंगों को दिखा दिया।

आओ देखें कि कांग्रेस के बारे में श्री अरविन्द की क्या टिप्पणी थी:

कांग्रेस की वर्तमान स्थिति–एक निरंकुश संगठन के अतिरिक्त और क्या है। गांधी, स्टालिन की भांति एक अधिनायक है, मैं हिटलर की भांति नहीं कहूंगा। जो गांधी कहता है वे उसे स्वीकार करते हैं तथा कार्यकारिणी समिति भी उसी का अनुसरण करती है। फिर वह सर्व भारत कांग्रेस समिति के पास जाता है जो उसको पारित कर लेती है और फिर कांग्रेस पार्टी। विचारों के अंर्तविरोध का कोई स्थान नहीं है सिवाय समाजवादियों के जिन को अंर्तविरोध की आज्ञा है जब तक बेशर्ते वे गंभीर रूप से भिन्न विचार ना रखें। उनके द्वारा जो भी प्रस्ताव पारित किये जाते हैं वे सभी प्रदेशों पर वांछनीय हैं चाहे वे प्रस्ताव प्रदेशों की अनुकुलित हों या नहीं। किसी अन्य स्वतंत्र मत के लिये कोई स्थान नहीं है। हर वस्तु पहले से ही निश्चित कर दी जाती है तथा लोगों को केवल उस पर बातचीत करने की अनुमती होती है–उसी प्रकार जैसे स्टालिन की संसद।

कांग्रेस कार्यकारिणी समिति के सुभाषचंद्र बोस जो कांग्रेस के निर्वाचित अध्यक्ष थे, के साथ कार्य करने को अस्वीकार किये जाने के परिणाम स्वरूप सुभाष जी ने अध्यक्ष पद से त्याग पत्र दे दिया। उसके तुरंत बाद उन्होंने कांग्रेस पार्टी के अंदर ही एक मौलिक और प्रगतिशील पार्टी बनानी प्रारम्भ कर दी ताकि एक झंडे के नीचे सारे वाम पंथी अंग को लाया जा सके। इस पार्टी का नाम फारवर्ड ब्लाक था।

इसके जल्द बाद ही दूसरा विश्व–युद्ध प्रारम्भ हो गया। जर्मनी के विरुद्ध ब्रिटेन की युद्ध की घोषणा ने भारत को प्रथम विश्व–युद्ध की भांति दुश्मन बना दिया। परंतु इस बार एक भारी अंतर था। लोकप्रीय मंत्रीमंडल प्रादेशिक सरकारों को संभाले हुये थी। आओ अब हम विभिन्न दलों की युद्ध के प्रति प्रतिक्रियाओं को जाने।

कांग्रेस की युद्ध के आरम्भ में अग्रिम प्रतिक्रिया इंग्लैंड के प्रति सहानुभूति की थी। 8 सितम्बर को चीन से जल्दी वापसी करते हुए नेहरूजी ने घोषणा की:

हम इस समस्या के प्रति अपना दृष्टिकोण इंग्लैंड की कठिनाइयों से फायदा उठाने की दृष्टि से नहीं करते–एक तरफ लोकतंत्र और स्वतंत्रता तथा दूसरी ओर निरंकुशवाद और आक्रमण के इस झगड़े के बीच हमारी सहानुभूतियां अवश्य ही सदैव लोकतंत्र की ओर रहेगी। मैं चाहुँगा कि भारत अपनी समस्त शक्ति और साधनों के साथ एक नये व्यवस्था की स्थापना के प्रयत्नों में पूरा भाग ले। परंतु जब सितम्बर 1939 में कांग्रेस की कार्यकारिणी की बैठक हुई तो उसने घोषणा की कि भारत लोकतांत्रिक स्वतंत्रता के लिये कहे जाने वाले युद्ध के साथ स्वयं को लिप्त नहीं कर सकता जबकि वह स्वतंत्रता उसे नहीं दी गई है। इसमें जोड़ा गया कि भारत के लिये युद्ध या शांति की समस्या का फैसला भारत के लोगों द्वारा ही किया जाना चाहिये। अक्टूबर 1939 में वाइसराय ने एक व्यक्तव्य जारी किया कि प्रभुसत्तापूर्ण राज्य का होना एक उद्देश्य था तथा उसने प्रस्ताव रखा कि एक सलाहकार गुट की स्थापना की जाये जिसमें ब्रिटिश भारत व भारतीय राजाओं के राज्यों की सभी प्रमुख पार्टियों के प्रतिनिधि होंगे तथा जिसका अध्यक्ष पद स्वयं गवर्नर जनरल स्वीकार करेंगे।

वाइसराय के इस व्यक्तव्य के बाद कांग्रेस ने इंग्लैंड को किसी भी प्रकार का समर्थन देने में अपने को असमर्थ होने की घोषणा की। इसके पीछे-पीछे कांग्रेस हाईकमान ने प्रदेशों में स्थापित कांग्रेसी मंत्रीमंडलों को त्यागपत्र देने के निर्देश दे दिये। सभी कांग्रेस मंत्रीमंडलों ने 27 अक्टूबर और 15 नवम्ब्र के बीच त्यागपत्र दे दिये। बाद में 1940 में श्री अरविन्द ने इस कदम पर अपनी टिप्पणी दी: यह कांग्रेस है जिसने सब कुछ बिगाड़ दिया। यदि बिना त्यागपत्र दिये उन्होंने केन्द्र पर दवाब डाला होता तो उन्हें अब तक वह सब प्राप्त हो जाता जिस की यह मांग कर रहे थे। यह भी अवश्य जान लेना चाहिये कि यही एक कारण केवल नहीं था जिसके लिये कांग्रेस ने अंग्रेजों के साथ सहयोग करने से मना कर दिया था। गांधीजी अहिंसा पर भी विश्वास रखते थे तथा युद्ध से उन्हें घृणा थी तथा इसलिये कांग्रेस को भी थी। उन्होंने इसी प्रकार का एक पत्र इंग्लैंड के प्रधानमंत्री को लिखा:

मैं लड़ाई-झगड़ा समाप्त करने की विनती करता हूँ क्योंकि वास्तव में युद्ध खराब होता है। तुम नाजीवाद को मारना चाहते हो। आपके सैनिक नाश का वही कार्य कर रहे हैं जो जर्मन के सैनिक कर रहे हैं। अंतर केवल यह है कि शायद आपके सैनिक वैसे सिद्धस्थ नहीं है जैसे कि जर्मनी के हैं। मैं आपके समक्ष सर्वश्रेष्ठ सैनिकों के योग्य एक अधिक श्रेष्ठ और वीरतापूर्वक

उपाय रखता हूँ। मैं चाहता हूँ कि आप नाजीवाद के विरुद्ध लड़ाई बगैर हथियारों के या अहिंसक हथियारों के साथ करें। मैं चाहूंगा कि आप अपने हथियार डाल दे क्योंकि वे तुम्हें या मानवता को बचाने में व्यर्थ सिद्ध हुये हैं। हिटलर और मुसोलिनी को निमंत्रण दें और जिन्हें आप अपने अधिकार में मानते हैं उन देशों में से उन्हें वे देश ले लेने दें जिन्हें वे चाहें। उन्हें अपने सुदरं टापु और कई सुंदर इमारतों पर अधिकार कर लेने दें। तुम उन्हें यह सब दोगे परंतु अपने मन और आत्मा को नहीं दोगे।

जबकि यह सब हो रहा था, पंजाब, बंगाल और सिंध की गैर–कांग्रेसी मंत्रीमंडलों ने दूसरी ओर इंग्लैंड को अपना पूरा समर्थन देने का वचन दिया। भारतीय राजा भी सरकार के पीछे पूरी तरह से थे। दूसरी अन्य पार्टियों में से हिन्दु महासभा ने बिना शर्त युद्ध के प्रयत्नों का समर्थन दिया। दूसरी ओर मुस्लिम लीग ने इस शर्त पर समर्थन देने का वचन दिया कि भारत में कोई भी संविधानिक प्रगति उनके मंजूरी के बिना ना की जाये क्योंकि वही एक ऐसी संस्था है जो भारतीय मुसलमानों के लिये सही प्रतिनिधित्व कर सकती हैं, कांग्रेस मंत्रीमंडलों द्वारा त्यागपत्र ने कांग्रेस के लिये जो राजनैतिक लाभ 1937 से उन्हें था उससे वंचित कर दिया। वाइसराय ने उम्मीद के अनुसार इन त्यागपत्रों से राहत की सांस ली। अब कांग्रेस को मनाने की कोई आवश्यकता नहीं रह गई थी तथा उसने खुले तौर पर मुस्लिम लीग के समर्थन के लिये प्रयत्न करना आरम्भ कर दिया। इसने काफी हद तक मुस्लिम लीग की स्थिति को मजबूत कर दिया। इस द्वारा प्रोत्साहित हो कर मुस्लिम लीग ने 22 दिसम्बर 1939 को कांग्रेस के शासन से मुक्ति दिवस के रूप में मनाया। मार्च 1940 में मुस्लिम लीग ने अपना अगला कदम उठाया। अपने लाहौर के अधिवेशन में उसने एक अलग स्वतंत्र राज्य की विधिवत् मांग कर दी। पहले से ही पैदा हुए पाकिस्तान के विचार को एक ठोस रूप दिया जाने लगा।

सुभाष चन्द्र बोस

जब युद्ध के बादल मंडरा रहे थे तब श्री सुभाषचन्द्र बोस ने एक पूर्णतया भिन्न रास्ता अपनाया। उन्होंने इसे भारत की स्वतंत्रता प्राप्त करने के लिये अंग्रेजों को एक चोट लगाने का मौका जाना। उनका मानना था कि इंग्लैड की मुसीबत भारत के लिये एक मौका था। अंग्रेज सरकार ने 2 जुलाई 1940 को उन्हें बंदी बना लिया। नवम्बर में उन्होंने भूख हड़ताल रखने का फैसला किया। उन्होंने बंगाल के गवर्नर को एक पत्र सम्बोधित किया, *एक व्यक्ति को अवश्य मरना चाहिये ताकि देश जीवित रह सके। आज मुझे मर जाना चाहिये ताकि*

भारत को गौरव और स्वतंत्रता मिल सके। उन्होंने अपनी भूख हड़ताल प्रारम्भ कर दी तथा जब उनकी हालत नाजुक हो गई तो 5 दिसम्बर 1940 को उन्हें रिहा कर दिया गया। अपनी मुक्ति के जल्दी बाद ही वे अचानक गायब हो गये तथा जल्द ही जर्मनी में उन्हें पाया गया। यह घोषणा करते हुये कि जर्मनी भारत का स्वाभाविक मित्र है, उन्होंने जर्मनी की विजय की कामना की, क्योंकि बिटिश साम्राज्य के पराजय और टूट जाने पर ही भारत स्वतंत्रत होने की उम्मीद कर सकता था। उन्होंने जर्मनों के साथ एक समझौता किया जिसके अधीन भारती युद्ध-बंधकों की वे सैनिक टुकड़ीयां स्थापित करेंगे। इससे पूर्व-एशिया में अधीनस्त क्षेत्रों में रहने वाले भारतीयों ने स्वयं को स्वतंत्रता प्राप्ति के समूहों वाली संस्था में स्थापित कर लिया था। इस संस्थाओं ने अंत में स्वयं को भारतीय स्वतंत्रता लीग के रूप में सम्मिलित कर स्थापित किया जिसका नेतृत्व रास बिहारी बोस कर रहे थे। मार्च 1942 में आज़ाद हिन्द फौज को स्थापित किया गया। इस सैनिक व्यवस्था का केन्द्र उन भारतीय युद्ध-बंधकों द्वारा बना था जिन्हें सिंगापुर की पराजय के बाद उनके अंग्रेज कमांडरों द्वारा जापानियों को सौंप दिया गया था।

श्री अरविन्द

श्री अरविन्द ने राजनैतिक कार्यक्रमों से 1910 में सन्यास ले लिया था। तथापि, युद्ध के दौरान उन्होंने सार्वजनिक तौर पर मित्र देशों की ओर होने की घोषणा की। अपने एक शिष्य को एक पत्र में उन्होंने लिखा:

> *हम मानते हैं कि यह युद्ध केवल न्यायिक आत्मसुरक्षा तथा जर्मनी व नाजीवाद के जीवन शैली द्वारा दुनिया पर शासन के साथ खतरे में पड़े देशों की सुरक्षा में ही केवल नहीं बल्कि यह संस्कृति व सभ्यता व उसके उच्चतम प्राप्त सामाजिक, सांस्कृतिक तथा आध्यातिमक मूल्यों तथा समस्त मानवता के भविष्य की सुरक्षा में लगा हुआ है। इसी कारणार्थ हमारा समर्थन तथा सहानुभूति अडिग होगी चाहे कुछ भी हो। हम इंग्लैंड की विजय की ओर देखते हैं तथा इसी कारण-स्वरूप देशों के बीच एक शांति और संगठन का काल तथा एक अधिक उत्तम व अधिक सुरक्षित संसार-व्यवस्था की ओर देखते हैं।*

दुबारा उन्होंने लिखा:

> *तुम्हें कुछ देशों का दूसरे देशों के साथ युद्ध या भारत के भी साथ युद्ध के रूप में नहीं सोचना चाहिये। यह एक आदर्श के लिये संघर्ष है जिसे मानवता के जीवन में धरती पर स्वयं को स्थापित करना है, एक सत्य के*

लिये जिसे अभी तक स्वयं को पूर्णतया अनुभव करना है तथा एक अंधकार व असत्य जो धरती और मानवता पर निकट भविष्य में आधिपत्य करने का प्रयत्न कर रहे है उनके विरुद्ध स्थापित करना है। इस युद्ध के पीछे जो शक्तियां हैं उन्हें हमें देखना हैं तथा यह या वह सतह रूपी हालात को नहीं–इस बात में तनिक सी भी कोई शंका नहीं कि यदि एक तरफ जीत जाती है तो ऐसी तमाम स्वतंत्रता व सत्य एवं प्रकाश की उम्मीद का समापन हो जायेगा तथा वह कार्य जिसे किया जाना है वह ऐसी शर्तों के अधीन हो जायेगा जिसे मानुषी स्तर पर किया जाना असम्भव हो जायेगा, एक क्रूर दमन चक्र तथा अधिकतर मानव जाती के लिये ऐसा पतन होगा जिसे इस देश के लोग स्वप्न में भी नहीं सोच सकते तथा अभी तक उसका अनुभव नहीं कर सकते। यदि दूसरा पक्ष जिसने मानवता के लिये मुक्त भविष्य के लिये घोषणा की है वह जीत जाता है तो इस भयानक खतरे को टाला जा सकता है तथा ऐसे हालात पैदा किये जा सकते हैं जिन में उस आदर्श को फलने–फूलने का मौका होगा, दिव्य कार्य का किया जाना सम्भव होगा, आध्यात्मिक सत्य जिसके लिये हम खड़े हैं उसके लिये धरती पर स्वयं को स्थापित करने का मौका होगा। जो इस कारण के लिये लड़ते हैं वे भगवान के लिये लड़ रहे हैं तथा असुरों द्वारा खतरे वाले साम्राज्य स्थापना के विरुद्ध लड़ रहे हैं।

43

क्रिप्स मिशन तथा भारत छोड़ो आंदोलन

युद्ध जो 1939 में प्रारम्भ हुआ था अब पूरी तौर पर लड़ा जा रहा था। 1940 के ग्रीष्म तक जर्मनी ने इंग्लैंड के सिवाय यूरोपीय महाद्वीप में उसके विरुद्ध सभी देशों पर विजय पा ली थी। इंग्लैंड अब अकेला खड़ा था। कांग्रेस कार्यकारिणी समिति ने जुलाई 1940 में एक बैठक की तथा एक तुरंत व बिना शर्त भारत की पूर्ण स्वतंत्रता की घोषणा की मांग की, जिसके द्वारा वह इस काबिल हो सकेंगे कि देश की सुरक्षा व्यवस्था के प्रभावशाली प्रयत्नों के पीछे अपनी पूरी शक्ति झोंक सकें। इसके प्रत्युत्तर में वाइसराय ने एक प्रस्ताव रखा जिसे अगस्त प्रस्ताव के नाम से जाना गया। एक प्रभुसत्ता पूर्ण राज्य (डोमिनियन स्टेटस) के प्रस्ताव को मानते हुये, वह मान गये कि भारतीय संविधान का लिखा जाना मूल रूप से स्वयं भारतीयों का उत्तरदायित्व था। इस लिये उन्होंने युद्ध के पश्चात एक संविधान बनाने वाले समिति के बनाये जाने का एक प्रस्ताव रखा। वर्तमान के लिगे उन्होंने गवर्नर जनरल की कौंसिल में भारतीयों की एक बढ़ी हुई संख्या के होने का प्रस्ताव दिया। साथ ही एक युद्ध–परामर्श कौंसिल के स्थापना का भी प्रस्ताव रखा। कांग्रेस ने इस प्रस्ताव को यह कहते हुए ठुकरा दिया कि यह बहुत ही तुच्छ बहुत अधिक देरी के बाद हुआ है। इस ठुकराने के बाद कांग्रेस ने एक छोटे स्तर पर एक नागरिक अवज्ञा आंदोलन प्रारम्भ कर दिया। यह व्यक्तिगत स्तर तक ही सीमित था तथा एक जन–सत्याग्रह नहीं था। 1941 में आंदोलन ने कुछ प्रगति की परंतु बहुत कम सफलता मिली। अंग्रेजों की सरकार ने 20,000 से अधिक लोगों को बंदी बनाया तथा उन्हें दोषी ठहराया।

1941 के अंत तक युद्ध ने एक खतरनाक मोड़ ले लिया। जापान ने पर्ल हारबर पर आक्रमण करने के बाद इंग्लैंड के विरुद्ध ऐक्सिस शक्तियों के साथ सम्मिलित हो गया। बहुत जल्द अजेय माने जाने वाले सिंगापुर पर उन्होंने विजय प्राप्त कर ली। उसके बाद बारी आई मलेशिया की तथा इसके तुरन्त बाद वे बर्मा में घुस आये और इस प्रकार भारत के द्वारस्थल पर आ पहुंचे। जापानियों का भारत पर आक्रमण करने का खतरा सर पर मंडराने लगा। वाइसराय ने एक

संयुक्त राष्ट्रीय मोर्चा बनाये जाने की सार्वजनिक विनती जारी की परंतु किसी पर उसका प्रभाव ना पड़ा। इसी समय, गृह-सचीव श्री अमेरी के नेतृत्व में अंग्रेजों का एक गुट ऐसा भी था जो खुले आम मुस्लिम लीग के साथ था। परंतु गवर्नर जनरल की कार्यकारिणी कौंसिल को मुस्लिम लीग की मंजूरी के वगैर बढ़ाये जाने पर उनका दृष्टिकोण सख्त हो गया। गृह सचीव ने एक प्रस्ताव पारित किया जिस में यह कहा गया कि कोई भी नई घोषणा जो पाकिस्तान की मांग पर प्रतिकूल प्रभाव डालती है या केन्द्रीय सरकार इस आधार पर आगे बढ़ती है जिसमें भारत एक इकाई के रूप में माना जाये और मुसलमानों को सर्व-भारतीय अल्पसंख्यक माने उसका मुसलमान कठोरता पूर्वक विरोध करेंगे। मुस्लिम प्रेस ऐसी चिल्लाहटों से भर गया जैसे कि पाकिस्तान हमारी मांग है और खुदा कसम हम उसे लेकर रहेंगे। हिन्दु महासभा ने इस चेतावनी को चुनौती दी तथा कांग्रेस की भांति पूर्ण स्वतंत्रता की मांग की परंतु कांग्रेस से उल्टे वह युद्ध प्रयासों में अंग्रेजों के साथ सहयोग करने को तैयार थी। अंग्रेज सरकार ने कुछ तो भारत की आवश्यंभावी भविष्य में स्वतंत्रता प्राप्ति को जानते हुये तथा कुछ युद्ध में अमरीकी सहभागिता को प्राप्त करने हेतु उसके दवाब तले आ कर सर स्टैफोंड क्रिप्स को मार्च 1942 में भारत भेजा एक प्रस्ताव के साथ जिसमें पूर्ण स्वतंत्रता की ओर प्रथम कदम के तौर पर युद्ध के पश्चात एक प्रभुसत्ता पूर्ण राज्य का प्रस्ताव था।

क्रिप्स मिशन

वे प्रस्ताव जो सर स्टैफोंड क्रिप्स अपने साथ लाये उनका सारांश इस प्रकार किया जा सकता है:

- स्व-शासन की जल्द प्राप्ति की संभावना के हेतु एक नई भारतीय संघ की स्थापना की जायेगी जिसे एक प्रभुसत्ता पूर्ण राज्य का दर्जा प्राप्त होगां इसका अर्थ यह होगा कि भारत दूसरे प्रभुसत्ता राज्यों की भांति राजसत्ता के प्रति सांझी वफादारी रखते हुए यूनाईटेड किंगडम के साथ जुड़ा होगा, परंतु हर प्रकार से उनके साथ बराबर होगा तथा किसी भी प्रकार से उनके अधीनस्थ नही होगा।

- युद्ध के तुरंत बाद भारत अपना संविधान बनाने के लिये स्वतंत्र होगा।
- तब तक एक नई कार्यकारिणी कौंसिल देश का प्रशासन करेगी। ब्रिटेन अपने विश्व-युद्ध के प्रयासों के अनुरूप भारत के सुरक्षा के प्रति अपना अधिपत्य रखेगा, परंतु सैन्य नैतिक तथा भौतिक सामान सज्जा के व्यवस्था का कार्य भारत के लोगों के सहयोग द्वारा भारत सरकार का ही उत्तरदायित्व होगा।

सर स्टैफोर्ड क्रिप्स द्वारा 30 मार्च 1942 को दिये गये भाषण का एक अंश यहां दिया जाता है:

सर्वप्रथम आप यह जानना चाहेंगे कि हमारी दृष्टी में क्या उद्देश्य था। इसलिये, हम यह स्पष्ट कर देना चाहेंगे कि किसी भी प्रकार के शक की संभावना से बहुत परे कहना चाहेंगे कि ब्रिटिश सरकार तथा ब्रिटेन के लोग यह इच्छा करते हैं कि भारतीय लोगों के पास पूर्ण-स्व-शासन हो जिसके साथ ऐसा संविधान हो जो हर प्रकार से उतना ही स्वतंत्र जैसा कि ग्रेट ब्रिटेन में हमारा अपना है या किसी भी अन्य महान प्रभुसत्ता पूर्ण राज्यों का जो ब्रिटिश कामनवेल्थ देशों के सदस्यों का है। प्रस्तावना की घोषणा के शब्दों में भारत दूसरे प्रभुसत्ता राज्यों की भांति राजसत्ता के प्रति सांझी वफादारी रखते हुए यूनाईटेड किंगडम के साथ जुड़ा होगा परंतु हर प्रकार से उनके साथ समानता रखे हुये तथा किसी भी प्रकार से किसी भी आंतरिक या विदेशी मामलों के किसी भी भाग में उनके अधीनस्त नहीं होगा।

वह सिद्धांत जिस के आधार पर यह प्रस्ताव आधारित हैं वह है कि नये संविधान की संरचना भारतीय लोगों के निर्वाचित प्रतिनिधियों द्वारा ही स्वयं किया जाना चाहिये। इसलिये हम प्रस्ताव रखते हैं कि युद्ध की समाप्ति के तुरंत बाद एक संविधान-निर्माण के सदस्यों का समुह बनाया जाये जिसमें ब्रिटिश इंडिया के निर्वाचित प्रतिनिधि तथा यदि भारतीय राजा चाहें, जैसा कि हम आशा करते हैं कि वे इस नये भारतीय संघ के भाग बन जायेंगे, उनको भी न्यौता दिया जायेगा कि वे भी इस संविधान-निर्माण समुह के लिये अपने प्रतिनिधि भेज सकते हैं तथा इन सब द्वारा यह समुह स्थापित किया जायेगा तथा तथापि वे यदि प्रतिनिधि भेजते हैं उसका अभिप्राय स्वयं में यह नहीं होगा कि वे संघ के अटूट सदस्य बन जायेंगे। यह भविष्य की विस्तृत रूपरेखा है।

यहां ऐसे भी हैं जो यह मानते हैं कि भारत को एक ऐकक-संयुक्त देश बनना चाहिये, यहां दूसरे ऐसे हैं जो कहते हैं कि इसका विभाजन दो, तीन या अधिक भागों के विभिन्न देशों के रूप में होना चाहिये। ऐसे भी हैं जो मानते हैं कि प्रादेशिक स्वतायत्ता बहुत विस्तृत होनी चाहिये जिसमें केवल कुछ ही केन्द्रीय शासित संघीय सेवायें हों। अन्य केन्द्रीयकरण की आवश्यकता पर बढ़ते हुए जटिल आर्थिक विकास को समक्ष रखते हुये उस पर बल देते हैं। ये सब तथा कई अन्य व विभिन्न विचारों को परखा जा सकता है तथा

उन पर तर्क-वितर्क किया जा सकता है, परंतु यह भारतीय लोगों के लिए है तथा किसी बाह्य शक्ति के लिये नहीं, कि वे फैसला करें कि इस में से किस प्रकार के अनुरूप भारत भविष्य में स्वयं को प्रशासित करेगा।

इसी कारण हम पथ-प्रदर्शन तथा साधनों का प्रावधान करेंगे जिस द्वारा जल्द से जल्द मौके पर आप जैसी इच्छा रखते हों उसी प्रकार की सम्पूर्ण व संयुक्त स्व-शासन को प्राप्त कर सकेंगे। इससे पहले हमने विभिन्न भारतीय समुदायों को एक सांझे निर्णय पर आने की प्रतिज्ञा की कि किस प्रकार एक स्व-शासित भारत के लिये एक संविधान का निर्माण किया जाना चाहिये तथा चूंकि भारतीय नेताओं के बीच कोई समझौता नहीं हो पाया, कुछ के द्वारा इस तथ्य का प्रयोग करते हुये ब्रिटिश सरकार को दोषी ठहराया गया है कि इनके कारण भारत को स्वतंत्रता प्रदान करने में देरी हुई है। हम अब आप द्वारा चाहा गया पथ-प्रदर्शन प्रदान करते हैं तथा यह अब केवल भारतीयों के ही हाथ में है, कि क्या वे इस पथ-प्रदर्शन को स्वीकार करेंगे और इस प्रकार अपनी स्वतंत्रता को प्राप्त करेंगे। यदि वे इस मौके को लेने से चूक जाते हैं तो असफलता का उत्तरदायित्व भी उन्हीं के साथ होना चाहिये।

इसके पीछे-पीछे सभी पार्टियों के साथ लम्बे समय तक लेन-देन चलता रहा। कांग्रेस ने इस प्रस्ताव को ठुकरा दिया क्योंकि उसे इंग्लैंड के घोषित नियत पर शंका थी कि वे प्रशासनिक शक्ति को बांटेंगे। ठुकराने का एक और कारण था इस शर्त का कि जिसके द्वारा प्रदेशों को प्रस्तावित संघ से अलग होने की अनुमति दी गई थी। इसके अतिरिक्त गांधीजी की निराशावादिता थी जो एक अड़चन सिद्ध हुई। गांधीजी ने इन प्रस्तावों को एक डूबते हुये बैंक का अग्रिम तिथि का एक चैक कहा। दूसरी ओर मुस्लिम लीग भी संतुष्ट ना थी क्योंकि वह एक भारतीय संघ की स्थापना के लिये राजी नहीं थे। वे एक संघ से अधिक की स्थापना की संभावना की इच्छा रखते थे। इस प्रकार क्रिप्स मिशन असफलता के साथ समाप्त हो गया।

श्री अरविन्द का इसके विपरीत एक पूर्णतया उल्टा विचार था। जैसा कि पहले देखा गया है, उन्होंने युद्ध में मित्र-देशों का समर्थन किया था तथा जब क्रिप्स का प्रस्ताव रखा गया तो उन्होंने क्रिप्स को निम्न संदेश भेजा:

एक ऐसा पुरुष जो भारत की स्वतंत्रता के लिये एक राष्ट्रीय कार्यकर्ता तथा नेता रहा है, चाहे अब मेरी गतिविधियां राजनैतिक नहीं है बल्कि आध्यात्मिक क्षेत्र में हैं, मैं उस सब के लिये जो अपने इस प्रस्ताव को लाने में किया है, अपनी प्रशंसा अभिव्यक्त करना चाहूंगा। मैं इसे भारत के लिये ऐसा

अवसर दिये जाने का स्वागत करता हूं जिसके द्वारा वह अपने लिये पूर्ण स्वतंत्रता से अपनी स्वतंत्रता और एकता को व्यवस्थित करने का निश्चय स्वयं करे तथा संसार के स्वतंत्र देशों में अपना एक प्रभावशाली स्थान बनाये। मैं आशा करता हूं कि इसे स्वीकार कर लिया जायेगा तथा सभी कलहों और विभाजनों को एक तरफ रखते हुये इसका ठीक प्रयोग किया जायेगा। यदि यह किसी भी प्रकार से आपके कार्य में सहायक सिद्ध होता हो तो मैं अपना सार्वजनिक उदघोष इसके पक्ष में प्रस्तुत करता हूं।

अगले दिन 1 अप्रैल को क्रिप्स ने तार द्वारा इसका निम्न उत्तर दिया:

आपके विनम्र संदेश ने मेरे हृदय को छू लिया तथा मैं आभारी हूं कि इसके द्वारा भारत को सूचित करने की अनुमति मिली कि आप, जो भारतीय युवकों की सोच में अदभुत स्थान प्राप्त किये हुये हैं, को निश्चय है कि इंग्लैंड की सरकार की घोषणा प्रचुर मात्रा में वह स्वतंत्रता प्रदान करती है जिसके लिये भारतीय राष्ट्रवाद ने इतने लम्बे समय तक संघर्ष किया है।

इसके अतिरिक्त श्री अरविन्द ने एक व्यक्तिगत संदेशवाहक कांग्रेस को मनाने के लिये भेजा कि वे क्रिप्स के प्रस्ताव को मान लें। उन्होंने इस हेतु श्री सी. राजगोपालाचार्य को भी एक तार भेजी जिसमें उन्होंने कहा:–*आप को भारत बचाने का निवेदन है। भयानक खतरा, नई विदेशी आधिपत्य जब पुरानी स्वत: समाप्त होने की राह पर है।*

श्री अरविन्द के परामर्श की अवहेलना की गई। गांधी जी ने श्री अरविन्द के संदेशवाहक दुराईस्वामी से कहा:

वह राजनैतिक जीवन से सन्यास ले चुका है, वह बिध्न क्यों डाल रहा है।

तथापि नेहरू व राजगोपालाचार्य क्रिप्स के प्रस्ताव को स्वीकार करने के पक्ष में थे परंतु गांधी जी युद्ध के प्रति अपने विरोध के कारण इसको स्वीकार नहीं कर पा रहे थे। यदि क्रिप्स का सुझाव मान लिया जाता तो बाद में होने वाले विभाजन तथा खून की नदियों से बचा जा सकता था।

श्री अरविन्द ने सुझावों को स्वीकार किये जाने के लिये निम्न कारण दिये थे:

- पहला यह था कि हिटलर आसुरी शक्ति का द्योतक था तथा उसकी विजय ना तो भारत और ना ही संसार के लिये उत्तम थी।
- दूसरा यह कि यह प्रस्ताव मुख्यत: कांग्रेस पार्टी को दिये गये थे तथा यह उसके लिये सम्प्रदायी समस्या को सुलझाने का एक अवसर था।

- तीसरा यह कि जब तक अंग्रेज यहां थे, हम पर्दे के पीछे से उनकी सहायता से देश का प्रशासन करते। इसका अर्थ यह होता कि हम बहुत अधिक संख्या में प्रशासन हेतु लोगों को तैयार कर सकते थे।
- चौथा यह कि युद्ध के प्रयासों में भाग लेने से युद्ध-क्षेत्र में ही हम लगभग दस लाख सैनिकों को तैयार कर सकते थे तथा युद्ध क्षेत्र में लड़ना एक सर्वोच्च अभ्यास है, और यदि अंग्रेज इसके पश्चात अपने प्रस्तावों के पीछे हटते तो हमारे पास बहुत अधिक संख्या में ऐसे लोग होते जो अंग्रेजों के विरुद्ध शस्त्र उठा लेते।
- पांचवां उन्होंने कहा कि जब किसी को जाने हुए शत्रु तथा अनजान शत्रु के बीच चयन करना होता है तो जाने हुये शत्रु को चुनना बेहतर है। क्योंकि यदि जर्मनी या जापान युद्ध जीत जाते तो ऐसी कोई गारन्टी नहीं थी कि हमें स्वतंत्रता मिलती। हम अपने मालिक ही केवल बदलते तथा अंग्रेजों को जानते हुये, उनके इतिहास की पृष्ठभूमि को जानते हुये, उनके समस्त कमियों के होते हुये भी, उनका जीवन के प्रति आमतौर पर लोकतांत्रिक दृष्टिकोण था तथा दूसरा यह कि हम उनके साथ लगभग 200 वर्ष तक संघर्ष करने के कारण उन्हें भली भांति जानते थे।

भारत छोड़ो आंदोलन

क्रिप्स मिशन की असफलता के फलस्वरूप गांधीजी का दृष्टिकोण अंग्रेजों के प्रति मूल रूप से बदल गया। उनको विश्वास हो गया कि अंग्रेजों की भारत में उपस्थिति जापानियों को भारत पर आक्रमण करने का न्यौता थी। उन्होंने सुझाव दिया कि ब्रिटेन और भारत दोनों की ही सुरक्षा तथा हित इसी बात में है कि समय रहते और तरीके के साथ अंग्रेज भारत से चले जायें। वह मानते थे कि अंग्रेजों के वापिस चले जाने से, जापानियों के आक्रमण का खतरा समाप्त हो जायेगा। इसी समय नेहरू और गांधी में अंतर-विरोध उत्पन्न हो गया और वह उभर कर सामने आ गया। नेहरू मानते थे कि भारत को अंग्रेजों के साथ मिलकर नाजीवाद के विरुद्ध अवश्य लड़ना चाहिये जबकि गांधी महसूस करते थे कि ब्रिटेन और भारत के बीच सभी प्रकार के आपसी सद्भाव और मित्रतापूर्ण समझौते वाले विचारों को अब अवश्य समाप्त हो जाना चाहिये। 7 जून को उन्होंने लिखा: *मैंने उस काल तक खूब प्रतिक्षा की जब देश आवश्यकतानुसार इतनी अहिंसक शक्ति विकसित कर लेता जिस से विदेशी जूए को अपने कंधों से उतार फेंकता। परंतु अब मेरा दृष्टिकोण बदल गया है। यदि मैं प्रतिक्षा करता*

रहूं तो मुझे शायद प्रलयकाल तक प्रतीक्षा करनी पड़ेगी। जिस तैयारी के लिये मैंने कार्य किया है व प्रार्थना की है वह शायद अब कभी नहीं आयेगा तथा इसी दौरान मैं उन ज्वालाओं से घिर जाऊंगा तथा समा जाऊंगा जो हम सब को चुनौती दे रही हैं। इसी कारण मैंने यह निश्चय किया है कि कुछ खतरों के होते हुये भी जो प्रत्यक्ष रूप में सम्मिलित हैं, मैं लोगों से अवश्य कहूंगा कि वे दासता का विरोध करें। 14 जुलाई 1942 को कांग्रेस कार्यकारिणी समिति ने भारत छोड़ों प्रस्ताव को पारित किया। उसने इस मांग को पुनः दुहराया कि भारत में ब्रिटिश राज्य तुरंत समाप्त हो जाना चाहिये यह विश्वास देते हुये कि भारत में मित्र देशों की सेनाओं के तैनाती के लिये वह मानती है। उन्होंने ब्रिटेन से आग्रह किया कि वे उनकी जायज मांग को स्वीकार करें, और यदि असफल रहते हैं तो कांग्रेस को अनिच्छापूर्वक मजबूर होना पड़ेगा कि वे अपने राजनैतिक अधिकारों व स्वतंत्रता के लिये अपनी तमाम अहिंसक शक्ति का प्रयोग करते हुये अपने हक को जतायें। 8 अगस्त को कांग्रेस कार्यकारिणी समिति ने भारत छोड़ों प्रस्ताव को अपनी मंजूरी दे दी। गांधीजी ने भारत के लोगों को संबोधित किया: *मैं सम्पूर्ण स्पतंत्रता से कम किसी भी वस्तु से संतुष्ट नहीं होऊंगा। हम करेंगे या मरेंगे। या तो हम भारत को स्वतंत्र करवा कर रहेंगे या इस प्रयत्न में मर जायेंगे।* अगली सुबह उन्हें तथा सभी कांग्रेस के नेताओं को बंदी बना लिया गया। बंदी बनाये जाने के तुरंत बाद जिन्ना ने एक व्यक्तव्य जारी किया यह कहते हुए कि कांग्रेस ने अपने हितों के अतिरिक्त बाकी सब के हितों को तिलांजित करते हुये सरकार के विरुद्ध जंग का ऐलान किया है जिसे सुन कर उसे बहुत दुखः हुआ है तथा उसने मुसलमानों को चेताया कि वे इस आंदोलन से पूर्णतया तटस्थ रहें। जिन्ना की इस स्थिति ने उसे अंग्रेज़ों की सरकार के और करीब कर दिया।

इन गिरफ्तारियों की खबर ने लोकप्रिय हिंसक प्रदर्शनियों का रूख ले लिया जो जल्द ही सारे भारत में फैल गई! हड़तालों, जलूसों के रूप में स्वतः विरोध प्रदर्शन होंने लगे। 11 अगस्त से हालात और भी बिगड़ गये। संयोजित भीड़ की हिंसा, लुट-पाट, हत्याएँ, तोड़-फोड़ जो मुख्य रूप से रेल-सेवा, डाक-तार तथा पुलिस के विरुद्ध निर्देशित थे, वे सब होने लगे। यह घटनायें साथ-साथ दूर-दूर प्रदेशों में विस्तृत रूप में होने लगीं जैसे मद्रास, बम्बई तथा बिहार इत्यादि। हालात इतने गंभीर होने लगे कि देश के कई भाग अलग-थलग हो गये तथा अंग्रेजों का शासन लगभग पूर्णतया समाप्त हो गया। अहिंसा का कार्यक्रम अब सदा के लिये समाप्त हो गया लगता था जो कभी भी भारत के स्वतंत्रता आंदोलन में शस्त्र के रूप में अब प्रयोग में नहीं आना था।

अंग्रेज सरकार ने अपने अधीन सभी आधुनिक हथियारों का प्रयोग करते हुये क्रूरतापूर्वक इस आंदोलन को तहस-नहस कर डाला। इन साधनों में मशीनगन द्वारा गोली-बारी तथा हवाई गोलीयों का प्रयोग भी सम्मिलित थे। हजारों को गिरफ्तार किया गया तथा पुलिस ने विद्रोह को समाप्त करने के लिये अत्यंत पशुतापूर्ण विधियों का प्रयोग किया। सितम्बर के अंत तक आंदोलन लगभग कुचल दिया गया था तथा अंग्रेजों ने सारे भारत पर पुनः अधिकार स्थापित कर लिया था। भारत छोड़ों आंदोलन पूर्ण असफलता के साथ समाप्त हो गया। प्रश्न तब यह उठा कि इससे होने वाले भयंकर हिंसा और कष्टों के लिये कौन उत्तरदायी था। एक लम्बा पत्र-व्यवहार गांधीजी और वाइसराय लार्ड लिनलिथगों के बीच हुआ जिसमें दोनों ने एक दूसरे पर दोषारोपण किया। गांधीजी को संतोषजनक प्रत्युत्तर ना मिलने पर वे 9 फरवरी से 2 मार्च 1943 तक भूख हड़ताल पर रहे परंतु यह पता ना चल सका कि भूख हड़ताल का मुद्दा क्या था। इसके पश्चात एक भयानक सूखा बंगाल, बिहार, मद्रास तथा उड़ीसा के कुछ भागों में पड़ा जिसमें तीस लाख से भी अधिक लोगों की मृत्यु हो गई। यह सूखा सरकार के धरती को झुलसाने की नीति का परिणाम था।

आई. एन. ऐ तथा सुभाष चन्द्र बोस

सुभाष चन्द्र बोस 1940 में छिप कर जर्मन चले गये थे तथा उन्होंने जर्मनी के साथ मिल कर अंग्रेज-विरोधी गुट बना लिया था। 1943 में बोस को अब जो नेता जी के नाम से जाने जाते थे उन्होंने अपना ध्यान सुदूर पूर्व की ओर दिया। इससे पहिले 1942 में भारतीय स्वतंत्रता लीग के एक अधिवेशन में यह निश्चय किया गया कि भारतीय मुक्ति वाहिनी (आइएन.ऐ) भारत की स्वतंत्रता के लिये लड़ेगी। नेताजी को उस अधिवेशन में निमंत्रण दिया गया। उन्होंने उस निमंत्रण को स्वीकार किया तथा उन्हें रास बिहारी बोस, जिन्होंने त्याग-पत्र दे दिया था, उनके स्थान पर लीग का अध्यक्ष स्थापित किया गया। नेताजी को तब आइ. एन. ऐ का सर्वोच्च सेनापिति नियुक्त किया गया। इसके पश्चात उन्होंने आज़ाद हिन्द सरकार या स्वतंत्र भारत की कार्यकारी सरकार की स्थापना की घोषणा की। इस सरकार को जापान तथा अन्य कुछ देशों ने मान्यता दे दी। आइ. एन. ऐ. को तीन ब्रिगेड में व्यवस्थित किया गया-सुभाष ब्रिगेड, आज़ाद ब्रिगेड, तथा गांधी ब्रिगेड। इन्होंने 1857 के उसी युद्ध-घोष दिल्ली चलो को अपनाया। मई 1944 में सुभाष ब्रिगेड की बटैलियन नम्बर 1 ने भारतीय इलाके में प्रवेश किया। इसने चिटागांव के दक्षिण में एक छोटे कस्बे मोडोक पर अधिकार कर लिया। इसी समय में सुभाष ब्रिगेड के मुख्य भाग ने नागालैंड के

कोहिमा इलाके में प्रवेश किया। यह इस इरादे से था कि मणिपुर में इम्फाल पर अपना अधिकार जमा लिया जाये। विचार यह था कि ब्रह्मपुत्र नदी को पार किया जाये और तब बंगाल के बीचों बीच प्रवेश किया जाये। दो अन्य ब्रिगेडों ने इनकी सहायता की। परन्तु जल्द ही युद्ध का तख्ता जापानियों के विरुद्ध पलट गया। उन्हें मजबूर हो कर अपनी सारी सैन्य शक्ति शांत महासागर के क्षेत्र में भेजनी पड़ी। पर्याप्त वायु सेना का संरक्षण न होने के कारण मुख्य ब्रिगेड को मजबूरन बर्मा वापस आना पड़ा। बाद में 1944 में जापानी और पीछे हट गये और रंगून भारतीयों के हाथों में छोड़ दिया। अंग्रेजों ने शहर को मई 1945 में अपने अधिकार में कर लिया तथा लगभग 20,000 आइ. एन. ऐ. के. सैनिकों को हथियार डालने पड़े। नेता जी सिंगापुर से बच निकले और वहाँ से बैंकाक चले गये। बाद में उनकी मृत्यु के परस्पर विरोधी समाचार प्राप्त हुये। अगस्त 1945 में हीरोशिमा और नागासाकी पर दो एटम बम्बों के गिराये जाने के बाद जापान ने आत्म-समर्पण कर दिया और युद्ध का अंत हो गया। दूसरा विश्व युद्ध समाप्त हो चुका था तथा आइ. एन. ऐ. बुरी प्रकार से पराजित हो चुकी थी। तथापि उन्होंने भारतीय स्वतंत्रता आंदोलन में प्रचुर मात्रा में भागीदारी दी जिसके बारे में हम अब आगे अध्याय में देखेंगे।

44

एक विभाजित स्वतंत्रता

जब दूसरा विश्व-युद्ध अपने अंतिम पड़ाव की ओर अग्रसर था तो अंग्रेजों की सरकार ने मई 1944 में गांधीजी को जेल से रिहा कर दिया। जेल से छूटने के बाद गांधीजी ने जिन्ना से मिलने और उसके साथ सम्प्रदायिक स्थिति पर विचार-विमर्श करने का प्रस्ताव रखा। फलस्वरूप उन्होंने 9 सितम्बर से 27 सितम्बर तक लगातार कई मुलाकातें की और विचार विमर्श किया। इन बातचीत में विभाजन के प्रश्न पर भी विचार विमर्श किया गया। यह बातचीत राजगोपालाचार्य या सी.आर. फार्मूले पर जैसा कि इसे जाना गया उस पर केन्द्रित थी। इस फार्मूले के प्रमुख प्रावधान इस प्रकार थे:

- मुस्लिम लीग को देश की स्वतंत्रता के मांग को अनुमोदित करना था तथा भारतीय राष्ट्रीय कांग्रेस के साथ एक अंतरंग सरकार बनाने में सहयोग देना था।
- उत्तर-पश्चिम तथा पूर्वी भारत में क्रमवार लगने वाले जिलों का सीमा निर्धारण किया जाना था तथा उनमें जनमत संग्रह किया जायेगा यह निश्चित करने के लिये कि वे भारत से पृथक होना चाहेंगे या कि नहीं।

गांधीजी ने स्व-निर्धारण के अधिकार को स्वीकार किया तथा भारत में दो मुख्यता मुस्लिम प्रदेशों के पृथक होने को भी स्वीकार किया जबकि जिन्ना पाकिस्तान की मांग कर रहा था। मूलतया गांधीजी पहले स्वतंत्रता तथा बाद में पृथक होने पर बल दे रहे थे जबकि जिन्ना पहले पाकिस्तान तथा स्वतंत्रता बाद में होने पर बल दे रहा था। जिन्ना इस बात पर लगातार बल देता रहा कि भारत के मुसलमान एक पृथक देश के वासी हैं। यह जिन्ना का ध्रुप का पत्ता था। जिन्ना के दृष्टीकोण के झूठ को श्री अरविन्द के इन शब्दों ने उजागर किया:

भारत में दो देशवासियों के होने का विचार केवल एक नव निर्मित जहरीली सोच है जो कि जिन्ना द्वारा अपने स्वार्थों के वशीभूत अविष्कारित है तथा

तथ्यों के विपरीत है। 90 प्रतिशत से अधिक मुसलमान धर्म-परिवर्तित हिन्दुओं के वंशज हैं तथा भारतीय देश से उतना ही प्रगाढ़ सम्बन्ध रखते हैं जितना कि हिन्दु स्वयं। धर्म-परिवर्तन का यह सिलसिला सदा चलता आया है। जिन्ना स्वयं एक हिन्दु की संतान है जो काफी आधुनिक समय में धर्म परिवर्तित हुआ था तथा जिसका नाम जिन्हा भाई था तथा अधिकतर प्रसिद्ध मुसलमान नेताओं में से कइयों का इसी प्रकार का मूल रहा है।

बातचीत असफल रही क्योंकि जिन्ना और आगे बातचीत करने के लिये मना कर गया। दुर्गादास, एक जाने माने पत्रकार ने पहले इन बातचीत के बारे में लिखा था, *युद्ध के दौरान जिन्ना कभी भी किसी समझौते पर नहीं आयेगा। जब तक वह अड़ा रहेगा उसकी स्थिति ऊपर रहेगी। जिस क्षण भी वह कांग्रेस के साथ समझौता करता है लीग राष्ट्रीय आंदोलन में आत्मसात हो जायेगी तथा फिर कभी भी कांग्रेस के प्रति अपनी बात नहीं मनवा सकेगी।* श्री अरविन्द ने भी टिप्पणी की थी: *जो आवश्यक है उसे करने के बजाय कांग्रेस जिन्ना के साथ आंख-मिचौनी करने का यत्न कर रही है तथा जिन्ना सोचता है कि उसे अपनी शर्तों के प्रति अड़े रहना होगा ताकि वह उन्हें प्राप्त कर सके। जितना अधिक वे प्रयत्न करेंगे उतना ही अधिक जिन्ना अड़ियल हो जायेगा।*

1945 के प्रारम्भ में भारत के वाइसराय लार्ड वैवल ने एक सुझाव की घोषणा की जो वर्तमान राजनैतिक स्थिति को सुगम करने हेतु बनाई गई तथा भारत को सम्पूर्ण स्व-शासन के लक्ष्य की ओर अग्रसर करने वाली थी। उसने सुझाव दिया कि भारत के ग्रीष्मकालीन राजधानी शिमला में एक अधिवेशन किया जाये जिसमें भारत के सभी पार्टियों को निमंत्रण दिया जायेगा। इस लिस्ट में कांग्रेस, मुस्लिम लीग, सिख, अनुसूचित जातियों तथा कुछ अन्य गुटों के नाम सम्मिलित थे। चर्चा का मुख्य विषय एक नई कार्यकारिणी कौंसिल के निर्माण का होना था। यह सुझाव दिया गया कि सिवाय वाइसराय और प्रमुख सेनापति के इस सभा के बाकी सभी सदस्य भारतीय होंगे। गांधीजी ने उच्च वर्ग के हिन्दुओं के वर्गीकरण पर एतराज किया जिसको माना गया था कि कांग्रेस उनका प्रतिनिधित्व करती थी। जिन्ना ने दो बातों पर एतराज किया। पहला, वह चाहता था कि मुस्लिम लीग द्वारा दर्शाये सदस्यों की सूची अंतिम होनी चाहिये तथा दूसरा, कि सभी मुसलमान सदस्य केवल मुस्लिम लीग से ही होने थे। इन एतराजों के बावजूद सभा का आयोजन हुआ और विचार विमर्श किया गया। वाइसराय जिन्ना की मांगों को स्वीकार करने में असमर्थ था। उसे समझाने में

असफल रहने पर वाइसराय ने घोषणा की कि अधिवेशन असफल रहा था। वाइसराय के इस कार्य ने जिन्ना को मनमानी करने की शक्ति दे दी जिसे उसने आने वाले दिनों में पूरे प्रभाव के साथ प्रयोग किया।

अगस्त 1945 में जापान पर दो एटम बम के गिराये जाने के साथ युद्ध का अंत हो गया। इसमें कोई शंका नहीं थी कि ब्रिटेन ने अपने मित्र देशों की सहायता से दोनों, जर्मनी और जापान को कुचल डाला था। परंतु इस मृत्यु और जीवन के युद्ध में इसने अपने आर्थिक और मानवी स्त्रोतों को इस हद तक खाली कर लिया था कि वह अब पहले से समृद्धी और शक्ति को फिर दुबारा प्राप्त करने की उम्मीद नहीं कर सकता था। संसार की स्थिति पूर्णतया बदल गई थी तथा यह अब स्पष्ट था कि इस नये सांसारिक हालातों के फलस्वरूप भारत को अपनी स्वतंत्रता मिल जानी थी। लोयोनार्ड मोसले के शब्दों में–

> *1945 में उस क्षण से जब युद्ध समाप्त हो गया था तथा युद्ध-उपरान्त के संसार ने स्वयं को पुनः रूप रेखा देनी प्रारम्भ की तो कोई भी स्पष्ट मन वाले व्यक्ति में कोई शंका की जगह नहीं थी कि भारत के लोगों को ब्रिटिश शासन से स्वतंत्रता प्राप्त हो जायेगी–सींगापुर बर्मा तथा जापानियों द्वारा उसके सबसे उत्तम समुद्री जहाजों के डुबाये जाने के बाद ब्रिटेन कभी भी एशिया में उस प्रभुत्व और शक्ति का प्रदर्शन नहीं कर पाने की उम्मीद कर सकेगा जिसके अंतंगत वह दस लाख लोगों पर किसी भी क्षण एक मनुष्य के द्वारा शासन करवाने की क्षमता रखता था।* यह स्पष्ट है कि यह संसार के हालात थे ना कि भारत छोड़ों आंदोलन जो भारत की स्वतंत्रता के लिये उत्तरदायी था। सबसे प्रमुख प्रश्न तब भारत की स्वतंत्रता प्राप्ति का नहीं था, जो कि अटल थी, बल्कि सम्प्रदायिक समस्या थी।

1945 के अंत तक प्रदेशों में चुनाव हुये। कांग्रेस को सात प्रदेशों में विजय प्राप्त हुई जबकि मुस्लिम लीग बंगाल और सिंध में चुनाव जीती। पंजाब में कांग्रेस और अकालीयों के समर्थन वाली सरकार स्थापित हुई। परंतु एक वस्तु इन चुनावों से स्पष्ट हो गई। मुसलमान मुस्लिम लीग के पीछे एकता से बंधे हुये थे जबकि शेष भारत कांग्रेस के साथ था।

इसी समय दो अन्य तत्वों ने स्वतंत्रता आगमन के पथ को तीव्रता दे दी। पहला था आइ. एन. ऐ. के सैनिकों पर मुकदमा ओर दूसरा था भारतीय राजकीय नौसेना में कार्यरत नौसैनिकों का विद्रोह। आइ. एन. ऐ. के सैनिकों पर राजा के विरुद्ध युद्ध छेड़ने का दोषारोपण था। एक सैनिक अदालत का गठन किया गया तथा तीन अफसरों पर सार्वजनिक मुकदम्मा प्रारम्भ किया गया। भारतीय जनता

को तब तक आइ.एन.ऐ. के बारे में कुछ विशष सूचना नहीं थी। परंतु सार्वजनिक मुकदमा होने के फलस्वरूप उनको राष्ट्रीय नायकों के गुट के समान माना गया जो मातृभूमि की स्वतंत्रता के लिए लड़े थे। इस मुकदमे ने सारे देश में एक गहरी रूची जागृत कर दी तथा लोकप्रिय प्रदर्शनियां की गई जो कभी-कभी हिंसक हो जाती। सरकार इस तुफान के आगे झुक गई तथा बेशक अफसरों को उम्र भर की काला पानी की सज़ा सुनाई गई परंतु इसे जल्द केवल जुर्माने में बदल दिया गया।

18 फरवरी 1946 को बम्बई में सिग्नल स्कूल के कुछ छात्र नौसेना द्वारा उनके प्रति व्यवहार के विरोध प्रदर्शन हेतु भूख हड़ताल पर बैठ गये। जल्द ही देश के अन्य भागों से और लोग उनके साथ मिल गये तथा हालात काबू से बाहर होने लगे। उन्होंने कुछ जहाजों पर कब्ज़ा कर लिया तथा सारे देश में हड़तालों की व्यवस्था की गई। पुलिस को गोली चलानी पड़ी और हालात पर काबू पाने के लिये मिलट्री को बुलाना पड़ा। अंत में, सरदार वल्लभ भाई पटेल जी के मुख्य प्रयासों द्वारा छात्रों ने 23 फरवरी को हथियार डाले व समर्पण किया।

19 फरवरी को राजद्रोह होने के एक दिन बाद सरकार ने एक विशेष मिशन जिसमें तीन केन्द्रीय मंत्री थे, उनके भेजे जाने के फैसले की घोषणा की। इस गुट को केबिनेट मिशन के नाम से जाना गया तथा इसके निम्नलिखित सदस्य थे: भारत के लिये राज्य गृह मंत्री लार्ड पैथिक लारेंस, सर स्टैफोर्ट क्रिप्स तथा व्यापार संघ के अध्यक्ष तथा नौसेना का प्रथम लार्ड श्री ऐ.वी. ऐलीग्ज़ेन्डर। इनको वाइसराय के साथ मिल कर संवैधानिक प्रश्न से सम्बन्धित उद्देश्यों तथा तरीकों पर विभिन्न राजनैतिक पार्टीयों के नेताओं के साथ समझौता ढूंढने के लिये भेजा गया था। वे 24 मार्च 1946 को भारत पहुंचे तथा उन्होंने सभी पार्टीयों के नेताओं और गुटों के प्रतिनिधियों के साथ मुलाकात और बातचीत करने में पांच सप्ताह लगाये। 5 मई को कांग्रेस और मुस्लिम लीग के नेताओं का अधिवेशन शिमला में हुआ जिसमें प्रदेशों के गुट बनाने, संघीय राज्य तथा संविधानिक मशीनरी को स्थापित करने के लिये विचार विमर्श हुआ। परंतु वह सर्वसम्मती पर पहुंचने में असमर्थ रहा तथा इसलिये इस मिशन ने एक व्यक्तव्य जारी किया जिसमें उन्होंने अपने ही प्रस्ताव 16 मई 1946 को सामने रखे। केन्द्रीय मिशन प्लान के मुख्य बिन्दु थे:

- एक अविभाजित एकीकृत भारत की स्थापना जिसमें सम्मिलित होंगे दोनों ब्रिटिश भारत तथा राजाओं के क्षेत्र, तथा जिसे तीन विषयों के

साथ सम्बन्धित लेनदेन करना चाहिये-विदेशी मामले, सुरक्षा तथा संचार व्यवस्था।

- प्रदेशों के पास उनमें निहित शेष सभी शक्तियों पर पूर्ण व्यक्तिगत स्वतंत्रता होगी। मुस्लिम लीग की मांगों की इस प्रकार तुष्टी भी हो जानी थी।
- एक बीच के सतह की स्थापना जो प्रदेशों और केन्द्र के बीच होगी, उसका प्रस्ताव रखा गया। यह प्रस्तावित किया गया कि तीन क्षेत्रीय गुट बनाये जा सकते हैं–एक उत्तर–पश्चिम में, एक उत्तर–पूर्व में तथा एक शेष देश के भागों को मिला कर। हर गुट में प्रदेशों को इकाइयों के रूप में सम्बन्धित होने की आज्ञा होगी। जिसमें हरेक गुट की अपनी शासन प्रणाली तथा विधान सभा होगी।

दोनों कांग्रेस और मुस्लिम लीग केबीनेट मिशन के प्रस्तावों के प्रति दोहरे मत में आ गए लगते थे। वे उसे सिरे से नकार देने के लिये अनिच्छित थे तथा फिर भी जैसे ये प्रस्ताव खड़े थे उन्हें स्वीकार नहीं करना चाहते थे। मुस्लिम लीग ने इस आशा के साथ इस प्रस्ताव को स्वीकार किया कि यह अंत में पाकिस्तान की स्थापना में फलीभूत होगा। कांग्रेस ने अपनी शंकाओं के होते हुए भी संवैधानिक सभा में सम्मिलित होना स्वीकार कर लिया। इसके पीछे-पीछे एक ऐसी दुर्भाग्यपूर्ण घटना हो गई जिसने बाद की घटनाओं का पूरा रूख ही बदल डाला। नेहरूजी कांग्रेस के अध्यक्ष निर्वाचित हुये थे और उन्होंने 10 जुलाई को एक सम्वाददाता सम्मेलन का आयोजन किया। लियोनार्ड मोसले के शब्दों में–*तथा 10 जुलाई को जब उन्हें अध्यक्ष निर्वाचित किया गया था उन्होंने कांग्रेस के नये अध्यक्ष के नाते नीति विचार विमर्श के लिये एक सम्वाददाता सम्मेलन को इकट्ठा किया। यह इतिहास का एक ऐसा क्षण था जब सचेत रहना समय की आवश्यकता थी।* चुप रहने *द्वारा बहुत कुछ पाया जा सकता था। भारत का भाग्य तुला में था तथा एक गलत चाल उसको तबाह कर सकता था। नेहरूजी ने वह एक क्षण ऐसा चुना जिसे उनके जीवनी को लिखने वाले माइकल ब्रेचर ने वृत्तांत किया, जब नेहरू ने अपने चालीस वर्षों के सार्वजनिक जीवन का सबसे भड़काऊ और जोशीला व्यक्तत्य दे डाला।* वह आगे कहते हैं–*क्या नेहरूजी ने अनुभव किया कि वे क्या कह रहे हैं। वह दुनिया को बता रहे थे कि एक बार शक्ति प्राप्त करने पर, कांग्रेस केन्द्र में अपने बहुमत का प्रयोग करके केबिनेट मिशन के प्रस्ताव को जैसा ठीक समझे बदल डालेगी।* वह एक चिंगारी थी तथा जल्द हिन्दु और मुसलमान वापिस दो गुस्साये हुये

धड़ों में चले गये। यही वह ऐसी वस्तु थी जिसकी जिन्ना प्रतिक्षा कर रहा था तर्क करते हुए कि नेहरू का यह वक्तव्य कांग्रेस के असली मन का द्योतक है। जैसा कि अवश्य होना ही था, मुस्लिम लीग ने पीछे हटने का निर्णय लिया तथा तुरंत पाकिस्तान के स्थापना की मांग की। इसे कर दिखाने के लिये जिन्ना ने मुसलमानों को सीधी कारवाई करने का आहवान किया। उसने समझाया कि मुसलमानों की प्रस्तावित संविधान बनाने की मशीनरी में भाग लेना खतरे से भरा है। उसने कहा कि ब्रिटेन के पास तो अपनी इच्छा को मनवाने के लिये मशनीगनें थीं तथा हिन्दुओं के पास नागरिक अवरोध का हथियार है परंतु मुसलमान अकेले ऐसे हैं जो प्रतिरक्षा विहीन हैं। इसका अर्थ यह है कि उन्हें संविधानिक तरीकों को अवश्य अलविदा कर देना चाहिये तथा सुरक्षा और स्व-स्थापना के लिये तैयार रहना होगा सीधी कार्यवाही के द्वारा, 16 अगस्त वह तिथि निश्चित की गई जब सीधी कार्यवाही करनी थी। तनाव बढ़ता जा रहा था और 12 अगस्त को वाइसराय ने कांग्रेस को अंतरिम सरकार बनाने का न्यौता देने का निर्णय ले लिया। वह जिन्ना के लिये आखिरी तिनका सिद्ध हुआ। नेहरू ने जिन्ना को अंतरिम सरकार में भाग लेने का न्यौता दिया। परंतु उसने उस निमंत्रण को ठुकरा दिया। उस समय सर्व भारतीय-जमायतुल-उल्माए-इस्लाम के अध्यक्ष शब्बीर अहमद उसमानी ने घोषणा की कि संसार की कोई भी शक्ति मुसलमानों को कुचल नहीं सकती। जीवित वह एक गाज़ी है तथा कर्म में मारा जाये तो वह एक शहीद है।

कलकत्ता में, 16 अगस्त का दिन सार्वजनिक प्रदर्शनियों, हड़तालों और मुस्लिम लीग के झंडों को फहराने के साथ आरम्भ हुआ। जल्द ही मुठभेड़ें आरम्भ हो गई तथा सारे शहर में फैल गई। शहर में भगदड़ मच गई तथा गुण्डों की मौज हो गई और वे छुरेबाजी कत्ल लूट-मार तथा स्त्रियों पर कातिलाना हमले करने में लग गये। भीड़ का गुस्सा चार दिनों तक चलता रहा तथा सरकार खामोश खड़ी रही तथा स्थिति को काबू करने में बुरी तरह असफल सिद्ध हुई। यह अनुमान है कि हजारों ही मारे गये, दसियों हजार जख्मी हुये, लाखों ही बेघर हुये तथा करोड़ों की संपत्ति नष्ट हो गई। बंगाल तब मुस्लिम लीग के अधीन था तथा सुहरावरदी मुख्यमंत्री था। स्टेटसमैन नामक अखबार ने लिखा: *यह लूट-पाट नहीं है। तीन दिन के लिये शहर बेरोकटोक गृह-युद्ध पर केन्द्रित रहा। किस पर यह विशेष उत्तरदायित्व है, यह विदित है। जहां मूल दोष है वह वही है जिस पर हमने स्पष्ट जताया है-प्रादेशिक मुस्लिम लीग के मंत्रीमंडल पर और विशेष तौर पर मुख्य मंत्री पर।* मारकाट जल्द दूसरे भागों में भी फैल गई जैसे नावखाली तथा टिपेरा जहां मुसलमान बहुसंख्यक थे। हिन्दुओं

का बड़ी बेरहमी से कत्लेआम हुआ तथा इसके प्रतिउत्तर में बिहार में हिन्दुओं ने बदला लिया। कुल मिला कर यह निर्दयता और भयानकता की एक बहुत नीच गाथा थी। यह तरीका था जिस प्रकार जिन्ना ने अपना बिन्दु सिद्ध करने को चुना: हिन्दु और मुसलमान कभी इकट्ठे नहीं रह सकते थे।

नेहरू के नेतृत्व में अंतरिम सरकार को शपथ 2 सितम्बर को दिलाई गई। मुस्लिम लीग ने इस में भाग लेने से मना कर दिया। तथापि 13 अक्टूबर को जिन्ना भाग लेने को मान गया तथा उसने 5 मंत्रियों की सूची भेजी जिन को लिया जाना था। इनमें से एक मंत्री था लिआकत अली खान जिस को वित्त विभाग दिया गया। सरकार में होते हुये भी इसके विरुद्ध लियाकत ने अपने विशेष स्थिति का सरकार को अचलायमान करने के लिये प्रयोग किया। संविधान संघटक सभा के लिये चुनाव वर्ष के पिछले भाग में हुए तथा दिसम्बर तक पूरे हो गये। यह निश्चय किया गया कि संघटक सभा की बैठक 9 दिसम्बर को की जाये। जिन्ना ने मुस्लिम लीग के सदस्यों को संघटक सभा को बहिष्कार करने का आह्वान किया। स्वाभाविक था कि कांग्रेस ने मांग की कि मुस्लिम लीग को या तो सभा में उपस्थित होना होगा या अंतरिम सरकार से कूच करना होगा। इसके कारण सभी कुछ स्थगित हो गया और बातचीत समाप्त हो गई। जिन्ना जानता था कि भारतीय संघ के संविधानों को नकारे जाने के लिये उसे बस केवल सभा का बहिष्कार करना मात्र ही था। उसने अपने भाषणों में चेतावनी दी कि पाकिस्तान के लिये एक मात्र विकल्प गृह-युद्ध था। इस चेतावनी के तले ब्रिटिश सरकार ने निर्णय लिया कि संविधान संघटक सभा के निर्णयों को जहां तक उनका प्रभाव मुस्लिम बहुसंख्यक क्षेत्रों पर होता हो उनको कार्यान्वित नहीं किया जा सकता। एक मास के पश्चात लीग ने सभा के भंग किये जाने की मांग की।

देश एक गम्भीर संकट का सामना कर रहा था। ऐसे समय में इंग्लैंड के प्रधान मंत्री ने एक साहसिक निर्णय लिया। उनका यह विचार था कि यह आवश्यक है कि अब एक स्पष्ट निर्णय लिया जाये तथा उन्होंने निर्णय लिया कि भारत से ब्रिटिश-शक्ति को छोड़ देने की एक निश्चित तिथि ब्रिटिश सरकार द्वारा ले लेनी चाहिये। फलस्वरूप ऐटली ने घोषणा की: *वर्तमान की अनिश्चितता की स्थिति संकट से भरपूर है तथा इसे अनिश्चित काल तक लटकाया नहीं जा सकता। ब्रिटेन के राजा की सरकार यह स्पष्ट कर देना चाहती है कि उनका यह दृढ़ निश्चय है कि उत्तरदायी भारतीय हाथों में शक्ति के स्थानांतरण के लिये आवश्यक कदम 15 जून 1948 की तिथि तक प्रभावी कर देंगे।* इस कार्य को करने के हेतु उन्होंने घोषणा की कि लार्ड माउंटबैटन वाइसराय के

तौर पर लार्ड वैवल के स्थान पर आयेंगे। तुरंत राजनैतिक गतिविधियों में तीव्रता आ गई।

मुस्लिम लीग ने उन प्रांतों पर अधिकार जमाने का हतोत्साहितपूर्ण प्रयत्न किया जिन्हें वे पाकिस्तान के साथ जोड़ने की योजना बना चुके थे। आसाम में सीधी कार्यवाही आरम्भ की गई परंतु उसमें बहुत कम सफलता मिली। परंतु सिंध और उत्तर-पश्चिम सीमांत प्रांतों में एक योजनाबद्ध कत्ले आम चलाया गया। सिखों और हिन्दुओं के विरुद्ध जो वहां अल्प संख्या में थे। 27 जनवरी 1947 को मीयां इफ्तीखारुद्दीन ने मुसलमानों के लाहौर की एक सार्वजनिक सभा में कहा: *हम आप को यह बताने आये हैं कि यदि आप उसी इरादे और अनुशासन से लड़ाई लड़ते रहे जैसा कि आपने पिछले तीन दिनों में दिखाई है तो आप न केवल पंजाब पर विजय प्राप्त कर पायेंगे बल्कि आप अपने लक्ष्य पाकिस्तान के समीप भी पहुंच जायेंगे*

लार्ड माउंटबैटन भारत में 22 मार्च को पहुंचे। उनको शक्ति स्थानांतरण को प्रभावी बनाने के लिये सभी शक्तियों के साथ भेजा गया था। तुरन्त ही उन्होंने सभी पार्टियों के साथ विचार-विमर्श किया तथा मुलाकातें की। उन्हें जल्द ही यह पक्का विश्वास हो गया कि विभाजन अटल था। जिन्ना काँट-छांट वाले पाकिस्तान को भी स्वीकार करने के लिये भी कमर कसे हुये था। उसने कहा: *मैं परवाह नहीं करता कि आप मुझे कितना कम देते हैं, जब तक आप मुझे पूर्णतया देते हैं।* सरदार वल्लभ भाई पटेल और नेहरू ने भारी हृदय से इस प्रस्ताव को मान लिया। तथापि गांधीजी विभाजन के विरोध में डटे रहे। वे इस हद तक भी गये कि जिन्ना को संयुक्त भारत के प्रथम प्रधान मंत्री बनाने के प्रस्ताव को भी मान गये। कांग्रेस ने इस प्रस्ताव को सिरे से ही नकार दिया। गांधीजी ने तब ना केवल अपना प्रस्ताव ही वापिस ले लिया बल्कि सभी प्रकार की राजनीति से भी पीछे हट गये तथा सभी बातचीत और लेन-देन कार्यकारी समिति के जिम्मे छोड़ दिया।

माउंटबैटन ने तब हिन्दु, मुसलमान और सिखों के साथ एक कार्यक्रम बनाया जिसको बाद में ब्रिटिश मंत्रीमंडल ने स्वीकृति दे दी। 3 जून को प्रधान मंत्री ऐटले ने इंग्लैंड की संसद में उस कार्यक्रम की घोषणा की जिसे माउंटबैटन प्लैन या 3 जून के नाम से जाना गया। यह कार्यक्रम संबंधित था उस तरीके से जिसके द्वारा भारतीयों के हाथों में शक्ति का स्थानांतरण किया जाना था तथा विशेष तौर पर उन तरीकों से जिनके द्वारा मुस्लिम बहुसंख्यक प्रदेश यह चयन कर सकेंगे कि वे भारत में रहेंगे या नये देश पाकिस्तान के

साथ जुड़ेंगे। अगले दिन माउंटबैटन ने घोषणा की कि शक्ति का अंतिम स्थानांतरण जून 1948 से पहले ही हो जायेगा, परंतु कुछ दिनों के बाद यह निश्चय किया गया कि तिथि 15 अगस्त 1947 को होगी। 12 जून को कांग्रेस कार्यकारिणी समिति की बैठक हुई जिसमें विभाजन स्वीकार करने के प्रस्ताव को पारित किया गया। उस प्रस्ताव का एक भाग यह था: *कांग्रेस ने एकता के लिये कड़ी मेहनत की थी तथा सभी कुछ बलिदान कर दिया। परंतु एक सीमा थी जिस के आगे वह नहीं जा सकती थी। आज आत्महत्या करने या जून 3 की योजना को स्वीकार करने के बीच एक चुनाव करना था।* गांधीजी जिन्होंने कुछ दिन पूर्व पाकिस्तान के स्थापना का विरोध किया था अब उन्होंने प्रस्ताव का समर्थन किया। तथापि अभी भी कुछ ऐसे कांग्रेस के नेता थे जिन्होंने इस प्रस्ताव का विरोध किया। एक ऐसे पुरुष थे पुरुषोत्तम दास टंडन। उन्होंने कहा कि प्रस्ताव को स्वीकार किया जाना अंग्रेजों और मुस्लिम लीग के आगे एक पूर्ण आत्मसमर्पण करना होगा। कार्यकारिणी समिति का मानना एक दुर्बलता को स्वीकार करना है तथा हताश होने की भावना के फलस्वरूप है। विभाजन दोनों में से किसी भी समुदाय के लिये लाभकारी नहीं होगा–पाकिस्तान में हिन्दु तथा भारत में मुसलमान दोनों ही भय युक्त हो कर जीयेंगे। इस सब के विपरीत प्लान को स्वीकार कर लिया गया तथा इस प्रकार दस सप्ताहों से कम समय में भारत को स्वतंत्र व विभाजित हो जाना था। बलूचीस्तान, सिन्ध तथा उत्तर-पश्चिम के प्रदेश पाकिस्तान को चले गये। पंजाब और बंगाल का विभाजन होना था। पूर्वी पंजाब और पश्चिमी बंगाल भारत के भाग होने थे जबकि पश्चिमी पंजाब और पूर्वी बंगाल पाकिस्तान के भाग बनने थे। सीमा समितियों को स्थापित किया जाना था जो इन दो प्रांतों के बीच सीमा निर्धारण करती।

जबकि यह सब हो रहा था, राजाओं के अधीन राज्य जिन पर अंग्रेजों का शासन था उन्हें अपने भाग्य का निश्चय करने के लिये स्वतंत्र छोड़ दिया गया। वे प्रभुसत्ता पूर्ण राज्य बन सकते थे या स्वेच्छापूर्ण भारत या पाकिस्तान के साथ मिल सकते थे। यदि वे स्वतंत्र रहने का चयन करते, जैसा कि एक समय में लग रहा था कि वे ऐसा ही करेंगे, तो इसका अर्थ होता भारत का विघटन किया जाना जिसके अति संगीन परिणाम होते। सरदार वल्लभ भाई पटेल ने वी. पी. मेनन की सहायता से राजाओं की तुष्टी की कि यह उनके हित में था कि वे भारत के संघ के साथ मिल जायें। अगस्त तक उनमें से अधिकतर ने संधी-पत्र पर हस्ताक्षर कर दिये जिसके द्वारा वे भारत के भाग बन गये। तीन राज्य तथापि ना माने, वे थे जूनागढ़ का राज्य, कश्मीर और हैदराबाद। भारत की स्वतंत्रता प्राप्ति के तुरंत बाद जूनागढ़ का सिरफिरा शासक पाकिस्तान भाग गया।

जबकि महाराज कश्मीर अक्टूबर को भारत में आ मिला। हैदराबाद का नवाब एक वर्ष से अधिक समय तक डटा रहा और अंत में भारत का भाग बन गया।

ज्यों, ज्यों सीमा रेखाएँ खिचीं, सम्प्रदायिक घृणा और क्रूरता जो कि पिछले एक वर्ष से भड़क रहीं थीं वह अपनी चरम सीमा पर आ पहुंची। भारत के इतिहास में शायद ऐसा समानांतर उदाहरण कोई नहीं जब आने वाले दिनों में इतनी नृंसषता और मारकाट का सिलसिला हुआ हो। कथा का सार इस प्रकार है: छः लाख मृत, एक करोड़ चालीस लाख बेघर हुये, एक लाख बालाओं का अपहरण या जबरन धर्म-परिवर्तन या निलाम घरों में बेची गई।

पाकिस्तान राष्ट्र का उद्घाटन 14 अगस्त को कराची में हुआ। 15 अगस्त को भारत एक स्वतंत्र राष्ट्र बन गया। यह एक तोड़-फोड़ और दुखः से भरा क्षण था परंतु साथ ही साथ लाखों करोड़ों भारतीय अत्यंत प्रसन्नता और जोश के साथ इसे मना रहे थे।

गांधीजी की अहिंसा और हिन्दु-मुसलमान एकता का कार्यक्रम अटल रूप से छिन्न-भिन्न हो कर टूट गया था। उनके नीतियों के फलस्वरूप पाकिस्तान की स्थापना एक स्वाभाविक और अटल परिणाम था। श्री अरविन्द जो गांधीजी की नीतियों के खतरों के बारे में चेतावनी देते रहे थे उन्होंने टिप्पणी की: *पाकिस्तान झूठ, फरेब और शक्ति द्वारा पैदा किया गया था।*

15 अगस्त की अर्ध-रात्री को जवाहर लाल नेहरू जी ने संविधान संघटन समिति को सम्बोधन किया। उस भाषण का एक भाग यहां दिया जाता है:

> *कई वर्ष पूर्व हमने भाग्य के साथ एक सौदा किया था, तथा अब समय आता है जब हम अपने वादे को पूर्ण रूप या पूरी क्षमता से नहीं बल्कि अत्यंत भरपूर रूप से निभायेंगे। अर्ध रात्री के होते ही, जब संसार सो रहा होगा भारत जीवन और स्वतंत्रता के साथ जागृत होगा। एक क्षण आता है, जो इतिहास में कभी-कभार ही आता है, जब हम पुराने से निकल कर नये में कदम रखते हैं, जब एक युग समाप्त होता है और जब लम्बी दासता के पश्चात एक राष्ट्र की आत्मा अपना उद्घोष पाती है। यह मौके के अनुसार ही है कि इस गम्भीर क्षण के समय हम भारत और उसके लोगों की सेवा तथा इससे भी बृहद मानवता के लिये सेवा करने के प्रति समर्पण की कसम लेते हैं।*

उसी दिन श्री अरविन्द ने भी एक संदेश दिया। यहां उस संदेश का एक भाग देते हैं–

स्वतंत्र भारत का जन्मदिन 15 अगस्त 1947 है। यह इंगित करता है एक पुराने युग का अंत, एक नये काल का प्रारम्भ। परंतु हम इसे एक स्वतंत्र राष्ट्र के तौर पर अपने जीवन और कर्मों के द्वारा एक नए काल में एक महत्वपूर्ण दिवस बना सकते हैं जो पूरे संसार के लिये, राजनैतिक, सामाजिक सांस्कृतिक तथा मानवता के आध्यात्मिक भविष्य के लिये खुल रहा है–भारत स्वतंत्र है परंतु इसमें एकता नहीं पाई है, केवल एक टूटी हुई और तोड़-फोड़ की स्वतंत्रता है–हिन्दु और मुस्लिम में विभाजित पुरानी सम्प्रदायिकता देश के स्थाई राजनैतिक विभाजन के रूप में सख्त हो गई लगती है। यह आशा की जा सकती है कि कांग्रेस और राष्ट्र इस स्थापित तथ्य को सदा के लिये स्थापित हुआ स्वीकार नहीं करेगी या एक अस्थाई प्रबन्धन से अधिक कुछ नहीं स्वीकारेगी। क्योंकि यदि यह देर तक रहता है तो भारत गम्भीर रूप से दुर्बल हो सकता है, अंग-भंग हो सकता है–नागरिक कलह सदा सम्भावित रह सकती है, एक नया आक्रमण तथा विदेशी विजय की सम्भावना भी हो सकती है। देश का विभाजन आवश्य समाप्त होना चाहिये–यह आशा की जा सकती है कि तनाव के ढीला होने पर, शांति और भाईचारे की एक बढ़ती हुई आवश्यकता को धीरे-धीरे समझने द्वारा उस मकसद के लिये एक संयुक्ती पत्र द्वारा भी विभाजन समाप्त होना चाहिये। इस प्रकार किसी भी प्रकार की एक एकता आ सकती है–एक निश्चित रूप का क्रियात्मक रूप हो सकता है परंतु एक मूलभूत आवश्यकता नहीं। परंतु किसी भी प्रकार से, विभाजन अवश्य तथा निश्चित रूप से चला जायेगा। क्योंकि इसके बगैर भारत का भाग्य गम्भीर रूप से विकृत हो सकता है। तथा नकारा भी जा सकता है। परंतु ऐसा अवश्य नहीं होना चाहिये।

45

सारांश तथा निष्कर्ष

भारत के इतिहास का यह अध्ययन समाप्त करने से पहले, आओ हम कुछ ऐसे प्रमुख बिन्दुओं की ओर देखें जिन्होंने भारतीय संस्कृति को अपनी अलग पहचान दी है। भारत का इतिहास एक सभ्यता का इतिहास है, जो अत्यधिक अनुदारवादी अंदाज से भी कम से कम पांच हजार वर्ष पुराना है। एक सभ्यता और संस्कृति जो इतने लम्बे समय तक अस्तित्व में रही है और अभी भी ना केवल जोशीले जीवन से जीवित है बल्कि संसार के भविष्य में जिसने एक महत्वपूर्ण भाग खेलना है आवश्य ही किन्हीं अनादि मूल्यों व सत्यों के कुछ मूलभूत आधार पर आधारित होगी। आओ हम देखें कि वे क्या हैं तथा उनका विवेचन करें ना केवल भारत के पूर्वकालीन समय के प्रकाश में बल्कि उनका भविष्य में भी भाग लेने के बारे में, जो अब सूरत ले रहा हैं।

हम पायेंगे कि भारतीय सभ्यता और संस्कृति के आधार में तीन शक्तियां है–

- प्रथम और प्रमुख आध्यात्मिकता है। यह भारतीय मानस का सर्वश्रेष्ठ स्वरूप है तथा भारतीय संस्कृति की अत्यंत आवश्यक आत्मा का रूप लेता है।
- परंतु यह आध्यात्मिकता शून्य में स्थापित नहीं थी। इसके सहारे के रूप में इसके पास एक अद्‌भुत जीवन शक्ति थी। इसलिये इसकी दूसरी विशेषता है इसकी अद्‌भुत प्राणिकता, इसकी अंतहीन जीवन की शक्ति तथा जीवन का आनन्द, इसका लगभग असोचनीयता की हद तक फलदायी रचनात्मकता।
- तथा इन दो शक्तियों के बीच मध्यस्तता करने के लिये थी बुद्धी। तीसरी उभरती विशेषता इस प्रकार यह थी कि बुद्धी के विकास के लिये अत्यधिक महत्व का दिया जाना। इसकी मुख्य प्रेरणा थी क्रम में रखना और प्रबंधन, परंतु एक ऐसा क्रम जो आधारित था आंतरिक

विधि-विधान की खोज पर तथा वस्तुओं की सत्यता पर तथा साथ ही साथ सचेत अभ्यास की सम्भावना को भी रखता था।

श्री अरविन्द के शब्दों में–

इस प्रकार कण-कण में बसी प्रबल आध्यात्मिकता, कभी ना समाप्त होने वाली एक जीवन-शक्ति की रचनात्मकता तथा जीवन का आवेग तथा, उनके बीच मध्यस्ता करती, एक शक्तिशाली, सूक्ष्म व विचारशील बुद्धि जिसके संग जुड़ा था विवेकशील, नीतियुक्त तथा सृजनात्मक मन और यह सभी, हरेक कर्म को गहन भाव की स्थिति में रहते हुये कार्य करते थे, उन्होंने प्राचीन भारतीय संस्कृति के समन्वयता की रचना की।

वास्तव में इस समृद्ध प्राण-शक्ति व प्रचुर बुद्धि के वगैर भारत कभी भी इतना कुछ ना कर पाता जितना कि उसने केवल अपने आध्यात्मिक प्रवृत्तियों के द्वारा किया होता। यह मानना बहुत बड़ी गलती है कि दरिद्रतापूर्ण धरती जिसमें जीवन मृतप्राय हो तथा बुद्धि को हतोत्साहित व धमकाया गया हो उसी में आध्यात्मिकता की सर्वश्रेष्ठ उन्नति होती है। आध्यात्मिकता जो इस प्रकार फलती-फूलती है वह कुछ विकृत, बिमार तथा खतरनाक प्रतिक्रियाओं से आरक्षित होती है। जब कोई जाति सर्वश्रेष्ठ समृद्धता और अति उच्च विचार-शक्ति के साथ रही हो तभी आध्यात्मिकता अपनी ऊँचाइयों व गहराइयों को पाती है तथा अपनी स्थाई और बहुमुखी फलदायिता को प्राप्त होती है।

भारतीय सभ्यता के सही प्राण-शक्ति को समझने के लिये हमें अवश्य उसके प्रथम रचनात्मक काल की ओर पीछे जाना होगा, प्रारम्भिक वैदिक और उपनिषदों के काल में जो उसका वीरतापूर्ण रचनात्मक बीजकाल है। यह काल आत्मा की खोज के साथ उदीयमान होता था।

इससे अगला काल धर्म का था। यह कहा जा सकता है कि इस काल का प्रारम्भ महान महाकाव्यों के साथ हुआ था, यानी कि रामायण तथा महाभारत व प्रथम साम्राज्यों की स्थापना तक चला।

इसी क्रम में तीसरा काल शास्त्रों का काल कहा जा सकता है। यह भारतीय इतिहास का स्वर्णिम युग था जो प्रथम साम्राज्यों की स्थापना के काल से प्रारम्भ होकर मुस्लिम आक्रमणों के समय तक का काल है। यह महान दर्शन-शास्त्रों का समय था, संस्कृत में श्रेष्ठ साहित्य तथा महान कलात्मक प्राप्तियों की रचना

का काल था। यह दर्शन-शास्त्र और विज्ञान, वैधानिक व राजनैतिक तथा सामाजिक शास्त्रों तथा बहुमुखी तर्कपूर्ण विचार, धार्मिक स्थिरता, कला, मूर्ति-कला, चित्र-कला, वास्तुकला का युग भी था।

यह भी महत्वपूर्ण है जानना कि यह सब सारे भारत में हुआ था, उतना ही उत्तर-भारत में जितना कि दक्षिण भारत में हुआ था।

सारांश में–इसका प्रथम काल आत्मा के खोज के साथ प्रकाशमयी था। इसके दूसरे काल ने धर्म की खोज के साथ इसे सम्पूर्ण किया। इसके तीसरे काल ने शास्त्रों की प्रथम रचनाओं की सरलता को विस्तारपूर्वक सृजन किया। यह जानना महत्वपूर्ण है कि इनमें से कोई भी काल अनन्य नहीं था। तीनों मौलिक घटक भिन्न-भिन्न भागों में सदा विद्यमान थे।

परंतु इसके पश्चात एक धीमी और सीधी अवनती आई जो अठारहवीं और उन्नीसवीं सदियों में अपने चरम सीमा पर पहुँची। यह अंतिम पहलू उस जीवन की महान अग्नि के बुझने का संक्षिप्त परंतु बहुत विनाशकारी काल था। ऐसा लगता था कि यह विघटन के प्रारम्भ का क्षण था। यह काल बाह्य रूप में एक राजनैतिक उथल-पुथल द्वारा इंगित था जिसके कारण यूरोपीयों को मौके का लाभ उठाने का एक मौका मिला, तथा आंतरिक रूप में धर्म और कला की रचनात्मक प्राणशक्ति के बढ़ते हुए निद्रावस्था द्वारा अंकित था। उस समय विज्ञान और दर्शन-शास्त्र व बौद्धिक ज्ञान बहुत लम्बे काल से मर चुका था या बौद्धिक विमूढ़ता में पहुंच चुका था। यह स्पष्ट है कि इस सब के कारण एक डूबती हुई शक्ति का अंतिम बिन्दु सामने दीख रहा था, एक संध्या काल जिससे भारतीय विचार के अनुसार एक नये युग का प्रारम्भ होना था। यह ऐसा एक क्षण था जब यूरोपीय विचार-धारा की लहर भारत के ऊपर छा गई। इस नये और काफी विपरीत सभ्यता के आगमन का पहला प्रभाव यह था कि वह सब जो जीने की शक्ति खो चुका था उसमें से अधिकतर का नाश हो गया, बाकी अधिकतर विलुप्त हो गया व शेष का रूझान निष्प्राण होने की ओर हो गया। एक नयी क्रियाशीलता ने इसका स्थान ले लिया जो अपने प्रारिम्भक काल में विदेशी सभ्यता की अशिष्टतापूर्ण व अव्यवस्थित नकल मात्र ही थी। यह एक निर्णायक घड़ी थी तथा एक अति कठिन परीक्षा की घड़ी थी। इस क्रियाशीलता के समक्ष जीवन की एक कम प्रबल शक्ति शायद गुमराह हो जाती तथा अपने मूलभूत प्रेरणाओं के समाप्ति और विदेशी विचारों व आदतों की दासता भरी नकल के दोहरे भार के तले तबाह हो जाती। इतिहास हमें दिखाता है कि राष्ट्रों और सभ्यताओं के लिये यह स्थिति कितनी नाशवान हो सकती है। परंतु सौभाग्यवश

यह जीवन-शक्ति अभी विद्यमान थी, केवल क्षणिक तौर पर सो गई थी, मृत नहीं, तथा इस शक्ति के द्वारा जो बुराइयाँ इसके अंदर उपस्थित थी उनका अपना उपचार भी साथ लिए हुए थीं। यूरोपीय जीवन और संस्कृति के कारण चाहे जो भी अस्थाई अनघड़ा प्रभाव इस शक्ति के सड़ने और नाश होने पर पड़ा हो, इसने तीन प्रेरणाओं को अवश्य जन्म दिया। इसने निष्क्रिय बुद्धि और तर्कशीलता को पुनर्जीवन दे दिया, इसने जीवन को पुनर्स्थापित किया तथा नवीन रचनात्मकता की इच्छा को जागृत किया। इसने पुनरुत्थान करती भारतीय आत्मा को नये हालातों व आदर्शों के आमने-सामने कर दिया तथा उन्हें समझने, आत्मसात करने व उन पर विजय प्राप्त करने की तुरंत आवश्यकता का बोध करवा दिया। राष्ट्रीय मानस ने एक नयी दृष्टि अपने पूर्वकालीन संस्कृति पर डाली, उसके तथ्य व भाव की ओर पुनर्जागृत हुआ, परंतु साथ ही साथ इसे आधुनिक ज्ञान और विचारों के सम्बन्ध में भी तुलनात्मक दृष्टि से देखा। इस जागृत होती दूर-दृष्टि और प्रेरणा के फलस्वरूप भारतीय पुनरुत्थान हो रहा है तथा यही इसके भविष्य के रूझानों को अवश्य निश्चित करेगा।

पुनर्जागरण

इस पुनरुत्थान या पुनर्जागरण की तीन अवस्थाएँ या कदम थे। पहला कदम था यूरोपीय सम्पर्क को ग्रहण करना, इस सम्पर्क के परिणामस्वरूप पुरानी संस्कृति के कई प्रमुख पहलुओं का अनिवार्य तथा मौलिक पुनर्वलोकन हुआ। कुछ मामलों में तो पुरानी संस्कृति के सिद्धांतों को ही क्रांतिकारी रूप से नकारा तक भी गया।

दूसरी अवस्था में भारतीय चेतना ने यूरोपीय प्रभाव के प्रति अपना प्रतिरोध दिखाया, कई बार तो जो भी प्रस्तुत किया गया उसे पूरी तरह से नकारा गया तथा उसके स्थान पर राष्ट्र के पूर्वकाल में जो भी सारभूत व विशेष भाव अनिवार्य रूप से आवश्यक था व अभी तक आत्मसात करने के आंदोलन को ढके हुए था उसी पर बल दिया गया।

तीसरी अवस्था अभी आरम्भ ही हुई है तथा इसने कोई ठोस स्वरूप तथा दिशा नहीं ली है। यह बल्कि नई रचना का क्रम है जिसमें भारतीय मानस की आध्यात्मिक-शक्ति सर्वोत्तम रहती है, अपने सत्य को पुनः प्राप्त करती है, आधुनिक विचार व स्वरूप में जो भी इसे विश्वसनीय व सत्य, उपयोगी या अतिआवश्यक लगता है उसे स्वीकार करती है, परंतु उसका इस प्रकार रूपांतरण व स्वदेशीकरण करती है, इस प्रकार अपने में उसको पूर्णतया समा लेती है व बदल देती है कि उसका विदेशी चरित्र अदृश्य हो जाता है तथा वह भारत की

शक्ति, अनादी देवी माँ के कार्यों के विशेषिकरण में एक और समन्वयित पहलू बन जाता है। वह आधुनिक प्रभाव को अपने आधिपत्य में लेकर उसको सिद्धस्त कर लेती है तथा उसके द्वारा वशीभूत या पकड़ में नहीं आ पाती।

जैसा कि पहले देखा गया है यह पुनर्जागरण संस्कृति के लगभग सभी क्षेत्रों में हुआ था केवल राजनीति का क्षेत्र ही इससे बच पाया था। यह भारत की आत्मा के लिये एक गंभीर समस्या बनकर सामने खड़ा है। क्योंकि भारत की राजनीति के यूरोपीयकरण के पश्चात उसी प्रकार का एक सामाजिक मोड़ आयेगा तथा वह अपने संग आध्यात्मिक व सांस्कृतिक मृत्यु को भी लायेगा। इस प्रकार यह अतिआवश्यक है कि राजनैतिक क्षेत्र में भी स्वाभाविक भारतीय राजनैतिक प्रवृत्ति और संस्कृति पर आधारित एक सच्चा पुनर्जागरण होना ही चाहिए। कोई भी इस संकट से ना तो अनदेखी कर सकता है और ना ही इसे शून्य समझ सकता है क्योंकि जैसा कि हम देखते हैं कि आज भी भारतीयों के कुछ वर्ग-विशेष राजनीति के क्षेत्र में अभी भी पश्चिमी ढांचे द्वारा सम्मोहित है, कुछ संसदीय प्रकार के प्रजातंत्र द्वारा तथा अन्य एक आयात की हुई साम्यवाद के द्वारा हैं। तथा यह सब तब होता है जब उन्हें सारी शक्ति, रचना तथा क्रियाशीलता पश्चिम के हिस्से में दीखती नज़र आती है तथा भारत के हिस्से वे एक अचल, अदक्ष प्रतिरक्षा की दुर्बलता या क्रियाहीनता को देखते हैं। परंतु जहाँ कहीं, जब कभी भी भारतीय चेतना की प्रतिक्रिया, बलपूर्वक अग्रसर तथा वैभवशील रचनात्मक हो पाई है, वहीं वहीं यूरोपीय चमक अपनी सम्मोहिनी शवित को तुरन्त गंवाने लग गयी है।

अब हम भारत में पिछले डेढ़ सौ साल से राजनैतिक आंदोलनों का एक संक्षिप्त पुनार्वलोकन करेंगे।

भारतीय राजनीति का पुनरुत्थान पहले चरण में भारतीय राष्ट्रीय कांग्रेस की स्थापना से आरम्भ हुआ। यह अवस्था कांग्रेस के विनम्र आदर्शों द्वारा हावी थी। आंदोलन की विशेषताओं को इस प्रकार समग्रहित किया जा सकता है:

- अंग्रेजों के न्याय तथा इमानदारी के भाव में पूरी आस्था।
- अंग्रेजों द्वारा बनाए गए संविधान के ढांचे के अंदर ही कार्य करने का दृढ़ निश्चय।
- राजैनितक स्वतंत्रता के लिये कोई स्पष्ट लक्ष्य नहीं। केवल कुछ सुधार तथा सरकार में अधिक साझेदारी।
- इन मांगों को पूरा करवाने के लिये जिन विधियों को अपनाया गया वे थीं–प्रार्थना, अर्जी देना तथा विरोध, अपनी छोटी-सी छोटी तनिक

मांगों के लिये भी अंग्रेजों की सद्भावना प्राप्त करने के लिये उनकी चापलूसी।

दूसरे चरण में जिसका नेतृत्व श्री अरविन्द, श्री तिलक, लाल लाजपत राय जी तथा श्री विपिन चन्द्र पाल कर रहे थे उसमें आंदोलन ने एक नया स्वरूप लिया। स्वदेशी आंदोलन जैसा कि इसे पुकारा जाता था, ने अपना राजनैतिक आधार भारतीय चेतना पर स्थापित करने की चेष्टा की तथा यूरोपीय लकीर की नकल पर आधार नहीं बनाया। इस आंदोलन ने राष्ट्र की एक नई धारणा का अनुसरण किया जहाँ वह केवल एक देश ही नहीं बल्कि एक आत्मा, एक मनोवैज्ञानिक, लगभग एक आध्यात्मिक जीव बन गया तथा इस व्यक्तिगत धारणा के द्वारा जब केवल राजनैतिक या आर्थिक उद्देश्यों के साथ भी कार्य कर रहे थे, इन्होंने उनको भी गतिशील करने की प्रेरणा दी तथा इन्हें स्वयं में उद्देश्य बनाने के स्थान पर इन्हें स्व-अभिव्यक्ति का पात्र बना दिया। बेशक यह असफल हो गया परंतु इसकी प्रेरणा में किसी असत्य के कारण यह असफलता नहीं हुई बल्कि एक प्रतिकूल सरकार की शक्ति और पूर्व पतन द्वारा रह गई दुर्बलताओं के कारण ऐसा हुआ। यद्यपि इसकी प्रारम्भिक रचनाओं को तोड़ दिया गया था उन्हें शिथिल छोड़ दिया गया तथा उसके मौलिक महत्व को च्युत कर दिया गया तो भी यह भविष्य में बनने वाली राहों के दिशा-सूचक बने रहे। परंतु साथ ही साथ यह अवश्य ध्यान में रखना चाहिये कि यह आंदोलन भारतीय राजनीति के इतिहास में एक सबसे महत्वपूर्ण घटनाओं में से एक बनकर उभरा है। राष्ट्रीयता के विकास और उत्थान के लिये उन संक्षिप्त तीन वर्षों के काल में श्री अरविन्द के वंदे-मातरम के पात्रता द्वारा यह संसार भर के किसी भी इस प्रकार के आंदोलन में एक अतुलनीय राजनैतिक घटना है। आओ अब हम देखें कि इस आंदोलन के क्या योगदान थे।

प्रथम, यह मूल रूप से एक राष्ट्रीय आंदोलन था जिसने जनता में एक शक्तिशाली राष्ट्रीय भावना को स्थापित करने में सफलता पाई। इसने भारतीयता की भावना और विचार को जागृत किया जोकि प्राचीन भारत की शक्ति का पुनर्जागरण था तथा उस आत्मा की एक नवीन धड़कन की पुनर्प्राप्ति व उसके विचार और शक्ति को नव-रचनात्मक पात्रता प्रदान करती थी।

दूसरा, कांग्रेस के 1920 के बाद के आंदोलन को राष्ट्रीय आंदोलन के प्रमुख विचारों और कार्यक्रमों को नेतृत्व दिया तथा प्रेरित किया। वह आंदोलन दुर्भाग्यपूर्ण रूप से उस शक्ति और भावना से भटक गया जो प्रारम्भिक राष्ट्रवादी जैसे तिलक, श्री अरविन्द तथा अन्यों की श्रेष्ठ व साहसिक दृष्टि ने दिया था।

तीसरा चरण गांधीजी के उभरने से आरम्भ होता है। एक समय तो ऐसा लगता था कि दूसरे चरण में आरम्भ हुए आंदोलन के विकास और निरंतरता को आगे बढ़ाया जायेगा। ऐसा लगता था कि भारतीय जनसमुदाय पर अपनी पकड़ और विशाल लोकप्रियता के द्वारा गांधीजी पिछले चरण के द्वारा दिए आध्यात्मिक मोड़ को आगे चलाने के लिये तैयार हैं। परंतु ऐसा नहीं हुआ। भारतीय आध्यात्मिक रूख से नैतिकता की ओर एक स्पष्ट बदलाव आया था तथा कुछ तरीकों में एक विदेशी रूख आया चाहे वह भारतीय पोशाक में कितना भी भली भाँति ओढ़ा गया था। गांधीजी ने एक पूर्णतया भिन्न अर्थ दिया भारतीय आत्मा को तथा यही दृष्टि और अर्थ आज भी भारतीय बुद्धिजीवियों और राजनैतिक प्रमुखों के बहुत बड़े भाग पर अपनी पकड़ बनाये हुये है। यह पथ-भ्रष्टता ही असहयोग-आंदोलन, सत्याग्रह और अहिंसक विद्रोह की कठिनाइयों और अव्यवस्थाओं का मुख्य कारण थी। अंत में भारत विचारों और कर्म के अनिश्चित राहों में से गड़बड़ाता हुआ काफी कष्ट और हिंसा में से निकला और स्वतंत्रता प्राप्त की जिसने भारत को विभाजित किया साम्प्रदायिक संघर्ष के बीच जो आज भी स्वतंत्रता के पचास वर्ष बाद भी अंग-भंग किये हुए है। इन हालात का समाधान स्वदेशी आंदोलन की भावना को वापस लाने से ही होगा। जैसे ही और अधिक चहेती परिस्थितियों के अधीन एक विस्तृत रास्ता खुलता है, भारतीय चेतना के स्वाभाविक और गहरे भाव को पुनर्जागृत करने के प्रयत्न को पुनर्जीवित करना ही होगा। जब तक वह प्रयत्न नहीं किया जाता तब तक भारत की आत्मा एक गम्भीर खतरे से लिप्त रहेगी।

भविष्य

आओ अब हम भविष्य की ओर देखें तथा देखें कि भारत किस प्रकार अपने असली भाग्य को परिपूर्ण कर सकता है। भारत को अपने स्वाभाविक स्व-धर्म के अनुसार सुरक्षित व उन्नत होने के लिये तीन बातों को करने की आवश्यकता है:

- पुराने आध्यात्मिक ज्ञान और अनुभव को अपने पूरे वैभव, गहराई और पूर्णता के साथ पुनर्प्राप्ति इसका सर्वप्रथम व अत्यधिक आवश्यक कार्य है।
- इस आध्यात्मिकता का दर्शन-शास्त्र, साहित्य, कला, विज्ञान तथा तर्कशील ज्ञान के नये रूपों व रचनाओं में बहना।
- आधुनिक समस्याओं का भारतीय चेतना और प्रयत्नों के संदर्भ में एक मौलिक हल का ढूढ़ना ताकि एक आध्यात्म-पूर्ण समाज में एक बृहद

समन्वय की रचना हो। इन तीन लीकों पर इसकी सफलता मापदण्ड होगी कि किस हद तक यह मानवता के भविष्य की सहायता करती है।

प्राचीन भारतीय आध्यात्मिक ज्ञान को पुनः प्राप्त करने के लिये भारत को अभी तक के प्रयासों से कहीं अधिक निर्णायक और समग्र रूप से बल देना होगा अपने आध्यात्मिक रूख पर। हमारे जीवन के प्रत्येक पहलू में अधिक से और अधिक आध्यात्मिक भाव के कर्म पर बल देना होगा।

हम अब श्री अरविन्द के एक लेख के अंत को नीचे लिखते हैं जो सारी स्थिति का निचोड़ कर देता है:–

भारत अपने में स्थापित होने से तथा अपने स्वभाव के विधि का अनुसरण करने के द्वारा ही अपना सर्वोच्च विकास एवं मानवता की सेवा कर सकता है। इसका यह अर्थ नहीं, जैसा कि कुछ संकुचित व अंधकार में डूबे हुये समझते हैं, कि वह सब जो समय की धारा में नूतन हमारे पास आता है या पश्चिम द्वारा सर्वप्रथम विकसित किया गया हो या शक्तिशाली रूप से अभिव्यक्त किया गया है उन सबको तिलांजित किया जाये। ऐसा दृष्टिकोण सर्वदा बौद्धिक रूप से पागलपन वाला, भौतिक स्तर पर असंभव तथा इन सबसे ऊपर आध्यात्मिकता के विपरीत होगा। आध्यात्मिकता हमारे मानवीय स्व-विकास के पदार्थों या अतिरिक्त साधनों या नयी रोशनी को नकारती नहीं है। इसका साधारण अर्थ यह है कि हम अपने केन्द्र को स्थापित रखें, अपने अस्तित्व के अनिवार्य राह को, अपने मूलभूत प्रकृति को स्थापित रखें तथा वह सब जो हम करते तथा रचते हैं। धर्म भारतीय मानस का एक केन्द्रीय पूर्वाधिकार रहा है। कुछ लोगों ने हमें बताया है कि अत्यधिक धर्म ने भारत को तबाह किया है, केवल इसलिये क्योंकि हमने सम्पूर्ण जीवन को धार्मिक बना दिया या धर्म को सम्पूर्ण जीवन बना दिया, हम जीवन में असफल रहे हैं तथा अधोगति को प्राप्त हुये। मैं उत्तर नहीं दूँगा, एक कवि की भाषा को अपनाते हुए एक तनिक भिन्न सम्बन्ध में, कि हमें नीचे गिरने की कोई परवाह नहीं तथा यह कि वह मिट्टी जिसमें भारत पड़ा है वह पवित्र है। यह गिरना, यह असफलता का कोई महत्व नहीं तथा मिट्टी में लौटना मनुष्य या राष्ट्र के लिये कोई उत्तम अवस्था नहीं है। परंतु जो कारण दिया गया है वह एक सही कारण नहीं है। यदि अधिकतर भारतीयों ने वास्तव में अपना सम्पूर्ण जीवन सही शब्दों में धर्म बना लिया होता तो हम वहाँ नहीं होते जहाँ हम अब हैं। यह इस कारण था क्योंकि उनका सामाजिक जीवन अत्यधिक अधर्मी, अहंकारयुक्त, स्व-तुष्टीपूर्ण व भौतिक बन गया था जिससे

वे गिर गये। यह सम्भव है कि एक तरफ हम अत्यधिक धार्मिक कृत्यों में बहुत अधिक भटक गये, मतलब यह कि, एक अत्यधिक बाह्यकरणीय रिवाजों, रीतियों, नित्यचर्या, यांत्रिक पूजापाठ का तथा दूसरी ओर एक अत्यधिक संसार को त्यागने वाले वैराग्य में जिसने सर्वश्रेष्ठ मनों को उन प्राचीन ऋषियों की भांति समाज के आध्यात्मिक सहारे के तौर पर तथा समाज के लिये जगमगाते जीवन दाता की भांति खड़े रहने की जगह, अपनी ओर खींच लिया तथा जो समाज के लिये सदा के लिये खो गये। परंतु मामले की जड़ यह थी कि आध्यात्मिक भाव अपने सामान्य रूप में तथा विस्तृतता में क्षीण होता चला गया, बौद्धिक क्रियाशीलता तथा स्वतंत्रता का ह्रास हुआ, महान आदर्शों का घटना आरम्भ हो गया, व जीवन का जोश समाप्त हो गया।

ना ही आध्यात्मिकता का अर्थ यह है कि राष्ट्रीय जीवन के समस्त प्रकार को सीमित रूढ़ीवादियों, स्वरूपों, एक विशेष धर्म की शिक्षाओं में ढाला जाये, जैसा कि प्राचीन समाजों द्वारा अक्सर प्रयत्न किया जाता था, एक ऐसा विचार जो अभी भी कई मनों में पुराने मानसिक आदतों व सम्बन्धों की शक्ति द्वारा स्थापित है। स्पष्टतया ऐसा प्रयत्न असम्भव होगा, चाहे वह ऐसे देश में वांछनीय हो जो अत्यधिक विभिन्नता वाले धार्मिक धारणाओं से भरा है तथा जो शरणस्थली भी है तीन स्पष्ट सामान्य स्वरूपों जैसे कि हिन्दु-धर्म, इस्लाम तथा इसाई-धर्म का, उनके बारे गें कुछ भी ना कहते हुए कि इनमें से प्रत्येक ने अनेकों विशेष स्वरूपों को जन्म दिया है। आध्यात्मिकता किसी के भी विशेष धर्म से कहीं अधिक विस्तृत है तथा उन बृहद विचारों से भी जो अब हम पर छा रहे हैं, यहाँ तक कि सर्वोच्च धर्म भी एक विस्तृत सम्प्रदाय या एक विश्व-व्यापक धर्म-सम्प्रदाय से अधिक कुछ नहीं है। अध्यात्म द्वारा हम भविष्य में मनुष्य की अनन्त, दिव्य व सर्वोच्च-आत्म के लिये खोज, जो एकता का स्रोत है तथा उसके मानवीय जीवन-मूल्यों का अनन्त और दिव्य मूल्यों के साथ किन्हीं बढ़ते हुये सन्निकटता के किसी ऐसे समीकरण पर पहुंचने के प्रयत्न को समझ पायेंगे।

आज भारत के समक्ष सबसे गम्भीर समस्याओं में से एक हिन्दु-मुस्लिम की समस्या है। इसके दो विचारणीय समाधान हैं, एक तो बढ़ते हुए आध्यात्मिक सिद्धांत तथा स्वरूप के उत्थान का है जो इन दो में सामंजस्य पैदा करेगा तथा दूसरा है एक राजनैतिक देश-प्रेम जो धार्मिक संघर्ष को लांघते हुए इन दो समुदायों में एकता ला सकेगा।

स्वतंत्रता संग्राम के दौरान इन राजनैतिक देशप्रेम को स्थापित करने का प्रयत्न किया गया था तथा यह किसी हद तक सफल भी हुआ परंतु अंत में धार्मिक अहसनशीलता तथा अविश्वास ने काबू में कर लिया तथा उसका परिणाम था देश का विभाजन।

अब उचित समय आ गया है कि इस समस्या के समाधान का प्रयत्न दोनों ओर से इन लीकों पर किया जाये। सार्क की स्थापना स्वयं में एक पहला कदम है तथा इस दिशा में एक मौका है तथा इस संस्था का प्रयोग राजनैतिक और आर्थिक दोनों ही लीकों पर देश-प्रेम को पैदा करने के लिये किया जा सकता है।

आध्यात्मिकता को मुख्य प्रेरक-शक्ति के रूप में स्थापित करने के लिये, हमें धर्म से आगे जाने होगा। इसका समाधान माता जी के इन शब्दों में प्रस्तुत है:

> *धर्मों का संघर्ष इसलिये पैदा होता है क्योंकि प्रत्येक अनन्य सत्य का दावा करता है तथा इसके साथ रीति-रिवाजों, संस्कारों तथा प्रस्तावित कार्यों की विधि के द्वारा पूर्णतया जुड़ने की मांग करता है। इसका समाधान सर्वप्रथम यह होगा कि यह पहचान लिया जाये कि धर्म का मूल सत्य आध्यात्मिक अनुभवों में है जिनका यह धर्म एक बाह्य रूप है। इसलिये इस बाह्य स्वरूप से उठने के लिये तथा आध्यात्मिक अनुभव पर बल देने हेतु तथा इसके अतिरिक्त यह पहचानना कि आध्यात्मिक अनुभवों के अनन्त तथा विभिन्न स्वरूप होते हैं, समाधान की राह पर एक महत्वपूर्ण कदम है। भारत और संसार की पुनर्रचना धर्म पर बल देने से नहीं हो सकती। नव-विश्व धर्मों से ऊपर उठेगा और आध्यात्मिक अनुभवों की पवित्रता पर बल देगा।*
>
> *कर्मों को उनके बाह्य स्वरूपों में लेने के बदले, जो कि असल में कट्टरवादी तथा बौद्धिक संकल्पनाएँ हैं, यदि हम उनकी चेतना में लें, उनके द्वारा दर्शाए सिद्धांत को लें तो उन्हें एकता प्रदान करने में कोई कठिनाई नहीं है। वे केवल विभिन्न पहलू हैं मानव की प्रगति के, जो एक दूसरे को भली-भांति पूर्णतया पूर्ण करते हैं तथा उन्हें कई अन्यों के साथ भी एकत्रित होना चाहिये ताकि एक और सम्पूर्ण तथा अधिक पूर्ण प्रगति का रूप बनाया जा सके, दिव्यता के सन्निकटता में एक अधिक समन्वयित प्रक्रिया।*
>
> *भारत का अपने धर्म में किसी हद तक इस आंतरिक अनुभव की ओर प्रयत्न निर्देशित था। वर्तमान में यह खो चुका है परंतु अब हमें इस अनुभव को स्पष्ट रूप में तथा मौलिक रूप में आगे रखना चाहिए, धर्म या धार्मिक भावना को पुनर्जागृत नहीं करना चाहिये, परंतु इस आध्यात्मिक पूर्णता के आदर्श को प्रस्तुत करना चाहिये जिसमें सम्मिलित है आत्मा के समग्र रूप में उसका अनुभव तथा भौतिक जीवन में इसकी पूर्ण अभिव्यक्ति।*

46

अनुच्छेद

माता जी तथा श्री अरविन्द की ओर से भारत के विभाजन पर संदेश

माता जी का संदेश

माता जी ने यह टीका 3 जून को रेडियो पर भारतीय नेताओं के लिये वाइसराय की घोषणा जिसमें ब्रिटेन ने विभाजित भारत को अंत में शक्ति स्थानांतरण करने के ऐलान को सुनने के बाद लिखा :

भारत की स्वतंत्रता को व्यवस्थित करने की हमारी मुश्किलों के हल के लिये एक प्रस्ताव रखा गया है तथा इसे भारतीय नेताओं द्वारा अपने हृदय को टटोले जाने तथा कैसे भी दुख: या क्षोभ के साथ स्वीकार किया जा रहा है।

परंतु क्या आप जानते हैं कि यह प्रस्ताव हमारे आगे क्यों रखा गया है? यह हमारे झगड़ों के व्यर्थता को सिद्ध करने के लिये है। और क्या आप जानते हैं कि हमें यह प्रस्ताव क्यों स्वीकार करने पड़ रहे हैं? इन प्रस्तावों के व्यर्थता को हमारे लिये सिद्ध करने के लिये।

स्पष्टतया यह समाधान नहीं है। यह एक परीक्षा है, एक रुकावट, यदि हम पूर्ण सत्य के साथ इसे लांघ जाते हैं तो यह हमें सिद्ध कर देगा कि एक देश को छोटे टुकड़ों में काट देने से इसकी एकता और महानता को प्राप्त नहीं किया जा सकता। विरोधी स्वार्थों के एक दूसरे के विरुद्ध खड़े होने से हम इस देश के लिये समृद्धी नहीं ला सकते हैं। एक धार्मिक विचार धारा को दूसरी विचार धारा के विरुद्ध खड़ा कर देने से हम सत्य की चेतना की सेवा नहीं कर सकेंगे। इन सबके बावजूद भारत की आत्मा एक है तथा तब तक हमें प्रतीक्षा करनी पड़ेगी कि हम ऐसे भारत की बात कर सकें जो एक और अविभाजित है, हमारा नारा यह होना चाहिये:

भारत की आत्मा को सदा अमर रहने दिया जाये

15 अगस्त 1947 को दिया गया संदेश

ओ हमारी माँ, ओ भारत की आत्मा, माँ जिसने अत्यंत अंधकारमय अवनती के दिनों में भी अपने बच्चों को त्यागा नहीं है, तब भी नहीं जब वे तुम्हारी

आवाज से विमुख हो गये थे, अन्य स्वामियों के सेवा करते रहे और तुम्हें नकार दिया, अब जब वे जाग उठे हैं तथा इस स्वतंत्रता की भोर में प्रकाश तुम्हारे चेहरे पर है, इस महान घड़ी में हम तुम्हें प्रणाम करते हैं। हमारा पथ-प्रदर्शन करो ताकि हमारे समक्ष खुल रहे स्वतंत्रता का क्षितिज देशों के समुदाय में एक सच्चे जीवन का क्षितिज भी बन जाये। हमारा पथ-प्रदर्शन करो ताकि हम सदा महान आदर्शों की ओर ही रहे तथा लोगों को आत्मा की राहों के एक नेता के रूप में तथा सभी जन-समुदायों के सहायक व एक मित्र के रूप में आपका सत्य स्वरूप दिखायें।

श्री अरविन्द की ओर से 15 अगस्त 1947 को दिया गया संदेश :

15 अगस्त मेरा अपना जन्मदिन है ओर स्वभावतः ही यह मेरे लिये प्रसन्नता की बात है इस दिन ने इतना विशाल अर्थ तथा महत्व प्राप्त कर लिया है। परन्तु इसके भारतीय स्वाधीनता-दिवस भी हो जाने को मैं कोई आकस्मिक संयोग नहीं मानता, बल्कि यह मानता हूँ कि जिस कर्म को लेकर मैंने अपना जीवन आरम्भ किया था उसको मेरा पथ-प्रदर्शन करने वाली भागवती शक्ति ने इस तरह मंजूर कर लिया है और उस पर अपनी मुहर भी लगा दी है और वह कार्य पूर्ण रूप से सफल होना आरम्भ हो गया है। निःसंदेह, आज के दिन मैं प्रायः उन सभी जागतिक आंदोलनों को-जिन्हें मैंने अपने जीवन-काल में ही सफल देखने की आशा की थी, यद्यपि उस समय वे असंभव स्वप्न जैसे ही दिखायी देते थे–सफल होते हुये या सफलता के अपने मार्ग पर जाते हुए देख सकता हूँ। इन सभी आंदोलनों में स्वाधीन भारत एक बड़ी भूमिका अच्छी तरह अदा कर सकता है और प्रमुख स्थान ग्रहण कर सकता है।

इन स्वप्नों में पहला था एक क्रांतिकारी आंदोलन जो स्वाधीन और एकीभूत भारत को जन्म दे। भारत आज स्वाधीन हो गया है पर उसने एकता नहीं प्राप्त की है। एक समय प्रायः ऐसा दीखता था मानों अपने स्वाधीन होने की प्रक्रिया में ही वह फिर से पृथक-पृथक राज्यों की उस अव्यवस्थापूर्ण स्थिति में जा गिरेगा जो विजय से पहले विद्यमान थी। परंतु सौभाग्य से अब ऐसी संभावना हो गयी है कि यह संकट टल जायेगा और अभी पूर्ण न सही पर एक विशाल तथा शक्तिशाली एकत्व अवश्य स्थापित हो जायेगा। विधान परिषद की दूरदर्शितापूर्ण प्रबल नीति ने इस बात को संभव बना दिया है कि दलित वर्गों की समस्या बिना फूट-फटाव के हल हो जायेगी। परंतु हिन्दुओं और मुसलमानों का पुराना साम्प्रदायिक भेद देश के स्थायी राजनीतिक विभाजन के रूप में सुदृढ़ हो गया दीखता है। यह आशा करनी चाहिये कि इस तय किये गये विभाजन को पत्थर

की लकीर नहीं मान लिया जायेगा और इसे एक कामचलाऊ अस्थायी उपाय से बढ़कर और कुछ न माना जायेगा। क्योंकि यदि यह बना रहे तो भारत भयानक रूप से दुर्बल और अपंग तक हो सकता है। गृह-कलह का होना सदा ही संभव बना रह सकता है, नये आक्रमण और विदेशी राज्य का हो जाना तक संभव हो सकता है, भारत की आंतरिक उन्नति और समृद्धि दुर्बल हो सकती है, उसका भविष्य कुंठित, यहाँ तक कि व्यर्थ भी हो सकता है। यह नहीं होना चाहिए, देश का विभाजन अवश्य दूर होना चाहिए। हम आशा करें कि यह कार्य स्वाभाविक रूप से ही हो जायेगा, न केवल शांति और मेल-मिलाप की, बल्कि मिलजुल कर काम करने की भी आवश्यकता को उत्तरोत्तर समझ लेने तथा मिल-जुल कर काम करने के अभ्यास और उसके लिये साधनों को उत्पन्न कर लेने से संपन्न हो जायेगा। इस प्रकार अंत में एकता चाहे किसी भी रूप में आ सकती है–उसके ठीक-ठीक रूप का व्यवहारिक महत्व भले ही हो, चाहे किसी भी प्रकार से हो, विभाजन अवश्य हटना चाहिये, एकता अवश्य स्थापित होनी चाहिये और स्थापित होगी ही, क्योंकि भारत के भविष्य की महानता के लिये यह आवश्यक है।

दूसरा स्वप्न था एशिया की जातियों का पुनरुत्थान तथा स्वातंत्र्य। और मानव सभ्यता की उन्नति के कार्य में एशिया का जो महान स्थान पहले था उसी स्थान पर उसका लौट जाना। एशिया जग गया है। उसके बड़े-बड़े भाग स्वतंत्र हो गये हैं या इस समय बंधन-मुक्त हो रहे हैं, इसके अन्य भाग जो अभी परतंत्र या अंशतः परतंत्र हैं वे भी, चाहे कैसे भी घोर संघर्ष में से गुजरते हुये, स्वतंत्रता की ओर बढ़ रहे हैं। केवल थोड़ा ही करना बाकी है और वह आज न सही कल पूरा हो जायेगा। उसमें भारत को अपनी भूमिका अदा करनी है और उसे उसने एक ऐसी सामर्थ्य और योग्यता के साथ करना शुरू कर दिया है जो अभी से उसकी सम्भावनाओं की मात्रा को तथा उस स्थान को सूचित करती है जिसे वह राष्ट्रों की सभा में ग्रहण कर सकता है।

तीसरा स्वप्न था एक विश्व-संघ जो समस्त मानव जाति के लिये एक सुंदरतर, उज्जवलतर और महतर जीवन का बाहरी आधार निर्मित करे। मानव संसार का वह एकीकरण प्रगति के पथ पर है। एक अधूरा आरम्भ संगठित किया गया है पर वह बड़ी भारी कठिनाइयों के विरुद्ध संघर्ष कर रहा है। किन्तु उसमें एक वेग है और वह अनिवार्य रूप से बढ़ता चला जायेगा और विजयी होगा। इस कार्य में भी भारतवर्ष ने प्रमुख भाग लेना प्रारम्भ कर दिया है और यदि वह उस अधिक विशाल राजनीतिज्ञता को विकसित कर सके जो वर्तमान घटनाओं और तात्कालिक संभावनाओं से ही सीमित नहीं होती, बल्कि भविष्य

को देख लेती और उसे निकट लाती है, तो भारत की उपस्थिति मंद एवं भीरुतापूर्ण विकास और द्रुत एवं साहसपूर्ण विकास में जो महान भेद है उसे प्रदर्शित कर सकती है। जो कार्य किया जा रहा है उसमें महान विपत्ति आ सकती है और वह उसमें बाधा डाल सकती है या उसे नष्ट कर सकती है, फिर भी अंतिम परिणाम निश्चित है। क्योंकि एकीकरण प्रकृति की आवश्यकता है, अनिवार्य गति है। इसकी आवश्यकता राष्ट्रों के लिये भी स्पष्ट है, क्योंकि इसके बिना छोटे-छोटे राष्ट्रों की स्वाधीनता किसी भी क्षण खतरे में पड़ सकती है और बड़े तथा शक्तिशाली राष्ट्रों का भी जीवन असुरक्षित हो सकता है। इसलिए इस एकीकरण में ही सबका हित है और केवल मानवीय बुद्धीहीनता तथा मूर्खतापूर्ण स्वार्थपरता ही इसे रोक सकती है। परन्तु ये भी प्रकृति की आवश्यकता और भगवान के विरुद्ध हमेशा नहीं ठहर सकती। परंतु एक बाहरी आधार ही प्रयाप्त नहीं है, अंतर्राष्ट्रीय भाव और दृष्टिकोण भी अवश्य विकसित होने चाहियें, अंतर्राष्ट्रीय पद्धति तथा संस्थाएँ भी अवश्य प्रादुर्भूत होनी चाहिएँ, शायद इस प्रकार की प्रगतियाँ भी पैदा हों, जैसे कि दो या अनेक देशों का एकसंग नागरिक होना, संस्कृतियों का आपस में ऐच्छिक दान-प्रतिदान या उनका स्वेच्छापूर्वक घुलना-मिलना। राष्ट्रीयता तब अपने आपको चरितार्थ कर चुकी होगी और अपनी युद्धप्रियता को छोड़ चुकी होगी, और तब वह ऐसी चीजों को आत्मसंरक्षण तथा अपनी दृष्टि की अखंडता से असंगत नहीं अनुभव करेंगी। एकत्व की एक नयी भावना मनुष्य जाति पर आधिपत्य जमा लेगी।

चौथा स्वप्न, संसार को भारत का आध्यात्मिक दान, पहले से ही प्रारम्भ हो चुका है। भारत की आध्यात्मिकता यूरोप और अमेरिका में नित्य बढ़ती हुई मात्रा में प्रवेश कर रही है। यह आंदोलन बढ़ेगा। वर्तमान काल की विपदाओं के बीच अधिकाधिक लोगों की आँखें आशा के साथ भारत की ओर मुड़ रही हैं और न केवल उसकी शिक्षाओं की अपितु उसकी आंतरात्मिक साधना का भी उत्तरोत्तर आश्रय लिया जा रहा है।

अंतिम स्वप्न था क्रमविकास में अगला कदम जो मनुष्य को एक उच्चतर और विशालतर चेतना में उठा ले जायेगा और उन समस्याओं का हल करना प्रारम्भ कर देगा जिन समस्याओं ने मनुष्य को तभी से हैरान और परेशान कर रखा है जबसे उसने वैयक्तिक पूर्णता और पूर्ण समाज के विषय में सोचना-विचारना शुरू किया था। यह अभी तक एक व्यक्तिगत आशा, विचार और आदर्शमात्र है जिसने भारत और पश्चिम में, दोनों जगह दूरदर्शी विचारकों को वश में करना शुरू कर दिया है। इस मार्ग की कठिनाइयाँ प्रयास के किसी भी अन्य क्षेत्र की अपेक्षा बहुत अधिक प्रबल हैं, परंतु ये जीती जाने के लिये ही बनी थी और

यदि दिव्य परम इच्छा-शक्ति का अस्तित्व है तो वे दूर होगी ही। यहाँ भी यदि इस विकास को घटित होना है तो चूंकि यह आत्मा और अंतर्चेतना की अभिवृद्धि द्वारा ही होगा, इसका प्रारम्भ भारतवर्ष ही कर सकता है और यद्यपि इसका क्षेत्र सार्वभौम होगा, तथापि केन्द्रीय आंदोलन भारत ही करेगा।

श्री के.एम. मुंशी के साथ एक साक्षात्कार का सार

यह श्री अरविन्द द्वारा जुलाई 1950 में के.एम. मुंशी को दिए एक साक्षात्कार के एक भाग का सार है। वह बड़ौदा में श्री अरविन्द के एक पुराने विद्यार्थी थे। वे लिखते हैं–

श्री अरविन्द बड़ौदा महाविद्यालय में मेरे प्रोफेसर थे तथा उनके 1904 के उग्र राष्ट्रवाद ने मेरे प्रारम्भिक दृष्टिकोण को ढाला था बाद में मैंने उनके कुछ कार्यों को आकसमिक तौर पर पढ़ा। तदोपश्चात उनका प्रभाव यदा-कदा मुझ पर पड़ने लगा था तथा मैंने उनके द्वारा प्रत्यक्ष रूप में लाभांतित होने को अधिक से अधिक महसूस किया। बीते समय में कई बार मैंने पांडिचेरी जाने की चेष्टा की परंतु मैं एक ऐसे मनुष्य के आगे औपचारिक रूप से प्रणाम करने की इच्छा नहीं रखता था जिसे मैं इतने गहरे रूप में आदर करता था।

जब 12 मार्च 1950 को मैं श्री अरविन्द के पास गया, 40 वर्षों के अंतराल के बाद, मैंने अपने समक्ष एक जीव को पूर्णतया रूपांतरित, दीप्तिमान, आंनदपूर्ण, देवतुल्य शांति के वातावरण में लिपटा हुआ देखा। वे एक धीमी, स्पष्ट आवाज में बोले जिसने मेरे अंतर की गहराइयों को हिला डाला।

मैंने उनके साथ अपनी आध्यात्मिक आवश्यकताओं के बारे में बात की। मैंने कहा, "मैं एक असमंजस की स्थिति में हूँ। भौतिकता बहुत अधिक मेरे साथ लगी है।"

ऋषि ने उत्तर दिया, "तुम्हें आत्म-अनुभूति में आगे बढ़ने के लिये संसार को छोड़ने की आवश्यकता नहीं है। परंतु तुम अधीर होने से आगे नहीं बढ़ सकते। मैंने तुम्हें लिखा था कि मैं तुम्हारी सहायता करूंगा, तथा मैं अपने ही तरीके से तुम्हारी सहायता कर रहा हूँ। –तुम में प्रवृत्ति भी है तथा प्रकाश भी। तुम अपने रास्ते पर जाओ। अपने स्वभाविक विकास में विश्वास की राह से भटको नहीं। मैं तुम्हारी प्रगति पर दृष्टि रखूँगा।"

तब हमने भारतीय संस्कृति पर चर्चा की। मैंने कहा, "नौजवान पीढ़ी ऐसे सिद्धांतों और विश्वासों पर पाली जा रही है जो भारत के उच्चतर जीवन के जड़ों को खोखला कर रही है।"

स्वामी ने उत्तर दिया, "तुम्हें विश्वास की इस कमी से ऊपर उठ जाना चाहिए। विश्वास रखो कि हमारी संस्कृति की जड़ें खोखली नहीं की जा सकती। यह तो केवल एक गुजरता पहलू है।"

तब महायोगी ने मुझे अचम्भित कर दिया, "तुम भारत की एकता की कब उम्मीद करते है?" उन्होंने पूछा। मैं हतप्रभ हो गया। मैंने उन्हें विस्तार से बताया किस प्रकार हमारे नेता विभाजन को मान गये थे।

मैंने तब कहा, "जहाँ तक वर्तमान पीढ़ी के राजनितिज्ञों का सम्बन्ध है, मैं ऐसे किसी समय के बारे में नहीं सोच सकता जब यह दो देश–भारत और पाकिस्तान–जोड़े जा सकते हैं।"

श्री अरविन्द मुस्कराए तथा उत्तर दिया, "भारत फिर एक होगा। मैं इसे स्पष्ट देख रहा हूँ।"

क्या यह एक राय थी? क्या यह एक स्पष्ट अनुभव था?

मैंने शंका में अपनी गर्दन हिलाई और पूछा किस प्रकार भारत का पुनः एकीकरण हो पायेगा। दो संक्षिप्त वाक्यों में देव-पुरुष ने बताया पाकिस्तान क्या है तथा इशारा किया कि किस प्रकार दोनों देश एक हो सकते हैं।

"पाकिस्तान झूठ, छल और शक्ति द्वारा पैदा किया गया है। इसे अवश्य ही भारत के सैनिक छत्र के अधीन लाया जाना चाहिये।"

धर्म व दर्शन-शास्त्र

निम्नलिखित संक्षिप्त टीकाओं में हम भारतीय संस्कृति के कुछ पहलुओं की ओर देखेंगे जिन्हें पुस्तक में पहले नहीं लिया गया है। इस अध्याय में हम भारतीय दर्शनशास्त्र तथा इसके धर्म के साथ संबंध को देखेंगे।

यह एक लोकप्रिय धारणा रही है कि भारतीय सभ्यता मुख्य रूप से आत्मा तथा मृत्यु-पश्चात के मामलों के साथ सम्बन्धित रही है। तथापि भारत के इतिहास का अभिलेख स्पष्ट रूप से जताता है कि महानतम भारतीय मानस में से कुछ व्यक्ति विकासशील दार्शनिक तथा बौद्धिक दृष्टांतों के साथ बहुत अधिक मात्रा में सम्बन्धित रहें हैं जो कि भौतिक वास्तविकता से ओतप्रोत थे। यह धारणा कि भारतीय दर्शन-शास्त्र केवल गूह्यज्ञान और त्याग पर आधारित है एक झूठे संसारिक दृष्टिकोण से उत्पन्न हुआ है जो भारत में वैज्ञानिक विचार और विवेक के एक समृद्ध परम्परा को नाश करने में लगा है।

जैसा कि पहले इस पुस्तक में देखा जा चुका है आध्यात्मिकता भारतीय संस्कृति का एक अनिवार्य विशिष्टांग रह चुका है। एक आध्यात्मिक अभीप्सा

इस संस्कृति की परिचालित शक्ति थी, इसके विचार का केंद्रीय भाग, इसकी प्रमुख लालसा। इसने ना केवल आध्यात्मिकता को जीवन का सर्वोच्च लक्ष्य बनाया, बल्कि जहाँ तक हो सका इसने प्रयत्न भी किया कि सम्पूर्ण जीवन को आध्यात्मिकता की ओर मोड़ा जाये। परंतु अधिकतर लोगों के लिये धर्म लगभग सदा ही आध्यात्मिक प्रेरणा का प्रथम स्वाभाविक रूप रहा है। इसलिए भारतीय संस्कृति ने धार्मिक ढाँचे में विचार और कर्म को ढाला तथा जीवन के हर परिस्थिति को बारंबार धार्मिक भावना से भरा। परंतु इस धार्मिक भावना के साथ-साथ, इसने आध्यात्मिकता के दर्शनशास्त्र को समझने पर अति बल भी दिया। इस प्रकार इसने एक अत्यधिक विस्तृत और व्यापक धर्मो-दार्शनिक संस्कृति की स्थापना की।

आओ अब हम पहले भारतीय धर्म के मूलभूत संकल्पनाओं की ओर एक दृष्टि डालें। भारतीय धर्म तीन आधारभूत धारणाओं या यूं कहें कि तीन उच्चतम व अति विस्तृत आध्यात्मिक अनुभवों के नीवों पर स्थापित किया गया है। यह तीन आधार इस प्रकार हैं।

एक अनंत की धारणा

सर्वप्रथम धारणा वेद की एक सत्ता या अस्तित्व की आती है जिसे ऋषिगण विभिन्न नाम देते हैं, उपनिषदों का एकम: सत्य जो सर्वभूतों में स्थित है तथा जो सभी भूतों से परे भी है, बौद्धों का एक स्थाई, मायावादियों का सम्पूर्ण, आस्तिकों का परम परमेश्वर या पुरुष, जो अपनी शक्ति में आत्मा और प्रकृति को जकड़े रहता है—एक शब्द में अनन्त, अनादि। इसे ढूंढना तथा इस स्थाई, इस अनन्त, इस अनादि के अति करीब आना तथा इसके साथ एक रूप होना चाहे कितने भी भाग में क्यों ना प्रवेश किया जाये यही अपने आध्यात्मिक अनुभव का सर्वोच्च तथा अंतिम प्रयत्न है। यही भारत के धार्मिक मानस का प्रथम व्यापक विश्वास है।

अनन्त के निकट आने के अनन्त मार्ग

दूसरी आधारभूत धारणा यह है कि अनादि व अनन्त के समीप आने के मनुष्य के पास अनेकों मार्ग हैं। अनन्त स्वयं अनेकों अनन्तों से भरा पड़ा है तथा इनमें से प्रत्येक अनन्त स्वयं में भी अनादि है। कोई भी इनमें से किसी भी नाम और रूपों के द्वारा इस सर्वोच्च के निकट जा सकता है, चाहे ज्ञानपूर्वक या अज्ञानतापूर्वक। क्योंकि इनके द्वारा तथा इनसे परे हम अंत में उस सर्वोच्च अनुभव की ओर प्रस्थान कर सकते हैं।

अनन्त हर व्यक्ति में स्थित है

भारतीय धर्म के मूल में सबसे शक्तिशाली परिणामों वाली यह धारणा आन्तरिक आध्यात्मिक जीवन के लिये सबसे क्रियाशील है। वह यह है कि उसे *(भगवान)* या वह स्वयं प्रत्येक व्यक्तिगत आत्मा के द्वारा उसके अपने आध्यात्मिक भाग में प्राप्त किया जा सकता है, क्योंकि उसमें कुछ ऐसा है जो कि उस एक दिव्य चेतना से अति निकटतापूर्ण सम्बन्धित है।

इन तीन धारणाओं के कारण ही भारत ही एक ऐसा देश है जहाँ सभी धर्मों का प्रबलता से अभ्यास किया जा रहा है।

वैदिक काल के बाद का काल

हमने पहले देख ही लिया है कि वेदों और उपनिषदों ने भारत के आध्यात्मिक जीवन की आधारशिला रखी। जो वेदों ने गूह्य भाषा में प्रस्तुत किया, उपनिषदों ने उसी को आंतरज्ञान की भाषा में दिया। भारतीय संस्कृति का दर्शनशास्त्र और बौद्धिक विकास पश्चात के काल में हुआ यानि कि वेदों और उपनिषदों के बाद।

भारतीय सभ्यता के वैदिक काल के बाद का काल वह था जहाँ अत्यधिक बौद्धिक विकास हुआ। इस काल की प्रसिद्धी महान दर्शनशास्त्रों के उदय द्वारा, बहुमुखी व सजीव महाकाव्यों के साहित्य द्वारा, कला और विज्ञान के प्रारम्भ द्वारा, एक प्रबल और जटिल समाज के विकास-क्रम द्वारा, महान राज्यों और साम्राज्यों के स्थापना द्वारा तथा सभी प्रकार के बहुमुखी रचनात्मक क्रियाओं व रहने और सोचने के महान पद्धतियों के द्वारा हुई। जैसा कि ग्रीस, रोम, इरान चीन व और जगह हुआ, यहाँ भी यह काल बुद्धि के उच्च विस्फोट का काल था जो जीवन तथा मन की वस्तुओं पर कार्य करता हुआ उनके कारण और उचित पथ का अविष्कार करने का तथा मानव अस्तित्व के लिये एक सही राह और पावन पूर्णता लाने का कार्य कर रहा था। परंतु भारत में इस प्रयास ने कभी भी आध्यात्मिक लक्ष्य से विमुखता नहीं की, कभी भी धार्मिक भावना का साथ नहीं छोड़ा। यह परखती बुद्धि का जन्मकाल व शैशवकाल था तथा दर्शनशास्त्र वह मुख्य यंत्र था जिसके साथ इसने संसार और जीवन की समस्याओं को सुलझाने की मेहनत की। विज्ञान ने भी विकास किया परंतु वह एक समपूरक शक्ति के तौर पर द्वितीय स्थान पर ही रहा। यह प्रगाढ़ व सूक्ष्म दर्शनशास्त्रों द्वारा ही था कि भारत की बुद्धि ने कारण और तर्कशील मानसिक शक्ति के विश्लेषण का प्रयत्न किया जिसको इससे पूर्व एक अधिक जीवन्त शक्ति अंर्तज्ञान व आत्मा के अनुभव के द्वारा जाना जा चुका था। *परंतु दार्शनिक मन ने इन*

महानतम शक्तियों द्वारा आविष्कारित आंकड़ों से ही आरम्भ किया तथा अपने अविभावक प्रकाश के प्रति निष्ठापूर्ण रहा। वह सदा एक रूप में या दूसरे में वापिस उपनिषदों के प्रगाढ़ सत्यों की ओर गया जिन्होंने इन मामलों में अपना स्थान सर्वदा सर्वोच्च अधिकार वाला रखा। यह सदा ही स्वीकार किया गया कि आध्यात्मिक अनुभव अधिक महान वस्तु है तथा इसका प्रकाश एक अधिक सच्चाई वाला यद्यपि तर्कशील बुद्धि के स्पष्टीकरणों से अधिक अगणणीय मार्गदर्शक था।

अनिवार्य रूप से धर्म और दर्शन-शास्त्र के बीच एक निकट का सम्बन्ध था। धर्म और दर्शन-शास्त्र के बीच का सम्बन्ध अनुपूरक था प्रत्येक दूसरे की सहायता करता हुआ। दर्शन-शास्त्र धर्म द्वारा क्रियाशील बनाया गया था, तथा धर्म दर्शन-शास्त्र के द्वारा प्रकाशवान हुआ। इस प्रकार दर्शनशास्त्र तथा धर्म भारतीय संस्कृति में प्रमुख रूप से छाये रहे तथा बाकी सब घटक इनके पीछे अपनी पूरे प्रयत्न के साथ चलते रहे। यह भारतीय संस्कृति का एक उत्कृष्ट चरित्र है।

भारतीय संस्कृति को प्रायः ब्राह्मणिक संस्कृति के नाम से चित्रित किया गया है। इस वाक्य-खंड से जो अर्थ निकलता है उसका अर्थ है कि भारत की सच्ची संस्कृति तथा इसके मुख्य उद्देश्यों का स्वरूप दार्शनिक विचारकों तथा धार्मिक मनों द्वारा दिया गया है एवं पुजारियों द्वारा नहीं, तथा यह विचारक व धार्मिक संत भी सभी जन्म से ब्राह्मण नहीं थे। यह तथ्य कि एक श्रेणी का विकास किया गया जिनका कार्य आध्यात्मिक परम्पराओं, ज्ञान तथा जाति के पवित्र विधि को संजोये रखना था—ब्राह्मण का सही व्यवसाय इसके लिये ही तथा मात्र एक पुजारी व्यापार के लिये नहीं था—मात्र एक गुण की परिभाषा है। आधारभूत सत्य यह है कि भारतीय संस्कृति प्रारम्भ से ही एक आध्यात्मिक, अंतर्मुखी धर्मो-दार्शनिक संस्कृति रही है। बाकी सब घटकों ने उस एक केन्द्रीय व मौलिक विशेषण गुण से प्राप्त किया है या इस पर निर्भर रहे है या इसके अधीनस्थ रहे हैं। यहाँ तक कि ब्राह्य जीवन भी आत्मा के अंतर्मुख के अधीन रहा है।

यह पश्चिम के दर्शन-शास्त्र के इतिहास के विपरीत है। यूरोप में दर्शनशास्त्र धर्म की कभी-कभी दासी रही है—ना कि बहन। परंतु अधिकतर बार इसने धार्मिक विश्वासों की ओर एक विद्रोह के भाव से अपनी पीठ ही रखी है या एक घृणा भरी पृथकता रखी है। धर्म और विज्ञान के बीच का युद्ध यूरोपीय संस्कृति की लगभग प्रमुख घटना ही रही है। दर्शनशास्त्र और विज्ञान भी समदृष्टी

नहीं हो पाये। वे भी आपस में झगड़े हैं व पृथक हुए हैं। यह शक्तियाँ अभी भी यूरोप में साथ-साथ विद्यमान हैं, परंतु वे एक प्रसन्न परिवार नहीं हैं, गृह-युद्ध उनका एक स्वाभाविक वातावरण है।

संक्षेप में हम कह सकते हैं कि दर्शन-शास्त्र और धर्म भारतीय संस्कृति की आत्मा हैं, एक दूसरे से पृथक ना रहते हुए एक दूसरे को प्रकाशित करते हैं। भारतीय दर्शनशास्त्र का पूरा उद्देश्य, इसके अस्तित्व का कारण-स्वरूप, आत्मा का ज्ञान है, उसका अनुभव करना तथा आध्यात्मिक अस्तित्व की ओर सही राह का जानना है। इसका एकमात्र उद्देश्य धर्म के सर्वोच्च महत्व से मेल खाना है। भारतीय धर्म अपनी सारी गुण विशेषता आध्यात्मिक दर्शनशास्त्र से प्राप्त करता है जो इसके सर्वोच्च प्रेरणा को प्रकाशित करता है।

हम इस भाग का समापन श्री अरविन्द के इस लेख से करते हैं–

इस संस्कृति में धर्म और दर्शनशास्त्र इस घनिष्टता से जुड़े हैं कि उन्हें एक दूसरे से अलग नहीं किया जा सकता। भारतीय दर्शन-शास्त्र हवा में विचारमग्न तर्कशास्त्र का एक शुद्ध तर्कसंगत कसरत, विचार के घुमाव तथा शब्द-चक्कर का एक अतीव सूक्ष्म क्रम नहीं है जैसा कि यूरोप में दर्शनशास्त्र के अधिकतर भाग में है। यह एक व्यवस्थित बौद्धिक सिद्धांत है उस अंतर्ज्ञान के क्रमवार सारे बोध का जो कि भारतीय धर्म की आत्मा, विचार, क्रियात्मक सत्य, शक्ति व भावना का हृदय है। भारतीय धर्म है भारतीय आध्यात्मिक दर्शनशास्त्र जिसे क्रिया व अनुभव में लाया गया है।

धर्म तथा आध्यात्मिकता

धर्म भारतीय संस्कृति का प्रभावशाली प्रेरक शक्तियों में से एक प्रमुख शक्ति रहा है। परंतु भारतीय संस्कृति की परिचालित शक्ति धर्म नहीं बल्कि आध्यात्मिकता थी। जैसा कि पहले ही पिछले अध्याय में देखा जा चुका है भारत ने एक धर्मो-दार्शनिक संस्कृति की रचना की तथा यह इसलिए किया गया क्योंकि मनुष्य का भगवान की ओर बढ़ने का प्रथम स्वाभाविक पथ धर्म ही है। इसलिये भारतीय संस्कृति ने एक शक्तिशाली धार्मिक आधार स्थापित किया परंतु उसे धीरे-धीरे धर्म से आध्यात्मिकता की ओर ले जाये जाने की अंतिम मंशा थी।

परंतु साथ ही साथ वह धर्म के पालन में गम्भीर सीमाओं के प्रति भी काफी जागरुक थी। आओ हम देखें कि धर्म की कमियाँ क्या हैं और हमें किनसे बचकर रहना होगा। यह विशेष तौर पर आज के भारत के लिए महत्वपूर्ण

है क्योंकि यही वह अकेला देश है दुनिया में जहाँ सभी धर्मों की पालना की जाती है तथा धार्मिक कलह के खतरे भी अधिक हैं।

धर्म की सीमाएँ

धर्म की प्रथम और सबसे गम्भीर सीमा उसके केवल एक ही भगवान, केवल एक पवित्र पुस्तक तथा केवल एक ही पथ के अस्तित्व पर बल देना है। यह संकुचिता और धर्मान्ध या कट्टरपन की ओर ले जाता है। कोई भी अकेला धर्म या शिक्षा सत्य पर एकाधिकार रखने का दावा नहीं कर सकता तथा इसलिए यह दावा एक खतरनाक स्थिति पैदा कर देता है।

एक और गम्भीर कमी है कि धर्म आम तौर पर बौद्धिक रीति रिवाजों, स्वरूपों तथा संस्कारों एवं किसी निश्चित व अचल नैतिक संहिता पर अनन्य जोर देने की कोशिश करता है। इसका अर्थ यह नहीं है कि यह वस्तुएँ पूर्ण रूप से उपेक्षणीय हैं या यह कि ये अनावश्यक या अयोग्य अवश्य ही होंगी या कि एक आध्यात्मिक धर्म इन स्वरूपों, संस्कारों, रूढ़ीयों या व्यवस्थाओं की सहायता से घृणा करने की आवश्यकता पर बल देता है। इसके विपरीत मनुष्य को इनकी आवश्यकता है क्योंकि हमारे साधारण मन और प्राणों को उत्साहित या ऊपर उठाना पड़ता है इससे पहले कि वे स्पष्ट तौर पर आत्मा का अनुभव और उसके विधि-विधान की पालन कर सके। सोचने और तर्क करने वाले मन को एक बौद्धिक सूत्र की आम तौर पर आवश्यकता होती है, हमारे अस्तित्व के अन्य साधारण भागों को एक रूप या संस्कार के सृजनात्मक स्वभाव की आवश्यकता होती है, तथा इसी प्रकार मनुष्य के प्राणों की प्रकृति को आंतरिक- जीवन की ओर मोड़ने की आवश्यकता अक्सर होती है। परंतु यह वस्तुएँ सहारा व सहायक होती हैं, सार नहीं। क्योंकि सही ढंग में ये विवेक तथा अति-विवेकशील भागों से सम्बन्धित होती हैं, ये उससे अधिक कुछ नहीं हो सकती तथा यदि इन पर आखें बंद करके जोर डाला जाये तो ये आध्यात्मिक प्रकाश को भी बाधित कर सकती हैं। ये जैसी भी हैं इन्हें मनुष्य के आगे पेश करनी होती हैं तथा उसके द्वारा प्रयोग की जाती हैं, परंतु एकमात्र कानून के रूप में या एक अनलचकीले व बलपूर्वक प्रभुत्व द्वारा उस पर थोपी नहीं जा सकती। इनके प्रयोग में सहनशीलता और विभिन्नता की स्वतंत्र आज्ञा एक पहला नियम है जिसे निभाया जाना चाहिये। धर्म का आध्यात्मिक उद्देश्य ही एकमात्र वस्तु है जिसकी सर्वोच्च आवश्यकता है, वह वस्तु जिसे हमें पकड़ कर रखना होगा तथा इसके अधीनस्थ बाकी सभी तत्वों या उद्देश्यों को सदा करना होगा।

तीसरी कमी यह है कि धर्म आमतौर पर हिंसक ढंग से दर्शनशास्त्र और विज्ञान के रास्ते खड़ा हुआ है। यह अक्सर बुद्धि के विरुद्ध रहा है। इतिहास हमें बताता है कि यूरोप में, एक जियोरडानो ब्रूनो को जलाया गया, एक गैलिलियो को कैद किया गया तथा धर्म ने स्वयं का इस प्रकार दुराचारण किया इस मामले में कि दर्शनशास्त्र और विज्ञान को आत्मरक्षा में धर्म पर धावा बोलना पड़ा और उसके टुकड़े कर दिये ताकि वे अपने वैध विकास के लिये खुला मैदान पा सकें। तथा यह सब इस कारण घटित हुआ क्योंकि अपने प्राणों की प्रकृति के अंधकार व आवेगों में लोगों ने यह सोचने की ठान ली थी कि धर्म भगवान और संसार के बारे में कुछ निश्चित बौद्धिक धारणाओं के साथ बंधा है जिनका विश्लेषण नहीं किया जा सकता तथा इसलिए तलवार और अग्नि के द्वारा समीक्षाओं को दबा देना होगा। वैज्ञानिक तथा दार्शनिक सत्यों को नकारना ही पड़ता ताकि वह धार्मिक गलती बची रहे।

धर्म की एक और कमी यह है कि एक संकुचित धार्मिक चेतना अक्सर जीवन की सुंदरता और आनंद को उत्पीड़ित तथा दरिद्र बना देती है। यह असहनीय वैराग्य की एक स्वाभाविक प्रतिक्रिया है तथा यह घटित हुआ क्योंकि मानव यह नहीं देख पाया कि धार्मिक कठोरता सम्पूर्ण धर्म नहीं है, चाहे यह उसका एक महत्वपूर्ण भाग हो सकता है। उसने अनुभव नहीं किया कि नैतिक मार्ग एक अकेला मार्ग भगवान की ओर नहीं है कि, प्रेम, दानवीरता, विनम्रता, सहनशीलता, दयालुता भी हैं तथा ये और भी अधिक दिव्य हैं तथा यह कि भगवान प्रेम व सुंदरता के साथ-साथ पवित्र भी हैं।

राजनीति के क्षेत्र में भी धर्म ने प्रायः शक्ति की ओर अपना साथ दिया है तथा बृहद राजनैतिक आदर्शों के आने का विरोध किया है, क्योंकि यह स्वयं, एक संघ के रूप में शक्ति द्वारा समर्थित था तथा क्योंकि इसने धर्म को संघ के साथ जोड़ने की गड़बड़ की, या कयोंकि यह एक झूठी आस्तिकता के लिये खड़ा हुआ, यह भूलते हुये कि सच्ची आस्तिकता मनुष्य में भगवान का साम्राज्य है तथा मठाधीश या पुजारी या एक पुरोहितवाद श्रेणी का राज्य नहीं।

अंत में, धर्म प्रायः एक कठोर तथा रूढ़ीवादी पुराने सामाजिक व्यवस्था को समर्थन देता रहा है क्योंकि इसने अपने जीवन के बारे में जो सोचा वह सामाजिक रूपों से बंधा था जिनके साथ यह अपने ही इतिहास के एक लम्बे भाग के दौरान लिप्त रह चुका था तथा मिथ्यापूर्वक यह निष्कर्ष निकाला कि एक आवश्यक बदलाव भी धर्म की उल्लंघना होगी व इसके अस्तित्व को एक खतरा बनेगी। जैसे मानो इतना शक्तिशाली तथा आंतरिक तौर पर एक शक्ति जो

मनुष्य में धार्मिक चेतना के तौर पर नष्ट हो सकेगी किसी भी वस्तु से जो इतनी छोटी है जैसे सामाजिक रूप में एक परिवर्तन या इतनी बाह्य जैसे कि एक सामाजिक पनुर्व्यवस्था। इसके कई रूपों में यह गलती धर्म की बहुत बड़ी कमजोरी रही है जैसा कि भूतकाल में इसका चलन हुआ तथा बुद्धि, सृजनात्मक भाव, सामाजिक व राजनैतिक आदर्शवाद, मानव की नैतिक चेतना जिसके अपने ही वेग व कानून होने चाहिये थे उनके विरुद्ध धर्म ने अपने ही कानून को थोपने का एक मौका व न्यायोचितता को स्थान दिया।

ये हैं धर्म की सीमाएँ तथा यह समय है जब भारत में हमको इन कमियों के प्रति अवश्य सचेत होना चाहिए।

हल

तब हल कहाँ है। इसका हल धर्म से छुटकारा पाने में नहीं है बल्कि धर्म को आध्यात्मिकता में विकास के द्वारा परिवर्तित करने में है। यह श्री अरविन्द के निम्नलिखित लेख में दृष्टांत द्वारा बताया गया है:

> *भारत अपने में स्थापित होने से तथा अपने स्वभाव के विधि का अनुसरण करने के द्वारा ही अपना सर्वोच्च विकास एवं मानवता की सेवा कर सकता है। इसका यह अर्थ नहीं, जैसा कि कुछ संकुचित व अंधकार में डूबे हुये समझते हैं, कि वह सब जो समय की धारा में नूतन हमारे पास आता है या पश्चिम द्वारा सर्वप्रथम विकसित किया गया हो या शक्तिशाली रूप से अभिव्यक्त किया गया है उन सब को तिलांजित कर दिया जाये। ऐसा दृष्टिकोण सर्वदा बौद्धिक रूप से पागलपन वाला, भौतिक स्तर पर असंभव तथा इन सबसे ऊपर आध्यात्मिकता के विपरीत होगा। आध्यात्मिकता हमारे मानवीय स्व-विकास के पदार्थों या अतिरिक्त साधनों या नयी रोशनी को नकारती नहीं है। इसका साधारण अर्थ यह है कि हम अपने केन्द्र को स्थापित रखें, अपने अस्तित्व के अनिवार्य राह को वह सब जो हम करते तथा रचते हैं। अपने मूलभूत प्रकृति को स्थापित रखें तथा धर्म भारतीय मानस का एक केन्द्रीय पूर्वाधिकार रहा है। कुछ लोगों ने हमें बताया है कि अत्यधिक धर्म ने भारत को तबाह किया है, केवल इसलिये क्योंकि हमने सम्पूर्ण जीवन को धार्मिक बना दिया या धर्म को सम्पूर्ण जीवन बना दिया, हम जीवन में असफल रहे हैं तथा अधोगति को प्राप्त हुये। मैं उत्तर नहीं दूँगा, एक कवि की भाषा को अपनाते हुये एक तनिक भिन्न सम्बन्ध में, कि हमें नीचे गिरने की कोई परवाह नहीं तथा यह कि वह मिट्टी जिसमें भारत पड़ा है वह पवित्र है। यह गिरना, यह असफलता का कोई महत्व*

नहीं तथा मिट्टी में लोटना मनुष्य या राष्ट्र के लिये कोई उत्तम अवस्था नहीं है। परंतु जो कारण दिया गया है वह एक सही कारण नहीं है। यदि अधिकतर भारतीयों ने वास्तव में अपना सम्पूर्ण जीवन सही शब्दों में धर्म बना लिया होता तो हम वहाँ नहीं होते जहाँ हम अब हैं। यह इस कारण था क्योंकि उनका सामाजिक जीवन अत्यधिक अधर्मी, अहंकारयुक्त, स्व-तुष्टीपूर्ण व भौतिक बन गया था जिससे वे गिर गये। यह सम्भव है कि एक तरफ हम अत्यधिक धार्मिक कृत्यों में बहुत अधिक भटक गये, मतलब यह कि, एक अत्यधिक बाह्यकरणीय रिवाजों, रीतियों, नित्यचर्या, यांत्रिक पूजापाठ का तथा दूसरी ओर एक अत्यधिक संसार को त्यागने वाले वैराग्य में जिसे सर्वश्रेष्ठ मनों को उन प्राचीन ऋषियों की भांति समाज के आध्यात्मिक सहारे के तौर पर तथा समाज के लिये जगमगाते जीवन दाता की भांति खड़े रहने की जगह, अपनी ओर खींच लिया तथा जो समाज के लिये सदा के लिये खो गये। परंतु मामले की जड़ यह थी कि आध्यात्मिक भाव अपने सामान्य रूप में तथा विस्तृतता में क्षीण होता चला गया, बौद्धिक क्रियाशीलता तथा स्वतंत्रता का ह्रास हुआ, महान आदर्शों का घटना आरम्भ हो गया, व जीवन का जोश समाप्त हो गया।

शायद एक प्रकार से धर्म बहुत अधिक हो गया था। धर्म शब्द अंग्रेजी का है, इसमें बहुत अधिक गंध बाह्य वस्तुओं की आती है जैसे कि धार्मिक मतों, संस्कारों, एक बाह्य धर्म-परायणता की। यहाँ कोई भी एक भारतीय समतुल्य शब्द नहीं। परन्तु यदि हम धर्म को आध्यात्मिकता के अपने पूर्ण प्रवृति को अनुसरण करने के भाव में समतुल्य दें तथा आध्यात्मिकता की परिभाषा उच्चतम स्वरूप, दिव्य, सर्व-आलिंगन करने वाली एकता को जानने का प्रयत्न व उसमें रहने तथा जीवन को उसके सभी पहलुओं में दिव्यता के अतीव-सम्भव मूल्यों तक उठाने के रूप में करें तो यह स्पष्ट है कि यहाँ बहुत अधिक मात्रा में धर्म नहीं था बल्कि शायद बहुत कम था-तथा जिसमें था भी, वह अत्यधिक एकमुखी था तथा इसलिये एक अपर्याप्त विस्तृत रूझान था। सही हल है, युगों लम्बे भारत के आदर्श को और भी अधिक दूर या छोटा नहीं किया जाये बल्कि इसके पुराने विस्तार की ओर लौटा जाये तथा इसे एक और भी विस्तृत उद्देश्य दिया जाये, राष्ट्र के सारे जीवन को इस उच्च आध्यात्मिक भावना के एक धर्म के रूप में सत्य स्वरूप बनाया जाये। यह वह दिशा है जिसमें पश्चिम का दर्शनशास्त्र, काव्य, कला, अभी भी धुंधले रूप में लगभग, परंतु एक बढ़ते हुये प्रकाश के साथ मुड़ना प्रारम्भ कर चुका है, तथा सत्य के कुछ फीके किरणों के

साथ अब राजनैतिक और सामाजिक आदर्शों के ऊपर छाने लग गया है। भारत के पास इस आदर्श के सचेत प्रयोग और ज्ञान की चाबी है जो पहले इसके प्रयोग करने में इसके लिये अंधकारमय था, अब वह एक नई रोशनी के साथ प्रकाशमयी कर सकती है। जो भी इसके पुराने तरीकों में गलत व ऐंठन भरा था उसे अब वह संशोधित कर सकती है। आध्यात्मिक आदर्श के बाह्य उत्थान को बचाने के लिये जो भी बाँध इसने लगाये थे तथा जो बाद में इसके विस्तार तथा आगे बढ़ते प्रयोग के लिये अवरोध बन गये, वह उन्हें अब तोड़ सकती है तथा अपनी चेतना को एक अधिक स्वतंत्र क्षेत्र व एक अधिक विस्तृत उड़ान दे सकती है। यदि वह संकल्प करे तो समस्याओं को वह एक नया और निर्णायक मोड़ दे सकती है जिनपर सारी मानव जाति ठोकरें खा रही व मेहनत कर रही हैं, क्योंकि उनके समाधान का सूत्र उसके प्राचीन ज्ञान में पड़ा है। वह इस पुनर्जागरण, जो कि उस पर अब आ रहा है, में प्राप्त अवसर का लाभ उठायेगी या नहीं, यह उसके भाग्य का प्रश्न है।

भारतीय कला

जैसा कि हमने इस पुस्तक में देखा है, भारतीय संस्कृति का आधार उच्चतम सत्य की एक आध्यात्मिक खोज रही है। आध्यात्मिकता सदा ही भारतीय मानस की सर्वोपरी कुँजी रही है तथा अनन्त की भावना इसके लिये स्वाभाविक थी।

परंतु यह इसकी समस्त मानसिकता व पूरी चेतना नहीं थी। वह अत्यंत सचेत थी कि आध्यात्मिकता स्वयं धरती पर शून्य में नहीं फलती-फूलती, जिस प्रकार हमारी पहाड़ों की चोटियां आधार के बगैर बादलों में से जादुई स्वप्न की भांति ऊपर नहीं उठती हैं। परिणामस्वरूप एक अपूर्व प्राणिकता, कभी ना समाप्त होने वाले जीवन के आनन्द और शक्ति, तथा एक अकल्पनीय प्रजनकीय रचनात्मकता का विकास किया। एक ऐसा क्षेत्र जिसके द्वारा उसने अपनी अभिव्यक्ति की सुंदरता की खोज को स्थापित किया। मनुष्य की सुंदरता की खोज, वह अपनी सबसे प्रबल और संतोषजनक अभिव्यक्तियों यानि की महान रचनात्मक कलाओं, काव्य, मुर्ति कला, चित्र-कला, वास्तु-कला में पाता है परंतु अपने पूर्ण विस्तार में उसकी प्रकृति या जीवन की कोई भी ऐसी क्रिया नहीं जिसको वह निष्कासित करने की आवश्यकता पाता हो। एक सम्पूर्ण और विश्वव्यापी सुंदरता की प्रशंसा तथा अपने समस्त जीवन व अस्तित्व को पूर्णतया सुंदर बनाना अवश्य ही एक परिपूर्ण व्यक्ति तथा परिपूर्ण समाज का अनिवार्य चरित्र होगा।

भारतीय संस्कृति का एक विशेष गुण कलात्मक अभिव्यक्ति भी रहा है। अमेरिकन इतिहासकार विल डियुरैंट ने अपनी पुस्तक *सभ्यता की कहानी* में यह लिखा है:

> *जैसा कि भारतीय सभ्यता के हर पहलू के आगे, वैसे ही भारतीय कला के आगे भी हम उसके काल और निरंतरता के आगे श्रद्धायुक्त अचम्भे में खड़े होते हैं। मोहनजोदड़ों के समय से लेकर वर्तमान समय तक, पाँच हजार वर्षों के उतार-चढ़ाव के बीच, भारत अपनी विशेष प्रकार की सुंदरता सैंकड़ों कलाओं के माध्यम से रचता रहा है। अभिलेख का क्रम टूटा और अपूर्ण है, इसलिये नहीं कि भारत ने कभी विश्राम किया, बल्कि इसलिये कि मुसलमानों के युद्ध और मूर्ति-ध्वंसता के उल्लास ने अनगणित भवनों व मूर्तिकलाओं की सर्वोत्तम रचनाओं का नाश किया, तथा निर्धनता ने बाकियों के संरक्षण की उपेक्षा की। शायद कोई भी राष्ट्र जिसका हमें पता है ने कभी भी इतनी कलाओं के प्रकारों को प्रचुर मात्रा में रखा होगा।*

निश्चय ही यह सैकड़ों कलाओं के माध्यम से रचता रहा है। तथापि इस अध्याय में हम संक्षिप्त रूप से केवल भवन-कला, मूर्ति-कला व चित्र-कला पर ही चर्चा करेंगे। परंतु सर्वप्रथम आओ हम देखें कि भारतीय कला के बारे में क्या विलक्षणता है। क्योंकि भारतीय कला का सिद्धांत एक विलक्षणता प्रकार का है।

भारतीय कला का उद्देश्य

भारतीय कला का उद्देश्य और कार्य आत्मा, अनन्त तथा दिव्यता के किसी भी भाग को अपनी अभिव्यक्तियों के द्वारा उजागर करना रहा है। भारतीय कलाकार की इस प्रकार एक विशेष विधि यह है कि वह सर्वप्रथम अपने अंतर में झांकता है और धार्मिक नियमों के अनुसार यही उससे माँग की जाती है। उसे अपने अंदर गहरे में जाना पड़ता है तथा सर्वप्रथम अपने आध्यात्मिक दृष्टि से उस वस्तु के सत्य को देखना होता है जिसकी अभिव्यक्ति उसे करनी होती है तथा तब उसका स्वरूप अपने अंतर्ज्ञान वाले मन द्वारा रचता है। वह अपने प्रतिमान, अपने प्राधिकार, अपने नियम, अपने अध्यापक या अपने प्रस्तावों के मूल स्रोत को जानने के लिये बाह्य जीवन या प्रकृति की ओर देखने के लिये बाध्य नहीं है जैसा कि ग्रीक कला या अन्य यूरोपीय कला में किया जाता है। अंत में उसे इस स्वरूप को भौतिक स्तर पर अभिव्यक्ति तथा प्रकट करना पड़ता है। यह सभी कलाओं के लिये सत्य है, चाहे वह भवन-कला, मूर्ति-कला, चित्र-कला, संगीत या साहित्य में हो।

हम इस प्रकार कह सकते हैं कि भारतीय कला अपने आध्यात्मिक उद्देश्य और आदर्श में बाकी के भारतीय संस्कृति के साथ समरूप है। यह कला के सभी क्षेत्रों में खास तौर पर भवन-कला, मूर्ति-कला और चित्र-कला में विदित हो जायेगा। इस संक्षिप्त अध्याय में किसी विस्तार से इसे जानना या बताया जाना संभव नहीं होगा। हम स्वयं को भवन-कला, मूर्ति-कला, और चित्र-कला प्रत्येक से एक उदाहरण तक ही सीमित रखेंगे।

भवन कला

रिजवान सलीम प्राचीन हिन्दु भवन निर्माण के बारे में लिखते हैं-

प्राचीन हिन्दु मंदिरों की भवन निर्माण की कला सबसे अधिक अचम्भित करने वाली, अंलकृत तथा मंत्रमुग्ध करने वाली भवनकला शैली है जो दुनिया में कहीं भी नहीं पाई जाती। किसी भी ऐतिहासिक सभ्यता के किसी भी कलाकार ने ऐसी प्रतिभा नहीं प्रकट की है जैसा कि प्राचीन हिन्दुस्तान के कलाकारों व भवन निर्माताओं ने दिखाई है।

भवनकला में हमारे उदाहरण के लिये हम दक्षिण भारत के मंदिरों में से एक का उदाहरण लेते हैं। वास्तव में यह कहा जा सकता है कि वे भारत के अतिसुंदर भवनकला के प्रतिनिधि हैं। श्री अरविन्द भारतीय भवनकला के बारे में लिखते हैं-

भारतीय पवित्र भवनकला चाहे वह किसी भी काल, शैली या देवता को समर्पित हो वह कुछ ऐसी वस्तु है जो भूतकाल से सम्बन्धित होते हुये भी भविष्य की ओर रूख किये हुये है, चाहे इस बात को हमारा तर्कशील मन आसानी से नहीं मानेगा, कुछ ऐसी वस्तु की ओर जो हमपर दुबारा लौट कर आयेगी तथा वह पहले से ही लौटना प्रारम्भ भी कर रही है, वह वस्तु जो भविष्य से सम्बन्धित है। एक भारतीय मंदिर, चाहे वह किसी भी देवता के लिये बनाया गया हो, अपने अतिसूक्ष्म सत्य की गहराई में भगवान के लिये एक सिंहासन बनाया गया है, एक घर बनाया गया है विराट-स्वरूप के लिये, तथा अनन्त के लिये एक प्रार्थना व प्रेरणा का रूप है। इसी तरह तथा इस प्रकार के देखने व धारणा के प्रकाश में सर्वप्रथम इसे समझा जाना चाहिए, तथा बाकी सब उस प्रकाश व उस प्रवाह में देखा जाना चाहिये, तथा तभी केवल कोई वास्तविक समझ हो सकती है।

मूर्ति-कला

यहाँ हम भारतीय कला से एक मूर्ति को लेते हैं। श्री अरविन्द इसके बारे में यह कहते हैं, "भारतीय मूर्ति कला के देवता ब्रह्मान्ड के जीव हैं, किसी

में यह कहते हैं, "भारतीय मूर्ति कला के देवता ब्रह्मान्ड के जीव हैं, किसी महान आध्यात्मिक शक्ति के साकार रूप, आध्यात्मिक विचार व क्रिया, अतिसूक्ष्म हृतपुरुषीय महत्व वाले, एक आत्मिक अर्थ वाले मानवीय स्वरूप साधन-इसके अभिव्यक्ति के बाह्य साधन हैं। मूर्ति में प्रत्येक वस्तु, हरेक ओर से निहारने का अवसर जो यह देती है, उसका चेहरा, हाथ, मुद्राओं के हाव-भाव, शरीर का संतुलन व मुड़ना, उसके हरेक उपसाधन के आंतरिक अर्थ के साथ सहज-ज्ञान व जो उसे उभरने में सहायता करती है, वह जो संकेत करती है उस पूरे हाव-भाव को समझना होगा, तथा दूसरी ओर वह हर वस्तु छिपाई या दबाई गई है जो इस निष्कर्ष को पराजित करे, विशेष तौर पर वह सब जो मात्र प्राणिक या भौतिकता के अर्थ पर बल देती हो। इस प्रकार की रचना का उद्देश्य आदर्शपूर्ण भौतिक या भावात्मक सुंदरता नही बल्कि भरपूर आध्यात्मिक सुंदरता या उसके महत्व को मानवी स्वरूप में ढाले जाने की सम्भवता को देखना है। हममें जो दिव्य चेतना है वह इसका सार है, आत्मा के स्वरूप से बना एक शरीर इसका विचार और रहस्य है। तथा इसलिये इस कला के सामने यह पर्याप्त नहीं है कि इसे देखा जाये और कल्पना तथा सृजनात्मक दृष्टि से इसकी ओर अनुक्रिया की जाये, बल्कि वह स्वरूप जो यह लिये हुये है उसमें भी देखना चाहिये तथा इसके अंदर व इसके पीछे भी देखना चाहिये यह जानने के लिये कि वह अपने ही अनन्तता के किस विशालता की ओर प्रेरणा दे रही है। भारतीय मूर्तिकला का धार्मिक व पुरोहिततंत्र का पक्ष घनिष्ठतापूर्वक भारतीय अंतर-ध्यान व पूजा के आध्यात्मिक अनुभवों के साथ सम्बन्धित है, तथा चूंकि इसके रचना का साधन आत्मा की अनुभुति है, इसलिये हमारे अनुक्रिया और समझ की राह भी आत्म-अनुभूति ही अवश्य होनी चाहिये।"

चित्र-कला

अंत में हम भगवान बुद्ध की एक सुंदर चित्रण को लेते हैं। श्री अरविन्द इसके बारे में लिखते हैं–

"उदाहरण के लिये, यदि हम बहुत देर तक देखें, माँ और बच्चे के उपासनायुक्त समूह को भगवान बुद्ध के समक्ष, अजन्ता की सर्वोत्तम कृतियों में से एक अत्यधिक प्रगाढ़, कोमल व उत्तम कलाकृति, हम पायेंगे कि उपासना के प्रगाढ़ धार्मिक छाप वहाँ मात्र अत्यंत सामान्य बाह्य भावनाओं के एकत्रण के संसर्ग में है। वह जो उसे गहराता है वह मानवता की आत्मा का प्रेम में उस दयालु और शांत अवर्णननीय की मुड़ना है जिसने स्वयं को बुद्ध के जगतीय करुणा के रूप में मानवीय व संवेदनशील रूप बना लिया है, तथा चित्र की उस आत्मिक क्षण की व्याख्या का उद्देश्य है

बच्चे के जागृत हो रहे मन का समर्पण, आने वाली युवा मानवता, उसके प्रति जिसमें मा की आत्मा ने पहले ही अपने आध्यात्मिक आनन्द को पाना और स्थिर करना सीख लिया है। स्त्री की आखें, ललाट, होंठ, मुख, सिर की मुद्रा इस आध्यात्मिक भावना के साथ जो हृतपुरुष के मुक्ति की लगातार याद व अधिकार से भरी हुई हैं, हृदय के अनुभव की स्थिर दृढ़ अचलता एक अकथनीय कोमलता से भरी, अंतरंग गहराइयाँ जो अब तक आश्चर्य से उत्तेजित हैं तथा उस वस्तु के सम्मुख सदा प्रार्थना कर रही हैं जो अनन्त है, शरीर और दूसरे अंग इस आवेग के गम्भीर समूह हैं तथा अपनी मुद्रा में उसका मूलभूत साकार रूप हैं, जबकि हाथ समर्पित भाव में अपने बालक को अनादि से मिलने के लिये आगे बढ़ाते हुये विस्तारित करते हैं। यह मानव और नित्य का मेल छोटे चित्र में दोहराया गया है एक सूक्ष्म व बलपूर्वक प्रकट किये परिवर्तन के साथ, जागृति की प्रसन्न और बालक रूपी मुस्कान जो आश्वासन देती है परंतु जो अभी तक आने वाली गहराइयों को अधिकृत नहीं करती है, हाथ फैले हैं प्राप्त करने और रखने के लिये, शरीर अपने उन ढीले-ढाले वक्रता और लहरों के साथ उस महत्व के साथ संगति खाता हुआ दृष्टिगोचर होता है। दोनों स्वयं को भूल गये हैं तथा उसके संग जिसकी उपासना कर रहे तथा सोच रहे हैं उसमें एक दूसरे के प्रति लगभग पूर्णतया घबड़ा गये या भूल गये प्रतीत होते हैं व तथापि समर्पित हाथ माँ और बालक को एक साँझे भावना और कृत्य में अपने मातृत्व अधिकार और आध्यात्मिक समर्पण के एक साथ भाव में आपस में मिलाते हैं। दोनों चित्रों का हर बिन्दु पर एक समान लय है परंतु एक प्रभावशाली अंतर के साथ। महानता और शक्ति में सरलता, गम्भीर व दमन व एकाग्रता के द्वारा विकसित भावों की पूर्णता जो हम यहाँ पाते हैं वह भारत के प्राचीन कला की परिपूर्ण विधि है।

और इस परिपूर्णता द्वारा बुद्ध-धर्म-की-कला बन गई ना केवल धर्म का उदाहरण तथा उसके विचार व धार्मिक भावना, इतिहास तथा पौराणिक गाथा की अभिव्यक्ति, बल्कि बुद्ध धर्म के आध्यात्मिक भाव की एक प्रकटीकरण करने वाली व्याख्या तथा भारत की आत्मा के लिये इसका विद्वतापूर्ण अर्थ बन गई।"

यह भारतीय कला का विशेष गुण है तथा इसे नकारना पूर्ण नासमझी में गिरने तथा अत्यधिक गलतफहमी में पड़ने के समान है। भारतीय भवन-कला, चित्र-कला, मूर्ति-कला ना केवल अभीप्सा में भारतीय दर्शनशास्त्र, धर्म, योग, संस्कृति के केन्द्रीय वस्तुओं के अत्यंत निकटतापूर्ण एक रस है बल्कि उनके महत्व का एक विशेषतया सघन अभिव्यक्ति भी हैं।

भारत में विज्ञान और शिल्प या यंत्र-ज्ञान

जैसा कि पिछले अध्यायों में देखा गया है, भारतीय संस्कृति में बुद्धि के विकास को एक उच्च स्थान दिया गया था। इसके दर्शनशास्त्र और कला के क्षेत्र में जिसके बारे हमने पहले ही देख लिया है, प्रयोग होने के अलावा विज्ञान और यंत्र-ज्ञान के क्षेत्र में भी इसका स्पष्ट प्रयोग हुआ था।

इसका एक प्रमाण इस बात में भी है कि अति प्राचीन समय से ही भारत में शिक्षा हेतु महत्व पर बल दिया गया था। संसार का पहला विश्वविद्यालय 700 ई. पूर्व. में तक्षशिला में स्थापित किया गया था। 10,500 से अधिक विद्यार्थी सारे संसार भर से प्रवेश पाये हुये थे जो 60 से अधिक विषयों का अध्ययन करते थे। इसी प्रकार नालन्दा विश्वविद्यालय जो चौथी सदी में निर्मित थी वह शिक्षा के क्षेत्र में प्राचीन भारत की महानतम देनों में से एक है। चीनी विद्वान व यात्री ह्यून सांग यहाँ सातवीं शताब्दी में ठहरा तथा उसने यहाँ के पवित्र विद्यार्थी जीवन के बारे में तथा यहाँ की विद्या की श्रेष्ठता का एक विस्तृत वृत्तांत छोड़ा है। लगभग 2000 अध्यापक तथा 10000 विद्यार्थी बौद्ध-धर्म के अनुयायियों वाले सारे संसार से आकर यहाँ रहते थे तथा इस अंतर्राष्ट्रीय विश्वविद्यालय में आकर अध्ययन करते थे।

शिक्षा पर इतना बल देने के फलस्वरूप, विज्ञान का भी अत्यधिक रूप में विकास किया गया था।

> *विज्ञान की विभिन्न शाखाओं में कई प्रगतियाँ जिन्हें हम अब यूरोप में हुई मानते हैं वे वास्तव में भारत में कई शताब्दियों पहले हो चुकी थीं।*
>
> *[ग्रांट डफ, भारत का अंग्रेज इतिहासकार]*

आओ अब हम प्राचीन भारत में विज्ञान और शिल्प ज्ञान के क्षेत्र में हुये उन कुछ आविष्कारों का अवलोकन करें जिनके प्रति सारा संसार प्राचीन भारतीय वैज्ञानिकों और आविष्कारकों के प्रति आभारी हैं:

- कम्प्यूटर विज्ञान में आज प्रयोग में लाई जाने वाली एलगोरिथम की तकनीक
- बीज गणित का विज्ञान
- शून्य की संकल्पना-अरबों द्वारा यूरोप को दी गई जिन्होंने इसे भारत से लिया तथा जिसने गणित को पूर्णतया क्रांतिकारी कर दिया। इसी के द्वारा बाईनरी संहिता बनी जिस पर अंत में कम्प्यूटर का कार्य आश्रित है।

- दानेदार चीनी व गुड के बनाये जाने की तकनीक (शब्द चीनी संस्कृत के शब्द शर्करा से निकला है)
- केम्फर (कपूर) का बनाया जाना (यह शब्द ऑक्सफोर्ड शब्द कोष के अनुसार संस्कृत के मूल शब्द कपूरम से निकला है)
- टिन (जस्ता) का बनाया जाना (अंग्रेजी का तकनीकी नाम टिन के लिये केसिटेराइट है जो कि संस्कृत के शब्द कश्यीरा से निकाला जाता है)
- रंगों का बनाया जाना जैसे कि ऐनलाइन व इन्डिगो (नील)। (शब्द इंडिगो भारत के शब्द से आता है तथा ऐनलाइन अरबी शब्द ऐन नील से निकलता है जो कि ऑक्सफोर्ड शब्द कोष के अनुसार संस्कृत के शब्द नीलम से निकलता है)
- गुम्बद जो हम संसार भर के मस्जिदों पर देखते हैं उसका मूल भारत के बौद्ध-विहारों के भवन कला परम्परा में स्तूप के आपस में जुड़ते गुम्बद के रूप में हुआ था।

ये केवल कुछ उदाहरण हैं जो भारत के विज्ञान और यंत्र-ज्ञान के क्षेत्रों में संसार को अपने अंश-दान हैं। ऐसे अनेकों उदाहरण कई और क्षेत्रों में जैसे कि सिविल इंजनियरिंग, यांत्रिक इंजनीयरिंग, भवनकला, उत्पाद तकनीक, रासायनिक इंजनियरिंग, भौतिकी विज्ञान, मेडिकल विज्ञान, गणित, तर्क-शास्त्र, नक्षत्र ज्ञान, या समुद्री जहाज बनाने के क्षेत्र, समुद्री यात्रा, कला इत्यादि में पाये जा सकते हैं। ऐसे भी प्रमाण हैं कि इन सभी विभिन्न पहलुओं में आज की संसारिक सभ्यता के कई प्रकरण अपने मूल के लिये प्राचीन भारत के आभारी हैं।

चिकित्सा-शास्त्र के क्षेत्र में भी, उदाहरण के तौर पर, ऐसे प्रबल प्रमाण हैं कि भारत में 800 ई. पूर्व के आसपास शल्य चिकित्सा का प्रचलन था। शल्य चिकित्सा (शास्त्रकर्म) को आयुर्वेद की आठ शाखाओं में से एक जाना गया है, जो कि प्राचीन भारत का चिकित्सा शास्त्र था। शल्य चिकित्सा से सम्बन्धित सबसे पुराना विवेचनात्मक निबन्ध सुश्रुत-संहिता है। सुश्रुत जो वाराणसी में रहता था वह कई भारतीय चिकित्सों में से एक था। कुछ अन्य नाम अत्रेय व चरक हैं।

सुश्रुत उन प्रथम लोगों में से था जिसने मानवीय रचना-शास्त्र का अध्ययन किया था। सुश्रुत संहिता में उसने विस्तार से एक मृत शरीर की सहायता से शरीर-रचना-शास्त्र का विस्तृत वर्णन किया है। सुश्रुत का मुख्य बिन्दु था रिहोनोप्लास्टी (प्लास्टिक शल्य चिकित्सा) तथा ओपथैल्योमिआलोजी (आँख के

पर्दे निकालना)। सुश्रुत ने शल्य चिकित्सा का वर्णन आठ बिन्दुओं चेदया, लेख्य, वेध्य, ईस्या, आईय, वर्स्य तथा सिव्या के नीचे किया है।

कई भारतीय व विदेशी साहित्यक सूत्रों से यह प्रकट होता है कि प्राचीन काल में वस्तुएँ जैसे कि चीनी, नारियल तेल, सूती कपड़ा, देशी घी, लोहा, टिन की चादरें, तांबे के बर्तन, रंग तथा रंगने के द्रव्य जैसे सिंदूर, नील तथा लाक, इत्र जैसे चन्दन का तेल, कस्तूरी, इमली, कोस्टस, माकीर, कपूर, तथा खुर्दुरे शीशे के बर्तन भी भारत से निर्यात किये जाते थे।

(दी पेरीप्लस ऑफ दी ऐरीथिरियन सी–ट्रैवल्ज एन्ड ट्रेड इन दी इंडियन ओशन बॉय मरचेंट इन दी फर्स्ट सेन्चुरी, ग्रीक से अनुवादिता तथा संग्रहित श्री विल्फ्रेड एस. स्कॉफ द्वारा, लौंगमैन ग्रीन एंड कम्पनी, न्यूयॉर्क 1912)

स्पष्ट रूप से यह वस्तुएँ प्रकृति की देन नहीं हैं, इनके निर्माण में ऐसी प्रक्रियाएँ सम्मिलित हैं जो विशेष रूप से चीनी, शीशा, धातुओं और इत्र के मामलों में इनके गुणों में रासायनिक परिवर्तन लाती हैं। इस प्रकार किसी प्रकार की रासायनिक इंजीनरिंग अवश्य भारत में उन दिनों यानि की 2000 से 5000 वर्ष पूर्व अस्तित्व में रही होगी। इस रासायनिक प्रक्रियाओं के लिये अवश्य ही कुछ भौतिक पात्र रहे होंगे। इससे यह माना जा सकता है कि कम से कम एक प्रारम्भिक या मौलिक ज्ञान जो आजकल के शब्दावली में यांत्रिक इंजनियरिंग के नाम से जाना जाता है उसका प्रचलन रहा होगा।

धातुओं की ढलाई व गलाई

विभिन्न रोमन और ग्रीक पुस्तकों से हमें जो ज्ञान मिलता है उससे पता चलता है कि लोहा, टिन, पीतल तथा ताँबा जैसे धातु भारत से निर्यात किये जाते थे। यह पुस्तकें बताती हैं कि कच्चे धातुओं का आयात नहीं होता था बल्कि चादरों के रूप में उन्हें वहाँ भेजा जाता था। इससे स्वभाविकतया यह निष्कर्ष निकलता है कि कच्चे धातु को अवश्य पहले भारत में गलाया जाता होगा तथा बाद में चादरों के रूप में ढाला जाता होगा इससे पहले कि उन्हें निर्यात किया जाये। संस्कृत साहित्य में ऐसे कई उदाहरण हैं जो इस बात की पुष्टी करते हैं।

एक ग्रीक लेखक जिसका नाम लेसियास था जो चौथी शताब्दी ईसा पूर्व इरान में रहता था उसके अनुसार धातुओं की गलाई भारत में उन दिनों की जाती थी। उसने लिखा है कि हर वर्ष एक झरना स्वयं को द्रव्य सोने से भर लेता था जिसको एक सौ मिट्टी के घड़ों में भर लिया जाता था तथा उसे निकालने के लिये घड़ों को तोड़ना पड़ता था। हर घड़े में सोने का एक टेलन्ट होता था।

एक अन्य लेखक मैक्क्रिंडल जिसने क्टेसियास की लेखनी का अनुवाद किया था उसने टिप्पणी की है कि इस लेख का भाव केवल यही हो सकता है कि लोह-स्वर्ण के कच्चे धातुओं को गलाया जाता था तथा उनसे जो सोना प्राप्त होता था वह एक द्रव्य के रूप में निकाला जाता था। यह कि वहाँ कोई झरना था, अवश्य ही नासमझी होगी तथा हमें इसके बदले यह कल्पना करनी होगी कि वहाँ बड़ी कढ़ाही थी जो सोना प्राप्त करती थी।–यदि यह सही है तो इसका अर्थ यह है कि भारतवासियों को मालूम था कि कच्ची धातु की गलाई द्वारा किस प्रकार सोना निकाला जा सकता है।

इस प्रकार के अनेकों ही उदाहरण दिये जा सकते हैं, यह संक्षिप्त अध्याय केवल यह इशारा करता है कि भारत में विज्ञान और यंत्र-ज्ञान का अत्यधिक विकास था। यह परम्परा और पृष्ठभूमि ही है जिसने आधुनिक भारत को ज्ञान के तकनीक, आकाशीय अनुसंधान तथा जीव विज्ञान के क्षेत्रों में एक मुख्य भूमिका निभाने के लिये क्षमता प्रदान की है। भविष्य के गर्भ में भारत के लिये बहुत कुछ छिपा है तथा एक ज्ञान की क्रांति भारत के क्षितिज पर विद्यमान है।

निष्कर्ष के तौर पर आओ हम देखें कि श्री अरविन्द क्या कहते हैं–

कोरा सत्य तो यह है कि आधुनिक काल से पहले किसी भी राष्ट्र ने इतना अधिक वैज्ञानिक अनुसंधान नहीं किया होगा तथा इतने उत्कृष्ट सफलता के साथ जितना प्राचीन भारत ने किया था। यह एक ऐसा सत्य है जो इतिहास के पन्नों पर है जिसे हर कोई पढ़ सकता है। इसे भारतीय विद्वानों तथा प्रसिद्ध व श्रेष्ठ वैज्ञानिकों द्वारा अत्यधिक प्रभाव तथा काफी समृद्ध वर्णन द्वारा आगे लाया गया, परंतु यह यूरोपीय विद्वानों द्वारा पहले से ही माना गया था व विदित था जिन्होंने इस विषय पर तुलनात्मक अध्ययन करने का कष्ट किया था। भारत ना केवल गणित, खगोल-शास्त्र, रसायन विज्ञान, चिकित्सा-शास्त्र, शल्य-शास्त्र, भौतिक ज्ञान के सभी शाखाओं में जिनका प्रचलन प्राचीन भारत में होता था, उन सबमें अग्रिम पंक्ति में था बल्कि वह ग्रीक के साथ-साथ, अरबों का आध्यापक भी था जिनसे यूरोप ने वैज्ञानिक जाँच की खोई हुई आदत को पुनः प्राप्त किया तथा वह आधार पाया जिसके द्वारा आधुनिक विज्ञान आरम्भ हुआ। कई दिशाओं में भारत की आविष्कार के क्षेत्र में प्राथमिकता रही थी,–अनेकों में से केवल दो उत्कृष्ट उदाहरणों को ले, गणित में दशमलव चिन्हान्कन या यह अनुभव कि खगोल शास्त्र में धरती एक घूमता हुआ पिंड है,–कालः पृथ्वी स्थिरह भति, धरती घूमती है तथा स्थिर केवल दीखती ही है, गैलिलियो से कई शताब्दी पूर्व भारतीय खगोल शास्त्री ने कहा था। यह महान विकास शायद ही सम्भव हो पाता एक ऐसे राष्ट्र में जिसके विचारकों व पठित लोगों को

प्रकृति के अध्ययन से हटाकर उसके आध्यात्मिक प्रवृत्तियों की ओर ले जाया गया होता। भारतीय मानस का एक अद्‌भुत पहलू था जीवन की वस्तुओं की ओर अति समीपता से ध्यान केन्द्रित करना उसके प्रमुख तत्वों को बारीकी से देखने की प्रवृत्ति, उसके हर विभाग में प्राप्त व्यवस्था को व्यवस्थित कर एक विज्ञान, शास्त्र भली भांति स्थापित योजना व नियम बनाना। यह कम से कम वैज्ञानिक प्रवृत्ति का एक शुभारंभ है तथा ऐसी संस्कृति का चिन्ह नहीं जो मात्र अप्रमाणित आध्यात्मिकता के योग्य हो।

साथ ही साथ भारत ने जगत के आधारभूत नियमों का भी अविष्कार किया था जो अब भौतिक विज्ञान के द्वारा पुनः निश्चित किये जा रहे हैं। यहाँ श्री अरविन्द इसके बारे में यह कहते हैं–

यह भी सत्य है कि भारतीय अध्यात्म ने आधुनिक दर्शनशास्त्र की भांति अस्तित्व के सत्य को मुख्यता भौतिक प्रकृति के सत्यों के प्रकाश के द्वारा पढ़ने का प्रयत्न नहीं किया। इस प्राचीन विद्वता ने स्वयं को वस्तुतः एक प्रगाढ़ हृत-पुरुष विज्ञान तथा एक आंतरिक प्रयोगशाली मनोविज्ञान पर आधारित किया, भारत की विशेष शक्ति–बल्कि मन का भी अध्ययन किया तथा हमारे आंतरिक शक्तियों का अध्ययन निश्चित ही प्रकृति का अध्ययन है,–जिसमें उसकी सफलता भौतिक ज्ञान में सफलता से अधिक थी। यह नहीं चाहते हुए भी उसने किया, क्योंकि यह अस्तित्व का आध्यात्मिक सत्य था जिसके लिये वह खोज कर रही थी। ना ही वास्तव में कोई महान और स्थाई दर्शनशास्त्र इस आधार के अतिरिक्त किसी और आधार पर सम्भव है। यह भी सत्य है कि सामंजस्य जो उसने स्थापित किया अपनी संस्कृति में दार्शनिक सत्य तथा मनोविज्ञान के सत्य व धर्म के बीच वह उसी मात्रा में भौतिक प्रकृति के सत्य के प्रति नहीं बढ़ाया था। भौतिक विज्ञान तब उन महान व्यापक बहुप्रचलित सिद्धांतों तक ही नहीं पहुँचा था जो बना सकता था तथा जो अब उस समन्वय को पूर्णतया सम्भव बना रहा है। तथापि प्रारम्भ से ही वेदों के विचार के समय से ही भारतीय मानस ने पहचान लिया था कि आध्यात्मिक मनोवैज्ञानिक तथा भौतिक अस्तित्व में वही सामान्य नियम तथा शक्तियाँ रहती हैं। उसने जीवन की सर्वव्याप्ति की भी खोज की, आत्मा का प्रकृति में वनस्पति तथा जीवजन्तु से मनुष्य के स्वरूप तक के विकास क्रम को पुष्ट किया, दार्शनिक गूह्यज्ञान व आध्यात्मिक व मनोवैज्ञानक अनुभवों के आधार पर दृढ़तापूर्वक स्थापित किया कई सत्यों को जिन्हें आधुनिक विज्ञान अपने ही तरफ के प्रस्तावों द्वारा पुनः पुष्ट कर रहा है।